S시

일러스트 민효인

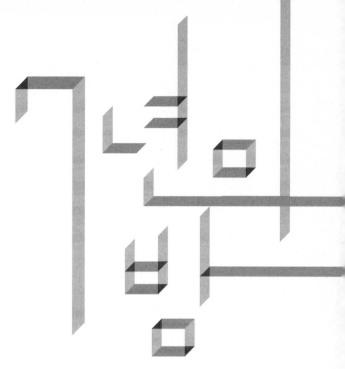

7년의 밤

정유정

장편소설

은행나무

차례

프롤로그

나는 내 아버지의 사형집행인이었다.

2004년 9월 12일 새벽은 내가 아버지 편에 서 있었던 마지막 시간이었다. 그땐 아무것도 몰랐다. 아버지가 체포됐다는 사실도, 어머니의 죽음도, 밤사이 무슨 일이 일어났는지도. 막연하고도 어렴풋한 불안을 느꼈을 뿐이다. 아저씨의 손을 잡고 두 시간여 숨어 있던 세령목장 축사를 나선 후에야, 뭔가 잘못됐다는 확신이 왔다.

목장 길 진입로를 경찰차 두 대가 차단하고 있었다. 붉고 푸른 경광등 빛은 오리나무 숲에 피멍을 들이며 돌았다. 빛의 층위로 날벌레들이 날았다. 하늘은 아직 어두웠고, 안개가 짙었고, 나는 축축한 새벽공기 속에서 떨기 시작했다. 아저씨는 휴대전화를 내 손에 쥐여주며 잘 간직하라고 속삭였다. 경관은 우리를 경찰차에 태웠다.

차창으로 혼란스러운 풍경이 지나갔다. 부서진 다리와 물에 잠긴 도로, 폐허가 된 거리, 뒤엉킨 소방차와 경찰차와 구급차, 검은 상공을 도는 헬리콥터. 세령댐 저지대라 불리던 마을, 우리 가족이 2주 동안 살았던 동네가 무저갱으로 변해 있었다. 무슨 일이 일어났을까. 나는 묻지 못했다. 아저씨를 쳐다보지도 못했다. 무서운 이야기를 들을까 봐 겁이 났다.

경찰차는 S시의 한 경찰서에서 멈췄다. 한 경관이 아저씨를 복도 끝으로 끌고 갔다. 다른 경관은 나를 반대편으로 데려갔다. 작은 방에 두 형사가 기다리고 있었다.

"네가 겪은 일만 말하면 된다."

파란셔츠를 입은 쪽이 말했다.

"누구한테 들은 얘기나 네 상상이 아니라. 알아들었지?"

알아들었다. 울면 안 된다는 것도 알아차렸다. 두려워해서도 안 될 일이었다. 지난밤 일을 침착하게 말해야 했다. 나와 아저씨가 풀려나려면, 아버지를 만나러 가려면, 어머니가 무사하다는 걸 확인하려면, 그래야 한다고 판단했다. 그들은 잠자코 들었다.

"네 얘기를 정리해보자. 널 호수로 끌고 간 사람은 아빠가 아니라 보안회사 직원이야."

파란셔츠가 확인했다. "네"라고 대답했다.

"아저씨가 구하러 올 때까지 너는 호수에서 2주 전에 죽은 여자애와 숨바꼭질을 했고."

"숨바꼭질이 아니에요. '무궁화 꽃이 피었습니다'였어요."

두 형사는 입을 다물고 나를 봤다. 시선들은 말하고 있었다. 우린 네 말을 믿지 않는다.

얼마 후, 파란셔츠가 나를 경찰서현관으로 데리고 나갔다. 작은아버지가 주차장에서 기다리고 있다고 했다. 현관부터 주차장까지의 통행로는 취재기자들이 점령하고 있었다. 파란셔츠는 내 팔꿈치를 쥐고 그들 속으로 들어갔다. 한 발짝 뗄 때마다 플래시가 터졌다. 고함이 터졌다. 고개를 들라. 여기를 보라. 아빠를 만났느냐. 너는 어디에 있었느냐.

현기증이 달려들었다. 목울대가 울렁대고 멀미가 났다. 파란셔츠의 걸음은 점점 빨라졌다.

어느 순간, 나를 부르는 아저씨의 목소리가 들리는 듯했던 한순간, 파란셔츠의 손을 뿌리치고 뒤를 돌아보던 그 순간, 무수한 얼굴들 사이에서 아저씨를 찾던 짧은 순간, 카메라들이 나를 향해 일제히 섬광을 뿜었다. 나는 빛의 바다에서 홀로 섬이 되었다.

작은아버지가 차 뒷문을 열어주었다. 나는 의자 한구석에 웅크려 앉아 아저씨의 휴대전화를 열었다. 대기화면에 깔린 사진을 들여다봤다. 안개 낀 별채앞길, 불 켜진 가로등들, 측백나무 울타리 옆을 나란히 걷는 거구의 남자와 사내아이. 남자는 사내아이의 책가방을 들었고 사내아이는 남자의 바지뒷주머니에 손을 넣고 있었다. 아버지와 나였다. 열흘 전 아침, 아저씨가 찍었을 우리의 뒷모습이었다.

나는 휴대전화를 접어 손아귀에 움켜쥐었다. 무릎에 이마를 대고 엎드렸다. 울지 않으려고 안간힘을 썼다.

세상은 '지난밤 일'을 '세령호의 재앙'이라 기록했다. 아버지에게 '미치광이 살인마'라는 이름을 붙였다. 나를 '그의 아들'이라 불렀다. 그때 나는 열두 살이었다.

등대마을

1

검은 밴이 달려와 약국 앞에 섰다. 라이방 선글라스를 낀 남자가 운전석에서 내려 약국으로 들어왔다. 나는 막 라면을 먹으려던 참이었다. 3시경이었고 늦은 점심이었다. 청소를 끝낸 직후라 배가 고팠다. 그래도 일어나지 않을 수 없었다.

"학생, 뭐 좀 물어보자."

라이방이 라이방을 벗으며 말했다. 시선이 짧게 깎은 내 머리에 머물렀다. '학생 맞지?'라고 묻듯. 나는 냄비귀때에 젓가락을 꽂았다. 물어라, 빨리.

"등대마을 가는 길이 어느 쪽이냐. 이정표엔 없어서."

라이방은 손에 쥔 라이방으로 약국 옆 사거리를 빙 둘러 훑었다. 내 눈은 라이방의 차를 쭉 훑었다. 크고, 우악스럽고 힘이 세 보였다. 시보레 체비 밴이라던가.

"학생, 등대마을 몰라?"

나로 말하면, 학생이 아니었다. 주인약사가 "최 군아" 부르면 "네" 하고 대답하는 약국점원이었다. 그렇다고는 해도 시보레 정도에 밸이 꼴리지는 않는다. 반말에 욱한 것도 아니었다. 그저 궁금해서, 마침맞게 주인약사도 없고 해서, 한 말씀 물었을 뿐이다.

"내비 없어요?"

"내비가 못 찾으니까 묻는 거잖아."

'인마'라는 말을 생략한 표정이었다. 나도 '인마'를 생략했다.

"내비가 못 찾는 걸 왜 약국에서 찾아요?"

시보레는 사거리에서 직진해 사라졌다. 나는 라면을 먹었다. 냄비가 비자 등대마을의 내비게이터용 지명이 기억났다. 신성리. 덤으로 기억난 건데, 그리로 가려면 약국 옆 사거리에서 좌회전해야 했다. 덧붙이면, 나도 등대마을 주민이었다.

등대마을은 지도에도 표기되지 않은 동네였다. 지도제작자가 보기에, 존재가 하도 하찮아 이름을 불러줄 가치조차 없었는지도 모르겠다. 내 룸메이트인 아저씨가 가르쳐준 바로는, '화원반도 귀퉁배기' 땅이었다. 내 보스인 파파약국 주인약사는 완행버스도 서지 않는 '숭악한 촌구석'이라고 부른다. 등대마을 청년회장 표현으로는, 슬리퍼 한 짝 사려면 대처를 향해 '쎄가 빠지게' 걸어야 하는 세상천지 끝자락이다. 다 맞는 얘기일 것이다. 인적 없는 바닷길을 삼십 리나 달려가야 층암절벽 위에 올라앉은 마을을 볼 수 있으니 말이다. 등대는 바다를 향해 새부리모양으로 튀어나간 절벽 끝에 서 있다. 마을 앞바다엔 크고 작은 바위섬들이 솟아 있으며, 마을 뒤편은 높고 긴 바위산이 감싸고 있다.

언젠가 아저씨와 산 정상에 올라간 적이 있었다. 반대편 내륙이 한눈에 내려다보였다. 바다처럼 광활한 땅이었고 나무 한 그루 없는 황무지였다. 관광단지를 조성하겠다고 나라에서 사들여 놀리고 있는 곳이었다.

본래는 수수가 자라는 벌판이었다고 들었다. 지금은 사라졌지만 벌판 끝에 작은 마을도 하나 있었다. 신성리를 등대마을로 부르기 시작한 건, 사라진 마을 아이들이었다.

등대마을 역시 소멸로 접어든 동네였다. 주민이라야 유령인구인 '애기들(아저씨와 나)'까지 합해 12명에 불과하다. 주민평균연령은 69세, 고구마농사로 먹고 산다. 바다는 있되 고기를 잡을 이가 없는 탓이다. 바다가 있으니 뭔가를 잡아들이기는 한다. 국거리나 술안주가 아쉬울 때, '애기들' 등을 떠밀어서. 등대마을의 마지막 아기는 61년 전에 태어났다고 면사무소에 기록돼 있다. 이 아기가 등대마을의 청년회장이자 동네에 하나밖에 없는 통통배 선주이며, 아저씨와 내가 세 들어 사는 등대민박집주인이다. 민박손님은 대개 알음알음으로 찾아드는 스쿠버다이버들이었다. 마을 앞바다에 있는 돌섬의 수중절벽이 이 적요한 땅으로 그들을 불러들이는 것이다. 아저씨와 나도 그들처럼 불려왔다가 눌러앉았다. 짐작건대, 시보레 팀도 돌섬의 부름을 받았을 테다. 아니라면 좋겠는데, 아니지는 않을 것 같았다.

7시경, 주인약사가 돌아와 금고를 열었다. 퇴근해도 좋다는 신호였다. 나는 약사 몰래 한방자양강장제 한 봉지와 파스를 가방에 쑤셔 넣었다. 성스러운 성탄전야에, 그 무슨 좀스러운 짓이냐고 한다면 다음과 같은 사연을 들려줄 수 있겠다.

아저씨는 나이 마흔에 벌써 정수리가 성글성글했다. 눈썹에는 허연 도사 털도 났다. 우리끼리 하는 돌섬시합에선 나날이 한심한 경기력을 보여주고 있었다. 일종의 철인삼종경기인데 룰은 아주 간단하다.

일단, 시합장인 돌섬 서쪽 포인트까지 청년회장의 배로 움직인다. 그곳에 배를 앵커시킨 뒤, 섬을 한 바퀴 도는 평영레이스가 1회전. 서쪽 포인트에서 입수해 수중절벽 난간을 훑어가며 멍게, 조개, 해삼 같은 것들로 각자의 철어렁이를 채우는 것이 2회전. 돌섬 소나무에 매달아둔 농구 골대에 다섯 골을 먼저 넣어야 하는 2인 농구가 3회전.

아저씨의 최근 전적은 10전 9패였다. 지난주엔 덩크슛을 꽂으려다 뒷목을 삐끗했다. 아저씨는 비열하고 치졸한 '어떤 놈'이 손바닥으로 자기 머리를 찍어 눌렀다고, 나만 보면 되씹는다.

"저 먼저 들어가겠습니다."

문 앞에서 소리치고 자전거에 올라탔다. 사거리를 빠져나온 후부터는 엉덩이를 든 채로 페달을 밟기 시작했다. 절벽 위로 이어지는 바닷길을 전속력으로 내달았다. 달은 없었으나 길이 어둡지는 않았다. 별들이 총총한 밤이었다. 별빛에 휘감긴 바다는 꿈결처럼 달착지근해 보였다. 절벽을 박치는 파도, 소리 없이 어둠 속을 나는 은빛바닷새, 갯바위 틈에서 피어오르는 해무, 거뭇거뭇 그림자 진 바위섬들. '감미로운 해풍'이라는 문학적 수사를 보탤 수 있으면 좋으련만…… 양날까뀌 같은 바람이 얼굴을 깎아댔다. 집에 도착했을 땐 해골만 남은 기분이었다.

담 밑에 아저씨의 자주색 봉고와 검은 시보레 밴이 일렬로 서 있었다. 나는 봉고와 시보레 사이에 자전거를 세웠다. 아저씨의 목소리가 담을 넘어왔다. 하기 싫은 말을 할 때 나오는 국어책 낭독 어투였다.

"돌섬은 조류가 강하고 변덕스러운 데다, 하향조류 출몰지역이고 해저지형이 미로처럼 복잡하며, 지금은 사리 때이자 밤인데 자네들은 술을 마셨고……"

"여보세요, 아저씨."

누군가 아저씨의 말을 잘랐다.

"아저씨는 뉘신데 난닝구 바람으로 튀어나와서 선생질이세요?"

아저씨는 국어책 낭독을 마저 끝냈다.

"술 취한 자가 들어갈 곳은 바닷속이 아니라 이불 속이라고 보네만."

나는 대문을 밀고 들어갔다. 마당 한가운데에 두 팀이 대치하고 있었다. 잠수장비로 무장한 시보레 팀 대 슬리퍼에 러닝셔츠 차림인 아저씨와 청년회장 팀. 쪽수는 4 대 2. 아저씨는 가뜩이나 처진 눈을 반만 뜨고 있었다. 자다 불려나왔지, 싶었다. 잠을 깨웠을 청년회장은 아저씨 어깨 뒤에 구부정하게 서 있었다.

"내가 보기에 이불 속으로 들어가야 할 쪽은, 난닝구바람으로 덜덜 떠는 댁 같은데."

아저씨와 맞서고 있는 상대 팀 대표선수는 라이방이었다.

"자네, 야간 드리프트(수중절벽에서 조류를 타는 다이빙)를 해본 적은 있나?"

라이방은 웃음을 터트렸다. 호나우두에게 "너 헤딩할 줄 알아?" 하면 그런 식으로 웃으려나. 옆에 있던 나머지 셋도 덩달아 웃어댔다. 아저씨는 팔짱을 끼고 땅을 한 번 내려다봤다.

"리더가 무모하면 사고가 나는 법이야."

"오지랖이 넓으면 코피가 나는 법이고."

라이방이 엄지로 제 코끝을 쓱 문질렀다. 일행은 다시 웃음을 터트렸다. 하나는 아예 마당에다 궁둥이를 깔고 앉았다. 술이 아니라 마약을 했지, 싶었다. 아저씨는 입술 안쪽을 잘근잘근 씹으며 라이방을 응시했다. 머리로 계산기를 찍고 있는 눈치였다. 이놈을 한 대 패주면 나는 몇 대나 맞을까. 내 계산인바, 4 대 2에 대한 산술적 답안은 '골로 가는 스코어'였다.

"학생, 시방 뭔 언사를 그따구로 친단가."

아저씨를 '작가선생'으로 떠받드는 왕년의 문학청년, 청년회장이 지원에 나섰다.

"우리 작가선생이 일이 없어서 나온 것이 아녀. 일 나기 전에 막을라고 나온 것이제. 우리 동네에서 제일가는 잠수전문가여. 이 양반이 아니라고 하면 사실적으로다 아닌 거여. 날 밝으면 열 번이고 스무 번이고 배 내줄 것인 게, 오늘은 그만들 허고······"

라이방이 마당에다 침을 탁, 뱉었다. 덧붙인 "아, 씨발"은 일발장전의 기합으로 들렸다.

"말귀 퍽 못 알아들으시네. 계약상 우리는 갑."

라이방의 검지가 청년회장의 벌게지는 얼굴을 가리켰다.

"영감님은 을. 우리는 돈 냈고, 영감님은 배 내고. 오케이?"

나는 대문을 뒷발질로 차서 닫았다. 아저씨를 방으로 퇴장시키려면 판을 깰 필요가 있었다. 청년회장까지 구하지는 못하겠지만.

"음마, 울 애기 은제 왔대야?"

청년회장이 먼저 돌아봤다. 이어 아저씨가 돌아봤다. 시보레 팀의 시선이 사열하듯 따라왔다.

"이것 봐라. 이게 누구신가. 약국점원 형아 아니신가."

라이방이 대뜸 알은체를 해왔다. 나는 아저씨에게 말했다.

"저 좀 보세요."

라이방이 아저씨 앞을 가리고 섰다.

"우리 점원 형아는 집을 어떻게 찾아오셨을까? 등대마을 모른다면서."

그래도 우리 방은 안다. 기역자형 한옥의 맨 첫 번째 방이었다. 길가로 큰 창이 나 있어 등대와 바다가 한눈에 보이는 방이기도 했다. 그쪽으로 몸을 틀었다.

"형아네 사장 아직 모르지? 제집도 모르는 칠뜨기가 자기네 점원인 거. 근데 작가선생이고 잠수전문가인 난닝구아저씨랑 약국 칠뜨기형아

랑은 어떤 사이야? 부자간도 아니고, 삼촌 조카도 아닌 것 같고. 오다가다 만나서 등짝 붙인 뜨끈한 사이신가?"

라이방은 깐죽거리고 패거리는 낄낄댔다. 나는 못 들은 척, 걸음을 뗐다. 판은 깼지만 라이방의 주둥이까지 깨줄 마음은 없었다.

"어르신이 결정하세요. 전 더 할 말 없습니다."

아저씨가 상황을 정리했다. 우리는 나란히 방으로 들어왔다. 닫히는 문틈으로 야유가 들이쳤다. 청년회장의 고함소리가 이어졌고 차에 시동 거는 소리가 들려왔다. 끝내 바다로 가려나보다 했다. 그런데 아니었다. 적어도 당장은.

시보레 팀은 웃음소리인지, 타잔 소리인지 모를 기이한 함성을 질러대기 시작했다. 오로로로…… 소리에 맞춰 전조등이 번쩍거렸다. 차 안 오디오에선 영구캐럴이 터져 나왔다.

"흰 눈 따이로 떨매를 타고, 달릴까, 마알까, 달릴까, 말까……."

나는 커튼을 쳤다. 자살골이었다. 상대에게 자기 팀이 한 점 땄다는 승리감만 심어준 꼴이었다. 빛과 소리의 소란이 곧장 창문을 두들기는 공세적 행위로 옮겨갔으니 말이다. 창틀과 유리창이 흔들리고, 혀짤배기 캐럴에 시보레 팀의 코러스가 얹혔다. 영구 어없다!

아저씨는 책상 앞에 앉았다. 나는 양말을 벗었다. 시보레 팀이 창가를 떠난 건 그로부터 5분 후였다.

"쟤네들 뭐예요?"

내가 물었다. 목소리가 자다 일어난 후처럼 가라앉아 있었다. 대답하는 아저씨 목소리도 비슷했다.

"뭐겠냐, 미친놈들이지."

"저런 애들을 왜 받으셨대요?"

"찬밥 더운밥 가릴 처지가 아니잖아. 손님 든 게 근 한 달 만인데."

"그런데 아저씨는 왜 끌어들여요?"

"술 마시고 배 내달라고 떼를 쓰니까 말려보라고 부른 거지."

아저씨는 잠시 뭔가를 생각하다가 혼잣말처럼 물었다.

"팔 걷어붙이고 말려도 말 들을 애들 아니었지?"

사마귀가 다리를 들어 길을 막는다고 불도저가 설까. 나는 가방에서 자양강장제를 꺼내 내밀었다. 아저씨는 버럭 성을 냈다.

"이런 건 왜 자꾸 훔쳐와, 인마. 부작용 나면 네가 책임질래."

"부작용으로 머리털이 사자갈기처럼 돋는다잖아요. 굳이 온화하고 사려 깊은 대머리가 되겠다면 내가 먹고요."

아저씨는 약을 낚아갔다. 나는 발을 씻으러 갔다.

고양이는 천둥이 치기 전에 뇌에 자극을 느낀다고 한다. 인간의 뇌 변연계에도 비슷한 감관이 하나 있다. 재앙의 전조를 감지하면 작동되는 '불안'이라는 이름의 시계. 자리에 누운 후로도 나는 잠을 이루지 못했다. 째깍대는 초침소리를 들으며 기억 속으로 뒷걸음질 쳤다. 7년 전 그날, 아저씨와 경찰서에서 헤어진 후로.

어머니는 장례식조차 치르지 못하고 화장됐다. 나는 작은아버지에게 위탁됐다. 학교에는 다니지 못했다. 전학한 첫날에 다닐 수 없다는 걸 깨달았다. 반 아이들은 내가 누군지 나보다 더 잘 알고 있었다. 열두 살짜리 여자아이의 목을 비틀어 살해하고, 여자아이의 아버지를 몽치로 때려죽이고, 자기 아내마저 죽여 강에 내던지고, 댐 수문을 열어 경찰 넷과 한 마을주민 절반을 수장시켜버린 미치광이 살인마의 아들. 그 광란의 밤에 멀쩡하게 살아남은 아이.

내 사촌들은 반 아이들에게 나와 비슷한 취급을 당했다고 울었다. 개

인병원 물리치료사였던 작은아버지는 직장을 그만둬야 했다. 작은어머니는 집주인으로부터 집을 비우라는 요구를 받았다. 일가족은 도망치듯, 산본의 한 아파트로 이사했다. 베란다가 있는 뒷방이 내 차지가 됐다. 작은어머니는 나를 데리고 산다는 게 알려질까 봐 전전긍긍했다. 내 사촌들은 나와 화장실조차 함께 쓰고 싶어 하지 않았다. 어쩌다 집 안에서 마주치면 비명부터 질렀다. 그럴 때마다 나는 얼어붙었다. 설령 내가 '매력'이라는 카사노바적 유전자나 이성친화적인 외모를 가졌다 한들, 나만 보면 사이렌을 부는 두 계집애들 앞에서 무얼 해볼 수 있었겠는가. 스스로 나를 방에 가두는 것 말고.

나는 집에 아무도 없거나 모두가 잠든 밤에만 방에서 나갔다. 밥이 있으면 먹고, 없으면 굶었다. 종일 참았던 용변을 보고 몸을 씻었다. 씻는다는 건 일종의 의식이었다. 내가 공포나 혐오감을 주는 괴물이 아님을 확인하는 절차였다. 다리 둘, 팔 둘, 내 모습을 확인하는 눈동자 한 쌍, 안도하는 영혼 하나.

방으로 돌아오면 창가에 옹크려 앉아 시간을 보냈다. 잠을 자거나, 창밖을 내다보거나, 공상을 하면서. 아저씨가 그리웠다. 아저씨가 내게 연락을 했는지 궁금했다. 했다고 해도 연락을 받을 길이 없어 답답했다. 아저씨의 휴대전화는 작은아버지가 벽에 던져 깨버렸다. 집에서 쫓겨나고 싶지 않다면, 아버지의 주변사람과 연락하지 말라고 했다.

석 달이 지나자 작은아버지는 나를 큰고모네로 보냈다. 큰고모는 석 달 후 둘째 고모네로…… 어디를 가나 내 처지는 비슷했다. 달라진 건 불규칙하게나마 학교에 다닐 수 있었다는 점뿐이었다. 시간이 흐르면서 세령호 사건은 세간의 관심에서 멀어졌고, 나를 알아보는 이도 점차 줄었던 것이다. 다니던 학교와 작별하는 날은 석 달이 끝나거나 내가 누군지 알려지는 날이었다. 그나마 내게 연민을 보여준 이는 어머니의 동생인 영주이모뿐이었다. 그 집에서는 다른 집보다 한 달 남짓 더 살았다. 넉 달째 되던 날, 이모는 외삼촌에게 나를 보내며 "서원아, 이모가…… 미안해"라고 말했다. 그때 이모의 눈에 차오르던 눈물을, 가끔 떠올리고는 한다. 이모부가 없었다면, 영주이모는 나를 쭉 데리고 살아줬을까.

이모부는 나를 몸서리나게 싫어했다. 술에 취해 들어오면 다짜고짜 끌어내, 정신 나간 사람처럼 주먹질을 퍼부어댔다. 말리는 이모까지 밀치며 "저놈 데리고 나가"라고 소리 지른 것도 여러 번이었다. 이모네를 떠나기 전날 밤, 안방에서 새어나오던 이모부의 말을 나는 지금도 잊지 못한다.

"너, 저놈 눈 똑바로 본 적 있어? 저놈 우는 거 본 적 있어? 욕을 먹어도, 두들겨 맞아도 똑같은 눈이야. 아무 표정 없이 물끄러미 쳐다본다고. 그게 사람을 환장하게 만든단 말이야. 그건 어린애 눈이 아냐, 뭔 일을 저질러도 저지를 눈이지. 난 무서워서 더 못 데리고 있어. 내일 처남한테 보내."

눈보라가 치던 1월 첫날, 나는 외삼촌 집에서 석 달째 아침을 맞았다. 가방을 들고 나오는 내게 외삼촌은 천 원짜리 두 장을 건넸다.

"산본 작은아빠네, 찾아갈 수 있지?"

주소를 외우고 있으니 어떻게든 찾을 수 있겠지. 대답으로 고개를 끄덕였다. 외삼촌은 데려다주지 못해 미안하다고 말했다. 외삼촌네는 그날 이사를 할 예정이었다. 이사할 집 주소는 내게 가르쳐주지 않았다. 나는 책가방을 메고, 옷가방을 들고, 모자를 눌러쓴 다음 아파트 단지를 걸어 나왔다. 칼바람이 불었다. 밤사이 내린 눈 때문에 길이 미끄러웠다. 손이 시리고 코끝이 한 방 얻어맞은 것처럼 아팠다. 그래도 뒤돌아보지 않았다. 한집에서 쭉 살게 해달라고 애원하기 싫었다. 쭉 살고 싶은 집도 없었다. 또 아저씨 생각이 났다.

훗날에야 알게 된 일이지만 그들은 내 유산을 양육비 명목으로 공평하게 나눠가졌다. 엄마의 적금통장, 생명보험금, 우리 가족은 한 시간도 살아보지 못한 일산의 새 아파트까지. 그것이 석 달 이상의 인내심은 사지 못했던 것 같다. 그러니 그런 일이 일어났겠지.

산본까지 가는 데 다섯 시간 가까이 걸렸다. 길을 잃고 헤맨 탓이었다. 현관 벨을 누르자 도어폰에서 귀에 선 여자목소리가 흘러나왔다.

"누구세요."

나는 작은아버지 이름을 댔다. 그런 사람 없다는 답이 돌아왔다. 잘못 찾았나 싶어 호수를 확인했다. 밖으로 나가 동 번호도 확인했다. 집을 잘못 찾은 게 아니었다. 집주인이 바뀌어 있었다. 허둥지둥 아파트입구에 있는 공중전화부스로 달려갔다. 작은아버지 휴대전화는 없는 번호가 돼 있었다. 외삼촌도 마찬가지였다. 휴대전화, 집 전화, 모두 정지돼 있었다. 일순 무서운 깨달음이 왔다. 작은아버지네는 두 번째 차례가 오기 전에 몰래 이사를 해버린 것이었다. 외삼촌은 그걸 알면서도 나를 산본으로 보낸 것이고. 그쪽도 이미 이사를 끝냈으리라는 추측이 가능했다. 영주 이모와 두 고모에게 차례로 전화를 걸어봤다. 어느 누구와도 연락이 되지 않았다.

막막했다. 두려웠다. 눈보라는 공중전화부스 안까지 몰아들었고 나는 가을점퍼 차림이었다. 청바지는 발목이 드러날 정도로 짧았다. 운동화는 작아서 뒤축을 접어신고 있었다. 종일 굶어 배도 고팠다. 가진 건 백 원짜리 동전 하나뿐이었다. 연락해보지 않은 번호도 하나뿐이었다. 작은아버지가 깨버린 아저씨의 휴대전화. 그리로 전화를 거는 건 의미가 없었다. 전화기가 없으니 받을 사람도 없으므로. 그런데도 수화기를 든 건 미약한 기대감이 스쳐갔기 때문이었다. 만약 아저씨가 새 휴대전화를 샀다면, 만약 그 전화번호를 그대로 쓰고 있다면…….

신호가 떨어졌다. 잠시 후, 느릿하면서도 발성이 분명한 음성이 "여보세요" 했다. 아저씨였다. 단번에 알아차렸다. 어떻게 모를 수 있겠는가. 한시도 잊어본 적이 없는데. 목이 꽉 막혀 대답이 나오지 않았다. 목젖 안에 무덤이 생겨난 기분이었다. 아저씨는 전화를 끊지 않고 끈질기게 물었다.

"여보세요, 누구세요."

"저예요."

가까스로 목소리가 나왔다. 이번엔 수화기 저편이 잠잠해졌다. 나는 용기를 내서 덧붙였다.

"아저씨 룸메이트."

영원처럼 길었다. 자줏빛 봉고가 눈보라를 뚫고 달려와 내 앞에 서기까지 1시간이.

아저씨는 안산에서 지내고 있었다. 나는 옛날로 돌아간 듯한 착각에 빠졌다. 아저씨의 원룸에 우리가 한집에 살던 시절, 나와 한 방을 쓰던 시절의 풍경이 고스란히 들어와 있었다. 작은 책상에 놓인 노트북, 그 옆에 던져둔 수첩과 열쇠고리와 지갑, 초록색 멘톨담뱃갑, 맥주깡통, 아무데나 붙여놓은 포스트잇. 아저씨도 그대로였다. 새치가 섞인 짧은 머리라든가, 웃을 듯 말 듯 빙긋거리는 입매라든가, 방에 들어서기만 하면 양말을 벗어던지는 버릇까지. 소설가에서 대필 작가로, 직종만 달라졌다.

아저씨는 내게 어떻게 지냈느냐고 묻지 않았다. 내 몰골이 내 처지를 일러바쳤을 것이다. 휴대전화를 어쨌느냐고도 묻지 않았다. 한번쯤은 전화를 걸겠지, 싶어 기다렸다는 말만 했다. 나는 다급하게 화장실로 들어갔다. 표정을 들키고 싶지 않았다. 아저씨가 내 마음을 몰랐으면 했다. 아저씨 혼자 산다는 것에 얼마나 기뻐하고 있는지, 아직 결혼하지 않았다는 사실에 얼마나 안도하고 있는지, 며칠 데리고 있다가 친척집을 수소문해 돌려보내 버릴까 봐 얼마나 불안해하는지.

겨울이 갈 무렵, 아저씨는 내 후견인이 되기 위한 법적 절차를 마쳤다. 나는 아저씨의 둘째형의 양아들이 되었다. 어떻게 해서 그런 일이 가능했는지는 알지 못한다. 양아버지 얼굴도 본 적이 없다. 물은 적도 없고, 알고 싶었던 적도 없다. 내게 중요한 건, 아저씨에게 버림받지 않으리라는 확신뿐이었다.

나는 중학생이 되었다. 절박한 심정으로 공부에 매달렸다. 내가 할 수 있는 유일한 일이었고, '저 잘할게요'라는 무언의 맹세였다. 버림받을지도 모른다는 두려움의 다른 얼굴이기도 했다. 아저씨는 기꺼이 과외선생이 돼주었다.

2학기 중간고사에서 목표의 8부 능선에 섰다. 반 석차 1등, 전체 석차 5등. 그날 아저씨는 나를 동네 고깃집에 데려갔다. 맥주잔과 콜라 잔을 부딪치며 성과를 자축했다. 그때, 벽에 걸린 텔레비전에서 아버지의 이름이 흘러나왔다. 사형이 확정됐다고 했다. 내 손에서 콜라 잔이 빠져나갔다.

나는 그 순간에야 알았다. 내 마음 어딘가에 희망이 도사리고 있었다는 것을. 아버지가 진짜 범인이 아닐지도 모른다는 희망, 무언가 잘못됐을 거라는 희망, 진짜 범인이 나타나면 아버지와 다시 만나게 되리라는 희망. 그걸 지키려고 내가 무엇을 해왔는지도 기억해냈다. 텔레비전 뉴스를 보지 않았고, 신문을 읽지 않았고, 인터넷을 하지 않았다. 누구에게도 아버지 이야기를 묻지 않았다. 심지어 사건전모조차 몰랐다. 물론, 들려오는 풍문이야 있었다. 누구를 어떤 식으로 죽였는지, 몇 명이 희생됐는지, 어떤 형을 받을 것인지. 내가 아는 건 딱 그 정도였다.

　사형확정판결 소식은 이 신기루 같은 희망을 앗아갔다. 다음 날 오후, 내 앞으로 날아든 우편물은 마지막 자존심을 조각냈다. 발신인이 사서함 주소로 돼 있는 갈색봉투 안에 선데이매거진이라는 주간지가 들어 있었다. 그날 아침 발행된 것으로 사진 한 장이 1면 전체를 차지하고 있었다. 입을 꾹 다물고 카메라를 돌아보는 소년의 사진이었다. 모자이크가 없었으므로 누군지 알아보는 데 크게 힘들지 않았다. 나였다. S시 경찰서에서 카메라플래시를 받으며 서 있던 열두 살의 나. 다음 페이지엔 '세령호의 재앙'이라는 제목을 단 특집기사가 열 쪽에 걸쳐 실려 있었다. 판결문 전문이 실리고, 세령호사건을 재구성한 기록이 뒤를 이었다. 아버지의 어린 시절, 20여 년에 걸친 야구선수생활, 은퇴 후 직장생활까지 조명했으니 평전이라 부를 수도 있겠다. 정신과의사의 심층 분석을 덧붙였으니 심리학리포트로 볼 수도 있으려나. 기사 중간 중간에는 현장검증 사진이 들어갔다. 대미를 장식한 건 확정판결을 받은 후에 찍힌 아버지의 사진이었다. 아버지는 모자나 마스크로 얼굴을 가리지 않았다. 고개를 숙이지도 않았다. 카메라를 돌아보는 무표정한 눈은 1면 사진 속 내 눈과 똑같았다.

　누가 이런 걸 보냈을까. 고개를 들자 아저씨가 내 앞에 앉아 있었다.

"이거 사실이 아니지요?"

　나는 아저씨의 눈이 어두워지는 것을 절망적인 심정으로 지켜봤다.

"그러니까 전부 다 사실은 아니지요?"

　한참 만에 대답을 들었다.

"사실이 전부는 아니야."

"그러니까 사실이 거짓말일 수도 있다는 거지요?"

침묵이 가장 정확한 답변을 할 때가 있다. 그때 우리 사이에 흐르던 침묵이 바로 그랬다. 나는 흉벽 안에서 울리는 진실의 목소리를 들었다. 아무것도 잘못되지 않았다. 모든 것이 사실이었다. 나는 눈자위가 축축하게 부풀어 오르는 걸 느꼈다. 아저씨의 눈자위가 붉어지는 걸 볼 수 있었다.

선데이매거진은 내 삶 속으로 곱등이 떼처럼 뛰어 들어왔다. 월요일 아침, 교실 문을 열자마자 육안으로 확인할 수 있었다. 내 책상에, 아이들 책상마다 선데이매거진이 올라앉아 있었다. 떠들썩하던 교실은 일시에 고요해졌다. 내 자리로 걸어가는 동안 숨소리조차 들리지 않았다. 가방을 의자에 내려놓고 선데이매거진을 집어다 교실뒤편 쓰레기통에 버렸다. 되돌아와 가방을 열고, 자습서를 꺼내고, 의자에 앉았다. 수십 쌍의 눈이 내 뒤통수에 붙었다. 등 뒤의 누군가는 기사를 읽기 시작했다.

"나를 사형시켜라."

자습서의 활자들이 부옇게 부서졌다.

"살인마 최현수는 끝내 변호사를 거부했다. 사형확정판결을 받는 순간에도 무덤덤한 표정이었다."

어깨너머로 뒤를 봤다. 준석이었다. 내게 노상 빵을 사오라고 시키던 놈. 나를 '빵찌모찌'라고 부르던 놈. 눈이 마주치자 놈은 선데이매거진을 들고 자리에서 일어났다.

"현장검증을 하던 지난 2004년 11월에도 최현수는 어린 소녀의 목을 비틀거나, 아내를 강에 던지는 장면을 태연하게 재현해내 국민의 공분을 산 바 있었다……"

나는 책을 덮었다. 가방을 틀어쥐고 일어나 교실 문을 향해 걸음을 뗐다. 심장에서 나비들이 날고 있었다. 검은 날개를 펄럭이며 폭발하듯 솟구치는 아드레날린이라는 부나비들. 발뒤꿈치가 둥둥 떴다. 아이들의 얼굴이 훌쩍훌쩍, 뒤로 물러났다. 준석은 계속 읽었다. 내가 교실에서 꺼질 때까지 읽을 태세였다. 물론 나는 꺼질 예정이었다. 놈의 입을 닥치게 해준 다음에.

"당시, 열두 살이었던 최현수의 아들은 세령목장 폐축사에 숨어······"

준석과 내 어깨가 일렬이 되는 순간이 왔다. 내가 걸음을 멈추자 놈은 내게 곁눈질을 던졌다. 조롱과 경멸, 혐오가 뒤섞인 시선이었다. 나는 시선을 피해 발끝을 내려다봤다. 놈은 이력이 화려한 싸움꾼이었다. 키도, 덩치도 나보다 훨씬 컸다. 놈을 손보겠다고 덤비는 건 고난을 불러들이는 것과 다르지 않았다. 내겐 응원군 하나 없었다. 쓸 수 있는 무기는 순발력뿐이었다. 반 아이들의 기대 어린 시선과 '빵찌모찌'에 대한 놈의 자신감이 기회를 줄 것이라고 생각했다. 한 발짝, 발을 떼며 놈을 지나쳤다. 놈은 다시 기사로 시선을 옮겼다.

"가까스로 화를 피한 최 군은······"

나는 빙그르 몸을 돌렸다. 쥐고 있던 가방을 놈의 얼굴로 휘둘렀다. 책이 가득 든 묵직한 가방은 얼굴 정면을 후려갈겼다. 비명이 튀고, 놈은 뒤통수를 뒷자리책상에 박치면서 의자와 함께 바닥으로 나자빠졌다. 이 한 번의 기회를 나는 놓치지 않았다. 득달같이 몸을 날려 놈의 가슴팍을 발꿈치로 내리찍어 버렸다. 내가 딴 점수는 거기까지였다. 누군가 뒤에서 내 머리를 의자로 후려쳤던 것이다. 허리를 말고 뒹구는 준석의 모습이 흐릿하게 멀어졌다. 이윽고 시야가 컴컴해왔다. 정신이 들었을 땐 아이들 밑에 납죽하게 깔려 있었다.

준석은 병원으로 실려 갔다. 나는 파출소로 끌려갔다. 단순한 아이들간의 싸움으로 훈방 처리될 수도 있었건만, 상황이 일을 키웠다. 잊혀져 가던 최현수는 사형확정소식으로 다시 수면 위로 부상한 참이었고, 나는 그의 아들이었으며, 그의 아들이 밟아버린 선량한 시민의 아들은 코뼈와 갈비뼈가 부러졌다. 선량한 시민부부는 합의를 거부했다. 순경들은 파출소로 몰려드는 기자들을 막지 않았다. 아저씨는 내가 소년분류심사원으로 넘어가는 걸 막지 못했다.

4주 후 심리에서 보호관찰 2년이 떨어졌다. 당시의 여론을 감안하면 가벼운 처분이었다. 아저씨의 읍소, 피해자와의 합의 노력이 소년원행을 막았을 것이다. 덕택에 아저씨의 전세원룸이 사라졌다. 우리의 새집은 반지하 단칸방이었다. 아저씨는 내게 두부를 내밀며 말했다.

"괜찮아. 이제 다 끝났어."

끝나지 않았다. 그것이 시작이었다. 내 출소에 맞춰 선데이매거진이 집주인에게 배달됐다. 이번에는 내가 주인공 노릇을 한 4주 전 기사까지 추가됐다. 주인은 방을 빼라고 요구해왔다. 학교는 나를 받아들이지 않았다. 아저씨는 전학과 자퇴 중에서 선택을 해야 했다.

나는 중학교를 졸업하지 못했다. 열두 번의 전학 끝에 자퇴해 검정고시로 고등학교에 갔다. 고등학교 네 학기 동안엔 아홉 번 전학을 했다. 신분이 알려지는 방식은 늘 같았다. 선데이매거진과 나에 관한 기사의 복사본이 학교와 학부모회와 반 아이들, 집주인과 이웃집으로 동시 배포 됐다.

우리는 떠돌이가 됐고 주거지는 대개 항구도시였다. 아저씨는 내게 본 격적으로 다이빙을 가르쳤다. 바다는 내게 자유를 주었다. 해저의 어둠 속에 가만히 몸을 웅크리면 세상이 한숨에 사라졌다. 그곳은 누구의 손도 닿지 않고, 누구의 눈길도 미치지 않고, 누구의 소리도 들리지 않는 세상의 절대벽이었다.

내 마지막 학교는 속초의 한 고등학교였다. 등교를 해보니, 내 책상에 선데이매거진이 놓여 있었다. 아이들은 말없이 나를 바라봤다.

세상에는 결코 익숙해질 수 없는 일들이 있다. 따돌림과 고의적 시비를 무시하는 일, 몰매를 맞으면서도 대항하지 않는 일. 침묵 속을 걷는 일도 이 범주에 들어간다. 교실을 나오는 동안 내 몸은 새파란 화염에 휩싸여 있었다. 차갑고도 끈질긴 불길이었다. 운동장을 가로지르고, 교문을 통과해 아르바이트를 하던 동네 편의점에 다다를 때까지, 쉼 없이 나를 태웠다.

편의점엔 사장 혼자 있었다. 손님들이 오락가락했고 카운터엔 선데이매거진 복사본이 놓여 있었다. 나는 한 달간 일한 급료를 달라고 했다. 사장은 손님이 들고 온 도시락코드를 찍으며, 좀 기다리라고 했다. 기다렸다. 30분, 1시간……. 그날따라 유별나게 손님이 박신거렸다. 사장은 손님 오가는 길목에서 거치적거린다고 투덜댔다. 나는 카운터 앞에서 후문 옆으로, 후문 옆에서 창고 문 앞으로, 다시 문간으로 자리를 바꿔가며 기다렸다. 모욕감 같은 건 느끼지 않았다. 얼굴을 붉히지도 않았다.

나는 카메라플래시를 받으며 서 있었던 열두 살 이래로 허둥댄 적이 없다. 소년분류심사원에 다녀온 후부턴 분노하지도 않는다. 누군가 호감을 표해와도 관계에 대한 기대를 품지 않는다. 그러므로 어떤 상황에서도 당황하지 않는다. 안다. 놀라면 허둥대야 정상이다. 모욕당하면 분노하는 게 건강한 반응이다. 호감을 받으면 돌려주는 게 인간적 도리다. 내또래 아이들은 대부분 그렇게 산다. 아저씨는 나도 그렇게 살아야 한다고 말한다. 나는 그 문장에서 '그렇게'를 떼어내라고 대꾸한다.

나도 살아야 한다. 그러려면 당황하고, 분노하고, 수치심을 느끼고, 누군가에게 곁을 내줘서는 안 된다. 거지처럼 문간에 서서, 몇 시간씩 기다려서라도 일한 대가를 받을 수 있어야 한다. 그것이 세상을 사는 나의 힘이다. 아니, 자살하지 않는 비결이다.

두 시간 후, 급료를 받았다. 받자마자 갑작스러운 기아상태에 빠졌다. 편의점 매대를 한 바퀴 훑었다. 받은 급료만큼 먹을거리를 샀다. 햄버거, 김밥, 핫도그, 샌드위치, 도시락……. 카운터에 쌓고 보니 서울역 노숙자 한 무리를 먹일 만한 양이었다. 사장에게 돈을 던져주었다.

부두는 모처럼 한산했다. 나는 선창 한구석에 자리를 잡고 앉아 사온 것들을 혼자 다 먹었다. 입 밖으로 밀려나오는 음식덩어리를 손가락으로 쑤셔 넣어가며 삼켰다. 눈으로는 숫자를 셌다. 석양 속으로 곤두박질하는 갈매기 수, 들고나는 고깃배 수, 나만큼이나 할 일 없는 길고양이 수. 끝내 밤이 찾아왔다. 돌아갈 시간이었다. 아저씨와 나의 스위트 홈, 선창가 골목 끝에 있는 장미여관 월세방으로.

아저씨에게 내 의사를 표현한 건 그날이 처음이었다. 자퇴하겠다고 했다. 학교를 그만두고 거처를 옮기면, 내 행적은 세상에서 사라지리라고 판단했다. 아저씨는 고개를 저었다.

"손들었어요."

손들지 말라는 대답을 들었다. 세상, 인생, 학교, 그 무엇에도.

"대학에 가면 나아질 거야."

나는 하마터면 웃음을 터트릴 뻔했다. 대학이라니. 이 무슨 꿈같은 소리일까. 그따위 것이 무슨 의미가 있단 말인가. 내 인생은 세령목장을 나서던 밤에 이미 끝났는데. 내 이마에는 원죄라는 쇠뿔이 박혔고 아저씨는 나로 인해 떠돌이가 되었다. 선데이매거진은 나를 놓아주지 않을 것이다. 어떻게 해도 상황은 바뀌지 않는다. 내 삶도 변하지 않는다. 손들지 않을 이유가 더 필요하단 말인가. 내 소망은 하나뿐이었다.

"한적한 바닷가에 숨어 살았으면 좋겠어요."

아저씨는 또 고개를 저었다. 아저씨의 눈은 백만 년이 지나도 '너의 소망'을 존중하지 않겠다고 말하고 있었다. 나는 고집스럽게 그 눈을 마주 봤다.

"1년 휴학하자. 학교문제는 그다음에 결정해도 늦지 않아."

아저씨가 한발 물러섰다. 나도 물러설 수밖에 없었다. "네"라고 대답했다.

우리는 바다를 따라 이동했다. 동쪽에서 남쪽으로, 남쪽에서 서쪽을 향해. 아저씨는 봉고를 운전하고 나는 지도를 봤다. 민박집이 있으면 짐을 풀고, 없으면 차에서 잤다. 내키면 먹고 심심하면 바다로 들어갔다. 사람이 나타나면 곧바로 길을 떠났다.

등대마을에 온 건 올 1월 초였다. 우리는 이곳에서 네 계절을 보냈다. 그동안 선데이매거진은 날아오지 않았다. 왜 여태 이리하지 못했던가, 못내 후회스러웠다. 진즉에 학교를 포기할 것을. 그랬다면 자줏빛 봉고를 몰고 먼지처럼 세상을 떠돌지 않았을 텐데.

이제는 꿈꿔도 좋을 것 같았다. 창조 이래 수많은 범상한 자들이 추구해온 범상한 바람, 여기 이곳에서 살고 싶다는 소망, 아저씨는 글을 쓰고 나는 약국에 나가면서 기왕이면 죽을 때까지 오래오래. 그러므로 세상의 눈이 이 땅을 바라볼 일은 일어나지 말아야 했다. 시보레 팀에게 신경이 쓰이는 건 그 때문이었다.

아저씨가 몸을 뒤척였다. 어둠 속에서 파도소리가 떠밀려왔다. 청년 회장네 괘종시계 종이 열 번 울렸다. 시보레 팀은 돌아오지 않았다. 나는 눈을 감았다. 이마 한가운데서 핏줄이 발끈거렸다. 머릿속 시계는 점점 큰 소리를 내며 돌았다.

바다를 모르는 자가 바다를 얕본다. 바다를 얕보는 자, 바다에 데기 마련이었다.

2

방문 옆에서 전화가 울기 시작했다. 우리는 동시에 일어났고 아저씨가 수화기를 들었다.

"작가선생, 일 났단게. 큰일 났단마시."

청년회장의 숨찬 소리가 쏟아졌다. 아저씨는 딱 세 마디 했다. 119와 경찰에 연락을 하셨어요, 어디쯤이에요, 지금 가겠습니다. 그 정도면 상황을 짐작하고도 남았다. 나는 몸을 일으키고 형광등을 켰다.

"사고야."

아저씨는 비키니옷장에서 내복과 드라이슈트(동계용 잠수복)를 꺼냈다.

"셋은 찾았는데, 카메라를 든 아이가 없다는 거야."

'그런데 아저씨가 왜 가요?'라고 묻고 싶었다. 잠수장비를 감춰버리고 싶었다. 아저씨가 아무 일도 하지 않기를 바랐다. '뭔가를 한다'는 '뭔가를 잃는다'와 같은 말이었다. 가까스로 얻은 것, 불안하게 지켜온 것, 막 꾸기 시작한 내 꿈.

"면 119엔 잠수대원이 없고 목포해경이 와야 구조를 시작할 텐데 그 땐 너무 늦어."

내 머릿속을 들여다본 듯한 해명이었다. 나도 내복을 입고 드라이슈트

를 걸쳤다. 아저씨는 슈트 지퍼를 올리다 말고 나를 돌아봤다. '넌 왜 나
서?' 하는 표정이었다.

내가 대심도 다이빙을 시작한 건 불과 1년 전이었다. 아저씨는 엄격한
스승이었고 기본을 중시 여겼다. 다이빙에 관한 한 내게 칭찬을 한 적도
없었다. 버디로서의 평가도 낮을 것이다. 더하여 내겐 이런 상황에 대한
경험이 없었다. 그렇다고는 해도 아저씨 혼자 가는 것보다야 낫지 않겠
는가. 돌섬 수중절벽이라면 나도 좀 알고 있으니까.

'그렇죠?'라고 묻는 눈으로 아저씨를 마주봤다. 아저씨의 눈에 갈등이
스쳐갔다. 잠시 후, 버디라인(짝끼리 몸에 연결하는 밧줄) 챙기라는 대답을
내놨다. 나는 휴대용 산소탱크와 마스크까지 챙겨 봉고에 탔다. 필요할
일이 있겠다, 싶었다.

우리는 1분 만에 등대에 도착했다. 차에서 내리자마자, 절벽아래로부
터 코뿔소처럼 내달아오는 인물을 볼 수 있었다. 그는 슬라이딩을 하듯
시보레로 뛰어들었다. 라이방이었다. 절벽 아래에선 청년회장이 고함을
지르고 있었다.

"학생, 혼자 내빼뿔면 야들을 어짜란 말이여."

나와 아저씨는 절벽 길로 뛰어 내려갔다. 배가 기슭에 멈춰 있고 청년
회장은 계선주에 줄을 묶는 중이었다. 배 안엔 두 남자가 쓰러져 있었다.
한쪽은 의식불명 상태였다. 다른 한쪽은 다리를 뻗지르며 비명을 토해냈
다. 언뜻 보기엔 벤즈(근골격계 감압병)증세 같았다. 하는 짓으로 봐선 공
황에 빠진 듯도 했다. 말귀를 통 못 알아들었다. 걷는 것도 불가능했다.

아저씨가 의식불명환자를 둘러메고 절벽 길로 올라갔다. 회장님이 그
들의 장비를 지고 메고 뒤따라갔다. 벤즈는 내 등에 태웠다. 한 발짝 떼
기도 전에 누가 대장인지 판가름이 났다. 그는 소처럼 울부짖고, 닥치는

32

대로 몸을 뻗지르고, 제가 올라탄 교통수단의 목을 졸라댔다. 나는 몇 번 씩 균형을 잃고 절벽 밑으로 떨어질 뻔했다. 누군가 허락만 해줬다면, 그를 바다에 풍덩 집어던져 버렸을 것이다. 작정하고 가랑이라도 걷어차 줬든가. 청년회장은 무거운 장비를 메고 끙끙대면서도 사고경위를 효율적으로 요약해 들려주었다.

시보레 팀이 입수한 지 50분이 지났을 즈음, 라이방이 배 근처에서 불쑥 떠올랐다. 약속한 시각에서 20분이나 지난 후였고, 정신이 반쯤 나가 있었다. 청년회장이 다른 사람은 어찌 됐느냐고 묻자 라이방은 고함으로 대꾸했다. 당장 등대로 가자고. 청년회장은 시보레 팀이 바닷속에서 뿔뿔이 흩어졌다는 걸 알아차렸다. 당신이 일일이 찾아 주워 담아야 한다는 것도. 두 번째 조난자는 북쪽 포인트에서 찾았다. 남쪽 암초지대에서 찾아낸 세 번째 남자는 배에 올라오자마자 의식을 잃었다. 카메라맨은 끝내 찾지 못했다. 청년회장은 등대로 배를 돌릴 수밖에 없었다. 몸소 배를 돌리겠다고 덤비는 라이방 때문이 아니라, 의식불명이 된 부상자를 뭍으로 데려가는 게 우선이라고 판단한 것이다. 119와 경찰을 부른 건, 아저씨에게 연락한 후였다. 정신없는 와중에 떠오른 사람이 아저씨뿐이었다고 했다.

우리가 등대 앞으로 돌아왔을 때까지도 119나 경찰은 도착하지 않았다. 라이방은 홀로 시보레에 들어앉아 있었다. 히터를 틀어놓고, 담요를 머리까지 뒤집어 쓴 채 의자에 오도카니 앉아 우리가 들어오는 걸 지켜봤다. 겁에 질린 눈이었다. 건드리기만 하면 물어뜯을 것처럼 표정이 사나웠다. 차를 몰고 달아나버리지 않은 것만도 용하다, 싶었다.

나는 벤즈를 의자에 앉혔다. 아저씨는 의식불명환자를 뒷좌석에 눕히고 산소마스크를 대준 뒤 라이방에게 다가앉았다.

"어떻게 된 거야?"

"난 잘못한 거 없어."

대꾸하는 목소리도 표정만큼 사나웠다. 아저씨는 라이방의 어깨를 흔들었다.

"어디쯤에서, 무슨 일이 일어났느냐고."

"손대지 마. 머리 아프고, 토할 것 같고, 당장 죽을 것 같단 말이야."

라이방은 아저씨의 가슴팍을 밀쳤다. 아저씨는 그의 멱살을 잡아채 얼굴을 마주보게 했다.

"똑바로 대답 못해."

"놔, 씨발."

라이방은 아저씨의 손을 뜯어내려고 버둥거리다가 숨을 씨근대며 악을 쓰기 시작했다.

"직벽 중간이야. 무시무시한 물기둥이 머리를 덮쳤다고. 부력으로 하강을 저지하면서 벽에 붙으려고 했는데 갑자기 위로 튕겨나갔단 말이야. 됐어?"

되고도 남았다. 돌섬 서쪽 포인트, 수심 9미터 지점에는 절벽난간이 있다. 난간 아래로 미로처럼 복잡한 협곡이 있고, 협곡을 따라 남쪽으로 이동을 하면 사면이 빌딩 벽처럼 매끈한 곳에 이른다. 라이방이 말한 직벽이다. 수심이 근처에서 가장 깊은 곳이고 하향조류가 출몰하는 지점이었다. 이 조류는 수면에 긴 띠를 형성하면서 나타나기 때문에 육안으로도 볼 수 있었다. 내리꽂는 힘은 압도적이나 힘의 범위가 80센티미터에 불과해 암벽에 착 붙은 채 수평으로 이동하면 벗어나는 게 가능한 조류이기도 했다. 아저씨가 경고한 것이 바로 그 부분이었다. 밤에는 표면 띠와 파도를 쉬 구분할 수 없다는 것. 해저지형을 모르면 빠져나오기 힘들다는 것. 빠져나오지 못한다는 건, 심연으로 내리꽂히는 물의 엘리베이터에 승차한다는 의미였다. 조류의 소멸지점이 40미터가 넘는 경우엔 해저바위에 곧장 헤딩을 하는 꼴이 될 수도 있었다.

그들은 양성부력으로 내리누르는 힘에 저항하려 했을 것이다. 몸이 튕겨나간 건 부력조절이 서툰 탓일 테고. BC(부력조절장치)에 공기를 넣어 하강을 저지하려 할 때는 비상경계자세로 퍼지 밸브를 잡아야 한다. 수직흐름에서 벗어나는 순간 곧바로 공기를 배출할 수 있도록. 그러지 못한 경우, 수면을 향해 로켓처럼 튕겨나가고 만다. 로켓을 탔다는 건, 라이방이 어떤 리더인가를 보여주는 증거였다. 그는 팀원에게 위기를 알릴 경적기조차 지니지 않았다.

"구급차 올 때까지 가만히 대기해. 아무 짓도 하지 말고."

아저씨는 라이방의 멱살을 놔주었다. 라이방은 코를 훌쩍이며 아저씨를 노려봤다. 시보레엔 청년회장이 남았다. 경찰이나 119가 오면 누군가 상황을 설명할 수 있어야 했다. 중상자 둘을 정신 나간 라이방에게 맡겨 둘 수도 없었다.

아저씨가 배를 몰았다. 나는 이 구조작업에 회의적이었다. 카메라맨이 살아 있을 가능성은 극히 낮았다. 조류가 그를 해저에 메다꽂지 않았다면, 질소마취에 걸려 해롱해롱해진 나머지 개복치한테 호흡기를 줘버리지 않았다면, 담력과 침착성이 있다면 상황은 좀 달라지겠지만. 그것이 이 재난에서 바랄 수 있는 유일한 행운이었다.

배가 서쪽 포인트에 닿았다. 언제 사고가 났느냐는 듯 바다는 평화로웠다. 바람은 순했고 물의 흐름은 멈춰 있었다. 조류가 잠시 잠드는 이 정조기를 우리는 최대한 이용해야 했다. 물이 빠지기 시작하면 다시 거칠어질 테니까.

아저씨는 배를 앵커시키고, 후미 쪽에 형광색 다이빙소시지를 띄웠다. 귀환지표였다. 나는 BC포켓을 납작하게 밀착시켜 부력을 줄였다. 보조 공기통을 챙기고 호흡기 상태를 체크하고, 핀(오리발) 스트랩을 당기고 아저씨와 버디라인을 연결했다. 우리는 스탠딩자세로 입수했다.

바다는 몸서리나게 차가웠다. 겨드랑 밑에 살얼음이 끼는 기분이었다. 나는 입수와 함께 팝핑(침을 삼키듯 고막 안쪽으로 공기를 밀어 넣어 내이와 외이의 압력을 맞추는 것)을 하며 절벽 난간으로 내려앉았다. 난간 위에 성게들이 몰려나와 우글거리고 있었다. 난간 밑으로는 어둠의 공동이 도사리고 있었다. 가시거리가 10미터도 채 되지 않았다. 아저씨가 그곳을 향해 엄지를 내렸다. 하강신호였다. 나는 오케이 사인을 보냈다.

우리는 부력조절로 하강속도를 견제하면서 절벽 아래로 미끄러졌다. 수심 15미터, 20, 25…… 32미터에서 아저씨가 정지신호를 보내왔다. 나는 자세를 수직에서 수평으로 바꿨다. 해송 숲이 우거진 절벽을 타고 남쪽으로 유영하면서 불빛이 비치는 곳을 찾았다. 3분쯤 지났을까. 아저씨가 발아래를 가리켰다. 거대한 바위들이 몸을 기대고 겹쳐 만든 아치가 보였다. 그 안에서 불빛이 비치고 있었다.

아치를 통과하자 동굴처럼 아늑한 공간이 나타났다. 수중 전등이 한복판에서 빛을 내고 있었다. 전등을 머리에 끼고 반듯하게 누운 자는 시신으로 보였다. 산 자라면 해저를 침대 삼아 잠들 리 없을 것이므로. 아저씨는 검지와 중지를 구부려서 다른 쪽 손바닥에 댔다. 시신 옆에 무릎 꿇고 앉으라는 뜻이었다. 지시에 따랐다. 시신은 장비를 정상적으로 착용한 상태였다. 손목에는 카메라 끈이 걸려 있고 부릅뜬 눈은 위를 노려보고 있었다. 아저씨는 수경에 손가락 두 개를 교차시켰다. 시신의 눈을 보지 마라는 신호였으나 한 박자 늦었다. 나는 이미 시신과 눈을 맞댄 후였다. 호흡에 저항이 들어왔다. 오래전, 한 여자아이의 눈에 갇혔을 때처럼 가슴이 답답해왔다.

그땐 바다가 아니라 호수였다. 여자아이를 끌어낸 이는 119구조대였다. 긴 머리칼을 가진 아이였다. 으깨진 입술은 웃는 것처럼 벌어졌고, 크게 뜨인 눈은 나를 바라보는 것만 같았다. 그때 느꼈던 구토증이 고스란히 되살아났다. 시야는 수온약층에 들어설 때처럼 어른어른 흔들렸다. 머리 위에선 붉은빛을 발하는 야행성고기 떼가 느릿느릿 움직이고 있었다. 별들이 행군하는 듯했다. 여자아이와 함께 보냈던 그날의 밤하늘처럼. 하늘 어디쯤에선 맑은 목소리가 울려 퍼졌다.

"무궁화 꽃이 피었습니다."

수중 경적기 소리가 환각을 깨웠다. 아저씨가 나를 보고 있었다. 나는 호흡조절을 시작했다. 잠시 후, 나와 아저씨는 시신의 양쪽 겨드랑 밑을 잡고 다이브 컴퓨터의 상승허용속도로 올라갔다. 수심 6미터에서 아저씨의 정지신호를 받았다. 총 잠수시간 19분. 우리는 시신과 나란히 선 채 안전 감압정지에 들어갔다. 7분 후, 수면으로 솟구쳤다. BC의 부력을 확보하며 호흡기를 스노클(숨대롱)로 교체했다. 순간, 등대불빛이 수면 위를 스치고 갔다. 먼 곳에선 구급차의 사이렌이 울고 있었다.

3

사망자가 둘로 늘었다. 의식이 없던 남자가 결국 숨을 거뒀다. 라이방과 벤즈는 고압산소실이 있는 목포의료원으로 후송됐다. 카메라맨의 시신을 끌고 나타난 나와 아저씨, 선주인 청년회장은 경찰차에 타야 했다.

참고인진술이 필요하다고 했다.

시보레 팀원은 세가의 자손들이었다. 라이방의 아버지는 정부 고위공무원, 벤즈는 모 기업체 사장. 시보레에서 죽은 남자의 아버지는 육군 장성이요, 카메라맨의 아버지는 검찰간부였다. 장군과 검사는 칼을 뽑아들고 우리 앞에 나타났다. 아들의 주검이 그들을 귀머거리에 청맹과니로 만들었을 것이다. 아니면 손 달린 생명체가 필요했을지도 모른다. 바다에 수갑을 채울 수는 없는 노릇이니까.

아저씨와 나, 청년회장은 신문 수준의 조사를 받았다. 경찰은 사고상황과 구조상황에 대한 명확한 진술을 요구했다. 구조과정에서의 과실여부를 다그쳤다. 저녁나절 민박집에서 벌어진 시비에서 시신인양까지, 같은 진술을 몇 번씩 되풀이시켰다. 그것도 따로따로 불러다가. 사망자들은 초특급으로 부검테이블에 올라갔다.

새벽녘, 우리는 각자 버슬을 달았다. 아저씨는 폭력혐의였다. 라이방의 멱살을 잡은 게 사단이었다. 라이방이 몸에 난 멍 자국을 폭력으로 해명하고 있는 모양이었다. 잠수복이 피부에 압착될 때 생기는 울혈이라는, 아저씨의 설명은 통하지 않았다.

청년회장은 위험을 알면서도 돈에 눈이 멀어 배를 냄으로써 전도유망한 청년 둘을 죽인 파렴치한 노인네가 됐다. 말렸다는 사실도, 말리다 당한 곤욕도 무시됐다. 뭐라더라. 미필적 고의에 의한 과실치사라던가.

내가 누군지 밝혀지는 데는 한 시간도 걸리지 않았다. 소년분류심사원 경력과 학교를 스물한 번 옮겨 다닌 끝에 휴학 중이라는 것, 7년 동안 이리저리 떠돌아다녔다는 사실, 1년째 민박집에 머물고 있다는 점이 페로몬 향을 뿌린 모양이었다. 형사들은 발정난 개떼처럼 내 뒤에 붙었다.

정오 무렵, 부검결과가 나왔다. 카메라맨의 사인은 심장마비였다. 엘리베이터의 선물이었다. 공포가 그를 죽인 것이다. 다른 남자는 폐의 압력손 상으로 죽었다. 로켓을 탄 대가였다. 둘 다 혈중 알코올농도가 0.15를 넘었다. 아저씨의 폭력혐의도 벗겨졌다. 잠수의학 전문의가 아저씨와 같은 의견을 내놓았다. 상태가 나아진 벤츠 환자는 사건 전모를 털어놓았다.

그들이 등대 민박집에 도착한 것은 전날 오후 4시경이었다. 곧 해가 질 시각이었으므로 청년회장은 아침에 배를 내기로 하고 숙박료와 배 삯을 선불로 받았다. 그들의 마음이 바뀐 건, 술이 들어가면서부터였다. 리더인 라이방이 선동했다. 한낮의 바다가 자전거라면 밤바다는 할리 데이비슨이라고. 술이 있고, 할리 데이비슨의 유혹이 있고, 취기에 기댄 만 용이 있었으니 못할 짓이 무엇일까.

벤츠는 청년회장을 강제로 차에 태워 끌고 나갔다는 사실도 인정했다. 내부자의 양심선언이 있었던 셈인데 배경이 자못 궁금했다. 라이방에 대한 배신감 때문이었을까. 시력이 나쁘지 않다면 그럴 수 있겠다, 싶었다. 리더가 어떤 식으로 팀원들을 내팽개쳤는지 봤을 테니.

혐의를 벗고도 우리는 바로 풀려나지 못했다. 조사방향이 새롭게 조절 됐다. 아저씨의 진짜 직업이라든가, 최현수의 아들을 끼고 떠돌아다니는 이유라든가, 여행비용의 출처라든가, 민박집에 장기 투숙하는 이유라든 가. 그분들의 명령이 있었던 것도 같다. '털어서 목을 걸어라' 아니면, 한 건 잡아서 충성수사를 무마하려 했든가.

25일 오후 6시, 우리는 취조실에서 나왔다. 로비에 기자 십여 명이 기 다리고 있었다. 익숙한 과정이 되풀이됐다. 나는 다양한 질문을 받았다. 다이빙은 언제 배웠나, 학교는 왜 그만두었나……. 가장 인상적인 질문 은 "사형제도를 어떻게 생각하는가"였다. 나는 질문이 날아온 쪽을 돌아 보았다. 젊은 기자와 시선이 부딪쳤다.

사형제도라고…… 차라리 누군가를 사형시켜 본 적이 있느냐고 물어라. 그러면 답할 수 있겠다. 내 안에 사형집행자가 산다고. 주 고객은 아버지이나 때로 타인의 목에도 밧줄을 건다고. 오래전 내 담임이었던 사팔뜨기사내이기도 하고, 나만 보면 비명을 지르던 사촌계집애들이기도 하며, 발정난 개나 검사나 장군일 수도 있다고. 그러니 당신, 조심하라고.

아저씨가 내 어깨를 두 번 두들겼다.

"가자."

등대마을로 돌아오는 차 안에는 침묵이 흘렀다. 아저씨는 운전을 했고 청년회장은 잠들었다. 나는 또 아버지를 교수대에 세웠다.

첫 집행을 기억한다. 고입검정 준비를 하던 여름이었다. 그 무렵, 우리는 군산에서 지내고 있었다. 나는 평소처럼 도서관에 갔다가 서가 한쪽에서 '사형제도의 이론과 실제'라는 책을 발견했다. 외면하고 지나쳤다 되돌아오길 몇 번이었을까. 끝내는 책을 빼내고 말았다. 책장 앞에 선 채로 첫 장을 넘겼다. 쪼그려 앉은 채 마지막 장을 덮었다. 책을 꽂은 뒤엔 곧장 집으로 돌아와 버렸다. 공부 같은 건 아무래도 좋았다. 금방 본 사형장의 그림을 잊고 싶었다. 30도가 넘는 삼복에 솜이불을 쓰고 엎어졌다. 심홍의 어둠이 등을 덮쳤다.

내가 떨어져 내린 곳은 낡은 목조건물 앞이었다. 창문 옆에 감나무 한 그루가 있고, 지붕 너머에선 석양이 산개하고, 거무죽죽한 널문이 내 앞에 가로놓여 있었다. 손을 뻗어 문을 밀쳐봤다. 스르르 열리자 안으로 들어갔다. 실내등도, 창문도 없는데 실내가 환했다. 방 앞쪽 강단처럼 바닥을 돋운 곳엔 검은 커버를 씌운 테이블이 놓여 있고, 방 뒤편으로 흰 커튼이 칸막이처럼 드리워져 있었다. 그곳에서 인기척이 났다. 나는 마루를 가로질러가 커튼을 들쳤다. 돗자리가 깔린 마룻바닥에 두건을 쓴 남

자가 앉아 있었다. 남자의 머리 위에는 굵기가 어린애 팔뚝만 한 밧줄이
내려와 있고 남자의 목둘레에는 땀이 배어 있었다. 단단한 어깨가 보일
듯 말듯 흔들렸다. 두건 속에선 흐느낌 같은 한숨이 흘렀다. 나는 올가미
를 잡아 그 목에 걸었다. 입을 열어 명령을 내렸다.

"집행."

철컥, 하는 소음과 함께 마루판이 꺼졌다. 남자는 지상에서 사라졌다.
나는 솜이불을 젖히고 벌떡 일어나 앉았다. 고개를 돌려 창문을 내다봤
다. 어둑한 하늘에 진홍색 저녁 해가 걸려 있었다. 그제야 깨달았다. 마
루판 밑으로 사라진 남자가 아버지였다는 걸.

"다 끝났다."

아저씨의 목소리가 들렸다. 무슨 말인지 이해하지 못해 나는 눈만 까
막거렸다.

"잊어버려라."

비로소 옛일에서 빠져나왔다. 그렇지, 우리는 경찰서에서 나와 집으로
가던 길이었지. 아저씨를 향해 고개를 끄덕여 보였다. 걱정 마세요. 잊어
버릴게요. 그런 거야, 젖소도 할 수 있는 일 아니겠어요. 사소한 문제가
있다면, 선데이매거진이 젖소보다 똑똑하다는 거죠.

밤새 뒤챘다. 연이틀을 뜬눈으로 샜는데도 정신이 말짱했다. 덕택에
모처럼 새벽출근을 했다. 마지막 출근이기도 했다. 주인약사는 내 정체
를 알았을 테고, 내겐 받아야 할 것이 있었다. 나는 약국 유리문 밑에 던
져진 조간을 주웠다.

　　신성리 돌섬 수중절벽 사고. 구조에 나선 다이버, 살인마 최현수의
　아들로 밝혀져.

지난 24일 밤, 화원반도 돌섬 앞바다에서, 겨울방학을 맞아 귀국한 재미유학생 4명이 야간 다이빙을 하던 중 2명이 숨지고 2명이 부상을 당하는 사고가 일어났다. 이들은 돌섬 서쪽 수중절벽에서 하향조류를 만나 변을 당한 것으로 보인다. 사고 후, 민박집에 투숙 중이던 다이버 2명이 즉각 구조에 나섰으나 1명은 익사체로 발견되고 1명은 구조 후 사망했으며, 2명은 목포의료원으로 후송됐다. 돌섬 서쪽 수중절벽은 하향조류가 자주 출몰하는 곳으로 노련한 다이버들도 야간 잠수를 꺼리는 장소로 알려졌다. 한편, 이날 구조작업에 참여한 최모 군(18세)이 세령호 사건의 범인으로 사형을 확정받고 복역 중인 최현수의 아들로 밝혀져 화제를 낳고 있다. 최 군은 수년 동안 일정한 거처 없이 떠돌이생활을 해왔으며, 1년째 이 민박집에 투숙해 있다 구조작업에 합류한 것으로 알려졌다. 경찰은 최 군과 함께 구조작업을 벌인 안모 씨(39세)를 불러 자세한 사고경위를 조사하고 있다고 밝혔다.

나는 책상 앞에 앉았다. 올빼미처럼 눈을 끔벅이며 등을 꼿꼿이 세웠다. 이마에서 차가운 땀이 돋았다. 숨을 마시면 흉통이 왔다. 기사의 헤드카피는 활자의 조합이 아니었다. 내 갈비뼈 밑에 찔러 넣은 세상의 칼이었다.

인터넷을 켜고 뉴스를 검색했다. 본말이 전도된 기사들이 주르르 떴다. 사고보다 '최현수의 아들'을 제목으로 뽑은 기사들. 첫 번째 기사를 열어봤다. 댓글이 수천 개 달려 있었다. 내용은 보지 않았다. 살인마의 아들이 착한 짓을 했다고 경배를 바치고 있지는 않을 테니까.

뉴스 창을 닫자 포털 상단의 검색어가 뒤늦게 눈에 들어왔다. '최현수의 아들'이 1순위에 올라 있었다. 정말이지 대단한 위력이었다. 7년이 지났는데도 최현수에 대한 세간의 관심은 당시에 비해 조금도 밀리지 않았다. 지금쯤 네티즌수사대가 출동했을까. 그렇다면 최현수의 아들에 대한 '신상 털기'가 한창일 터였다. 머리를 박박 민 소년분류심사원 시절의 사진이 나돌아 다닐 것이고. 과대망상이라면 좋으련만…….

약국 청소가 끝나갈 무렵, 주인약사가 출근했다. 그는 잠자코 책상 앞에 앉았다. 내가 올려놓은 신문을 폈다. 나는 다 읽을 때까지 기다렸다. 그와 마주 앉은 건 30분 후였다.

"저 오늘까지만 일하겠습니다."

말하고 나자 몸서리가 났다. 내일은 뭘 하나. 뭘 하든, 어디를 가든, 선데이매거진이 없어도, 친애하는 세상은 나를 꽉 붙들고 놓지 않을 텐데. 약사는 다리를 꼬고 나를 올려봤다. 그 시선을 피하지 않았다. 고개 숙이고 싶지도 않았다. 나는 죄인이 아니었다.

"그럴 것 없다."

약사가 말했다.

"며칠 지나면 관심 끄겠지. 가서 일 해."

의외였다. 바르르 떨며 나를 쫓아내는 건 보스의 품격이 떨어지는 행동이라 판단했을까. 아니면 1년씩 끼고 있었던 놈에 대한 정리였을까. 나는 대답했다.

"그동안 감사했습니다."

아쉬움이 없었다면 거짓말일 것이다. 호의를 받을 마음이 없었을 뿐이다. 경험이 가르친바, 호의는 믿을 만한 게 아니었다. 유효기간은 베푸는 쪽이 그걸 거두기 전까지고, 하루짜리 호의도 부지기수였다. 고마워하며 사양하는 게 서로 낯이 서는 길이었다. 월급에다 퇴직금까지 받는 횡재를 잡을 수도 있다. 일자리가 필요하면 언제든 나오라는 생소한 작별인사도 들을 수 있고.

오후 4시, 뒷정리를 끝내고 퇴근했다. 담장 밑에 아저씨의 봉고가 없었다. 창문으로 방 안을 들여다봤다. 아저씨도 없었다. 수협마트에 장이라도 보러 나갔나, 하다 고개를 갸웃했다. 마트에 갔다면 바로 옆에 있는 파파약국에 들르지 않을 리 없었다. 취재를 나간 것도 아닌듯 했다. 방문 옆에 아저씨의 취재가방이 그대로 걸려 있었다. 뒤꼍에 자전거를 세우고 나자 등 뒤에서 청년회장 목소리가 났다.

"니 은제 들어왔냐?"

"계셨어요? 집이 조용해서 어디 나가신 줄 알았어요."

"아녀. 나 방에 있었는디."

청년회장은 내게 상자 하나를 내밀었다. 좀 전에 배달 오토바이가 와서 두고 간 것이라고 했다. 구두상자보다 조금 컸고 보낸 사람 주소도, 이름도 없었다. 수신자 위치에 민박집 주소와 내 이름만 적혀 있었다.

"아저씨는 어디 가셨어요?"

"긍게. 나랑 점심을 같이 먹었는디, 한숨 자고 일어나 본 게로 없더란마다. 차도 없고."

나는 방으로 들어가려다 새삼스러운 마음으로 청년회장을 돌아봤다. 이 양반은 왜 우리에게 나가라고 하지 않는지. 가뜩이나 휑한 민박집, 나 때문에 문을 닫아야 할지도 모르는데.

상자를 열었다. 이해 못할 물건들이 차례차례 나왔다. 아저씨의 취재수첩, 아저씨가 취재를 나갈 때마다 차고 다니는 레코더시계, 내가 약국에 취직해 첫 월급을 탄 날 선물한 동전모양의 USB, 편지묶음과 고무줄로 봉한 스크랩북. 맨 밑엔 두툼한 A4용지묶음이 놓여 있었다. 겉장에는 아무것도 씌어 있지 않았다. 표지를 넘기자 예상치 못한 표제가 나타났다.

프롤로그 - 2004. 8. 27. 세령호

표제의 의미를 짚어보기도 전에 눈이 먼저 아래로 움직였다.

소녀는 학교 앞 버스정류장에 서 있었다. 승강장 표주에 등을 기대고 운동화코로 도로 턱을 툭툭 차면서. 고개를 숙이고 있어 얼굴은 볼 수 없었다. 보이는 부분은 희고 둥근 이마와 바람에 나풀거리는 긴 머리칼 뿐이었다.

덤프트럭 한 대가 통통대며 소녀 앞을 지나갔다. 소녀의 모습은 트럭 뒤로 잠깐 사라졌다가 다시 나타났다. 이어 은색 봉고가 읍내 쪽에서 달려와 소녀 앞에 섰다. 미술학원 셔틀차량이었다. 소녀는 또 봉고에 가려졌다. 무거운 대기 속으로 쾌활한 목소리만 퐁, 튀어 올랐다.

"아저씨, 저 오늘 학원 못 가요. 생일파티가 있어요. 제 생일이에요."

봉고는 U-턴해서 왔던 길로 사라졌다. 소녀는 도로를 건너왔다. 어깨를 늘어뜨리고 땅을 내려다보며 타박타박. 승환은 건너편 휴게소 샛길 입구에서 소녀가 다가오는 걸 지켜봤다. 길을 거의 건너올 즈음, 소녀는 고개를 들었다. 뒤늦게야 지켜보는 존재를 깨달은 눈치였다. 8월의 햇살이 앞머리에 꽂은 머리핀 위에서 반짝, 빛을 냈다. 둥근 이마 밑으로 상처받은 표정이 고스란히 드러나 있었다. 승환을 마주보는 검고 큰 눈은 불안하게 흔들렸다. 승환은 하마터면 인사를 건넬 뻔했다.

안녕, 아가씨. 생일 축하해.

소녀는 몸을 돌려 세령수목원 정문 쪽으로 걸어갔다. 승환은 담배를 피워 물고 소녀의 뒷모습을 지켜봤다. 불과 5분 전, 세령휴게소에서 마주친 사택아이들이 생각났다. 누군가의 생일파티에 가는 분위기였다. 각자 선물꾸러미를 들고 휴게소 맥도널드로 들어간 걸 보면, '누군가'가 물론 소녀는 아닐 것이다.

세령호 쪽에서는 사물놀이 소리가 울리고 있었다. 망향제의 시작을 알리는 소리였다. 저지대마을 아이들은 그곳으로 몰려갔으리라.

세령마을 사람들은 두 부류로 갈렸다. 원주민과 사택주민. 세령강에 댐이 들어서면서 수몰된 옛 세령마을 사람들이 원주민 범주에 들어갔다. 그들은 댐 아래 평지대에 새 터를 잡고 살았다. 때문에 원주민과 저지대마을 주민은 같은 말로 통했다. 사택주민은, 댐 관리단 직원과 가족들이었다. 그들은 댐 서편에 위치한 세령수목원 안에 살았다. '사택 숲'이라 불리는 수목원 남쪽 숲에 댐 관리단에서 임대한 직원사택이 있었다. '별채 숲'이라 불리는 수목원 북쪽 숲엔 집 세 채가 있었다. 101호, 102호, 103호. 세 집을 묶어 별채라 불렀고 그중 102호, 103호를 댐 관리단 보안업체 직원들이 숙소로 썼다. 승환은 102호에 살고 있었다. 소녀는 옆집이자 맨 안쪽 집인 101호에 살았다. 제왕의·성채처럼 보이는 2층집이었다. 자기 딸에게 호수이름을 붙여준 수목원주인 남자가 사는 집이기도 했다.

승환은 원주민아이들과 사택아이들이 한데 섞이는 걸 보지 못했다. 소녀는 어느 쪽과도 어울리지 않았다. 수몰된 옛 세령마을에서 태어났고 세령이라는 이름을 가졌으나, 수목원에서 살고 별채사람에 속했다. 온전한 원주민도, 사택아이도 아닌 셈이었다. 그것이 열두 번째 생일을 맞은 소녀가, 남들은 다 바쁜 금요일 오후에, 버스정류장에 홀로 서 있어야 했던 이유일 것이다.

승환은 담배를 잇새에 문 채 하늘을 봤다. 납빛 구름이 몽글대고 있었다. 태양은 구름 뒤로 넘어가는 중이었고 매미 소리는 딱 그쳐 있었다.

덥고 끈끈하고 기분 나쁜 오후였다.

나는 원고를 덮었다. '승환'은 아저씨의 이름이었다. 아저씨가 쓴 원고
였다. 3인칭으로 서술되고 있었지만 의심할 여지가 없었다. 문체가 내
얼굴만큼 익숙했다. 다음 장에 어떤 얘기가 버티고 있을지 추측하는 것
도 가능했다. 그 이야기라면 수년 전 선데이매거진이 뼈에 박히게 학습
시킨 바 있었다. 복습까지 하고 싶지는 않았다. 궁금하기야 했다. 아저씨
는 왜 이런 걸 썼는지, 보낸 사람이 아저씨 맞는지. 상자에 적힌 글씨체
는 낯설었으나 보낼 만한 사람은 아저씨밖에 없었다.

자전거를 몰고 등대로 나갔다. 절벽 끝에 엉덩이를 깔고 앉아 바다를
봤다. 수평선이 불이 번지는 들판처럼 붉었다. 2004년 8월 27일, 금요
일, 여자아이가 살아 있었던 오후……. 나는 멱살을 잡힌 듯이 7년 전 여
름으로 끌려갔다.

우리 가족이 세령호로 이사한 건 이틀 후인, 29일 일요일이었다. 아버
지는 세령댐 보안팀장으로 발령을 받은 참이었다. 별채 102호엔 방이
둘밖에 없었고 이미 아저씨가 살고 있었다. 아버지와 어머니는 안방을
쓰기로 했다. 나는 아저씨와 룸메이트가 됐다.

이사가 끝나가던 무렵, 아저씨는 그 샛길로 나를 데려갔다. 프롤로그
에서 세령이라는 소녀와 만났다고 쓴 휴게소샛길. 우리는 아버지를 찾으
러 나선 길이었다. 물건을 사러 간 아버지가 두 시간째 돌아오지 않자 어
머니가 우리를 체포조로 풀었다. 샛길을 따라 올라가 닿은 곳은 세령호
로 들어오던 길에 들렀던 고속도로 휴게소였다. 나는 어리둥절했던 나머
지 방향감각까지 잃어버렸다. 휴게소로부터 한참 떨어진 곳에 세령읍으
로 들어오는 IC가 있었고, IC로 진입한 후 또 한참을 달려 세령호에 도착

했으니, 한참의 두 배쯤은 되는 거리였다. 아저씨는 내 표정을 보더니 샛길을 가리켜 보였다.

"저 길이 마술을 부리는 거야."

그 말을 믿을 뻔했다. 당시의 내 공간 지각력으로는 마술로밖에 이해할 길이 없었다. 차로 가도 10분 이상 걸리는 휴게소를 걸어서 5분 만에 닿게 해주는 길이라니. 그것만 희한한 게 아니었다. 휴게소 자체부터 희한했다. 오가는 차량들에겐 단순한 휴게소였으나 세령마을 사람들에겐 생활의 근거지라고 했다. 식당가는 외식장소, 편의점은 마트, 맥도널드는 동네아이들의 이벤트장소, 전망대 비치파라솔 밑은 동네술꾼들이 한잔하는 술집.

아저씨는 나를 휴게소 전망대로 데려갔다. 그곳에서 발 빠르게 동네술꾼이 된 아버지를 만났다. 비치파라솔 밑엔 빈 소주병 두 개가 놓여 있었다. 우리는 아버지 곁에 앉았다. 발밑에 세령호가 내려다보였다. 저지대 마을은 호수에서 한참 더 밑에 있었다. 나는 아저씨에게 말했다.

"이제 마술에 대해 얘기해주세요."

아버지가 물었다.

"무슨 마술?"

"샛길마술이요."

내가 대답했다. 아버지는 아저씨를 봤다. 아저씨는 하하 웃었다.

"서원이, 나선형이 뭔지 알지?"

나는 손가락으로 소용돌이를 그려 보였다.

"좋아. 세령호는 세령강에 댐을 지으면서 생긴 호수야. 세령강은 세령봉 기슭을 따라 흐르던 강이고. 당연히 산 아래쪽은 물에 잠기겠지. 거기 있던 마을은 가장 낮은 지대로 옮겨가고 세령봉 옆으로는 고속도로가 뚫리고 휴게소는 그 길목에 지어진 거야. 1층은 세령호, 2층은 휴게소라고 상상하면 그림이 나오지? 고속도로는 1층과 2층을 잇는 나선형계단이야. 샛길은 사다리고. 사다리를 타면 2층에 곧장 닿겠지."

우리는 체포임무를 잊어버리고 아버지 곁에 눌러앉았다. 나는 콜라, 아버지는 소주, 아저씨는 맥주를 마셨다. 볕이 붉어지고, 그림자가 길어졌다. 세령호에선 옅은 물안개가 피어올랐다. 아저씨는 멀리 평야와 하늘이 맞닿은 곳을 가리켰다. 저 아득한 지평선 너머에 '득량만'이라는 바다가 있다고 했다. 남풍이 올라오는 밤에, 창문을 열고 숨을 마셔보라고 했다. 바다냄새가 내 안으로 들어올 것이라고 했다. 나는 밤마다 창을 열고 남풍을 기다렸다. 밤마다 내 안으로 들어온 건 그 아이의 목소리였다. 무궁화 꽃이 피었습니다.

"아가. 입때 여그서 뭣허냐? 날 저물었구만."

등 뒤에서 청년회장의 목소리가 들려왔다. 나는 뒤를 돌아봤다.

"아저씨 오셨어요?"

"아녀. 작가선생이 아니라 또 오토바이가 왔어야."

이번에도 상자였다. 이번에는 보낸 사람 이름이 있었다. '친구'. 아저씨는 아닌 것 같았다. 글씨체가 달랐다. 두 시간 전에 받은 '무명 씨'의 글씨체와도 달랐다. '친구'는 아저씨가 좀처럼 쓰지 않는 호칭이기도 했다.

상자 안에 선데이매거진 한 부와 누렇게 변색된 나이키 농구화가 들어 있었다. 그나마 한 짝, 사이즈는 245밀리미터. 신발덮개에 이름이 씌어 있었다. 글씨가 희미하게 바랬지만 충분히 읽을 수 있었다.

최서원

내가 나이키 농구화를 가져본 건 딱 한 번뿐이었다. 수학경시대회에서 입상한 날, 아버지에게 선물로 받았다. 덮개에 이름을 써준 사람도 아버지였다. 그걸 세령호에 살 때 잃어버렸다. 그러니까 열두 살 시절의 내 신발인 것이다.

상자를 덮고 뒤로 물러앉았다. 선데이매거진에게 묻고 싶었다. 당신은 누구냐고. 원하는 게 뭐냐고. 복수라면 서울구치소에서 사형을 기다리는 남자에게 하라고, 조언도 해주고 싶었다.

초저녁부터 이불을 펴고 누웠다. 잠이 오지 않았다. 시간도 가지 않았다. 머릿속에선 온갖 의문들이 소란을 피웠다. 아저씨는 어디 갔을까. 무얼 하느라 여태 들어오지 않는 것일까. 왜 전화조차 없을까. 선데이매거진의 정체는 뭘까. 아저씨의 물건과 나이키 농구화가 한날에 배달된 건 우연일까, 어떤 연관이 있는 것일까.

지금껏 나는 선데이매거진을 아버지에게 희생된 사람의 가족이라고 생각해왔다. 그러지 않고서야 이토록 끈질기게 추적할 리가 없다고 단정했다. 그러나 세령호에서 잃어버린 나이키 농구화와 선데이매거진이 결합한다면 생각을 바꿔야 했다. 나와 직접 관련된 사람인 동시에 세령호 사건에도 관련된 사람이었다.

아저씨의 휴대전화로 연락을 해봤다. 전화기가 꺼져 있다고, 어떤 여자가 말해주었다. 서울본가로 연락해보고 싶었지만 전화번호도 주소도 몰랐다. 내 양아버지인 아저씨의 둘째형은 4년 전 호주로 이민을 갔다.

나는 노트북을 켰다. 아저씨의 USB를 꽂았다. 인쇄된 원고가 있다는 건 원본 파일이 있다는 얘기였다. 원고를 읽지 않고 원하는 부분을 찾으려면 그 파일이 필요했다. 화면에 '자료'와 '세령호'라는 이름이 붙은 폴더 두 개가 나왔다. '세령호'를 열자 워드파일들이 십여 개 떴다. 그중 '최종본'을 클릭했다. 인쇄원고와 똑같은 소제목이 나왔다. 첫 문단도 동일

했다. '찾기' 상자를 불러내 '나이키'를 키워드로 입력했다. 블록이 지정된
첫 문장이 나타났다.

    지난 5월, 서원은 수학경시대회에서 상을 받아왔다. 현수는 비밀카드
    를 그어 나이키 농구화를 샀다.

내 기억과 동일한 이야기였다. 계속 '찾기'를 눌렀다. 문단 몇 개가 지
나갔다. 모두 '현수'라는 이름이 주어인 문장들이었다. 거의 마지막 부분
에 이르러서야, '찾기'는 현수가 아닌 다른 이름을 찾아냈다.

    영제는 비닐봉지에서 나이키 농구화를 꺼냈다.
    "사이즈로 봐서 보안팀장님 것은 아니고. 혹시 아드님 건가, 싶어서."

영제……. 벼락이 치듯, 한 남자의 얼굴이 퍼뜩 떠올랐다가 사라졌다.
'영제'를 입력했다. 동일인인지 확인할 수 없는 문장을 몇 번 지난 후, 다
음 부분에 이르렀다.

    이후 그는 세령의 비명을 두어 번쯤 더 들었을 것이다. "아빠" 하는 절
    박한 부름도 들었다. 집을 나올 때 봤던 열린 창문 틈새로.
    그 집, 101호의 문패에 그 이름이 있었다. '오영제'

머리털이 곤두섰다. 내 기억은 맞았다. 오영제는 그 아이, 세령의 아버
지였다. 동시에 선데이매거진이었다. 그러나 이 추측에는 논리적 결함이
하나 있었다. 그는 7년 전에 죽은 남자였다. 그것도 아버지 손에 죽었다

는 걸, 온 세상이 알고 있었다. 기분 나쁜 혼란이 온몸으로 번졌다. 불길한 직감이 악취처럼 달려들었다.

나는 블록 속에 하얗게 반전돼 있는 이름을 노려보았다. 오영제.

세령호 I

승환은 베란다로 통하는 거실 유리문을 열었다. 남풍이 부는 모양이었다. 어둠 속에서 바다냄새가 밀려들었다. 별채앞길은 안개에 묻혔고 베란다 창엔 빗방울이 하나둘 들러붙고 있었다. 수목원은 고요했다. 인적도, 차량이 들고나는 기척도 없었다. 안개 속에서 멜로디상자의 연주음만 단조롭게 울렸다. 귀에 익은 노래였다.

'Fly me to the moon. And let me play among the stars…….'

승환은 휴대전화를 열어 최현수의 번호를 눌렀다. 10분 전과 똑같은 얘기를 들었다. 전화기가 꺼져 있으니, 소리샘으로 어쩌고저쩌고…….

최현수는 세령댐 신임보안팀장이자 월요일자로 승환의 새 대장이 될 남자였다. 일요일에 이사할 예정이었고, 앞으로 한집에서 살게 될 사람이었다. 가족과 함께 이주할 계획 같았다. 그 전에 집을 둘러보고 싶다고 승환에게 연락해온 걸 보면. 오기로 한 시각은 저녁 8시였다. 점심 때 한 약속이니 잊어버리지는 않았을 것이다. 그런데 9시가 다 되도록 나타나지 않고 있었다. 전화는 물론 늦겠다는 문자 한 줄도 없었다. 자기 전화는 줄곧 꺼둔 채로.

승환은 거실 문을 닫고, 커튼을 쳤다. 야밤에 오겠다는 사람을 막을 명분은 없었으나 '바람 맞는다'는 상황을 감수할 이유 또한 없었다. 더 기다려줄 의사도, 시간도 없었다. 할 일이 있었다. 그는 꺼져 있는 신임팀장의 휴대전화로 문자를 보냈다. 열어 보겠지, 어쨌든 오늘 밤 안에는.

214365. 현관도어 록 비번입니다.

승환은 현관에서 운동화를 집어 들고 자신의 방으로 건너갔다. 별채 숲과 면한 집 뒤편 방이었다. 책상에 휴대전화를 던져두고 옷을 벗었다. 어둠 속에서 허둥대지 않으려면 기본복장을 갖추고 갈 필요가 있었다. 웨트슈트(Wet-Suit, 습식잠수복), B.C.(부력장비), 웨이트벨트(weight-belt)······. 마지막으로 종아리에 잠수용 나이프를 찼다. 그때 책상에서 휴대전화가 울기 시작했다. 그는 움찔했다. 팀장이라면 낭패였다. 다 왔으니 기다리라고 하면 빼도 박도 못할 판이었다. 아버지일 공산도 있었다. 밤 9시는 한잔 걸친 아버지가 전화를 걸어 꽃노래를 부르는 시각이었다.

언제까지 소설인지 뭔지를 쓴답시고 똥개마냥 쏘다닐 테냐. 멀쩡한 직장 팽개치고 내빼더니, 나이 서른셋에 기껏 댐 경비노릇이냐. 장가는 안 갈 참이더냐. 이 꼴을 보자고 온 식구가 등뼈 휘게 잠수질해서 너를 가르친 줄 아느냐. 네 형 말대로 네놈이 챈들러인지, 히틀러인지 하는 양놈처럼 될 재목이면 왜 아무도 나를 작가애비로 대우하지 않느냐.

휴대전화 소리가 끊겼다. 승환은 운동화를 신고 창밖으로 뛰어내렸다. 수중카메라와 기타 장비가 든 배낭을 등에 메고 집안을 되돌아보았다. 반쯤 열어둔 방문 너머로 거실이 내다보였다. 실내등이 켜 있고 거실 유리문은 커튼이 잘 가리고 있었다. 뉴스앵커는 TV 안에서 열심히 떠들었다.

휴대전화는 다시 울기 시작했다. 그는 귀를 막듯 창문을 닫았다. 수중라이트가 달린 헬멧을 뒤집어쓴 뒤 101호 뒤뜰 쪽으로 걷기 시작했다.

101호 뒤뜰을 지나 20여 미터쯤 가면, 철망담장으로 둘러싸인 수목원 북쪽 경계선이 닿았다. 거기에 수목원 관리인 노인이 나다니는 개구멍만 한 샛문이 있었다. 자물쇠가 없어 빗장만 풀면 나갈 수 있는 문이었다. 친절하게도 문 위에는 외등까지 달렸다. 빛을 지표 삼아 앞만 보고 걸어가면 목표지점인 개구멍에 도착하는 것이다.

문제는 승환이 앞만 보고 걷지 못하는 인간이라는 데 있었다. 열 발짝도 떼지 않아 101호 뒷방창문이 그의 곁눈질에 걸려들었다. '세령'이라는 이름을 가진 그 집 여자아이의 방이었다. 창문이 반쯤 열려 있었다. 방충망도 커튼도 딱 그만큼 젖혀둔 상태였고 창턱에선 모기향이 연기를 피우고 있었다. 승환은 걸음을 멈췄다. 방 안이 자동으로 들여다보였다.

창문 맞은편에 방주인의 사진이 걸려 있었다. 하나로 땋아 정수리에 올려붙인 머리, 둥근 이마와 정면을 응시하는 검은 눈동자, 긴 목. 사진 속 세령은 드가의 그림에 등장하는 어린 발레리나 같았다. 그 모습 위로, 몇 시간 전 버스승강장 표주에 기대서서 도로 턱을 툭툭 차던 모습이 그림자처럼 겹쳤다.

사진 아래, 흰 크랙책상 위에선 유리잔에 담긴 양초들이 탔다. 초록색 하나, 붉은색 둘. 그 옆으로 고깔모자를 쓴 동물인형들이 앉아 있고, 인형 앞에선 대관람차가 돌았다. 꼭대기에 보름달형상의 전구가 달리고, 전면에는 달로 손을 뻗으며 날아가는 소녀인형이 붙은 멜로디완구였다. 저녁 내내 안개 속을 흐르던 연주음의 진원지기도 했다. 침대에는 세령이 잠들어 있었다. 늘 땋고 있던 머리칼을 길게 풀어헤치고 이불잇에 얼굴을 반쯤 묻은 채 새근새근 아기 숨을 쉬었다.

대관람차의 단조로운 연주음 때문이라고, 승환은 생각했다. 촛불이 비추는 세령의 모습은 기묘할 만큼 실재감이 없었다. 꿈결 속 아이처럼 흐릿한 형상에 불과해 보였다. 손을 뻗으면 닿을 만큼 가까이에 있는데도.

승환은 배낭을 추스르고 몸을 돌렸다. 그러고도 선뜻 창문 앞을 떠나지 못했다. 방 안 풍경이 못내 거슬렸다. 아이 혼자 생일파티를 하다 잠들어버린 걸로 보였다. 제 아빠가 있다면 한밤중까지 촛불이 타고 있을 리 없었다. 창문은 닫혀 있어야 했다. 별채앞길에 흰 BMW가 들어와 있어야 하고…… 있었던가. 기억이 분명치 않았다. 기억보다는 상상이 더 분명한 장면을 보여줬다. 바람에 흔들린 촛불이 인형들의 머리로 차례차례 옮겨 붙는 장면. 인형들은 노란 불길 속에서 한순간에 오그라졌다.

승환은 눈을 껌벅거려 불길한 상상을 내쫓았다. 곧바로 발을 떼서 창문 앞을 떠났다. 이웃집 아저씨는 예쁜 여자아이 근처에 얼씬대지 않는 게 현명했다. 이웃집 아저씨가 해야 할 일은 개구멍 문을 빠져나가 세령호로 가는 것이었다. 누군가, 안개 낀 야밤에 잠수복차림으로 잠수장비를 메고 반드시 개구멍을 통해서 세령호로 가야 하는 이유가 뭐냐고 묻는다면, 그는 어느 대가의 말씀을 빌려와 이렇게 대답할 것이다.

'고양이는 뭔가를 할퀴어야 하고, 개는 뭔가를 물어뜯어야 하며, 나는 뭔가를 써야 한다.'

승환이 세령댐 보안직에 지원한 건 근무조건에 혹해서였다. 산과 호수가 주변에 있는 콘도식 통나무집이 숙소로 제공됐다. 보수도 괜찮았다. 그가 거쳐온 직업 중에서 중간은 갔다. 철도청 직원보다는 적고 경주마 목장 말똥청소부보다는 많고. 1년 계약직이라 다시 조직의 개미가 됐다는 기분도 들지 않았다. 운이 좋다면 변덕스러운 인사와 조우할 수도 있을 것 같았다. 자신에게 베스트셀러작가라는 별을 달아주고 돈도 좀 쥐여줄 암고양이, 뮤즈.

　모처럼 정답을 골랐다. 처음으로 휴게소전망대에 올라갔던 날, 승환은 그렇게 생각했다. 여름이 시작되던 6월 첫날이었다. 춥지도 덥지도 않은 날이었다. 맑지도 흐리지도 않은 오후였다. 진주빛 하늘에는 햇무리가 져 있었다. 세령호 일대를 감상하기에 딱 좋은 날씨였다.

　댐 조감도에 의하면, 세령호는 북쪽 팔영산에서 발원해 남해로 흘러드는 강을 막아 생긴 호수였다. 호수 양편에는 능선이 가늘고 곧은 산봉우리 두 개가 길게 놓여 있었다. 휴게소전망대가 있는 쪽 봉우리가 세령봉, 건너편 봉우리가 소령봉. 세령봉 기슭엔 오리나무 숲이 우거지고, 숲 속에 폐쇄된 목장축사 한 동, 목장입구 밑에는 안길이라 불리는 호숫가도로가 댐까지 쭉 이어지고 있었다. 호수는 성숙한 여체의 반신상 형태를 그렸다. 긴 목처럼 보이는 강물 유입로, 볼록해지는 가슴부위에 위치한 선착장, 가슴 한복판에 점처럼 박힌 한솔등이라 불리는 섬 하나, 가슴 밑에 자리 잡은 취수탑, 길고 풍만한 하체는 댐이 받치고 있었다.

　댐 마루엔 1공도교라 부르는 다리가 있고, 수문경비실과 수문은 공도교가 끝나는 소령봉 쪽에 있었다. 수문 아래로부터 형성된 지류는 남쪽 평야지대를 둘로 가르면서 지평선 너머 바다로 흘러갔다. 세령마을은 이 지류를 중심으로 형성돼 있었다. 수문이 있는 소령봉 쪽 지류비탈에 댐관리단과 수력발전소, 세령봉능선에 세령수목원이 있었다. 지류 양편을 잇는 두 번째 다리가 2공도교였다. 2공도교 밑에는 저지대마을이 있고, 3공도교는 지방도와 연결되면서 공공기관과 상가지구를 형성했으며, 상가 서쪽으로 4킬로미터쯤 떨어진 곳에 세령읍이 있었다.

　세령수목원은 세령봉 기슭에서 시작해 상가지구까지 이어지는 광활한 사유지였다. 1공도교 쪽에 후문이, 상가지구 쪽에 정문이 나있고 두

문을 잇는 중앙통행로 길이는 1킬로미터에 달했다. 중앙통행로는 수목원 숲을 위아래로 나누는 기준이기도 했다. 별채 숲이라 부르는 통행로 위쪽은 세령봉 기슭과 맞닿은 구릉지대로 아름드리 편백나무들이 우거져 있었다. 통행로 아래쪽 사택 숲은 상가지구와 직접 면한 평평한 저지대였다. 조경이 아기자기해서 숲이라기보다 정원에 가까웠고 곳곳에 감시카메라들이 눈을 번득이고 있었다. 정문과 후문, 중앙통행로, 사택입구와 놀이터, 푸른 숲 도서관……. 더하여 수목원 전체를 드높은 철망담장이 에워싸고 있었다. 수목원이라기보다는 중세영주의 영지 같은 곳이었다. 이 영지에 발을 들여놓은 지 두 달, 승환은 아래와 같은 빛나는 문장 세 줄을 썼다.

세령은 근방에서 가장 유명한 소녀였다. 상수원지가 있는 이 마을 어디를 가나 그 이름을 들을 수 있었다. 세령휴게소, 세령초등학교, 세령진료소, 세령파출지소, 세령수목원…….

소설의 시계는 거기서 멈췄다. 승환의 상상력도 멈췄다. 왜 세령이 등장했던가. 알 수가 없었다. 그 아이가 뭘 어쨌다는 건지 감조차 오지 않았다. 시작할 땐 분명히 암고양이의 귀뜸이 있었던 것 같은데. 판돈으로 아이의 운명 정도는 걸린 이야긴 줄 알았는데.

승환은 따분해지기 시작했다. 보안팀 일은 단조로웠고, 더위는 빨리도 찾아왔다. 호수는 섹시한 여배우처럼 입을 벌리고 있었으나 몸 한번 넣어볼 수 없었다. 몸은커녕 손가락 하나 찔러보지 못했다. 가져온 잠수장비는 벽장에서 내처 잤다. 이곳에 와서야 알게 된 일인바, 세령호는 개방된 댐이 아니었다. 인근 4개 도시와 10개 군을 먹여 살리는 1급수 상수원이었다. 호수주변은 철망담장으로 철통 경호되고 호수내부 출입도 금지돼 있었다. 호숫가 세령봉은 입산금지구역이었다. 염소를 키우던 세령목장은 댐 착공과 함께 폐쇄됐고 축사는 들짐승의 거처로 바뀌어 있었다. 건물을 짓는 것도, 부수는 것도 금지된 탓이었다. 호숫가도로인 안길역시 세령목장 진입로 부근에서 폐쇄됐다. 세령호는 '출입금지' 팻말로 유지되는 거대우물인 셈이었다.

승환은 말똥구덩이와 세령호의 차이가 뭘까, 하는 연구로 시간을 보냈다. 들어가 놀 수 없다는 면에서 본질적으로 같았다. 밤새워 지킬 필요가 없다는 면에선 말똥구덩이가 나았다. 이 덩치 큰 우물은 밤낮으로 교대해서 지켜야 했다. 그 일을 하는 보안팀 팀원은 고작 여섯이었다. 그중넷이 103호에 살았다. 102호는 승환과 이제는 전임이라 불러야 할 팀장이 함께 썼다. 전임팀장은 현관에 "주 예수 그리스도를 믿는 집"이라는 푯말을 붙이고 전도활동에 몰두하는 예수의 사도였다. 사도의 전도에 밤낮으로 시달린 승환의 눈 밑에는 보잉 선글라스 같은 다크 서클이 달렸다. 세 줄에서 멈춰버린 소설 때문에 불면증까지 생겼다. 자리에 누우면 뭔가를 써야 한다는 조급증이 덮쳐오고, 일어나 노트북을 켜면 시커먼 현기증이 덮쳐왔다. 밤이 무서울 지경이었다. 그리하여 잠 못 이루는 밤이면 떠돌이고양이처럼 별채 숲을 배회하는 습관이 생겼다. 밤새 돌아다녀도 사택경비가 쫓아오지 않는 곳이었다. 숲이 깊어 인적이 없고, CC카메라가 없어 사생활 유출을 염려할 필요도 없었다. 종종 같은 구역에서 활동하는 야행성존재와 마주칠 때가 있기는 했다. 새벽 2시면 술에 취해 숲을 돌아다니는 수목원 관리인 노인이라든가, 밤마다 세령의 방을 들락거리는 진짜배기 고양이 '어니'라든가.

한번은 어니와 세령의 방 창문 앞에서 마주친 적이 있었다. 녀석은 그를 보고도 그리 긴장하지 않았다. 고양이 특유의 나른한 눈으로 바라보다가, 몸을 돌려 개구멍 문 쪽으로 휙 사라졌다. 승환도 따라갔다. 개구멍을 나가자 담장뒷길이 나타났고 길을 타고 걷다 보니 호수안길에 닿았다. 쓰레기차단스크린이 있는 호수 1번 출입구 앞. 담장뒷길은 호수안길의 1/3지점과 맞닿아 있는 셈이었다. 그곳에서 다시 어니를 만났다. 녀석은 안개 속을 들락날락하며 한가롭게 걸어갔다. 종착역은 세령목장 폐축사였다. 축사 한쪽 마루가 꺼져 내린 구멍 안에 큼직한 나무상자가 들어앉아 있고, 상자바닥에 분홍담요가 깔려 있었다. 물그릇과 사료그릇이 있는 걸로 보아 무시로 드나드는 이가 있는 듯했다. 세령이리라고, 그는 추측했다.

승환은 활동무대를 개구멍 밖으로 확장시켰다. 사도팀장 몰래 자신의 방 창문으로 빠져나와, 담장뒷길과 호수안길을 지나 어니의 집에 도착하는 일은 그가 세령호의 심심한 일상에서 낚아 올린 물고기였다. 그러나 물고기 한 마리로는 변심한 뮤즈를 불러들일 수 없었다. 여전히 그는 글을 쓰지 못했다. 조급증과 현기증은 나날이 심해졌다. 사도팀장이 발령지인 충주호로 가던 어제아침까지도 이 답답한 상황을 돌파할 비상구가 보이지 않았다.

사도팀장이 떠난 직후, 승환은 때늦은 업무인계를 시작했다. 주간근무자는 103호 거주자인 박 주임과 김 주임이었다. 인계 와중에 망향제 이야기가 나왔다. 망향제는 옛 세령마을이 수몰된 8월 27일을 기념하는 연중행사였다. 저지대주민들이 호수안길에서 한솔등을 향해 지내는 제사였고, 오후 3시에 시작해 저녁 7시가 돼야 끝나는 마을축제기도 했다.

"그거 구경할 만해요?"

승환이 묻자 박 주임이 되물었다.

"왜, 가보게?"

"볼거리 있으면 갈 수도 있죠. 모레부터 비번인데."

박 주임은 한동안 CCTV를 들여다보더니 혼잣말처럼 중얼거렸다.

"난 저 호수가 기분 나빠."

승환도 CCTV화면을 봤다. 뭐가 기분 나쁠까. 안개가 가시기 시작한 호수 한가운데에 한솔등이 무덤처럼 떠 있었다. 반구형을 그리는 섬 복판에는 둥치가 두 갈래로 나뉜 소나무 한 그루가 서 있었다. 승환은 전부터 궁금했던 것을 물어봤다.

"한솔등이 뭔 뜻이에요? 소나무 한 그루가 외로이 서 있는 등마루다, 뭐 그런 뜻인가?"

"거기까진 모르겠고, 수몰된 세령마을 뒷등이었다는 얘긴 들었는데."

박 주임이 대답했다. 승환은 고개를 끄덕였다.

"그런데 왜 호수가 기분이 나빠요."

"호수 밑에 옛 세령마을이 그대로 남아 있거든. 어떤 집 문설주엔 문패까지 달려 있다던데."

승환은 마른침을 넘겼다. 목덜미의 털들이 스르르 곤두서고 있었다.

"말인즉, 동네사람들이 그렇게 믿는다는 거야. 듣고 보니까 아주 황당한 전설은 아냐. 세령댐이 완공된 게 십여 년 전인데 그때 마을을 부수지 않고 물을 채웠다니까. 면소재지 다음으로 큰 마을이었다는데."

"실제로 마을을 확인해본 사람은 없고요?"

"없을 걸. 어디서 들었는지, 작년 가을에 방송국에서 확인하러 왔잖아. 그때 동네가 발칵 뒤집혔어. 방송국 차는 부서지고, 촬영을 허가한 댐 관리단장은 저지대주민들한테 맞아 죽을 뻔하고, 우리는 관리단 엄호하느라고 죽어나고."

"왜들 그랬대요?"

"이 동네 망향제라는 게 물속마을 용신한테 머리 조아리고 비는 거거든. 일종의 성지인 셈인데 외지인이 거기 들어가서 휘젓고 다니는 걸 그냥 놔두겠어. 동네사람들 사이에 도는 말이 있어요. 물속마을에 외지인이 침범하면 잠든 용신이 깨어나고, 그러면 재앙이 일어난다는 거야. 나도 처음 그 얘기를 들었을 땐 그냥 웃었어. 머리에 물탱크를 이고 사는 사람들이라 걱정이 많나보다, 하고."

"지금은 생각이 달라졌어요?"

"승환 씨. 해거름에 저놈 본 적 없지?"

박 주임은 세령호를 마치 살아 있는 생물처럼 불렀다.

"해가 진 후로 한 1, 2분쯤 CCTV화면을 지켜봐. 흐릿하긴 해도 그때까진 보일 테니까. 호수 위로 땅거미가 깔리면 한솔등 밑에서 안개가 피어오르기 시작할 거야. 물속마을 굴뚝에서 연기가 나는 것 마냥 줄기줄기. 언젠가는 가만히 들여다보고 있었더니 화면 안에서 걸걸한 노파소리가 들려오는 거야. 아가, 들어와서 저녁 먹어라."

박 주임은 화면에 눈을 댄 채 물었다.

"미친 소리 같지?"

"아뇨. 그건 아니고……"

"난 근무기간 끝나면 뒤도 안 보고 여기 뜰 거야."

승환은 구름에 올라탄 기분으로 집에 돌아왔다. 자리에 누웠으나 잠이 오지 않았다. 피곤한 느낌도 없었다. 천장에는 본 적도 없는 물속마을 풍경이 나타나 있었다. 들은 적도 없는 노파소리가 귀를 간질였다. "승환아, 할미랑 밥 먹자."

승환의 머릿속은 할미와 밥 먹을 궁리로 가득 찼다. 궁리의 저변에는 망상이 자리 잡고 있었다. 자신이 세령호를 택한 게 아니라 세령호가 자신을 불렀다고. 뮤즈가 아니라 아틀란티스가 기다리고 있었다고. 그곳에 가려면 먼저 선착장으로 들어가야 했다. 당연히 선착장 열쇠가 필요했다. 잠수장비를 메고 월담을 할 수는 없는 노릇이었으므로.

오늘 아침, 이틀째 야근을 끝내고 퇴근하는 승환의 바지주머니엔 선착장열쇠 복사본이 들어 있었다. 각부 열쇠는 근무교대 시에 인계하는 물품이었으므로 몰래 빌리는 게 불가능했다. 차라리 열쇠를 복사하러 상가지구 철물점에 몰래 다녀오는 쪽이 쉬웠다. 혼자 하는 야근이라 그사이 관리단 경비실이 빈다는 문제가 있었지만 승환은 과감하게 그 점을 무시했다.

오후가 되자, 그는 휴게소 전망대로 올라갔다. 댐 조감도와 컴퍼스로 어림한 각도를 참조해 호수내부를 스케치했다. 한솔등과 선착장, 취수탑은 트라이앵글을 그렸다. 세령마을은 물속에 잠긴 한솔등 능선을 등지고 선착장 부근에서 취수탑 너머까지 길게 자리 잡고 있었다. 짐작한 대로, 선착장부교가 출발점으로 가장 적당했다. 입수 포인트를 확정한 뒤 그는 휴게소 노상트럭으로 가서 낚싯줄, 형광도료, 찌, 납추를 샀다. 버스승강장에 서 있는 세령을 본 건 휴게소를 내려오던 길목에서였다.

밤을 기다리는 동안, 쓸데없는 호기심이 도졌다. 세령은 누구와 생일파티를 하나. 궁금해하면서 찌와 납추에 형광도료를 발라 말리고 50센티미터 간격으로 낚싯줄에 매었다. 임시변통 수심계였다. 감압시간을 계산하려면 수심을 알아야 했다. 해수면을 기준으로 만들어진 전자식수심계는 고지담수에선 쓸모가 없었다. 절대압이 해수면의 반밖에 되지 않은 탓이었다. 세령호에선 이 조잡한 수심계가 전자식수심계보다 나을 터였다. 덤으로 이정표 노릇도 해줄 것이고. 마을을 찾아내면 길을 따라 늘어뜨려 놓을 작정이었다. 내일 밤을 위한 조처였다.

　팀장은 수심계 제조가 끝나도록 나타나지 않았다. 그는 휴게소에서 사들고 온 맥주로 안달 난 신경을 진정시켰다. 캔 두 개를 비우고 나서야 독약을 마셨다는 걸 깨달았다. 팔굽혀펴기를 하면서 9시까지 버틴 건 알코올을 몰아낼 시간이 필요했기 때문이다. 그는 반드시 오늘밤, 개구멍을 통해서만, 세령호로 가야 했다. 저지대주민이나 사택사람들 몰래 세령호로 들어가야 하고, 오롯이 혼자이면서 비번인 오늘과 내일 사이에 아틀란티스를 찾아야 하며, 그곳 풍경을 빠짐없이 카메라에 담아야 한다는 절대과제를 수행하려면.

　담장뒷길로 빠져나온 후, 승환은 헤드랜턴을 켰다. 조도를 최대밝기로 조절했는데도 시야가 좋지 않았다. 안개가 너무 짙었다. 눈보라처럼 몰아드는 세령호 특유의 안개였다. 비까지 본격적으로 내리기 시작했다. 그나마 뒷길이 끝나는 지점에서 랜턴을 꺼야 했다. 호수 1번 출입구 밑에 CC카메라가 있었다. 시야는 완벽한 먹통이 됐다.

　호수 쪽 철망담장을 손으로 짚어가며 걷기 시작한 지 10분, 승환은 선착장 앞에 도착했다. 선착장은 호수출입구 중 유일하게 철망 문짝이 아닌 철문이 달려 있는 곳이었다. 문 높이는 철망 담과 비슷했고 길바닥과 문 밑 사이에 30센티미터 가량의 틈이 있었다. 길과 선착장진입로의 경사 차이로 생긴 틈이었다. 문손잡이에는 굵은 쇠사슬이 감겨 있고 자물쇠가 채워져 있었다. 그는 랜턴을 다시 켜고 조도를 최저로 맞췄다. 자물쇠를 따려면 불빛이 필요했다. 안으로 들어선 후엔 쇠사슬과 자물쇠를 문 안쪽에다 걸어 잠갔다. 혹시 있을지 모르는 방해꾼의 진입을 막기 위해서.

　선착장으로 내려가는 콘크리트경사로는 20미터 가량 되었다. 경사로 양편으론 잡목과 가시박덩굴이 뒤엉킨 호수비탈이 이어졌다. 경사로 한쪽 끝엔 부교가 있고, 부교 끝에는 '조성호'라 이름 붙은 선박이 묶여 있었다. 댐 쓰레기관리 용역회사에서 정기청소작업을 할 때 쓰는 바지선의 예인 선박이었다.

승환은 조성호 선실 앞에 배낭을 내려놓았다. 낚싯줄을 꺼내 부교교각에 묶고 입수준비를 시작했다. 핀 스트랩을 당기고 호흡기를 물었을 때, 시계는 9시 30분을 가리켰다. 그는 선자세로 입수했다. 전등조도를 최대로 높이고 낚싯줄이 엉키지 않도록 살살 풀어가며 하강했다. 첫 수온약층을 지나자 2차선 도로의 노란중앙선이 눈에 들어왔다. 오래전 차와 사람과 경운기가 지나던 시절, 쌍령재라 불리던 곳이었다. 고갯마루 암류는 드센 편이었으나 시계는 담수치곤 괜찮았다. 또렷하진 않아도 도로 밑으로 긴 골짜기가 있다는 걸 짐작할 정도는 되었다. 승환은 낚싯줄이 물결에 쓸려가지 않도록 나무둥치에 느슨하게 둘러 감은 다음 다시 하강했다. 암류의 결을 타고 활강하듯 미끄러졌다.

두통이 올 만큼 물이 차가워질 무렵, 승환은 하강을 멈췄다. 그의 발은 골짜기 바닥에 닿아 있었다. 주변이 어두웠다. 어둠 속은 고요했다. 사물들은 색을 잃었고 수중전등에 반사된 콘크리트 도로만 은빛으로 반짝였다. 어둠 저편에선 사라진 옛 마을의 환영이 어른거렸다. 복잡한 기분이었다. 두렵고, 설레고, 가슴 벅찼다. 그는 길을 타고 어둠 속으로 유영해 갔다.

"어서 오세요, 여기는 세령마을입니다."

마을입석이 승환을 맞았다. 입석 옆에 버스승강장이 있었다. 그는 녹슨 표주에 낚싯줄을 한 바퀴 감았다. 유리창이 깨져나가고 틀만 남은 대기소에 다시 한 바퀴. 거대한 당사나무 둥치에 한 바퀴. 벽널이 떨어져 내린 정미소와 지붕을 뚫고 올라온 수초 사이로 크고 작은 물고기들이 오갔다. 길바닥엔 전봇대가 누웠고, 벌겋게 녹슨 경운기 동체가 농수로에 처박혀 있었다. 그것들 사이사이에 낚싯줄을 감아두며, 그는 마을 안으로 진입했다. 무너진 돌담, 덜렁거리는 지붕널, 철근이 드러난 벽, 부러진 문설주, 흩어진 기왓장, 쓰러져 썩어가는 나무들, 바퀴 빠진 유모차 하나, 양철뚜껑이 덮인 우물. 인간이 사라진 이후의 세상이 이런 모습일까. 그의 아틀란티스는 황폐하면서도 아름다웠다. 쓸쓸하면서도 매혹적이었다. 단 한 번의 조우로 그의 영혼을 송두리째 홀려버렸다.

승환은 도로와 다리, 돌담을 헤치며 물고기처럼 돌아다녔다. 벽만 남은 집터에서 노부부의 한가한 저녁식사를 구경했다. 승강장 벤치에 앉아 버스를 기다리는 사람들의 이야기를 들었다. 유모차를 밀고 가는 젊은 엄마의 연애담을 들었다. 상상의 조각들은 카메라에 차곡차곡 담겼다. 조각을 맞춰 황홀한 이야기판을 짤 수 있을 것 같았다. 잘할 수 있을 것 같았다.

물속의 시간은 조류만큼이나 변덕스럽게 흐른다. 때론 세 살짜리가 모는 세발자전거 같고, 때론 폭주족의 오토바이 같기도 하다. 아틀란티스의 시간은 마술사의 손이었다. 손 한 번 휘두른 짧은 순간에 1시간이 소맷부리 속으로 뭉텅, 사라졌다. 체온은 위험수위로 떨어졌고 살갗의 감각이 거의 사라졌다. 시야는 물결과 상관없이 흔들렸다. 무채색으로 보여야 할 마을풍경에 선명한 색상이 덮이기 시작했다. 기분은 위험할 정도로 들떴다. 질소마취에 걸려들고 있다는 경고의 신호들이었다.

여기가 마지막이야, 하면서 그는 문설주의 문패에 카메라를 들이댔다. 세령마을에서 가장 높은 지대에 있는 집이었다. 셔터를 누르자 문패의 검은 활자 위에서 플래시가 터졌다. 섬광 밑으로 문패가 사라지고 활자만 돋을새김처럼 떠올랐다. 오영제.

10시 45분, 공기잔량 120바(bar). 승환은 서둘러 마을을 빠져나왔다. 부력조절기의 공기를 빼면서 상승을 시작했다. 들어왔던 길을 되밟아 나갈 시간이 없어 외딴집 위로 곧장 상승했다. 분당 9미터 속도로 상승하면서 떠나온 마을을 내려다봤다. 풍경이 서서히 흑백사진으로 돌아오고 있었다. 그의 기억은 외딴집 문설주의 문패에 가닿았다. 한 남자가 기억났다. 섬뜩할 만큼 예쁜 여자아이도.

세령호에 내려와 맞은 첫 주말 밤이었다. 사도팀장은 서울 집에 다니러 갔고 승환 혼자 사택에 있었다. 자정무렵, 가물가물 눈이 감겨오던 순간, 승환은 날카로운 비명을 들었다. 눈을 뜨고 보니 사방은 고요하기만 했다. 꿈결에 들은 소린가, 싶어 다시 눈을 감았다. 잠시 후, 숨죽여 흐느끼는 소리에 완전히 잠을 깼다. 희미했지만 방향을 찾을 수 있었다. 창밖이었다. 그는 수중랜턴을 꺼내들고 창문을 열었다. 나뭇가지 두 개가 엇갈려 휘어진 편백나무 그늘에 여자아이가 숨어 있었다. 랜턴 빛은 팔을 엇갈려 가슴을 가리고 있는 팬티바람의 소녀를 보여주었다. 소녀는 몸을 옹크리며 흐느꼈다.

"보지 마세요. 아저씨, 보지 마세요……."

아이의 목소리에서 짙은 수치심이 배어났다. 승환은 부탁을 들어주기로 했다. 무슨 일인지 몰라도 모르는 척하는 게 나을 것 같았다. 소녀가 정신을 잃어버리지 않았다면, 단 1초 만에 마음을 홀떡, 뒤집고 창문으로 뛰쳐나갈 일은 없었을 것이다. 소녀는 숲 속에서 강도라도 만난 듯한 몰골을 하고 있었다. 코가 왕만두만큼 부어올랐고, 들숨 때마다 목에서 가래 끓는 소리가 났다. 몸엔 회초리 자국이 선명했다. 살갗이 터진 곳도 있었다. 그는 담요로 소녀의 몸을 감싸 안고 정문으로 달렸다. 정문 앞 상가지구에 진료소가 있다는 것을 기억해 냈던 것이다. 뉘 집 딸인지, 누구한테 폭행을 당했는지 알아보는 건 그다음 일이었다.

　주말 밤인데도 의사가 있었다. 군인처럼 머리를 바짝 깎은 젊은 의사는 엑스레이(X-Ray)를 찍어본 후 코뼈가 함몰됐다고 말했다. 이어 승환이 답할 수 없는 사항을 물었다.

　"어떻게 된 일입니까?"

　"모르겠습니다. 제 방 창문 앞에 있다가 느닷없이 기절해버려서."

　신고를 받고 출동한 순경이 소녀를 알고 있었다. 수목원 주인남자의 딸로 이름은 세령이었고 열두 살이었다. 아이아빠의 연락처도 알고 있었다. 휴대폰을 꺼내더니 어딘가로 전화를 걸었다. 얼마 후, 감청색 슈트에 반짝거리는 구두를 신은 남자가 나타났다.

　"수목원에서 오시는 게 아닌가 봅니다."

　순경이 물었다.

　"밖에서 돌아오는 길에 전화를 받았습니다만."

　남자는 딸 쪽으로 곁눈질조차 던지지 않았다. 문을 가로막듯 버티고 서더니 승환을 봤다. 시커먼 동공이 활짝 열려 있었다. 흡사, 흰자위가 없는 것처럼 보이는 눈이었다.

　"당신은 누구요?"

　남자가 물었다. 승환은 헛기침을 한 번 했다.

　"102호에 삽니다만."

　"언제부터 산다는 거요? 난 당신을 못 봤는데."

　승환은 숨이 뻑뻑해지는 걸 느꼈다. 긴장하면 나오는 증상이었다. 상대의 눈에서 기분 나쁜 것을 본 탓이었다. 흔히들 '도발'이라고 부르는 것.

　"며칠 됐습니다."

　호흡을 조절하느라 승환은 느릿느릿 대꾸했다.

"댁의 딸인 줄은 몰랐고요."

"내 딸을 왜 당신이 데리고 왔는지 말해 보시오."

"그건 내 쪽에서 묻고 싶은데요. 댁의 딸이 왜 내 방 창문 밑에서 기절했는지."

남자는 고개를 돌려 의사에게 물었다.

"폭행흔적이 있습니까?"

의사는 같은 말을 되풀이했다.

"코뼈함몰이 있습니다. 회초리 자국으로 보이는 찰과상도 있고……"

"선생 눈엔 그것만 보입니까? 내 눈엔 발가벗겨진 채 진료소에 누워 있는 내 딸과 이 밤중에 내 딸을 데려왔다는 남자가 보입니다만."

승환은 멍하니 남자를 봤다. 생각지도 못한 훅이었다. 의사는 차트를 탁, 소리 나게 닫았다. 동글동글한 얼굴에 불쾌함이 번지고 있었다.

"선생 눈엔 신고를 받고 출동한 경찰은 안 보이는 모양이지요?"

순경은 세령을 내려다보고 있었다. 세령은 깨어나 곁눈질로 제 아빠를 훔쳐보고 있었다. 남자도 딸이 깨어난 걸 알아차렸다.

"이 남자가 너한테 무슨 짓을 한 거냐?"

남자는 엄지로 승환을 가리켰다.

"때렸니? 너를 만졌니?"

승환은 숨을 들이켰다. 세령은 속삭이듯 대꾸했다.

"아니에요."

순경이 물었다.

"그럼 어디서 다친 거냐?"

세령의 시선은 순경과 의사를 거쳐 승환에게 머물렀다가 다시 순경에게로 돌아왔다. 제 아빠와 시선이 마주치는 걸 한사코 피하는 눈치였다.

고양이처럼 크고 꼬리가 올라간 눈에는 물기 같은 것이 반짝거렸다. 눈물처럼 보였지만 눈물이 아니었다. 승환은 그것이 '공포'라는 데 한 달치 월급을 걸겠다고 생각했다.

"안승환 씨라고 했소? 잠깐 나가 있어요."

순경이 말했다. 승환은 그럴 수 없었다. 소녀의 저 조그만 입이 자신의 목줄을 물고 있는데, 나가 있으라니.

"오 원장님도 나가시고."

'오 원장님'이라 불린 남자도 딸에게 시선을 붙박고 움직이지 않았다.

"두 분, 내 말 안 들리시오?"

순경이 퇴장을 재촉했다. 승환과 남자는 서로 눈치를 보다 동시에 문쪽으로 돌아섰다.

"멀리 가지는 마시오. 금방 끝날 테니까."

남자는 문밖 대기의자에 앉았다. 팔걸이에 몸을 기대고 머리를 뒤로 젖히며 광대뼈 너머로 무표정하게 승환을 내려다봤다. 시커멓게 확대된 동공, 근육이 부풀어 오른 것처럼 팽팽한 어깨, 남자는 행동할 태세를 갖춘 맹수 같았다. 승환은 건너편 의자에 앉았다. 침착하게 보이려고 기를 썼다. 긴장을 풀고 무표정을 유지하려 애썼다. 잘 되지 않았다. 머리에서 자꾸 생각이 빠져나갔다. 분노와 모멸감과 불안이 그 자리를 채웠다. 호흡은 점점 거칠어졌다. 담배생각이 간절했으나 자리를 뜰 수가 없었다. 자신이 없는 사이에 남은 인간들이 무슨 작당을 할지 모르는 일이므로. 진료실 안에서는 아무 소리도 새어나오지 않았다. 20여 분이 20시간처럼 흘렀다. 진료실 문이 열리고 순경이 나왔을 때, 승환은 숨이 넘어가기 직전이었다.

"숲에서 만난 고양이하고 '무궁화 꽃이 피었습니다' 놀이를 하다가 나무에 부딪혔답디다."

순경은 남자와 승환 사이에 섰다.

"그래서 집으로 돌아가려고 했는데 어두워서 옆집하고 헷갈렸고, 코피가 나는 바람에 어지러워서 쓰러졌고, 옆집 아저씨는 오늘 처음 만났는데도 저를 안고 진료소로 데려와준 고마운 아저씨고, 때리거나 만진 적이 없다고 아빠에게 꼭 전해달랍디다."

승환은 자리에서 일어났다. 분노가 뜨거운 물처럼 식도로 내려가고 있었다.

"열두 살짜리 여자아이가 야밤에, 팬티바람으로 고양이하고 '무궁화꽃이 피었습니다' 놀이를 했다고요. 그게 믿어집니까?"

"고양이 이름이 뭐라더라, 하여간 그놈이 제일 좋아하는 놀이라고 합디다만."

"몸에 난 회초리자국은 뭐라고 설명하던가요. 어깻죽지 살이 다 터졌던데요."

"고양이한테 긁힌 자국이라더군. 꽤 험하게 놀았던 모양이오. 하여간 의사소견은 이렇소이다. 성폭행여부는 본인이 진단하기 어렵다. 엑스레이상 코뼈가 함몰된 건 확실하다."

이번엔 남자가 일어섰다.

"그러니까 확인하려면 산부인과 의사한테 가야 한다는 거요?"

"나라면 아이를 이비인후과 의사한테 먼저 데려가겠습니다. 저 예쁜 코가 틀어졌다지 않습니까. 정식수사는 차후에 본서에다 의뢰하셔도 늦지 않습니다만."

남자는 안으로 들어갔다가 담요로 둘둘 만 소녀를 안고 나왔다. 이렇다 저렇다 말 한마디 없었다. 두들겨 패는 듯한 시선으로 승환을 훑어본 뒤 진료소를 나가버렸다. 순경은 승환의 팔꿈치를 잡았다.

"안승환 씨는 나랑 지소로 갑시다."

그는 순경의 손을 뿌리쳤다. 이해되지 않는 처사였다. 비록 법에 대해 쥐뿔만큼도 아는 바 없었으나, 다친 아이를 진료소에 데려온 것이 지소로 잡혀갈 일이 아니라는 것쯤은 알고 있었다. 더하여 아이가 자신의 혐의를 벗겨준 후가 아니던가.

"따라오쇼. 본인이 신고했으니 경위서는 써야 하지 않겠소."

순경은 앞장서서 진료소를 나갔다. 승환은 따라가서 경위서를 썼다. 볼펜을 던져버리고 싶은 걸 눌러 참느라 손가락에 쥐가 다 났다. 머릿속은 분주하기 이를 데 없었다. 아이와 아이아빠라는 작자와 순경의 이해할 수 없는 언행을 이해해보느라. 아이는 왜 거짓말을 하나. 아이아빠는 왜 애먼 사람을 잡나. 순경은 왜 아이 폭행범을 찾는 데 관심이 없나.

승환은 의사와 자신을 뺀 세 사람의 행동에 암묵적 전제가 깔려 있다고 확신했다. 그들이 폭행의 주체를 알고 있다는 것. 아이아빠는 집에 돌아오는 길에 전화를 받은 게 아니었다. 순경도 그걸 알고 있는 눈치였다. 승환은 머릿속으로 상황을 재구성해보았다.

세령은 '어떤 이유' 때문에 제 아빠에게 알몸으로 매를 맞는다. 기회를 보아 도망치지만 곧 옴짝달싹 못하는 지경이 된다. 숲으로 들어가자니 무섭고, 중앙통행로로 나가자니 알몸이고. 그리하여 옆집 뒷방 창문에서 가장 가까운 나무 밑에 숨는다. 아빠라는 작자는 딸을 찾으러 다닌다. 하필 그때 오지랖 넓은 이웃집남자가 끼어든다. 아이아빠는 이웃집남자가 딸을 안고 집으로 들어가는 걸 본다. 집에서 나와 진료소로 뛰는 것까지 지켜본다. 얼마 후, 순경의 전화를 받는다. 순경은 아이가 상습적으로 구타당한다는 걸 안다. 이웃집남자가 미묘한 상황에 걸렸다는 것도 짐작한

다. 그런데도 모르는 척 원칙대로 일을 처리한다.

승환이 보기에 진실은 단순했다. 아이아빠는 이웃집남자를 자신의 폭행사실을 감추는 연막으로 써먹은 것이다. 납득할 수 없는 진실이기도 했다. 대한민국은 자기 딸을 때렸다고 부모를 감옥에 보내는 선진사회가 아니었다. 동네 평판이야 좀 나빠지겠지. 돌아올 결과에 비해 남자의 방어는 쓸데없이 과했다. 거미줄을 치우겠다고 전기톱을 휘두른 꼴이었다. 무고로 고소당할 위험도 감수해야 할 무리수였다. 왜 그랬을까, 그는 궁금했다.

동네역사에 정통한 박 주임이 궁금증을 풀 단서를 주었다. 남자는 이혼소송 중이었다. 양육권전쟁도 함께 진행되고 있었다. 순경이 썼던 남자의 호칭 '오 원장님'은 수목원주인이라는 뜻이 아니었다. 남자는 치과 개업의였고 S시에 '메디컬센터'라는 빌딩도 가지고 있었다. 남자의 치과를 비롯한 11개 과 개업의들이 연합진료를 하는 의료전문빌딩이었다. 어디 그뿐일까. 댐이 들어서기 전 세령강 백릿길을 쥐락펴락했다는 대지주의 외아들이자 저지대주민의 밥줄인 세령평야의 현재주인이었다.

승환은 순경의 태도를 이해할 수 있었다. '오 원장님' 대 댐 경비, 원주민 대 외지인. 둘은 힘과 유명세라는 면에서 현격한 차이가 났다. 나아가 '오원장님'의 메시지도 읽을 수 있었다. 내 집안일에 끼어들지 말라.

8월이 끝나가도록 '본서'의 수사는 없었다. 그사이 승환은 세령의 비명을 두어 번쯤 더 들었다. "아빠" 하는 절박한 부름도 들었다. 집을 나올 때 봤던 열린 창문 틈새로.

그 집, 101호의 문패에 그 이름이 있었다. 오영제.

휴대전화가 울었다. 현수는 번호를 확인했다. 은주였다. 한 시간 사이에 벌써 다섯 번째였다. 중간 중간 문자도 들어왔다.

서원아빠, 전화 좀 받아.

가는 길이야, 도착한 거야?

당신 거기 안 가고 친구들이랑 술집에 있지? 또 술 마시지?

현수는 술을 마시고 있었다. 친구들과 함께였다. 다만 '거기'에 안 간 건 아니었다. 서울도, 세령댐도 아닌 광주의 한 소주방이었으니, 가는 길목에서 잠시 해찰을 부리고 있다고 봐야 했다. 그래서 전화를 받지 않았다. 보고해봐야 욕만 먹을 것이므로. 그의 관심은 다시 TV화면 속 프로야구경기로 되돌아갔다. 타이거즈와 라이온즈가 대구구장에서 한판 붙고 있었다. 타이거즈가 납죽하게 얻어맞고 뻗는 쪽으로 흐르는 경기였다. 카메라는 허리에 손을 짚고 서 있는 포수의 뒷모습을 비췄다. 김빠진 엉덩이란 바로 이런 것이라고 보여주는 것처럼. 타이거즈의 배터리는 막 상대에게 3점짜리 홈런을 바쳐 올린 참이었다.

현수도 한때는 저 자리에 있었다. 아니, '간간이'라는 말이 더 정확하겠다. 이제는 없어진 구단, 한신 파이터스의 백업 혹은 2군 포수로 시즌 대부분을 보냈으니까. 1998년 8월, 베어스와의 잠실경기가 그의 마지막 게임이었다.

다시 휴대전화가 울기 시작했다. 이번엔 은주가 아니었다. 입사동기인 김형태였다.

"자네 지금 어디야?"

통화버튼을 누르자마자 짜증난 목소리가 그를 다그쳤다.

"서원엄마한테서 전화 왔어. 같이 있는 거 아니라고 해도 막무가내로 바꿔달라고 하는데 아주 환장하겠다니까. 자네 오늘 세령댐 가기로 했다면서. 거기 안 간 거야?"

"가는 길이야."

"그럼 그렇다고 전화나 해주든가. 서원엄마 성미 몰라서 그래?"

현수는 궁금했다. '서원엄마'라 불리는 강은주의 성미는 얼마나 널리 알려진 것일까. 휴대전화를 귀에 댄 채 그는 몸을 일으켰다. 전화는 이미 끊겼으나 자리를 뜰 핑계가 필요했다. 앞에 앉은 두 녀석이 흘끔 올려다봤다. 그는 손가락으로 전화기를 가리켰다. 밖에 나가 통화하고 오겠다는 것처럼.

"혹시 최현수 선수 아닙니까?"

문 앞 테이블 쪽에서 남자의 목소리가 들려왔다. 현수는 문을 열고 나가려다 뒤를 돌아보았다. 자신을 기억하는 사람이 있다는 게 신기하면서도 당혹스러웠다.

"저 대일고 45회입니다."

자신과 비슷한 연배로 보이는 남자가 자리에서 일어났다. 현수는 휴대전화를 셔츠주머니에 담고 남자와 악수를 나눴다. 아들에게 주고 싶다며 남자가 내미는 종이에 사인도 해주었다. 합석을 사양하는 대신 선 채로 소주잔을 받아 한입에 비웠다. 얼른 가게를 나가고 싶었다. 얼굴도 모르는 동문에게 이런저런 질문을 받고 싶지 않았다.

차문을 열자마자 또 문자가 들어왔다.

당신 어디서 마시는 거야?

은주가 좋아하는 질문 중 하나였다. 두 번째로 좋아하는 질문은 "왜 마셨느냐"였다. 현수는 두 질문에 대답한 적이 없었다. 술꾼에게 '어디서, 왜 마셨느냐'고 묻는 건, 공동묘지에 가서 당신들은 왜 죽었느냐고 묻는 것과 같다. 세상의 술집은 상시영업중이고 술 마실 이유는 술집만큼이나 많으니까. 그래도 알아야겠다면 한마디쯤 할 말은 있다.

'고교시절부터 배터리였던 놈이 술집을 차렸다.'

김강현은 현수보다 3년 늦게 유니폼을 벗었다. 한때, 파이터스 핵잠수함으로 불리던 언더스로 투수였으나 마지막 2년은 수술대와 재활훈련장에서 보냈다. 혹사만 아니었다면, 팔꿈치가 그토록 빨리 망가지지는 않았을 것이다. 구단 모기업이 바뀌면서 강현은 결국 옷을 벗었다. 고장난 잠수함을 사가겠다는 데가 없었다. 은퇴 후, 강현은 이런저런 사업에 손을 댔다. 손대는 족족, 자신의 공 스피드만큼이나 빠르게 거덜 내 먹었다. 광주의 한 대학가에 차린 소주방은 녀석의 다섯 번째 재기무대였다. 현수가 거기에 들른 건 당연지사에 속했으나 계획된 일은 아니었다. 세령호로 이사한 후 기회 봐서 갈 생각이었다. 기회를 떠안긴 게 은주였다. 아침나절, 출근을 하는 그에게 이렇게 물어왔던 것이다.

"서원아빠, 오늘로 여기 근무 끝이지? 일찍 끝나지?"

현수는 별 생각 없이 "왜?" 했다.

"사택에 다녀오라고. 난 오늘까지 학교 나가야 해."

재차 "왜?" 했다. 은주는 어이없는 얼굴을 했다.

"집 구조나 규모를 알아둬야 가져갈 살림을 정할 수 있지. 거기까지 끌고 가서 버릴 수 없잖아."

"살림 버릴 거 없어. 평수가 여기하고 같아."

"수목원 펜션 같은 데는 대개 실 평수가 작단 말이야. 구조도 가정집하고는 다르고. 거기에다 방이 둘뿐이라면 얘기가 완전히 다르지."

세령댐은 동네저수지가 아니었다. 차로 5시간 이상 걸리는 곳이었다. 그런 수고를 치를 이유로는 타당성이 부족했다. 다른 속셈이 있을 터였다. 현수는 신발을 신으며 슬쩍 찔러봤다.

"가서 집만 보고 오면 되는 거지?"

"집만 보지 말고 얘기를 해야지. 총각 하나가 그 집에 산다며? 그럼 방 문제라든가, 욕실이나 부엌을 쓰는 문제라든가, 세금 문제라든가, 이런 걸 정확히 해둬야 살면서 얼굴 붉힐 일이 없지."

"그러니까 그 친구랑 둘이 얼굴 맞대 앉아서 세탁기를 같이 쓰느냐, 마 느냐, 수도세를 얼마씩 부담하느냐, 그런 걸 정하라는 거야?"

"기왕이면, 말 잘해서 그 총각 옆집으로 보내봐. 우리랑 사는 거, 자기 도 불편할 텐데."

현수는 은주의 얼굴을 곰곰이 뜯어봤다. 이 여자의 뻔뻔함은 타고난 자질일까, 연마한 무기일까.

그에겐 '그 총각'을 옆집으로 보낼 재주가 없었다. 그럴 마음도 없었 다. 스스로 가겠다고 하면 붙들지는 않겠지만. 어쨌든 전화로 약속을 잡 아두기는 했다. 넘어진 김에 밤을 줍는다고, 가는 길에 강현의 가게에 들 를 생각이었다. 광주에 도착한 건 6시경이었다. 계획대로라면 화분만 전 하고 나와야 맞았다. 고교동기 셋을 만나는 바람에 의자에 눌어붙었다.

그의 동기들 중 현역은 없었다. 다들 그냥저냥 나이를 먹어가고 있었 다. 저녁을 먹으면서 술이 돌았다. 돌 사진만큼이나 낡아빠진 추억이 끌 려나왔다. 최고가 되겠다는 포부와 스타의 꿈과 시큼한 땀 냄새가 떠돌 던 합숙소 천장, 여고생 팬을 몰고 다니던 꽃미남 투수 김강현과 봉황기 준결승에서 끝내기 쓰리런을 날린 포수 최현수의 첫사랑이야기까지. 술 은 빠른 속도로 한 병이 되고 두 병이 되고 여덟 병이 됐다. 그중 절반을 그가 마셨다.

동광주 톨게이트에 도착할 무렵, 전화가 다시 울기 시작했다. 어김없 이 은주였다. 받을 때까지 줄기차게 걸 태세였다. 현수는 전화의 전원을 꺼버렸다. 톨게이트 너머에는 차량이 길게 늘어서 있었다. 금요일 저녁이라 그런가, 했다. 게이트를 지나고 보니 그것이 아니었다. 고속도로 진입 지점에 경찰차가 몰려 있었다. 뒷덜미가 오싹해왔다. 꼼짝없이 걸렸구나, 싶었다. 검문이라면 내밀 면허증이 없었다. 음주운전으로 면허정지를 당한 지 93일 째였다.

그날도 오늘과 비슷한 상황이었다. 동료들과 소주방에서 소주를 마신 것도, 술집 TV로 야구경기를 본 것도, 은주가 김형태를 통해 자신을 찾은 상황까지.

막 취기가 올라올 무렵, 김형태가 자기 휴대전화를 건넸다. 웃는 눈이 '이 쪼다야'라고 말하고 있었다. 현수는 얼굴이 벌겋게 달아오르는 걸 느꼈다. 은주는 그가 술 마시는 걸 싫어했다. 싫어하는 정도가 거의 병적이었다. 회식자리에서 1시간마다 귀가독촉 전화를 받는 건 현수뿐이었다. 언제부턴가 그는 술자리로 걸려오는 은주의 전화를 무시하게 됐다. 하지만 김형태가 건네는 전화까지 무시할 수가 없었다. 나야, 하자마자 은주가 속사포를 쏘아댔다.

"도대체 어디서 뭘 해? 당신 또 술 마시지?"

"밥 먹어. 안 마셔."

"그럼 왜 전화를 안 받아?"

"벨소리를 못 들었어. 그렇다고 이리로 전화하면 어떡해?"

"전화를 안 받으니까 그리로 했지."

끝도 없는 순환대화가 시작되려 하고 있었다. 현수는 잽싸게 한발 물러섰다.

"무슨 일 있어?"

"서원이가 아파. 토하고 열나고 좀 전부턴 헛소리까지 하고. 아빠가 스키장에 데려간다고 했다면서 옷을 입혀 달라는 거야."

현수는 가슴이 덜컥 내려앉았다.

"병원에 안 데려갔어?"

"금방 119 불렀어."

그는 술자리를 박차고 나왔다. 음주운전이라는 자각은 없었다. 병원 근방에서 단속에 걸릴 때까지 술을 마셨다는 사실조차 잊었다. 그는 의경에게 아들이 아프다고 사정을 해봤다. "어련하시겠습니까?"라는 답이 돌아왔다. 음주감별기를 불지 않을 도리가 없었다. 기계는 "삐" 소리를 질렀다. 당연한 일이었다. 그의 배 속에 들어 있는 건 위장이 아니라 술통이었으니.

의경은 곧장 차문을 열고 그의 옆자리에 올라탔다. 차를 갓길로 붙이라고 했다. 그는 의경을 태운 채 냅다 달려버리고 싶은 충동을 가까스로 눌렀다. 갓길엔 음주측정을 하는 봉고가 대기하고 있었다. 0.09가 나왔다. 그는 인근 경찰서로 인계됐다. 아이가 아프다는 말은 그곳에서도 통하지 않았다. 꼼짝없이 진술서를 써야 했다. 와중에 은주의 전화를 받았다.

"언제 올 거야? 정말 꼭지 돌게 만들 거야?"

은주의 목소리는 쩨지고 갈라졌다. 현수는 소리 죽여 대꾸했다.

"가고 있어. 다 왔어. 의사는 뭐래?"

"뇌수막염 같다고 CT장비랑 소아과당직이 있는 병원으로 가라는데 당신은……"

이번엔 현수가 소리를 질렀다.

"그럼 가야지, 당신 타령을 할 게 아니라."

"뭘 잘했다고 화를 내. 내가 바보야? 콜택시 불러서 동아병원으로 가는 중이고, 당신더러 그쪽으로 오라고 전화한 건데."

경찰은 통화내용으로 상황을 짐작한 듯했다. 속성으로 일을 처리해주었다. 현수는 이틀짜리 임시면허증을 받아 쥐고 택시를 잡아탔다.

서원은 응급실 맨 안쪽 침대에 누워 있었다. 은주는 서원의 손을 쥐고 곁에 앉아 있었다. 서원이 먼저 현수를 봤다. 힘없는 목소리로 "아빠" 했다. 은주의 첫마디는 "하, 술을 안 드셨어?"였다.

"왜 이러고 있어?"

현수는 침대발치에서 서원과 눈을 맞추며 은주에게 물었다. 서원 곁으로 가고 싶었지만 들어갈 수가 없었다. 키 191센티미터에 몸무게 110킬로그램의 거한이 들어가기엔 침대와 침대 사이가 너무 좁았다. 그의 큰 몸은 야구장 말고는 쓸모 있는 곳이 없었다.

"온다고 한 지가 언젠데 이제 와?"

은주는 되묻는 걸로 대꾸했다.

"왜 이러고 있냐니까."

"당신이 없으니까 이러고 있는 거 아냐. 척수천자를 해야 한다잖아."

"척수천자? 그게 뭔데?"

"척추에서……"

은주는 서원을 흘끔 보더니 말을 삼켰다.

"위험한 건 아니라고 해놓고, 서약서에다 지장 찍으래. 서원이한테 무슨 일이 생겨도 병원에 책임을 묻지 않겠다고. 그런 말을 어떻게 믿어. 그런 걸 어떻게 내 맘대로 써."

'왜 맘대로 못 써. 뭐든 제 맘대로 해치우는 여자가'라고 소리치고 싶은 걸 현수는 꾹 눌러 참았다. 자신의 덩치와 술 냄새, 고함의 조합이 초래할 결과를 너무도 잘 알고 있었다.

"의사 어디 있어?"

은주는 눈을 내리깔고 응급실 중앙에 있는 간호사실을 가리켰다. 그는 치미는 울화를 삼키며 의사에게 갔다. 소아과의사는 뇌수막염 같다고 말했다. 스테로이드를 써서 안정시키긴 했지만 척수천자를 할 필요가 있다고 했다. 긴 바늘을 척추에 꽂아 척수액을 뽑아내는 처치였다. 뇌압조절과 검사용 샘플을 얻는 게 목적이었다. 세균성인지, 바이러스성인지는 검사결과가 나와야 안다고 했다.

"세균성은 뭐고 바이러스성은 뭡니까?"

현수가 물었다.

"바이러스성은 치료를 잘하면 괜찮습니다."

의사가 대답했다.

"세균성이면 어떻게 되는데요?"

"후유증이 남을 수 있습니다. 청력장애나 발달장애, 간질 같은……"

청력장애, 발달장애, 간질……. 눈앞이 캄캄해져 왔다. 허리에 힘이 빠지고 다리가 후들거리기 시작했다. 서약서 내용이 눈에 들어오지도 않았다. 자신의 이름조차 제대로 쓰지 못하고 볼펜을 네댓 번도 더 놓쳤다.

서원은 처치실로 옮겨갔다. 은주는 밖에 남았고 현수가 따라 들어갔다. 보조원인 듯한 남자가 서원의 윗도리를 벗긴 후, 새우처럼 허리를 말고 모로 눕게 했다. 의사는 등뼈 밑에 소독약을 바르고 소독포를 덮었다. 서원은 몸을 바르작거리기 시작했다. 보조원이 몸으로 서원을 덮어 눌렀으나 겁에 질리기 시작한 소년을 통제하기에는 역부족이었다. 서원은 처치실로 들어올 때 크고 기다란 주사기를 봐뒀고, 의사가 등에 소독약을 바르자 그 무시무시한 바늘이 자신의 등뼈 속으로 들어오리라는 걸 이해한 것이었다. 현수를 바라보는 서원의 눈에 간절한 구조요청신호가 들어 있었다. 의사도 같은 눈으로 현수를 봤다.

"아이 좀 어떻게 해보세요. 처치하는 사이에 움직이면 큰일 납니다."

현수는 침대 밑에 쪼그리고 앉았다. 땀에 흠뻑 젖은 몸이 처치침대와 벽 사이에 꽉 끼었다. 숨이 단박에 거칠어졌다. 두려움 때문에 미칠 것 같은 기분이었다.

"서원아. 아빠는 무서울 때마다 뭘 했다고 했지?"

서원은 꿈틀거림을 멈췄다. 현수는 재차 물었다.

"얘기해줬는데 기억 안 나?"

서원은 현수와 눈을 맞추고 휘파람부는 입모양을 만들었다.

"그거야. 우리 둘이 그걸 하는 거야. 아빠는 소리 내서 불고, 서원인 마음속으로 불고. 휘파람이 끝나면 무서운 일도 다 끝나 있을 거야. 선생님, 그렇죠?"

의사는 주사기로 국소마취제를 뽑아내며 "그럼요" 했다. 현수는 서원에게 물었다.

"어떤 노래로 할까?"

서원은 대답 대신 검지와 중지를 반듯하게 세웠다. 현수는 서원이 좋아하는 영화 〈콰이강의 다리〉의 첫 장면을 떠올렸다. 포로가 된 영국군이 휘파람으로 '보귀대령의 행진곡'을 불며 일본군 포로수용소로 행군해 들어오는 장면. 서원은 영화내용을 이해하지 못하면서도 그 장면만 수십 번씩 돌려보곤 했다. 비디오테이프가 칼국수가락처럼 늘어날 정도로.

현수는 양쪽 검지와 중지를 처치침대 가장자리에 나란히 세웠다. '솔', 음계로 휘익, 소리를 냈다. 둘만 아는 행군시작 신호탄이었다.

휘익, 휘리리 획획획, 휘익…… 현수는 휘파람을 불기 시작했다. 그의 손가락 두 쌍은 다리가 되어 침대 가장자리를 타고 행군했다. 행군 중 옆사람 다리를 걸어 넘어뜨리고, 오줌이 마려운 것처럼 허벅지를 비비꼬고, 발끝을 박자에 맞춰 달달 떨었다. 마침내 서원의 얼굴에 옅은 미소가 떠올랐다.

"연병장 한 바퀴만 더 돕시다." 휘파람이 끝나자 의사가 한 말이다. 현수는 의사의 턱에 주먹을 날릴 뻔했다. 아직도 못 끝냈단 말이냐.

천자가 끝나자마자 서원은 잠이 들었다. 뇌압이 떨어지면서 편안해진 것이라고, 의사가 설명했다. 현수는 서원 곁에 쪼그려 앉아 부들부들 떨고 있었다. 만약, 서원에게 무슨 일이 닥친다면. 듣지도 못하고, 걷지도 못하고, 자전거를 탈 수도 없고, 정글짐에 오를 수도 없다면. 눈을 뒤집고 코를 골며 발작을 한다면. 만약 그리 된다면…… 끔찍한 밤이었다. 서른일곱 해 삶에서 그토록 무서웠던 밤은 없었다. 고개를 들면 은주의 눈길이 시퍼런 강물처럼 쏟아졌다. 혐오와 원망과 두려움과 눈물이 뒤범벅된 눈빛, 그는 입이 열 개라도 할 말이 없었다.

검사결과는 바이러스성으로 나왔다. 그래도 한 달 가까이 입원해야 했다. 뇌압이 쉬 조절되지 않았던 탓이다. 의사는 척수천자를 두 번이나 더 했다. 오만 약을 서원의 몸에 들이부었다. 현수는 병원과 집과 직장을 정신없이 오갔다. 두 모자가 먹을 것을 사 나르고, 자질구레한 일들을 처리하고, 밤이면 서원 곁을 지켰다. 그사이 면허정지 건은 저만치 밀쳐놓았다. 은주에게 말할 기회도 없었다. 무면허운전에 대한 불안감은 차츰 둔해졌다. 서원이 퇴원할 무렵엔 거의 잊고 있었다.

변한 건 아무것도 없었다. 은주는 잠시 쉬었던 고등학교 급식 일을 다시 시작했다. 현수는 여전히 술을 마셨고, 야구를 봤고, 해야 할 일을 잊거나 미뤘다. 술을 마시고 아무 갈등 없이 핸들을 잡는 습관도 변하지 않았다. 술만 마시면 은주의 전화를 받지 않는 행동도. 지금처럼 경찰이 차를 세울 때에야 음주운전임을 자각하는 것도.

현수는 창밖으로 고개를 빼고 앞을 내다봤다. 차 두 대가 연달아 진입로를 빠져나가고 있었다. 곧 현수 앞의 차들도 빠지고 앞이 틔었다. 그는 안도했다. 검문이나 음주단속이 아니었다. 사고였다. 승용차 두 대와 트럭이 3중 추돌을 일으킨 듯했다. 경찰은 차선 하나를 봉쇄한 채 사고현장을 정리하고 있었다. 그는 통과신호를 받은 뒤 모범운전의 교본이라 할 만한 태도로 경찰 앞을 지나쳤다. 물론 잠깐이었다. 고속도로로 들어서면서 속도계는 술꾼의 평균속도를 되찾았다. 시속 120킬로미터. 엔진이 웽웽 울고 차체가 흔들리는데도 현수는 속도감을 느끼지 못했다. 몸이 나른했다. 기분은 한없이 가라앉았다. 얼마 전에 마련한 '내 집' 아니, 은주가 사들인 '내 집'이 그의 머리를 짓눌러대고 있었다.

열흘 전, 은주는 느닷없이 집을 사겠다고 했다. 현수는 은주의 혈색부터 살폈다. 이 여자가 어디 아픈가, 싶었다. 그러지 않고서야 일산 땅에 33평 아파트를 산다는 헛소리를 할 이유가 없었다. 은주는 싸게 나온 매물이 있다고 말했다. 집주인의 사업에 문제가 생겨 급히 팔려고 내놓은 집이었다. 대출을 끼고 있는 집이었으므로 따로 대출받을 필요도 없었다. 위치도 좋고, 학군도 좋고, 주거환경도 좋았다.

현수는 수긍했다. 은주가 좋다면 좋은 거겠지. 다만 돈 문제에 대해서는 수긍을 할 수가 없었다. 그의 머리로는 계산이 안 나왔다. 살고 있는 아파트 전세보증금을 빼고 적금을 깨서 보탠다 해도 3천만 원이 모자랐다. 추가로 대출을 받아 돈을 맞출 작정이라면 포기하는 쪽이 나았다. 취득세는 어쩔 것이며 엄청난 이자는 어찌 감당할 것인가. 세 식구는 또 뭘 먹고 산단 말인가. 내 집에서 손가락 빨며 사느니, 세끼 밥 먹으며 셋집에 사는 게 나았다.

"그러니까 오늘날, 당신 신세가 이 모양 이 꼴인 거야."

은주의 계산법은 차원이 달랐다. 우선 통장 다섯 개가 현수 앞에 쪼르르 놓였다.

"이게 다 뭔데?"

"보면 몰라."

모를 리 있을까. 돈이었다. 모자라는 3천만 원과 취득세를 낼 수 있는 거금. 은주는 설명 대신 현수가 술을 마실 때마다 부르짖는 레퍼토리부터 풀었다.

"내가 짠순이 노릇하는 게 나 혼자 잘 먹고 잘 살자고 그런 줄 알아? 악착같이 일하러 다닌 게 힘이 넘쳐나서 그런 줄 알아? 당신만 정신 차렸으면 우리 진즉에 집 샀어."

"대출이자는 어쩌고."

"아파트를 월세로 내놓으면 돼."

"그럼 우리는 어디서 살아."

"사택에서."

사택에서 살겠다는 것은 오지 근무를 자원하라는 의미였다. 현수는 서울을 떠나고 싶지 않았다. 나름의 이유가 있었다.

야구를 그만둔 후 얻은 첫 직장이 지금의 회사였다. 국가주요시설 경호를 전문으로 하는 꽤 단단한 보안업체였다. 그는 정규직으로 채용됐고 첫 근무지는 충청도 어느 산골에 있는 댐이었다. 공기도 좋고 주변 환경이 평화로운 곳이었다. 공짜로 살 사택도 있었다. 문제라면, 서원이 다닐 유치원부터 마트까지, 모든 편의기관이 산 너머 읍내에 있다는 점이었다. 은주는 쌈짓돈을 풀어 중고 마티즈를 사주었다. 고맙긴 했지만 남편의 특수한 하드웨어를 무시한 조처였다. 차에 올라탄다기보다는 갑옷을 껴입는 기분이었다. 의자는 끝까지 뒤로 밀어야만 운전이 가능했다. 현수는 조금만 더 큰 차를 사자고 하려다 관뒀다. 해봐야 퉁바리나 먹을 게 빤했다. 그저 속으로만 투덜거렸다. 어찌하여 내 인생을 감싸고 있는 것들은 하나같이 이리 갑갑하고 작을까. 마티즈는 일 년 내내 구급차로 쓰였다. 서원이 끊임없이 잔병치레를 했던 탓이다. 결막염에서 홍역까지, 유행하는 병이란 병은 죄다 녀석을 거쳐 갔다. 한밤중에 열이 펄펄 끓는 서원을 태우고 위험한 고갯길을 넘은 게 몇 번이었던가. 폭설이라도 쏟아지는 날엔 세 식구의 목숨을 걸어야 했다. 오지 근무에서 가장 큰 문제는 의료시설이었다.

"얼마나 살아야 하는데."

현수는 물었다. 머릿속에선 두 감정이 충돌을 일으켰다. '내 집'이라는 단어가 주는 감미로움, 잠재하는 미래의 '위기'에 대한 불안감.

"3년. 그때쯤이면 대출금 일부를 갚을 수 있어. 입주해도 이자감당이 될 만큼."

"그러지 말고 작은 걸로 사자. 욕심 조금만 버리면 내 집도 갖고, 이런 무리 안 해도 돼. 식구라야 달랑 셋인데 굳이 33평일 필요는 없잖아."

"필요가 있어."

"이거 살얼음판 뜯어서 집짓는 짓이야. 내일 당장 무슨 일이 생길지 어떻게……"

"내일 무슨 일이 생길지 난 알아."

은주는 웃었다. 뭔가에 통달한 자의 웃음이요, 의기양양한 표정이었다.

"우린 아파트 계약서를 쓸 거야."

타협의 여지가 없었다. 은주가 열망해 마지않는 '중산층 진입' 기준이 33평이었다. 그 앞에서 현수의 우려는 '입방정'에 불과했다. 입안에 감도는 '불안'이라는 시큼한 침은 삼켜버려야 했다. 그는 오지근무 자원서를 냈다. 자원과 동시에 발령이 났다. 오지자원자는 없고 본사지원자는 차고 넘쳤으니, 그리 놀랄 일도 아니었다. 근무지는 세령댐, 8월 30일자 발령이었다. 은주는 아파트를 샀다. 그날로 세입자를 구했다. 이제 그녀의 눈에 거슬리는 건 하나뿐이었다. 방 두 개짜리 사택에서 방 하나를 차지하고 있는 총각.

현수는 시계를 봤다. 9시 03분. 은주의 총각, 안승환과 약속한 시각에서 1시간 3분이 지나 있었다. 셔츠주머니에서 휴대전화를 꺼냈다. 전원 버튼을 누르자 부재전화 네 통과 문자 하나가 떴다. 둘은 은주, 둘은 안승환이 걸어온 전화였다. 문자에는 현관 도어 록의 비밀번호가 찍혀 있었다. 허둥지둥 안승환에게 전화를 걸어봤다. 받지 않았다.

그는 휴대전화를 셔츠주머니에 다시 담았다. 창문을 조금 열고 자세를 고쳐 앉았다. 룸미러에 달린 야광해골이 바람에 흔들거렸다. 입을 찢듯이 웃고 있는 이 해골은 그의 서른한 살 생일에 서원이 선물한 것이었다. "해피 버스데이" 하던 숨차고 앳된 음성이 노랫소리처럼 귀에 울렸다. 그는 자신도 모르게 배시시 웃었다. 왼손잡이라는 걸 빼면, 무엇 하나 자신을 닮지 않은 아이였다. 은주와도 달랐다. 외모부터 성격까지 돌아가신 어머니를 빼박았다. 그는 그 점이 가장 좋았다. 웃는 해골은 단순한 장식물이 아니었다. 자신을 닮지 않은 아들에 대한 그의 자부심이었다.

'세령휴게소 2km'라는 이정표를 막 지났을 때였다. 뒤에서 불쑥 나타난 흰 BMW가 상향등을 깜박이기 시작했다. 고갯길이었다. 오르막이었고. 옆 차선에선 철판을 실은 대형 트레일러 세 대가 일렬로 달리고 있었다. 현수는 룸미러로 뒤를 노려봤다. 미친놈, 뭘 어쩌라고.

흰 마티즈는 트레일러 앞으로 들어갔다. 한숨 늘어지게 자고 일어난 개처럼, 어기적어기적. 영제는 손바닥으로 경적을 찍어 누르며 마티즈

옆을 스쳤다. 신호를 받았으면 재깍 비켜야지. 차가 개 같으면 애초에 2차선을 타든가. 룸미러로 마티즈를 살폈다. 시커먼 앞창 안에서 형광해골이 씩 웃고 있었다.

영제는 경적에서 손을 떼고 액셀을 밟았다. 마티즈는 시야에서 멀어졌다. 관심에서도 멀어졌다. 생각은 다시 하영에게 돌아갔다. 이혼, 양육권, 100미터 이내 접근금지, 위자료…… 누구 맘대로, 네 맘대로?

오늘 아침, S시 법원에서 1차 공판이 있었다. 피고 오영제와 원고 문하영의 대리인재판이었다. 영제는 광화문의 한 호텔에서 열린 교정학 학회에 참석 중이었다. 변호사에게 전화가 걸려온 건 점심식사를 끝내고 방으로 막 올라왔을 때였다. 변호사는 금붕어가 상어를 잡아먹었다는 말만큼이나 희한한 얘기를 들려주었다. 그의 인생에서 들어본 적이 없는 말이기도 했다.

"우리가 졌어요."

상대는 승률이 높기로 명성이 자자한 변호사였다. 명성만큼 말도 많아서, 오영제라는 정신병자가 12년 동안 어떤 방식으로 아내와 딸에게 정신적, 육체적 학대를 가했는지, 책 한 권 분량으로 나불거렸다고 했다. 풍부한 자료들이 덤으로 제시됐다. 회초리자국이 선명한 하영의 알몸과 집 안 곳곳에 걸린 회초리다발 따위를 찍은 사진, 하영의 본인진술서, 타박상에서 유산까지 날짜별로 받아놓은 진단서. 더하기 구질구질한 부부싸움 내용을 담은 녹음테이프와 세령의 단독진술 녹취록이 있었다. 그 쥐방울만 한 년은 기억력도 좋았다. 아빠가 엄마와 자신의 실수를 언제, 어디서, 어떤 방식으로 '교정'했는지 고주알미주알 늘어놨다. 엄마와 둘만 살고 싶다는 소망 피력에 눈물까지 곁들여서.

하영의 습관적 가출, 경제적 능력 및 양육능력부재 등, 영제 측의 주장은 큰 힘을 쓰지 못했다. 하영 측 변호사는 하잘것없는 자격증 몇 개를 경제능력의 근거로 내놓았다. 제빵사니, 한식조리사니…… 영제가 기억하기에, 하영이 읍내 요리학원에 다니기 시작한 건 2년 전부터였다. 취미 삼아 다닌다고 했다. 집을 비우는 시간도 정확했다. 세령과 함께 미술학원 차량을 타고 나갔다가 세령과 함께 그 차로 돌아왔다. 영제는 내버려두었다. 딱히 불편한 점도 없고 의심스러운 점도 없었으니까. 마누라 요리 솜씨가 나아져서 나쁠 것도 없었고. 그것이 이혼소송에 대비한 포석이었을 줄은 상상조차 못했다.

그 여자를 잘 모르셨던 모양입니다. 변호사가 긴 변명 끝에 내놓은 말이었다.

영제는 뒷덜미가 굳어지는 걸 느꼈다. 척추 아래가 저릿저릿해왔다. 껍데기와 살았느냐는 말과 다를 바 없는 말이었다. 이 무능한 작자는 의뢰인을 모욕하는 걸로 자신의 패배를 무마하려 들고 있었다. '그 여자'라는 호칭도 불쾌했다. 지금껏 자신의 아내를 그렇게 불렀던 자는 없었다. 영제는 '그 여자'라는 호칭은 네 여편네한테나 쓰라고 말했다. 해임을 통보하고, 전화를 침대에 내던지고, 창가로 갔다. 20층 밑에서 차량과 사람들이 신호에 따라 착착 움직이고 있었다. 그의 세계도 저렇게 돌아가고 있었다. 그의 명령대로, 그가 정한 규칙대로, 정연하고 질서 있게, 불과 석 달 전까지도.

하영이 사라진 건 지난 4월 말이었다. 결혼기념일을 맞아 동해안으로 여행을 떠난 날이었다. 그와 하영은 바다가 내려다보이는 곳에서 저녁식사를 하고 와인을 마셨다. 그때까지도 아무 문제가 없었다. 문제는 대리운전기사를 불러 호텔로 돌아왔을 때 시작됐다. 기사는 광고용 명함에 적힌 요금보다 많은 돈을 요구했다. 최근에 요금이 올랐다는 것이었다.

당연히 좋지 않은 언사가 나갔다. 자신은 기사의 봉이 아니었다. 와중에 하영이 희한한 짓을 저질렀다. 제 지갑에서 돈을 꺼내 기사 손에 쥐어줬던 것이다. 기가 차게도 쪽팔려 죽겠다는 얼굴로, 나아가 "죄송합니다. 이 사람이 좀 취했어요"라고 사과하면서.

호텔 방에 올라가 젖은 타월로 좀 때려주었다. 그런 다음 곧바로 체크아웃해서 한계령으로 올라갔다. 정상에 이르자 하영의 지갑과 휴대전화를 빼앗고 차에서 내리게 했다. 잘못을 반성하라는 의미였다. 그 길로 가출해서 남편에게 이혼소송을 걸라는 얘기가 아니고.

첫 이틀은 크게 신경 쓰지 않았다. 마음만 먹으면 언제든지 잡아올 수 있었다. 야밤에 한계령 꼭대기에서 여자가 할 수 있는 일이 뭐가 있겠는가. 컬렉트콜로 알량한 친정에다 SOS를 보내는 것 말고. 그는 처가에 전화도 해보지 않았다. 제 발로 들어와 잘못을 빌면, 응분의 벌을 준 다음 용서해줄 마음은 있었다.

일주일이 넘어도 연락이 없자 비로소 그는 행동에 나섰다. 하영이 갈 곳은 손바닥만큼이나 빤했다. 잡다가 두어 달쯤 걷지도 못하게 만들 작정이었다. 그런데 없었다. 친정, 일가친척, 몇 안 되는 친구, 근래에 통화한 기록이 있는 사람들을 모조리 뒤졌지만 봤다는 사람조차 없었다. 속초의 호텔에서 그녀의 꼬리털 하나를 찾기는 했다. 한계령 응급대피소 전화로 호텔에 연락을 해왔다고 했다. 사고가 났으니 콜택시를 보내달라고. 콜택시기사는 하영을 정확하게 기억했다. 치매가 아닌 이상 그래야 마땅했다. 한계령에서 서울까지 가는 장거리승객을 1년 가야 몇이나 태우겠는가. 하영은 십만 원권 수표로 요금을 지불했다. 영제는 수표번호를 적어놓았는지, 물었다. 기사는 요새도 십만 원짜리를 수표로 취급하느냐고 되물었다.

영제는 가끔 이용하는 '서포터즈'라는 '문제해결센터'에 문제를 의뢰했다. 자칭 프로서포터라는 작자들은 보름 동안 돈만 축내면서 하영의 냄새조차 맡지 못했다.

5월 말, 가출 한 달 만에 하영으로부터 소식이 왔다. 법원을 통해 '송장'이라는 방식으로. 영제는 미친 사람처럼 웃었다. 처음엔 하영이 지상에서 꺼져버린 게 아니라는 데 안도해서. 다음엔 송장내용이 하도 같잖고 우스워서. 전자제품수리공의 딸을 신데렐라로 만들어준 사람이 누구였나. 태어나 한 번도 가져보지 못한 것들을 갖게 해준 남자는 또 누구였나. 그 은혜를 이혼청구소송으로 갚겠다고.

그는 변호사를 찾을 수밖에 없었다. 일단, 소송에서 이기고 봐야 했다. 하영을 잡아들이는 건 그다음 일이었다. 혼인빙자, 간통, 이혼소송전문이라는 변호사는 몇 가지 지침을 제시했다. 우선 세령을 '교정'하지 말라고 했다. 동네평판이 나빠지면 절대적으로 불리하다는 것이었다. 영제는 그렇게 했다. 적어도 외부로 드러난 적은 없었다. 102호 멍청이가 끼어드는 바람에 시끄러워질 뻔했던 걸 빼면. 하영을 찾지 말라든가, 친정을 압박하지 말라든가, 하는 못마땅한 지시사항까지 다 수용했다. 그러므로 재판에 질 거라고는 상상도 해보지 않았다.

영제는 냉장고에서 생수를 꺼내 의자로 돌아왔다. 한입에 반을 비웠다.

하영은 어디에 있을까. 그 많은 자료들을 어떤 식으로 확보하고 보관해오다 법정에서 꺼내든 걸까. 한 가지 분명한 건, 하영이 내놓은 녹음테이프의 내용이 최근 2년간의 일이라는 점이었다. 유산 진단서는 녹음을 시작한 시점을 구체적으로 가리켰다. 고양이사건이 벌어진 재작년 봄이었다. 영제는 그날의 매순간을 잘라내 기억의 현미경 밑에 놓았다.

그는 사람들과 섞이는 걸 좋아하지 않았다. 동창회도 나가지 않았고,

골프도 치지 않았고, 술자리에도 어울리지 않았다. 사회활동이라 해봐야 한 달에 한 번, 메디컬센터 의사들과 함께 의료봉사를 나가는 게 전부였다. 보육원, 재활원, 소년원, 교도소 같은 곳. 남은 시간엔 그의 집 지하실에 마련한 작업대 앞에서 작고 섬세한 세계를 만들었다. 그 일은 매년 봄, 별채 숲에서 잘생긴 편백나무 한 그루를 베어오는 일로부터 시작된다. 베어온 나무를 원하는 길이로 토막 내고, 껍질을 벗기고, 그늘에 말리는 게 두 번째 일. 잘 마른 나무를 잘게 조각내 이쑤시개만 한 나뭇개비를 만드는 게 세 번째 준비 작업이다. 전체 공정 중 기계가 작업을 수행하는 유일한 단계였다. 마지막으로 적절한 크기의 송판과 연장, 아교와 송진을 갖추면 자신이 원하는 세계를 구현할 수 있었다. 숲, 담장, 오두막, 교회, 다리……. 그것들이 모여 동화 속 마을이 되고 공주와 왕자가 사는 성이 되었다. 세령이 두 살이 되던 해부터 해온 일이었다. 예술적 감각과 인내, 시간과 집중력이 요구되는 작업이었다. 작품 발표일은 매년 크리스마스 이브였으며, 하영과 세령의 표정에 어리는 경외심은 세 계절에 걸친 노고를 보상하고도 남았다. 그는 행복했다. 거실 가족사진 밑에 작품을 전시해두는 내내. 작품은 새 작업이 시작되는 이듬해 봄에 별채창고로 옮겨 보관하곤 했다.

3년 전엔 이글루처럼 생긴 돔을 쌓았다. 내부에는 도시를 채워 넣었다. 집과 빌딩, 거리, 공원. 벤치에 한 가족을 앉혔다. 어린 아들을 안은 남편, 아내와 귀여운 딸. 그가 직접 깎고, 표정을 새겨 넣고, 색을 칠해 말린 인형들이었다. 가족을 비추는 가로등엔 꼬마전구를 달았다. 돔 천장에 점멸등으로 별자리를 배치했다. 단언컨대 역대작품 중 최고였다. 그가 꿈꾸는 완벽한 가족이 그 안에 있었다.

발표 전날 밤 영제는 들떠서 잠을 이루지 못했다. 근래 몇 년간 작품에 대한 하영과 세령의 반응이 조금씩 시들해지는 느낌이었다. 겉으로는 예전과 비슷해 보였으나 호들갑과 찬탄을 구별 못할 그가 아니었다. 그는 예민한 남자였다. 이번에야말로 하영과 세령이 진심어린 찬사를 보내게 되리라, 기대했다. 개막장면을 상상만 해도 맥이 빨라졌다. 그런데 뚜껑을 열고 보니 반응이 미지근했다. 아니, 최악이었다. 세령의 박수소리는 맥이 없었다. 하영의 미소는 예의에 가까웠다. 눈이 전혀 웃고 있지 않았다. 마음에 들지 않느냐는 그의 물음에 하영은 "아니에요" 했다. 그의 귀엔 "거지 같아요"로 들렸다.

이튿날 아침 영제는 돔을 치웠다. 광목천을 씌워 창고에 처박고 돌아보지 않았다. 대신 세령봉에서 오리나무 생가지들을 베어다가 회초리를 만든 뒤 집 안 곳곳에 걸어놓았다.

겨울이 가고 다시 봄이 왔다. 햇살이 따스했던 4월 첫날 아침, 영제는 겨우내 닫아둔 별채창고를 열었다. 새 작품을 시작할 시기였다. 지난 크리스마스의 상처는 잊어버리고 신세계 창조에 힘쓸 때였다. 휘파람을 불며 접이식 사다리를 꺼냈다. 벽에 세워둔 작은 수레를 내리고 연장통에서 손도끼를 꺼냈다. 그때 어디선가 이상한 소리가 들려왔다. 끙끙거리는 것도 같고, 야옹거리는 것도 같고. 영제는 동작을 멈추고 귀를 기울였다. 돔 쪽이었다.

그는 손도끼를 쥐고 소리 죽여 그곳으로 다가갔다. 한 손을 뻗어 광목천을 낚아채듯 걷어냈다. 돔 안에 살쾡이처럼 생긴 고양이가 있었다. 놈은 꼬리를 바짝 세우고 상체를 활처럼 구부려 올리며 하악, 하는 위협음을 냈다. 놈 뒤에는 새끼 세 마리가 고물거리고 있었다. 돔 입구는 부서져 구멍만 남았다. 벽은 군데군데 무너지고 지붕 한쪽이 내려앉았다. 도시는 형체도 알아볼 수 없게 뭉개졌다. 벤치의 가족은 새끼고양이의 발길에 채여 굴러다녔다.

창조주로서 분노하는 순간이었다. 용서할 수 없는 현장이었다. 용서할 수 없는 것들이었다. 자신의 것에 손대는 놈은 사람이든, 짐승이든 상응하는 벌을 받아야 했다. 그는 돔 안으로 손을 넣어 새끼고양이 한 마리를 움켜잡았다. 순간, 날카로운 발톱이 모직셔츠의 소매를 뚫고 팔뚝에 박혔다. 뜨거운 통증을 남기며 살갗과 소매를 찢고 지나갔다. 자신도 모르게 새끼고양이를 놔버리고 팔을 빼냈다. 길게 그어 내린 상처 사이로 핏방울이 뚝뚝 떨어지고 있었다. 어미는 2차 공격을 준비 중이었다. 등을 말고 송곳니를 드러내며 다시 하악, 했다.

피를 보자 전의가 타올랐다. 영제는 돔 지붕을 들어 올려 뒤로 던졌다. 동시에 어미고양이도 뒷다리로 도약하며 그의 가슴팍으로 날아왔다. 손도끼가 허공을 갈랐다. 놈은 바닥으로 툭 떨어져 내렸다. 목이 2/3쯤 잘려 있었다. 그의 셔츠와 얼굴은 놈이 뿌린 더운 피로 더러워졌다. 새끼고양이들은 그사이 어디론가 사라져버렸다.

영제는 놈의 꼬리를 움켜쥐고 문 쪽으로 돌아섰다. 문 앞에 하영과 세령이 서 있었다. 둘의 얼굴은 똑같이 창백했다. 똑같은 시선이 그가 틀어쥔 짐승에 가서 붙어 있었다. 그가 발을 떼자 주춤주춤 물러섰다. 둘의 눈과 행동으로 봐선 자신이 쥐고 있는 것이 고양이사체가 아니라 사람 시체인 것 같았다. 그는 사체를 창고 앞마당에 내던졌다.

"임 씨 불러와."

하영은 대답하지 않았다. 움직이지도 않았다. 세령과 나란히 별채앞길에 서서 그를 바라볼 뿐이었다. 그는 충분히 가르쳤다고 생각했다. '개자식'을 보는 듯한 시선으로 자신을 바라보지 말라고. "네" 대답하라고. 10초 안에 시킨 일을 수행하라고. 이 단순한 규칙을 하영과 세령은 자꾸 잊었다. 머릿속 시계가 째깍째깍 돌았다. 4, 3, 2……

두 계집년은 운도 좋았다. 별채 숲에서, 텔레파시라도 받은 양 관리인 임 씨가 나타났던 것이다. 임 씨가 아니었다면 둘은 곱디고운 손으로 직접 땅을 파야 했으리라. 영제는 창고를 발칵 뒤집어 새끼 두 마리를 찾아냈다. 임 씨가 판 구덩이에 제 어미와 함께 묻었다. 남은 한 마리는 끝까지 찾지 못했다. 두 계집만큼이나 운 좋은 놈이었다.

집 안엔 온종일 침묵이 맴돌았다. 그의 감정은 가파른 능선을 탔다. 자고로, 두 계집은 그가 가장 소중히 여기는 집안의 평화와 행복증진에 기여한 적이 없었다. 그날 밤엔 더 심했다. 그의 혈압을 올리자고 작당이라도 한 것 같았다. 세령은 그와 눈만 마주쳐도 딸꾹질을 했다. 살이 닿으면 경기를 하듯 파르르 떨며 뒷걸음질 쳤다. 밤이 되자 하영은 더럽기로 명성이 자자한 그의 성미를 기어코 건드렸다. 침대에서 기다려야 할 시간에 서재에서 전화를 하고 있었다. "해볼게요"라고 말하는 하영의 얼굴에 생기가 돌았다. 근래 몇 년간 보여준 적이 없는 표정이었다.

"뭘 해보겠다는 거지?"

영제는 문간에 선 채 나직한 소리로 물었다. 하영의 등이 움찔 긴장하는 게 보였다.

"아무것도 아니에요."

그녀는 전화를 끊고 돌아보며 대꾸했다. 그는 머릿속으로 피가 몰리는 걸 느꼈다. '당신은 알 것 없어요'라는 말로 들렸다. 다시 버르장머리를 '교정'해줄 시기가 됐다고 판단했다. 호되게 할 작정이었다. 남편에게 해서는 안 되는 말이 무엇 무엇이었는지, 저 멍청한 여자가 비교적 오래 기억할 수 있는 방식으로.

"뭐가 어떻다고?"

"아무것도 아니라고……"

그녀는 눈을 휘둥그레 떴다. 자신이 무슨 말을 했는지 깨달은 얼굴이었다. 물론 늦었다. 그는 한달음에 다가가 그녀의 뺨을 주먹으로 후려쳤다. 그녀가 책상 모서리에 아랫배를 찍고 나뒹굴 정도로 온 힘을 다해.

"다시 말해봐."

"사택…… 부녀회에서 사과파이 굽는 법을 가르쳐달라고……"

그는 하영의 머리채를 거머쥐고 일으켜서 책상모서리에 아랫배를 한 번 더 박아주었다. 거짓말은 용서할 수 없었다. 휴대전화를 열어 통화내역을 봤다. 발신자표시제한.

"누구야?"

그녀의 입술이 꽉 닫혔다. 텅 빈 눈이 나타났다. 침묵과 텅 빈 눈은 하영 특유의 대응방식이었다. 연애시절부터 그를 미치게 만들던 조합이었다. 그의 통제권 밖으로 달아나는 통로이기도 했다. 해결법은 하나뿐이었다. 몇 대 갈겨서 화를 푼 다음, 회초리로 그녀를 각성시키는 것. 알몸과 회초리는 내상을 입히지 않으면서도 고통과 모멸감을 안기는 도구였다. 고집스럽게 닫아건 입술을 열고 그가 원하는 말을 실토하게 만드는 힘이 있었다. "용서해줘요"라고 애원하게 만드는 힘이 있었다. 물론, 거기서 용서해주지 않는다. 뼛속까지 굴복시키고 교정하는 '강간'이라는 절차가 남아 있었다.

그날도 같은 절차를 밟았다. 알몸을 만들고 회초리 한 다발을 다 썼다. 평소와 다른 게 있다면 하영이 실토를 하는 대신 하혈을 했다는 것이다. 용서해달라고 하는 대신 아랫배를 싸안고 고통을 호소해왔다. 그는 행위가 끝난 후에야 엄살이 아니라는 걸 알아차렸다. 병원에 데려가야 할 상황이었다.

임신 11주였다. 유산됐다고 했다. 의사는 몰랐느냐고 물었다. 하영은 생리가 불규칙해서 몰랐다고 말했다. 충격 받은 표정으로 봐선 사실인 것 같았다. 영제는 아이의 성별이 무엇이냐고 물었다. 의사는 알 수 없다고 대답했다.

"그래도 11주 정도면……"

의사는 자리에서 일어나며 대답했다.

"뭐, 딸 아니면 아들이겠지요."

딸 아니면 아들이라고…… 하영은 수술실로 들어갔다. 영제는 문밖 의자에 앉았다. 그도 하영 못지않은 충격에 휩싸여 있었다. 아니, 충격의 강도 면에서는 비교조차 할 수 없었다.

그의 인생에서 빠진 것은 하나뿐이었다. 오영제의 아들. 빠진 것을 채우고자 노력해온 기간이 무려 9년이었다. 그러나 아들은커녕 임신조차 되지 않았다. 병원에선 둘 다 이상이 없으니 맘 편히 기다리라고 했다. 최근 들어 그는 거의 포기하고 있었다. 아이가 죽었다는 말로 아이의 존재를 알게 될 줄은 모르고. 그는 수술실 안에서 들려오는 흡입기소리를 들으며 몸서리를 쳤다. 자기 몸이 토막 나는 것 같은 고통을 느꼈다. 고통 속에서 확신했다. 죽은 아이는 아들이었다.

하영을 집에 데려온 후 영제는 그 부분에 대해 설명했다. 그녀의 불성실과 부주의로 죽은 자신의 아들에 대해. 그녀가 마취약에 취해 퍼질러 자는 동안 그가 수술실 밖에서 홀로 감당해야 했던 충격과 상처와 배신감에 대해. 변호사의 보고에 따르면, 첫 번째 녹취테이프에 바로 그 '설명'이 들어 있었다.

이후 하영의 태도에 변화가 있었다. 말이 많아졌다. 구어체가 아닌 문어체를 썼다. 성우가 보이지 않는 상황을 내레이션으로 설명하듯. 그것이 나머지 녹취록에 담겼다. 진술서 말미에 하영은 이렇게 썼다고 했다.

　　이 끔찍한 결혼생활을 12년씩 해온 것은 이혼을 요구하거나 딸을 데리고 도망치면 우리 둘 다 남편의 손에 죽으리라는 두려움 때문이었습니다. 이제 와서 이혼을 결심한 것은 결혼생활을 끝내지 않으면 우리 모녀가 실제로 죽을 것이라는 깨달음 때문입니다.

　　정말로 하영을 몰랐던가. 그는 당혹스러웠다. 그가 아는 하영은 냉정하거나 치밀한 성격이 아니었다. 재판에 이기려고 딸을 이용할 만큼 독하지도 않았다. 혼자 도망치면 세령에게 어떤 일이 일어날지 영제 자신만큼이나 잘 알고 있었다. 그런 여자가 어느 날 갑자기 수천만 년 전 화석처럼 불가해한 존재로 돌변한 것이다. 어떻게 이런 일이 가능할까. 하영의 '두려움'과 하영의 '깨달음', 태평양만큼이나 드넓은 이 간극 안에서 어떤 일이 일어났을까. 그녀를 행동하도록 만든 자가 누구일까.

　　장인밖에 없었다. 세령에게 진술을 받아낼 수 있는 자도 그 노인네뿐이었다. 세령은 입이 무거운 아이였다. 그가 그렇게 가르쳤다. 그간 장인의 개입을 확신하면서도 지켜보기만 한 건 변호사의 지침 때문이었다. 이제 그럴 필요가 없었다. 재판은 끝났고, 변호사는 잘렸으니.

　　영제는 호텔을 나와 용인으로 향했다. 전자상가는 한산했다. 가전제품 수리센터는 더 한산했다. 장인은 누군가와 통화를 하다 영제가 들어서자 그대로 전화를 끊었다. 표정에는 긴장한 기색이 역력했다. 영제는 다리를 꼬고 의자에 앉았다.

　　"하영이 어디 있습니까?"

　　장인은 자리에서 일어나더니 마른걸레로 TV화면을 닦았다.

"나한테 연락 없었네."

"넉 달이나 기일을 드렸습니다. 장인어른께서 하영이를 타일러서 돌려보내리라고 기대했으니까요. 딸을 이혼시키려고 몸소 지휘봉을 잡은 줄도 모르고 말입니다."

그때 청소기를 들고 가게로 들어서는 손님이 있었다. 영제는 일어섰다.

"하영이한테 전하세요. 일주일이라고. 그 안에 돌아오지 않으면 다시는 세령이를 못 볼 거라고."

돌아보는 장인의 얼굴에 표정이 없었다. 영제는 빙그레 웃었다. 이 노인네가 누구보다 빨리 재판결과를 들었겠지. 법을 믿고 싶을 테고.

"재판결과는 나한테 별 의미가 없어요. 무슨 뜻인지 하영이가 잘 알겁니다."

영제는 세령IC로 들어섰다. 그에겐 항소할 생각이 없었다. 새로운 변호사 대신 '서포터즈'에게 한 번 더 기회를 줄 참이었다. 대한민국 땅은 물론, 저승까지 뒤져서라도 하영을 잡아오게 할 참이었다. 머리털 하나 건드리지 말고. 누구도 건드려서는 안 되는 여자였다. 하영은 그의 것이었다. 그가 정한 자리로 돌아와야 했고, 그가 정한 방식으로 벌을 받아야 했다. 우선 집에 있는 배신자부터 벌을 준 다음에.

빗줄기는 조금씩 굵어졌다. 집에 도착할 무렵엔 장맛비처럼 내리고 있었다. 영제는 우산을 펴들고 현관계단을 서서히 올라갔다.

문을 열자 뒤축이 접힌 세령의 운동화 한 짝이 그를 맞았다. 다른 한 짝은 거실 턱에 비스듬히 걸쳐져 있었다. 성질 못된 망아지처럼 뒷발질로 털어서 벗은 모양새였다. 그는 현관바닥에 떨어진 흙덩어리, 신발장 거울에 찍힌 손바닥자국, 현관파티션 밑에 팽개친 실내화주머니와 책가방을 차례로 훑어봤다. 어둠에 잠긴 거실저편선 멜로디상자 연주음이 울리고 있었다.

영제는 우산을 세워두고 거실로 올라섰다. 실내등 스위치를 올렸다. 현관파티션 위에 걸어둔 메모판을 확인했다. 아무것도 없었다. 아침나절, 그가 집을 나가기 직전에 붙인 포스트잇이 열한 장이었는데. 바람에 날려 떨어진 건 아니었다. 발코니 유리문과 2층 계단참 창문이 잘 닫혀 있었다. 거실커튼도 꼼꼼하게 여며졌고. 일하는 아주머니는 그의 취향을 잘 이해하는 편이었다. 문제는 늘 세령이었다.

그는 단 10초 만에 포스트잇의 행방을 찾아냈다. 거실 소파 뒤에 걸린 가족사진, 구체적인 번지수를 대자면 '아빠의 얼굴'에 붙어 있었다.

이마 중앙에 첫 번째 포스트잇. "학회참석 차 서울에 감. 내일 오후 귀가 예정"

왼쪽 눈꺼풀에 두 번째. "모든 것은 제자리에 있어야 한다"

오른쪽 눈꺼풀에 세 번째. "규칙엄수"

나머지 여덟 개는 활짝 웃는 입술 사이에 일렬종대로 붙어 있었다.

"밖에서 신발을 털고 들어올 것"

"현관 거울에 손 짚지 말 것"

"전화벨이 세 번 이상 울리기 전에 받을 것"

"엄마놀이 하지 말 것"

사진 속의 그는 눈꺼풀을 포켓뚜껑처럼 늘어뜨리고, 새파란 혓바닥을 배꼽까지 뽑아내며 히죽대는 칠뜨기로 보였다. 칠뜨기를 희롱하며 즐거워하는 세령의 모습이 보이는 듯했다. 물론 그는 유머를 아는 남자였다. 그러나 지금은 딸의 유머감각을 칭찬할 기분이 아니었다. '내가 집을 비울 때마다 이러고 놀았구나', 생각하자 귀 뒤에서 맥이 발끈거리기 시작했다. 남편 등에 칼을 꽂는 마누라에 제 애비를 조롱하는 딸년이라니. 장한 모녀였다.

영제는 포스트잇을 떼어 들고 안방으로 들어갔다. 그가 없는 틈을 타서, 하지 말라는 짓만 골라 저지른 세령의 용맹스런 발자취가 곳곳에 남아 있었다. 하영의 화장대 위에 뿌옇게 내려앉은 분가루, 서툰 솜씨로 정리된 화장품들, 화장대의자 밑에는 로션샘플이 뒹굴었다. 하영의 옷장을 열었다. 이리저리 뒤적거린 흔적 사이에 빈 옷걸이 하나가 걸려 있었다. 그는 자동차 키와 지갑을 화장대에 꺼내놓았다. 재킷과 넥타이를 옷장에 걸었다. 셔츠 소매를 걷어 붙이고 세령의 방으로 건너갔다. 문을 열면서 그는 지금껏 자신의 집에서 본 적이 없는 풍경과 대면했다.

문턱 바로 앞에 8자 모양으로 말린 세령의 반바지가 앉아 있었다. 방바닥은 소매가 뒤집힌 셔츠, 공처럼 말린 양말 한 짝, 폭죽껍질, 색종이 조각, 고무풍선 한 무더기가 점령했다. 책상에선 양초 세 개가 타고, 화력 좋은 불쏘시개들이 고깔모자를 쓰고 옆자리에 대기 중이었으며, 그 앞에선 제 어미가 종종 틀어놓던 멜로디관람차가 돌았다. 그가 다용도실 깊숙이 처박아버린 물건이었다. 반쯤 열린 창문으론 비가 들이쳤다. 창턱엔 타다 꺼진 모기향이 있었다. 세령은 침대에 잠들어 있었다. 풀어 헤친 머리칼, 분가루를 뒤집어쓴 얼굴, 짙게 바른 마스카라, 번들대는 핑크빛 입술, 가까스로 몸통만 가리고 있는 제 엄마의 흰 민소매 블라우스, 그 밑으로 드러난 맨다리. 세령은 영화 〈택시 드라이버〉에 나오는 어린 창녀 같았다.

영제는 숨을 마셨다. 뜨겁고 사나운 기운이 위장에서 휘돌았다. 빈속에 독주를 들이켠 기분이었다. 그는 침대로 다가가 허리를 굽히고 세령의 귀에 입술을 댔다.

"세령아."

대답이 없었다. 닫힌 눈꺼풀 안에서 눈동자만 느릿하게 움직였다. 아직 꿈과 현실의 국경지대에서 헤매는 기색이었다. 그는 손을 뻗어 세령의 목을 감싸 쥐었다. 엄지로 목젖 아래 오목한 곳을 쓰다듬었다. 살갗이 촉촉하고 보드라웠다.

"눈떠라."

세령의 눈동자가 움직임을 멈췄다.

"아빠 왔다."

영제는 바르르 떨리는 세령의 속눈썹을 물끄러미 지켜봤다. 세령의 숨결이 거칠어지는 게 보였다. 섬모운동을 하듯 일어나는 뺨의 솜털들이 보였다. 그의 엄지 밑에선 목의 핏대가 팔딱거렸다. 세령은 끝내 눈뜨지 않았다.

"오세령."

그는 목젖 아래를 쓰다듬던 엄지에 힘을 주었다. 잠에서 깬 걸 알고 있다는 메시지였다. 불가능한 행운을 바라지 마라는 암시였다. 당장 눈뜨지 않으면 특별한 방식으로 뜨게 해주겠다는 경고였다. 세령은 눈을 떴다. 눈동자가 불안하게 흔들리며 그의 얼굴을 더듬었다. 오늘밤 뼈를 추릴 수 있겠는지, 계산하는 눈이었다.

"생일 축하해. 우리 예쁜이."

그는 기어를 당기듯, 움켜쥔 목을 끌어당겨 세령을 일으켜 앉혔다. 곧장 '교정'을 시작했다. 세령은 제 얼굴로 날아드는 주먹을 멍하니 쳐다봤다. 영제가 주먹을 거둬들였을 때, 세령은 몸이 뒤집힌 채로 침대에 널브러져 있었다. 흰 이불 위로 붉은 얼룩이 번졌다. 그는 세령의 뒷머리를 움켜쥐고 다시 일으켜 앉혔다. 머리채를 틀어 얼굴을 위로 들게 했다. 갸름한 턱선 밑으로 코피가 떨어지고 있었다. 앙다문 입술에선 신음이 샜다.

"즐거운 시간이었겠구나. 그렇지?"

그는 포스트잇 열한 장을 세령의 눈에 들이댔다. 세령은 고개를 저었다.

"그럴 리가. 이렇게 멋진 파티를 벌였으면서, 응?"

영제는 세령의 머리를 벽에다 들이박아 버렸다. 세령은 들이박힌 반동으로 침대에서 방바닥으로 굴러 떨어졌다. 벌어진 입안에선 석류 알 같은 알맹이 두 개가 튀어나왔다. 앞니겠지, 생각하며 그는 실내등 스위치를 켰다. 어디로 굴러갔는지 앞니들은 보이지 않았다. 어차피 쓸모도 없겠지만. 그는 엄지로 양초심지를 눌러 껐다. 대관람차 플러그를 뺐다. 묵직한 중량감이 손에 얹혔다. 크기도 손아귀에 딱 들어맞았다.

세령은 엉덩이를 밀어서 책상 쪽으로 물러나며 고개를 저었다. 피범벅이 된 입술을 씰룩이며 웃으려 애썼다. 그러지 마세요. 아빠, 그러지 마세요, 라고 애원하는 것처럼.

대관람차는 세령의 뺨을 스치고 날아가 책상 모서리를 때렸다. 텅, 소리와 함께 쇳조각이 돼서 떨어져 내렸다. 세령은 미소를 띤 채로 굳어졌다. 눈물방울 하나가 뺨을 타고 떨어졌다. 허벅지 사이에서 흘러나온 물줄기는 흰 블라우스자락을 노랗게 적셨다.

"엄마물건에 손대지 말라고 말했을 텐데. 그새에 잊어버렸니?"

세령은 한쪽 눈꺼풀만 깜박깜박했다. 영제는 생각했다. 이 계집애는 알까, 주철로 만들어진 대관람차가 행운에 힘입어 빗나간 게 아니라는 걸. 제 아빠가 온 힘을 다해 절제력을 발휘한 결과라는 걸.

"자, 이제부터 잘못된 부분을 지적해줘야겠지. 일어나."

그는 지적할 도구를 꺼내 쥐었다. 바지허리춤에 걸려 있던 검은 가죽 벨트. 세령은 벽에 등을 붙인 채로 비틀비틀 일어났다.

"옷 벗어."

창 쪽에서 텅, 소리가 났다. 영제는 부지중에 뒤를 돌아봤다. 고양이 한 마리가 창턱에 올라와 있었다. 이 뜬금없는 침입자는 상체를 낮추고 앞다리를 도약자세로 굽히며 그를 노려봤다. 짤막한 털이 구둣솔처럼 곤두서 있었다. 덩치도, 생김새도 고양이보다는 살쾡이에 가까운 놈이었다. 오래전에 죽은 암고양이를 연상시키는 놈이었다. 도망친 새끼 한 마리를 상기한 순간이었다. 저놈이 왜 여기 나타났나, 생각하는 잠깐 사이에 어리둥절한 일이 벌어졌다. 세령이 손을 뻗어 책상에 놓인 양초 잔들을 집어 들고 있었던 것이다.

뭐하는 거냐, 라고 묻기도 전에 양초 잔 하나가 날아왔다. 그는 팔을 휘둘렀으나 빗나갔다. 양초 잔은 이마를 때리며 눈두덩에 뜨거운 촛농을 뒤집어 씌웠다. 곧장 두 번째 미사일이 콧잔등을 폭격해왔다. 얼굴이 삽시에 익어버리는 느낌이었다. 콧구멍으로 용암이 흘러드는 기분이었다. 발밑에선 유리잔들이 박살났다. 그는 얼굴을 감싸고 헉, 소리를 내질렀다.

얼마나 시간이 걸렸을까. 펄펄 뛰며 콧구멍을 후비고, 눈두덩에 붙은 촛농을 훑어내기까지. 그가 정신을 차렸을 때, 방 안엔 세령이 없었다. 고양이도 보이지 않았다.

영제는 휴지를 뽑아 얼굴을 닦았다. 뜨겁고 쓰리고 아팠다. 얼굴껍질이 휴지에 들러붙어 홀떡홀떡 벗겨지는 것 같았다. 그나마 제대로 닦이지도 않았다. 촛농이 피부에다 피막을 형성해버린 상태였다. 피막 밑에선 열기가 지글지글 끓었다.

영제는 달리지 않는 남자였다. 늘 소리 없고 우아하게 움직였다. 그러나 지금은 우아할 때가 아니었다. 거실천장이 뒤흔들리도록 쿵쾅대며 부엌 냉장고로 달렸다. 덜덜 떨려오는 손으로 얼음을 꺼내 비닐주머니에 담았다. 그걸로 얼굴을 문지르면서 안방으로 다시 달렸다. 자동차 키를 찾아들고 밖으로 뛰쳐나갔다. 현관계단을 뛰어내리며 시동 버튼을 눌렀다. 차를 돌리는 한가한 짓 따위는 하지 않았다. 쓸 수 있는 손도 없었다. 얼음주머니를 쥔 손으로 빰을 문지르면서 남은 손으로 후진기어를 넣었다. 웽, 소리와 함께 차는 경사진 별채앞길을 후진으로 미끄러졌다. 통행로에 도달하자 차를 돌려 정문으로 향했다. 세령이 튈 곳은 거기밖에 없었다. 후문은 잠겨 있을 테니까.

영제가 차를 들이대자 정문 차단기가 올라갔다. 차는 튀어 오르듯 거리로 돌진했다. 그는 단순히 화가 난 게 아니었다. 분노와 충격으로 머리가 타고 있었다. 나직하게 깔리는 그 샛노란 화염은 혈관을 타고 폭주하며 그의 지성을 태우고, 이성을 태우고, 짐승과 인간을 구분 짓는 최후의 무엇까지 태워버렸다. 그의 시야는 세령을 향해서만 열렸다. 감관은 세령의 기척만을 더듬었다. 의식의 총구는 '이걸 어떻게 조져줄까', 에만 조준됐다. 맥박은 칼 루이스처럼 뛰었다.

영제는 정문 앞거리를 훑고 내려갔다. 세령초교 정문은 잠겨 있었다. 진료소는 불이 꺼졌다. 몇 안 되는 상가도 모조리 셔터를 내린 상태였다. 망향제 때문에 일찍 문들을 닫은 모양이었다. 불이 켜진 곳은 주유소와 파출지소뿐이었다. 주유소 사무실 안에선 애송이 하나가 TV를 보고 있었다. 파출지소 안에서는 늙다리 순경이 책상에 다리를 올려놓은 채 졸고 있었다. 세령은 보이지 않았다. 안개가 짙고 비가 내렸지만 사물을 구분하는 데는 별 지장이 없었다. 가로등이 켜 있고, 상가거리는 3공도교까지 직선으로 뻗어 있었으며, 그는 세령호의 안개에 익숙한 사람이었다. 그의 시야에 잡히지 않는다는 건 없다는 뜻이었다.

저지대마을을 한 바퀴 돌았다. 동네전체가 요사하리만치 고요했다. 인적도 없었다. 날이 궂어 망향제 뒤풀이가 빨리 끝난 듯했다. 그는 마을을 빠져나와 3공도교 입구에서 수목원관리인 임 씨 노인한테 전화를 걸었다. 아니나 다를까, 노인네는 평소대로 휴게소에서 술을 마시고 있었다. 세령이 거기 올라오지 않았느냐고 물었다.

"난 못 봤우."

느려터진 쇳소리가 대꾸했다. 영제는 댐 관리단 쪽으로 차를 몰면서 지시를 내리기 시작했다. 지금 당장 내려와서 수목원정문을 잠그고, 사택경비와 함께 숲을 뒤질 것, 찾으면 즉시 연락할 것.

영제는 관리단 정문경비실 앞에 차를 세웠다. 별채앞길에서 몇 번 마주친 경비가 쪽창으로 얼굴을 내밀었다. 박 주임이라고 했던가.

"혹시, 우리 세령이 여기 왔습니까?"

"그 아이가 이 밤중에 여길 왜 온답니까."

박 주임은 되물었다. 영제는 재차 확인했다.

"왔습니까, 안 왔습니까?"

"안 왔어요."

영제는 1공도교를 올려다봤다. 난간마다 가로등이 켜 있었으나 불빛 말고는 아무것도 보이지 않았다. 안개가 콘크리트담장처럼 다리를 가리고 있었다.

"1공도교에 들어가 볼 수 있겠습니까."

영제가 묻자 박 주임은 황당한 얼굴로 중얼거렸다.

"여자애가 한밤중에 들어갈 곳은 아닌데."

영제는 짜증이 났다. 대답 하나를 올바르게 못하는 사내였다.

"차가 들어갈 수 있게 다리입구에 쳐놓은 쇠사슬을 내려달라는 얘기요."

박 주임은 고개를 저었다.

"못 내립니다. 경비실을 비울 수가 없어요."

대답하는 태도까지 불량한 사내였다. 뭔 일인지 알 만하다는 표정하며, 흘끔거리는 시선하며, 동네 담뱃가게 주인을 대하는 듯한 어투하며. 영제는 '나는 네 놈이 사는 집주인이야'라고 가르쳐주고 싶은 걸 간신히 참았다. 치미는 울화를 애써 누르며 차를 돌렸다. 수목원 후문 쪽으로 올라가 1공도교입구에 차를 세웠다. 걸어서 다리 안으로 들어갔다. 아무것도 없었다. 그는 불 꺼진 수문경비실 앞에서 다시 임 노인에게 전화를 걸었다. 숲을 뒤지는 중이며 아직 찾지 못했다는 대답을 들었다. 남은 곳은 이제 하나뿐이었다. 호수안길.

영제는 설마, 했다. 미치지 않고서야 안길로 들어갔을 리 있을까. 확인하자는 마음으로 차를 출발시켰다. 가시거리는 상향등을 켜도 10미터가 채 되지 않았다. 거리 쪽보다 안개가 훨씬 짙었다. 비는 차분한 기세로 내리고 있었다. 그는 앞창에 눈을 붙이고 주변을 살피면서 1번 출입구와 첫 번째 모퉁이 길을 돌았다. 뭔가를 본 건, 취수탑 부근에 이르렀을 때였다. 희뜩거리는 형체가 전조등 빛에 걸렸다. 아니, 형체라기보다 움직임에 가까웠다. 그는 액셀에 발을 올렸다. 안개 속에서 흰옷을 입고 움직인다면 당연히 형체를 보기 힘들 터였다. 진흙탕 속에서 꾸물거리는 미꾸라지처럼.

두 번째 커브로 접어들었다. S자형 굽잇길을, 영제는 감속 없이 돌았다. 곧 선착장 문이 나타났다. 잠깐이었다. 촛농 부스러기가 눈 안으로 들어오는 바람에 눈 한 번 비빈 아주 잠깐. 그는 희뜩한 움직임을 놓쳐버렸다. 시야에 남은 건 바람에 밀려 질풍처럼 흐르는 안개뿐이었다. 도로 폐쇄지점인 세령목장 진입로에 도착할 때까지도, 안개 말고는 보이는 게 없었다. 그는 살갗이 벗겨지기 시작한 이마를 얼음주머니로 문지르며 판단력 회복을 시도했다. 잘못 봤는가. 안개의 흐름을 움직임으로 착각한 것인가. 사람이라면 그런 식으로 사라질 수가 없었다. 사라질 곳도 없고. 한쪽은 철망담장, 한쪽은 암벽이 튀어나온 산비탈. 튈 만한 길목은 새카만 암흑과 안개덩어리가 뒤덮인 곳, 세령목장뿐이었다.

그는 랜턴을 꺼내들고 차에서 내려 목장길로 뛰어 올랐다. 안개가 시야를 가리고, 차가운 빗줄기가 얼굴을 때렸다. 오리나무 숲을 통과해 목장 폐가 앞에 이르자 기분 나쁜 정적과 음산한 기운이 목을 압박해왔다. 지붕이 완전히 무너져 내린 집이었다. 이쪽으로 왔을 리 없겠다, 하면서도 그는 폐축사로 올라갔다. 축사 문을 열면서 사납고 드센 것들의 습격을 받았다. 퀴퀴한 지린내, 짐승의 해묵은 똥냄새, 제비새끼만 한 모기떼. 세령은 없었다.

영제는 차로 돌아왔다. 선착장을 향해 무시무시한 기세로 후진했다. 철문 앞에 이르자 차를 돌린 뒤 랜턴만 들고 내렸다. 희뜩한 움직임이 사라져버린 곳이었다. 철문에는 자물쇠가 달려 있지 않았다. 그는 발로 문을 밀어봤다. 안에서 잠겨 있었다. 문 밑에는 약 30센티미터 가량의 빈 공간이 있었다. 세령의 체구라면 들어갈 수 있을 것 같았다.

랜턴으로 철망담장 안쪽에 있는 호수비탈을 쭉 비췄다. 가시박덩굴이 땅바닥은 물론, 잡목군락까지 덮어버린 상태였다. 만약 세령이 덩굴 밑으로 들어갔다면 찾는 게 불가능했다. 선착장에서 댐까지 이어지는 호수비탈은 1킬로미터가 훨씬 넘었다. 다 뒤지려면 마을주민을 모조리 깨워야 할 터였다. 그렇다고 그냥 물러나기도 아쉬웠다. 그는 세령을 불렀다.

"내 딸, 여기 있었구나."

예상대로 기척이 없었다.

"겁나서 거기 숨은 거라면 이제 나와도 좋아. 반성하면, 더 혼내지 않을 테니까."

그는 죽을힘을 다해 목소리를 누그러뜨렸다.

"오늘 아빠한테 복잡하고 골치 아픈 일이 있었거든."

축축한 바람이 호수 쪽에서 올라왔다. 가시박덩굴이 잎을 들썩이며 쏴, 소리를 냈다. 그는 다리를 벌리고 철망담장에 붙어 섰다. 랜턴을 서치라이트처럼 움직이며 말을 이었다.

"그런데 집에 돌아와 보니 아무것도 제자리에 있지 않았어. 아빠는 쉬고 싶었는데……"

영제는 입을 다물었다. 말하다 보니 울컥, 감정이 북받쳤다. 이게 뭐하는 짓인가. 쥐방울만 한 계집애 때문에 피곤한 몸을 끌고 안개 속을 헤매다가, 이제는 빗속에 선 채 우는소리를 늘어놓고 있다니. 다시 입을 열자, 하고 싶은 말이 튀어나왔다.

"네가 빡 돌게 했잖아, 이 개 같은 년아!"

그는 랜턴을 입에 문 뒤 양손으로 철망을 붙들었다. 철망구멍에 구두 끝을 걸치고 몸을 솟구쳤다. 세령이 보고 있다면, 아빠가 담을 넘어 잡으러 온다고 여기도록. 담장 안쪽은 여전히 조용했다. 몇 초 기다려 봤으나 마찬가지였다.

영제는 손을 놓고 담장에서 내려섰다. 담장 꼭대기에 엉킨 철조망을 넘고 싶지 않았다. 익숙지 않은 일을 하는 수고와 바지가 찢어지는 위험을 감수하기엔 세령을 잡을 확률이 너무 낮았다. 비 오는 야밤에, 열두 살짜리 계집애가 가로등 하나 없는 호숫가에 숨어들 가능성도 낮았다. 아빠로서 딸을 판단컨대, 간이 큰 아이기는 해도 저 호수비탈로 숨어들 만큼 통통 붓지는 않았다. 가능성으로 치면 수목원 숲이 더 높았다. 그는 손바닥을 허벅지에 문지르며 "오세령" 하고 불렀다.

"셋을 세기 전에 이리 나오는 거다. 그럼 없었던 일로 해줄 테니까. 하나, 둘."

고요했다.

"좋아. 해보자 이거지. 어디 얼마나 버티는지, 내 딸 근성 한번 볼까."

그는 미련 없이 선착장을 떠났다. 임 노인과 사택경비인 곽 씨는 허탈한 결과를 내놓았다. 사택지하실까지 뒤졌으나 없다는 것이었다. 제 어미에게 꺼져버리는 비법이라도 전수받은 모양이었다. 영제는 두 사람을 사택경비실에 대기시키고 별채 쪽으로 차를 몰았다. 집으로 돌아가 차근차근 되짚어볼 작정이었다. 어디를 빠뜨렸는지. 무엇을 간과했는지.

예정과 달리 영제는 102호 앞에서 차를 멈췄다. 그 집 거실 불이 켜져 있었다. 세령이 어디에 있는지 이제 알 것 같았다. 궁지에 몰리면 호의를 베푼 자의 품으로 파고드는 게 살아 있는 것들의 본능 아니겠는가. 계단을 발끝으로 올라가 현관 벨을 눌렀다. 응답이 없었다. 다시 눌렀다. 두 번, 세 번…… 끝까지 묵묵부답이었다. 그는 화단으로 내려서서 거실 쪽으로 귀를 기울였다. 텔레비전 소리가 희미하게 새어나왔다. 사람이 있다는 얘기였다. 어쩌면 두 사람이 숨을 죽인 채 밖을 엿보고 있을지도 몰랐다. 아니, 혹시…… 저 102호 멍청이가 실제로 세령의 몸에 손댄 것은 아니겠지. 만약 그렇다면, 세령봉에 뼈를 묻어줘야겠지. 고이 모시고 있다면, 어린애납치범으로 향후 10년간 콩밥을 먹여줄 것이고.

영제는 102호 뒤뜰로 돌아갔다. 창문은 닫혀 있었지만 잠겨 있지는 않았고, 안쪽은 어두컴컴했다. 그는 창문을 열어젖히는 것과 동시에 창턱으로 뛰어 올랐다. 방이 비어 있었다. 실내등이 꺼져 있었으나 조금 열린 문 사이로 거실 불빛이 비쳐들었다. 그는 구두를 벗어 창턱에 두고 방 안으로 내려섰다.

창문 옆 책상에 인터넷 창이 여러 개 열려 있는 노트북과 잡다한 물건들이 놓여 있었다. 다 마신 맥주 캔 두 개, 담배꽁초가 담긴 유리병, 수첩과 볼펜, 휴대전화. 거실에선 텔레비전이 저 혼자 떠들었다. 그는 안방, 베란다, 욕실, 지하실, 붙박이장 안까지 두루두루 뒤졌다.

아무도 없었다. 금방까지 사람이 있었던 풍경인데…… 순간, 개연성 있는 상황 하나가 그의 머리에 떠올랐다. 멍청이가 세령이를 또 진료소로 데리고 갔다.

이번에는 순경을 부르지 않겠지. 조용히 치료를 받게 한 후 다시 이리로 데려올 테고. 영제는 식탁에 놓인 크리넥스를 한 줌 뽑았다. 자신이 집 안 곳곳에 떨어뜨려 놓은 물기와 발자국을 닦고 다시 창문을 통해 밖으로 나갔다.

영제는 창문을 닫고 집으로 향했다. 세령의 방 창문을 잠그고 집 안 불을 모두 껐다. 거실 창가에 의자를 갖다놓고 앉았다. 편한 자세와 느긋한 마음으로 두 사람이 돌아오기를 기다릴 예정이었다.

현수는 자꾸 눈을 비볐다. 창문을 열고 가자니 비가 들이쳤고, 닫고 가자니 정신없이 졸렸다. 에어컨은 각성에 도움이 되지 않았다. 의식과 오감은 자꾸만 통제권 밖으로 빠져나갔다. 속도계 바늘이 줄곧 120킬로미터 위쪽에 있건만 체감속도는 한없이 느리기만 했다. 풍선을 타고 무중력지대를 흘러가는 기분이었다. 이정표의 활자는 스쳐가는 기호에 불과했다.

세령IC로 들어온 후, 세령호 진입로를 놓친 건 그 때문이었다. 아무 생각 없이 달려가 도착한 곳이 세령호 조절지인 '팔영호'였다. 차를 돌려 세령IC로 돌아와 보니 1시간이 훌쩍 가버렸다.

세령호 진입로로 들어서면서 그는 승환에게 재차 연락을 해봤다. 휴대전화도, 집 전화도 받지 않았다. 사람이 없다면 가봐야 말짱 헛일인 것이다. 은주가 시킨 일 중 할 수 있는 건 집 구조를 눈에 익히는 정도겠지. 곰곰이 생각하니 차라리 잘된 일 같기도 했다. 승환과 내키지 않는 대화를 하지 않아 좋고, 은주에게도 할 말이 있어 좋고. 가긴 갔는데 좀 늦었더니, '총각'이 현관 도어 록 번호만 문자로 보내고 외출해버렸다. 그래서 집만 둘러보고 왔다.

현수는 휴대전화를 셔츠주머니에 담고 단추를 잠갔다. 차는 상가지구로 진입해 있었다. 상가라야 몇 개 되지 않았고 그나마 다 문을 닫은 상태였다. 인적 없는 거리에는 안개만 자욱했다. 마치 살아 꿈틀대는 생물처럼, 시계를 공격적으로 차단해오는 극성맞은 안개였다. 덕택에 그는 상가거리 시작점에 있는 수목원정문을 보지 못했다.

거리 끄트머리에 다다르자 다리가 나타났다. 3공도교. 다리 너머는 안개에 가려 보이지 않았다. 다리입구에 설치된 큼직한 전광판만 눈에 띄었다. 현재 댐 수위, 방류량, 강우량 등을 알리는 표시창이 안개 속에서 붉게 점멸하고 있었다. 그 밑에 애타게 찾던 이정표가 붙어 있었다. 댐관리단과 수문은 3공도교를 건너서 우회전, 세령수목원 후문은 3공도교 앞에서 우회전이었다. 그는 3공도교 앞에서 우회전했다.

가파른 오르막이 시작됐다. 안개는 이제 꿈틀대는 수준이 아니었다. 새카만 상공에서 산사태처럼 무너져 내리고 있었다. 시야는 본격적으로 나빠졌고 보여야 할 것이 또 보이지 않았다. 길가 가로등은 무용지물이었다. 그는 술에 풀린 눈을 더듬어 수목원후문 표지판을 찾았다. 길이 갑자기 어두워지고 좁아졌다고 느꼈을 땐 급커브를 코앞에 두고 있었다. 반원에 가까운 1차선 도로였고 그는 입때 술꾼속도를 고수하고 있었다. 시속 120킬로미터. 차가 굉음을 뿌리며 모퉁이를 돌았다. 차체는 원심력을 이기지 못해 기우뚱한 상태로 질주했다. 두 번째 모퉁이가 나타났다. 그는 브레이크를 짧게 끊어 밟으면서 핸들을 반대편으로 감았다. 그러느라 안개 속에서 튀어나온 희뜩한 물체를 놓쳤다. 봤을 땐 보닛 앞까지 날아와 있었다.

그의 머릿속은 한순간에 텅 비었다. 그의 발은 반사적으로 급브레이크를 밟았다. 그러나 늦었다. 그는 정신이 반쯤 나간 채로 도로를 긁어 파는 바퀴의 마찰음을 들었다. 백 수십 킬로미터로 날아드는 야구공에 조련된 동체시력은 평생 잊지 못할 순간을 낱낱으로 포착해냈다.

길고 새하얀 물체가 차 오른편에 들이받히며 보닛 위로 허리를 꺾고 착 들러붙었다. 산발한 머리가 차창을 내리찍었다. 그 반동으로 보닛에 들러붙었던 몸뚱어리는 45도 각도로 튕겨나간 다음 도로에 떨어졌다. 폭발이 일 듯, 물보라가 희뿌옇게 곤두섰다. 몸뚱이는 빗길을 데굴데굴 굴러가다 그의 시야 끝에서 멈췄다.

현수는 짧은 비명을 들은 것 같았다. 어쩌면 자신의 비명이었는지도 몰랐다. 차는 철망담장에 범퍼를 들이받으며 멈췄다. 그의 머리는 의자 등받이 너머로 꺾였다가 핸들 쪽으로 튕겨나갔다. 안전벨트가 갈비뼈 밑으로 파고들면서 튕겨나가는 그의 몸통을 붙들어 맸다. 숨이 턱 막혀오고 시야가 급류를 타듯 요동쳤다. 이 충격이 그의 몸을 빠져나가는 데는 한참이 걸렸다. 머리를 들기까진 두 배가 더 걸렸다. 전조등 빛의 한 중앙에 그것이 있었다. 그의 차로 날아왔다 날아간 것, 길고 하얀 몸뚱이가 도로를 비스듬히 점령한 채 드러누워 있었다.

현수는 핸들을 움켜쥔 채 움직이지 않았다. 눈앞의 흰 몸뚱이를 보고 있는 것이 아니었다. 산산조각으로 부서진 한 남자의 세계를 보고 있었다. 시야에 6년 전 그날이 불려와 있었다.

잠실구장, 9회 초, 원 아웃, 주자는 1루에 있었다. 3점 차로 지고 있던 파이터스는 막 동점까지 쫓아간 참이었다. 감독은 주전포수 타석에서 대타를 내보냈다. 그리고 병살타. 길었던 공격이 한 방에 끝나버렸다. 9회 말 수비에 들어가면서 감독은 배터리를 한꺼번에 바꿨다. 장내방송이 나갔다. "투수 이상철, 포수 최현수."

그라운드로 나가는 현수의 어깨 위에 기대와 두려움이 올라탔다. 홈플레이트 앞에서 1루 관중석을 올려다봤다. 시즌 개막 후 처음으로 1군에 올라온 남편을 보러 은주가 먼 길을 와 있었다. 여섯 살배기 서원은 제 엄마 옆에 서서 소리를 지르고 있었다. 숨찬 목소리가 관중석의 소음을 뚫고 날아와 그의 귀에 박혔다.

"아빠!"

현수는 포수마스크를 썼다. 이상철은 연습구를 뿌리기 시작했다.

현수도 붙박이주전이었던 적이 있었다. 타고난 힘과 판을 읽는 눈이 강점으로 꼽혔다. 담력부족과 수비불안이 약점으로 지적됐다. 강점을 끌어올리고 약점을 극복하면 쓸 만한 포수가 될 거라고들 했다. 딱 대학시절까지 이야기다. 프로에 입단하면서 그는 죽을 쑤기 시작했다. 강점은 힘을 잃고 약점만 두드러졌다. 특히 결정적인 순간에 나오는 수비실수가 번번이 그를 궁지에 빠뜨렸다. 찰나적으로 나타났다 사라지는 원팔마비 증세 때문이었다. 고교시절부터 종종 나타나던 이 증상은 군대에 가면서 심해졌고, 프로입단 후 고질병이 돼버렸다. 중요한 게임, 승패를 결정짓는 상황에서 볼을 놓치는 일이 심심찮게 일어났다. 그 순간엔 포구도, 송구도 불가능했다. 이미 놓쳐버린 볼을 잡느라 허둥거리는 게 그가 할 수 있는 전부였다. 감독이나 동료들에겐 이해 못 할 실수였다. 그에겐 공포의 징후이자 숨겨야 할 천형 같은 것이었다. 정형외과의사는 설명할 수 없는 증세였다. 신경과의사는 심리적 압박으로 인한 전이현상이라고 진단했다. 스트레스를 피하라는 게 의사의 처방이었다. 포수마스크를 벗으라는 말과 동일한 처방이었다. 투수들은 현수를 신뢰하지 않았다. 야수들은 그가 마스크를 쓰면 긴장하는 기색이 역력했다. 파이터스 팬들은 그를 '용팔이'라고 불렀다. 감독은 좀처럼 1군으로 불러주지 않았다. 그는 불려가기 위해 안간힘을 썼다. 2군 구장의 텅 빈 스탠드와 뙤약볕, 경제적 궁핍과 트레이드와 방출에 대한 불안을 이 악물고 견뎠다. 최고가 되겠다는 그 옛날의 포부 때문이 아니었다. 그의 가슴엔 별 대신 서원이 있었다. 서원이 그를 전사로 만들었다. 주전포수가 된 아빠를 보여주고 싶었다. 서원을 향해 홈런 세리머니를 하고 싶었다. 승리하는 장면을 선물하고 싶었다. 드디어 소망의 실마리가 될지도 모르는 기회를 잡은 것이었다. 집중해야 했다.

상대편타순은 1번부터 시작이었다. 현수는 몸 쪽 슬라이더를 주문했다. 볼은 타자의 헬멧을 스치면서 뒤로 빠졌다. 대가로 1루를 거저 내주었다. 다음 타자는 번트자세로 그립을 잡았다. 당연에 가까운 수순이었다. 더그아웃에선 대주라는 사인을 보냈다. 유격수가 2루 쪽으로 움직였다. 2루수는 1루 쪽으로 치우쳐 섰다. 선행주자를 잡겠다는 수비시프트였다. 현수는 바깥쪽 커브를 주문했다. 이상철의 볼은 주문대로 들어오지 않았다. 스트라이크 존에서 확연하게 빠지는 볼이 연속해서 들어왔다. 포볼이 났다. 눈 깜박할 사이에 무사 1, 2루가 돼버렸다. 왼쪽 타석에 3번 타자가 들어섰다. 발끝으로 땅을 고르고 방망이를 두어 번 휘두르는 모습을, 현수는 곁눈질로 지켜봤다. 밀어치는 걸 좋아하고, 빠른 직구에 방망이가 곧잘 나가는 타자였다. 더그아웃에선 승부하라는 사인을 보냈다. 마땅히 그래야 했다. 다음 타순이 거포이면서도 정확한 타격을 하는 4번임을 감안하면. 문제는 승부를 할 수 없는 이상철의 컨디션이었다. 이상철은 주문한 곳에 볼을 넣지 못했다. 볼만 연달아 두 번. 그나마 두 번째는 그라운드 볼이었다. 땅을 찍고 튀어 오르는 볼을 가슴으로 블로킹해서 잡고 일어서는 사이, 현수의 머릿속은 새카매져 있었다.

기분 나쁜 흐름이었다. 마운드로 올라가야 할 시점이었다. 곧잘 흥분하는 이상철을 안정시키고 흐름을 끊어야 했다. 그러나 현수의 신경은 투수가 아닌 자신의 왼팔에만 쏠려 있었다. 야수들은 용팔이가 등장하는 게 아닌지 불안해하는 눈치였다. 관중석의 눈들이 자신의 왼팔만 지켜보고 있는 것 같았다.

현수는 체인지업을 주문했다. 직구처럼 들어오다 홈 플레이트 앞에서 사라지듯 뚝 떨어지는 이상철의 승부구였다. 볼은 인코스로 밋밋하게 들어왔다. 방망이가 가차 없이 돌았다. 딱 소리와 함께 볼은 중견수 옆으로 날아갔다. 홈에 들어오기엔 짧은 안타였으나 2루 주자는 거침없이 3루를 돌았다. 중견수가 던진 볼은 홈을 가로막고 선 현수의 글러브로 날아왔다. 동시에 2루 주자도 한쪽 다리를 높이 쳐들고 슬라이딩해 들어왔다. 일순, 시야가 까매졌다. 가속도를 붙이며 쇄도해온 스파이크가 그의 어깨를 찍어버렸던 것이다. 현수는 그라운드에 나뒹굴었다. 공은 글러브 밖으로 흘러나갔다. 그걸 막을 수가 없었다. 손을 움직일 수가 없었다. 벌겋게 불이 단 갈고리가 어깨를 찍어 누르고 있는 듯했다. 관중석은 고요했다.

현수는 한시도 잊어본 적이 없었다. 1초, 어쩌면 1초도 되지 않을 짧은 시간, 영원처럼 느껴지던 긴 시간, 그의 어깨와 소망과 생의 전사가 부서지던 시간에 찾아온 세상의 고요를. 고요 속에서 튀어 오르던 서원의 비명을.

"아빠!"

그는 핸들에서 손을 뗐다. 운전석에 앉은 채로 서원의 비명을 들은 것 같았다. 땀으로 미끈미끈해진 손바닥을 셔츠에 문질러 닦았다. 와중에도 전방에 드러누운 흰 물체에서 눈을 떼지 못했다. 뭔가 희망적인 징후를 보고 싶었다. 차에 받힌 것이 도로 표지판이거나 들짐승이라면……. 가망 없는 바람이었다. 눈앞의 흰 물체가 뭔지, 그는 이미 알고 있었다. 흰옷을 입은 아이였다. 상상도 못할 장소에서 머리를 풀어헤치고 날아든 유령 같은 여자아이.

현수는 차에서 내렸다. 작정이 있어 내린 건 아니었다. 뭘 해야 한다는 인식조차 없었다. 몸이 저 알아서 움직였을 뿐이다. 그는 자박자박, 빗물을 찍는 자신의 구둣발소리를 들었다. 안개를 뚫고 지나가며 오랜 세월 잊고 있었던 냄새를 맡았다. 짠 냄새, 바다냄새. 냄새는 기억의 방아쇠를 당겼다. 달빛을 받아 핏빛으로 일렁이는 수수벌판. 수숫대 위로 불어오는 바닷바람, 벌판 끝 바위산 너머에서 희끗거리는 등대불빛. 아버지의 구두와 랜턴을 쥐고 걸어가는 소년.

현수는 걸음을 멈췄다. 서너 발짝 떨어진 곳에 소녀가 누워 있었다. 긴 머리칼의 절반은 얼굴을 덮고 반은 빗물에 잠겨 흐느적거렸다. 흐느적거리는 머리칼 밑으로 핏물이 소용돌이치며 흘렀다. 흰 옷자락 아래로 드러난 종아리는 하나뿐이었다. 다른 하나는 뒤로 접힌 채 허벅지 밑에 깔려 있었다. 소녀는 숨을 쉬지 않는 것 같았다.

죽었을까. 그는 확인할 수가 없었다. 소녀를 만져볼 엄두가 나지 않았다. 더 바라볼 용기마저 없었다. 병원이나 119는 그의 의식 바깥에 있었다. 명치가 답답해오고, 머릿속에선 친근한 목소리가 조언해왔다. 돌아가서 차에 올라타라고. 기어를 넣고 이 기분 나쁜 악몽 속을 전속력으로 빠져나가라고.

현수는 주변을 둘러봤다. 인적이라고는 없었다. 인가나 차량의 불빛도 보이지 않았다. 전조등만 환하게 길을 비추고 있었다. 그는 마티즈를 돌아봤다. 쩍쩍 금이 가버린 앞 차창으로 나란히 앉아 있는 은주와 서원이 내다보였다. 그의 어깨가 부서지던 날처럼, 충격과 슬픔에 휩싸인 얼굴이었다. 차 뒤편 어둠 속에는 집이 있었다. 모든 것을 쏟아부어 손에 쥔 살얼음 집. 그와 은주와 서원이 살 무지개다리 아래 집.

현수는 돌아서서 차를 향해 걷기 시작했다. 두서없는 생각들이 들뛰었다. 혈중에 남아 있을 술기운, 복권까지 일주일밖에 남지 않은 면허증, 비와 안개, 취수탑. 무의식은 정신없이 달려온 길을 정확하게 재현해냈다. 취수탑은 이 도로에서 철망담장이 끊기는 유일한 곳이었다. 취수탑과 도로를 연결하는 다리입구는 쇠사슬 한 줄로 차단돼 있었다. 그의 첫 근무지였던 댐은 어땠던가. 철망담장은 없었지만 취수탑 밑에 수로터널이 있었다. 새벽녘, 터널출구가 열리면 호수의 물은 산과 들판과 도로 밑을 쏜살같이 흘러가 어느 도시의 지하상수도관에 이르게 돼 있었다.

현수는 걷기를 멈췄다. 등줄기로 전율이 올라오고 있었다. 자신의 생각들은 두서없지 않았다. 어떤 상황을 향한 방향성을 갖고 있었다. 그는 어깨너머로 뒤를 돌아봤다. 소녀는 도로를 가로질러 누워 있었다. 누군가 이 길로 들어온다면 보지 않을 수 없는 자리였다. 피하고 싶었던 질문이 튀어나왔다. 이 길을 빠져나가기 전에 '누군가'와 만난다면? 누군가는 안개 속에서 스쳐간 차의 차량번호를 기억해낼 수 있을까.

친숙한 목소리가 두 번째 조언을 해왔다. 어이, 용팔이. 공 어쩔 거야, 네 공.

진저리나게 들어온 목소리였다. 어떤 상황에서든 그의 선택을 옹호해온 목소리였다. 모든 행동에 명분을 부여해온 조력자의 목소리였다.

현수는 소녀에게 돌아갔다. 소녀 어깨 옆에 한쪽 무릎을 꿇고 앉았다. 섬뜩하고도 기괴한 얼굴이 시야로 덤볐다. 아이는 짙은 화장을 하고 있었다. 눈 화장이 번진 눈꺼풀이 검은 구멍처럼 보였다. 으깨진 입술 사이로는 앞니 없는 살빛 잇몸이 내다보였다. 소녀 곁엔 파멸로 줄달음치는 자신이 앉아 있었다. 무면허, 음주운전, 사망사고⋯⋯.

옳지 않았다. 공평하지 않았다. 그는 지금껏 쥐 한 마리 죽여본 적이 없었다. 죄를 저질러 교도소에 간 적도 없고, 독 묻은 혀로 남의 등골을 빨아먹은 적도 없었다. 거창한 소망을 바란 적도 없었다. 가족에게 세끼 밥을 먹이고, 아들을 키우고, 내키면 소주 한잔할 수 있는 딱 지금만큼의 행운을 바랐다. 그것이 그리도 주제넘은 바람이었던가. 두려움 밑에서 깜박대던 분노가 불길로 타올라 소녀에게 옮겨 붙었다.

대체 너는 누구더냐. 죽고 싶었다면 호수로 뛰어들었어야 한다. 죽을 힘을 다해 버둥거린 끝에 유리 공 하나를 손에 쥔 남자의 차가 아니고.

현수는 소녀 쪽으로 팔을 뻗었다. 소녀를 안아 올리려고 등 밑에 손을 가져가는 순간, 그의 가슴팍에서 휴대전화가 울기 시작했다. 쿵, 쿵, 쿵, 쿵. 베토벤 바이러스가 폭발하듯 흉벽 위에서 터져 나왔다. 온몸이 굳어지며 맥박이 일순간에 크레셴도로 치달았다. 동시에 검은 구멍 같던 소녀의 눈이 번뜩 열렸다. 뭉개진 입술 사이에선 외마디소리가 흘러나왔다.

"아빠."

그는 자신도 모르게 손을 뻗어 아이의 입을 막았다. 전화벨은 그의 심장을 천둥처럼 두들겼다. 어둠이 세상을 삼켰다. 아득한 곳에서 아이의 목소리가 메아리쳤다. 아빠⋯⋯.

메아리가 끝났을 때, 그는 취수탑 다리 위에 서 있었다. 팔을 늘어뜨린 채 부들부들 떨면서 자신의 턱이 딱딱 부딪치는 소리를 듣고 있었다. 소녀와 그가 있던 자리에서 취수탑은 100여 미터쯤 떨어져 있었다. 그 거리를 이동해 취수탑 다리에 다다른 몇 분 동안 무슨 일이 일어났던가. 아니, 그전에 무슨 일을 저질렀는가. 머릿속 조력자가 대답해왔다.

운명이 난데없이 변화구를 던진 밤에는, 안개가 짙고 비가 내리는 금요일 밤에는, 인적이 없고 어두운 호숫가에서는, 죽은 줄 알았던 아이가 눈을 뜨고 "아빠"라고 속삭여 올 때에는, 자기를 찾는 전화벨이 심장을 두들기는 순간에는, 흔히들 무의식이라 부르는 '혼돈' 속에서는 무슨 일이든 일어날 수 있지. 좀 보여줄까?

현수는 검은 허공 속에서 하얗게 반전된 손 하나를 봤다. 아이를 안아 올리려던 그 손은, 백상아리처럼 크고 힘세고 사나운 그 왼손은, 한순간에 통제력을 잃어버린 그 손은, 아이의 입을 빈틈없이 틀어막고 짓눌렀다. 손아귀 밑에서 아이는 어린 토끼처럼 버둥거렸다. 얼마 후 잠잠해졌다. 고개를 옆으로 꺾으면서 사지를 늘어뜨렸다.

현수는 도리질했다. 어린애 같은 흐느낌이 새어나왔다. 저건 내 손이 아냐.

조력자 목소리가 물었다. 더 보여줄까?

그는 축 늘어진 아이의 몸을 들어 안고 안개 속으로 걸어가는 자신의 모습을 보았다. 취수탑 다리난간에서 호수로 떨어져 내리는 아이의 마지막 모습을 봤다. 다리 아래 호수 속에서 울리는 속삭임을 들었다.

"아빠."

승환은 물이 따뜻해지는 지점에서 상승을 멈췄다. 낚싯줄을 따라 되돌아 나온 것이 아니었기에 자신의 위치를 정확히 알지 못했다. 마을 끝 외딴집에서 수직상승했으므로 현재수심도 추측하기 어려웠다. 순전한 육감으로 감압정지 지점을 결정하고 시계를 봤다. 10시 50분. 공기통 게이지는 7분 남짓 버틸 공기가 남아 있다고 말해주었다. 그는 긴장을 풀고 선 자세로 눈을 감았다. 공기를 다 쓸 때까지 머물 작정이었다.

수중에선 소리의 전달속도가 대기보다 4배쯤 빠르다. 물속에서 소리의 방향을 종잡을 수 없는 건 그 때문이다. 예외가 있다면, 소리 자체가 위치와 상황을 알리는 경우였다. 브레이크 소리나 소방차 사이렌처럼.

그가 들은 소리도 그런 유에 속했다. 감압을 시작한 지 5분 만에 들려온 소리였다. 작고 부드러운 소리였다. 딱 한 번 들려왔지만 순간적으로 그를 긴장시킨 소리였다. 잘 알고 있는 소리였다. 소리의 주체는 셋 중 하나였다.

잠수하는 자, 빠뜨려진 사체, 투기된 물체.

입수 후 이어진 소리가 없다는 게 그 증거였다. 살아 있는 생명이 실수로 물에 빠졌다면 본능적인 요동이 있어야 했다. 자살을 목적한 투신도 무의식적인 몸부림이 있게 마련이었다. 누군가 밀어뜨렸다면 더 말할 것도 없다.

이 문제적 소리는 그에게 자신의 위치를 가늠하게 해주었다. 첨벙, 소리가 수중으로 퍼질 정도면 입수위치가 높다는 의미였다. 적어도 선착장 부교보다는 높아야 했다. 승환은 취수탑 다리라고 확신했다. 자기 몸이든, 남의 몸이든, 짐승이든, 쓰레기든, 이 호수에 뭔가를 던질 수 있는 장소는 거기뿐이었다. 그러므로 자신은 취수탑 부근, 수온약층 위에 있는 것이었다.

승환은 눈을 뜨고 위를 봤다. 수중라이트가 머리 위를 직선으로 비췄다. 빛의 한 중심에 수수러진 돛처럼 펄럭이는 물체가 있었다. 그의 직감은 저것이 좀 전에 들은 첨벙, 소리와 관계가 있다고 얘기했다.

승환은 자신을 물속 재난에 통달한 자라고 여기지는 않았다. 그렇다고 풋내기라 생각했던 적도 없다. 물이 요구하는 자질과 능력 정도는 가졌다고 자부해왔다. 이 자부심이 당황으로 바뀌는 데는 몇 초도 걸리지 않았다. 생각이 비고, 시선은 자신을 향해 내려오는 '무언가'에 딱 고정돼버렸다. 물결을 타고 얼굴 뒤편으로 흐르는 검은 머리칼, 새하얀 얼굴, 몸에 휘감긴 흰 옷자락, 물을 차듯 위를 향해 쭉 펴고 있는 다리. 사람이었다. 머리부터 수직으로 하강하고 있는 여자아이였다.

필연적인 시점이 찾아왔다. 당황으로 커진 그의 눈과 부릅뜬 아이의 눈이 마주치는 시점. 그는 호흡이 뒤엉키는 걸 느꼈다. 아이의 눈은 그의 얼굴을 거쳐 목 아래로 내려갔다. 가느다란 팔이 그의 호흡기를 치고 스쳐갔다. 자그마한 맨발이 그의 어깨에 걸렸다가 미끄러져 내렸다. 기억이 되살아났다. 그 아이야.

승환은 몸이 소용돌이의 중심으로 빨려드는 느낌을 받았다. 생각은 한 가지 목표를 향해 치달았다. 내려가서 확인해.

그는 머리를 밑으로 돌리고 물을 찼다. 감압 중이었다는 사실은 잠시 잊었다. 부력조절도 안중에 없었다. 공기 잔량마저 확인하지 않았다. 손으로 주변을 더듬으면서 흐릿한 물 밑으로 내려갔다. 곧 길고 검은 수초 더미 같은 것이 시야에 잡혔다. 아이의 머리칼이었다. 금방까지도 머리를 밑으로 한 채 가라앉고 있던 아이는 똑바로 선 채 수중에 떠 있었다. 불과 몇 초 사이에 몸이 시계초침처럼 반 바퀴 돈 셈이었다. 그는 손을 뻗어 머리칼을 잡아 올렸다. 자그마한 얼굴이 쓱 끌려 올라와서 그와 대면했다.

세령이 맞았다. 눈자위가 꺼멨지만, 앞니가 없었지만, 윗입술이 찢겨

나갔지만, 틀림없는 세령이었다. 근육이 풀리는 듯한 기분 나쁜 느낌이 승환을 엄습해왔다. 힘 빠진 손가락 사이로 머리칼이 사르르 빠져나갔다. 세령의 얼굴은 흐린 물결 속으로 얼음이 녹듯 사라졌다. 그의 손아귀에는 금속물체 하나만 남았다. 그것이 무엇인지 확인할 틈이 없었다. 다시 숨이 막혀왔다. 기분상 그런 게 아니었다. 레귤레이터의 저항 때문도 아니었다. 실제로 공기가 빨리지 않았다. 공기가 거덜 나버린 것이었다.

그제야 제정신이 돌아왔다. 손쓸 수 있을 때 돌아온 것만도 고마웠다. 그는 웨이트벨트를 풀고, 머리를 젖히고, 호흡기를 문 채 기도를 열면서 수면을 향해 비상부력상승을 시작했다. 핀 킥으로 동력을 붙이며 최대속도로 올라갔다. 예상보다 깊이 내려온 듯했다. 호흡기로부터 짜낸 공기를 수차례 쓰고서야 가까스로 수면에 다다랐다. 차가운 빗줄기가 그를 맞았다.

호흡기를 스노클로 바꿔 물고 수면 위로 쓰러졌다. 목이 뻣뻣했다. 이가 요란한 소리를 내며 맞부딪혔다. 꽁꽁 언 몸에서 아이의 머리칼을 잡았던 손만 활활 탔다. 머릿속은 혼란 그 자체였다. 지금껏 물속에서 무슨 짓을 했나. 뭘 봤던가. 그는 수중라이트로 주변을 살폈다. 안개 때문에 아무것도 보이지 않았다. 나침반이 알리는 바로는 선착장은 등 뒤쪽에 있었다.

승환은 몸을 돌려 헤엄치기 시작했다. 속도가 나지 않았다. 팔이 아니라 쇠막대를 휘젓고 있는 기분이었다. 부교에 도착한 뒤 시계를 확인했다. 11시 15분. 집에서 나온 게 두어 시간 전이라는 사실이 믿기지 않았다. 족히 스무 시간은 지난 것 같았다.

그는 헬멧과 마스크, 핀을 벗어 배낭에 쑤셔 담았다. 찜찜한 '뭔가'가 뒤에 남았지만 돌아보고 싶지 않았다. 서둘러 열쇠를 꺼내고 선착장문 안쪽에 걸어둔 쇠사슬과 자물쇠를 풀었다. 밖으로 나와 같은 방식으로 문을 폐쇄했다. 곧바로 선착장을 떠났다. 좀 전의 장면을 복기하며 타박타박 빗길을 걸었다. 최선을 다해 노력했지만, 신고정신은 생겨나지 않았다. 오영제와의 악연을 생각하자 살 떨리는 상상이 펼쳐졌다. 용의자 1번 안승환. 경찰은 야밤에, 출입이 금지된 호수에서 뭘 했느냐고 물을 것이다. 성폭행 누명은 거기에 비하면 농담거리였다. 만약, 확인하러 내려가지 않았다면 어땠을까. 만약 예정된 시간에 일을 마치고 선착장으로 나왔다면? 만약 오늘밤 호수에 오지 않았더라면, 만약 세령마을을 몰랐다면, 만약 박 주임의 말을 듣지 않았다면…… '만약'이 불러온 건 후회뿐이었다. 보지 않았다면 좋았을 일이었다. 보지 않은 일은 일어나지 않은 일이었다. 적어도 당사자에게는.

별채 숲은 고요했다. 세령의 방 창문은 닫혀 있었다. 커튼이 드리워지고 방 안은 깜깜했다. 승환은 나올 때처럼, 창문을 넘어 자신의 방으로 들어갔다. 공기통과 배낭을 부려놓고, 소리 죽여 베란다로 나갔다. 101호 앞에 흰 BMW가 세워져 있었다. 집 안에서는 불빛 한 점 내비치지 않았다. 승환은 상황을 정리했다.

'아이는 시체가 돼서 호수를 떠돌고, 열려 있던 아이 방 창문은 닫혔으며, 아이아빠의 차는 집 앞에 주차돼 있고, 집 안은 어둡고도 고요하다.'

여기에 주관을 개입시키자 이런 문장으로 변환됐다.

'오영제는 자기 딸을 곤죽이 되게 두들겨 패서 죽인 다음 호수에 집어던졌다.'

승환은 거실로 들어와 소파에 무너지듯, 주저앉았다. 여전히 신고할 마음은 들지 않았다. 이미 죽은 아이였다. 신고한다고 부활하지는 않는다. 물속에서 특별한 일이 벌어지지 않는 한 사체는 닷새 안에 떠오를 테고. 범인이야 형사가 어련히 알아서 잡겠는가. 골치 아픈 일은 전문가한 테 떠넘기고 잠이나 잘 일이었다. 그런데 뭔가 자꾸 마음에 걸렸다. '뭔가'가 뭔지, 그는 알 수가 없었다.

방으로 들어가 휴대전화를 집어 들었다. 혹여, '뭔가'에 대한 단서가 있을까 해서. 부재중 전화가 두 통 찍혀 있었다. 저장돼 있지 않은 번호였다. 발신시각은 9시 03분과 10시 30분. 신임팀장의 번호 같았으나 확인해보지 않았다. 다 귀찮았다. 손이 쿡쿡 쑤시고 등줄기는 저리다 못해 아팠다. 집 안 공기가 후덥지근한데도 좀처럼 한기가 가시지 않았다.

욕조에 미지근한 물을 틀어놓고 BC를 벗었다. 주머니에 손을 넣어 나침반을 꺼냈다. 크리스털별이 달린 머리핀이 따라 나왔다. 잠깐 어리둥절했다. 이런 게 왜 여기에 들어 있나. 손바닥에 산발한 머리채가 어른거렸다. 그랬다. 세령의 머리핀이었다. 제대로 보지도 않고, 무의식중에 주머니에 담아버린 모양이었다.

그는 욕조로 들어가 앉았다. 근육이 조금씩 풀리기 시작했다. 머리도 돌기 시작했다. 생각은 세령의 행로를 추적했다. 물속 암류를 타고 댐을 향해 흘러간다면, 쓰레기여과스크린에 걸릴 것이다. 만약 취수탑 수중벽 쪽으로 가라앉는다면……

세령댐은 수문이 아닌 취수탑 수중벽 밑에 통관수로가 있었다. 직접 본 적은 없지만 통관직경이 150센티미터를 넘는다고 들었다. 통관 수문이 열리는 새벽, 그 부근의 물살이 어떨지는 머리 써서 추측할 필요가 없었다.

승환은 물속으로 쭉 미끄러져 얼굴까지 담갔다. 몸속 어딘가에서 다짐하는 목소리가 들려왔다. 넌 아무것도 보지 않았어.

찜찜한 '뭔가'가 뭔지는 끝까지 기억나지 않았다.

남편의 휴대전화는 꺼져 있었다. 은주가 김형태를 통해 연락을 시도한 후부터 줄곧 그랬다. '너 때문에 좆 됐다'는 뜻이었다. 서른일곱이나 먹은 남자가 사춘기 여드름쟁이처럼 조잔하게 굴고 있는 것이다. 그녀는 다시 김형태에게 전화를 걸어봤다.

"세령호로 가고 있다던데요."

김형태가 대답했다. 그녀는 자기도 모르게 한마디 했다.

"그럼 그렇다고 전화나 해주시지 그랬어요."

"뭐가 그렇게 걱정이에요. 최현수를 납치할 인간은 저승사자 말고는 없다니까요."

농담 같으면서도 농담이 아니었다. 완곡한 형태의 짜증이었다. 그녀는 무시했다.

"정말로 서원아빠랑 같이 있는 거 아니죠?"

한숨소리가 나더니, 한참 후에 대꾸가 들려왔다.

"그러지 말고 제수씨가 이쪽으로 오세요. 확인도 하고, 나랑 술도 한잔 하시게."

남편이 전화를 받지 않는 건 술을 마실 때뿐이었다. 술만 마시면 남편의 행방은 오리무중이 되었다. 그녀가 가장 싫어하는 버릇이었다. 그녀의 강도 높은 잔소리도 고치지 못하는 배냇버릇이었다.

"형태 씨가 아니라면 아니겠죠."

은주는 전화를 끊었다. 부아를 가라앉히느라, 눈을 한 번 감았다 떴다. 남편은 세령호에 간 것인가, 술집에 간 것인가. 이제 더 알아볼 만한 데도 없었다. 직장생활을 시작한 후 사귄 친구는 김형태 하나뿐이었다. 선수시절 동기들은 대부분 지방에 흩어져 살고 있었다. 혹시나 싶어 집으로 전화를 걸었다. 서원이 받았다.

"아빠 아직 안 오셨어요. 전화도 없었고요."

그녀는 전화를 접고 아파트 안으로 들어갔다. 엘리베이터에 탔다. 19층에서 내려 청회색 철문 앞에서 걸음을 멈췄다. 1901호. 문에 붙은 표지판을 보며 그녀는 잠시 남편을 잊었다. 남편으로 인한 부아도 일순간에 가라앉았다. 남편보다 더 소중한 것이 눈앞에 있었다.

처음 이 집에 오던 날, 그녀는 단박에 알아차렸다. '이건 내 집이야.' 그녀가 '내 집'의 주인자격으로 온 건 이번이 처음이었다. 이전 주인은 오늘 오후 집을 비웠다. 내일 아침이면 세입자가 들어올 예정이었다. 그러므로 오늘 밤 몇 시간 동안은 온전히 그녀의 집이었다.

은주는 청바지주머니에서 꼬깃꼬깃한 종이쪽을 꺼냈다. 2656940. 이전 주인이 알려준 도어 록 비밀번호였다. 손끝으로 숫자를 짚어가며 번호판과 별표를 눌렀다. 삐, 소리와 함께 자물쇠가 풀렸다. 안으로 들어서자 센서 등이 들어왔다. 그녀는 커튼콜을 받는 배우처럼, 불이 꺼질 때까지 주변을 둘러보며 서 있었다. 대문과 현관 유리문 사이에 작은 공간이 있었다. 서원의 자전거를 놓아두기에 딱 알맞았다. 벤자민 화분 하나쯤 세워두면 더 보기 좋겠고.

그녀는 현관유리문을 열었다. 입구의 벽을 더듬어 실내등 스위치를 올렸다. 바닥에 신발자국들이 어지럽게 남아 있었다. 그녀도 신발을 벗지 않고 안으로 올라섰다. 스위치 옆에 욕실이 있었다. 라벤더 색 타일과 욕조, 샤워기 옆에 설치된 파티션. 21세기 대한민국 중산층에 어울리는 품격 있는 욕실이었다. 문간방은 서원의 공부방으로 줄 예정이었다. 앞 베란다로 연결된 유리문이 있어 전망도 좋았다. 베란다까지 확장시킨 거실은 넓고도 깔끔했다.

은주는 시간을 들여 구석구석 돌아봤다. 안방, 안방화장실, 뒤쪽 베란다, 부엌, 식기세척기가 설치된 주방조리대……. '내 집'은 만족스러웠다. 감동적이었다. 전철과 버스를 갈아타며 2시간 동안 달려온 노고를 보상하고도 남았다. 이사 뒷마무리도 야무지게 해둔 편이었다. 창문들은 잘 닫혀 있고, 전깃불 하나 허투루 켜진 곳이 없었다.

은주는 주방조리대에 가방을 내려놓고 앞 베란다로 나갔다. 창문 아래, 까마득한 곳에 가로등이 켜진 놀이터가 있었다. 정글짐과 시소, 그네와 철봉, 모래밭. 당연한 얘기지만 아이들은 하나도 없었다. 아이들이 뒹굴었을 모래밭은 어쩐지 쓸쓸해 보였다. 그녀는 그 옛날 봉천동 산동네를 떠올렸다. 해가 진 후에야 차지할 수 있었던 놀이터 그네가 기억났다.

은주는 해질녘 놀이터에 익숙한 아이였다. 아이들과 그들의 활기가 빠져나간 자리에도 익숙했다. 어두운 놀이터의 그네에 앉아 등에 업은 막냇동생을 재우는 일이 갓 여덟 살이 된 그녀의 일상이었으므로. 다섯 살배기 여동생 영주는 가로등 밑에서 혼자 소꿉놀이를 하고, 두 살배기 기주는 별사탕 같은 손으로 은주의 머리칼을 마구 잡아당기곤 했다. 은주는 그 따분하고 쓸쓸한 시간을 간절한 기도로 보냈다. 시간이 마구 점프하기를, 하루빨리 어른이 되기를, 그리하여 이 지겨운 집에서 벗어날 수 있기를. 폐차버스를 개조해서 탁자 몇 개 놓고 막걸리를 파는 왕대폿집도 '집'이라 부를 수 있다면.

'지니네 왕대포'의 여주인 지니는 젓가락장단의 고수였다. '목포의 눈물'을 이난영보다 더 간드러지게 부르는 여자였다. 불망 한복저고리 깃이 다 들릴 만큼 젖가슴이 큰 여자였다. 가슴골로 손이 들어오든, 돈이 들어오든 사내의 것이라면 사양하지 않는 여자였다. 코를 찡긋거리며 잇몸까지 드러내고 웃어주는 여자였다. 엉덩이를 뒤로 빼고 오리처럼 둥싯둥싯 걷는 여자였다. 잊을 만하면 한 번씩 동네여자들과 드잡이를 하던 여자였다. 제 몸 간수도 제대로 못하는 어린 딸에게 제각각 씨가 다른 여동생과 갓난쟁이 남동생을 떠안긴 여자였다. 은주를 낳은 여자였다.

은주는 막내인 기주가 잠들어야만 집으로 돌아갈 수 있었다. 잠들기 전에 돌아갔다가 기주가 울기라도 하는 날엔, 여지없이 지니 손에 끄덩이를 잡혔으므로. 폐차버스 뒤에 베니어합판으로 칸을 막아 만든 골방이 은주와 영주, 기주가 기거하는 방이었다. 잠든 기주를 골방으로 데려가 전기담요 위에 눕히고 나면 은주의 임무는 끝났다. 마침내 그녀의 시간이 왔다. 벽 저편에서 쏟아지는 '목포의 눈물'을 무시할 수 있는 시간이었다. 꿈을 꾸는 시간이었다. 딱 한 번, 가본 적이 있는 짝꿍 현아네 집이 꿈의 무대였다. 깨끗하고, 좋은 냄새가 나고, 각자의 방이 있는 집, 봉천동에서 제일 좋은 2층집.

거저 얻을 수 없는 꿈이었다. 반반한 낯짝과 큰 젖가슴만으로는 낚을 수 없는 꿈이었다. 그따위 것으로 얻을 수 있는 건 씨 다른 아이들뿐이었다. 지니가 산증인 아니겠는가. 은주는 지니처럼 살고 싶지 않았다.

중학교 3학년, 아마도 도덕시간이었을 것이다. 선생은 '자유의지'라는 단어를 칠판에 적더니 이런 말을 들려주었다. "미래에 대한 믿음이 있는 자는 자기 삶을 지킬 수 있다."

그날 은주는 자신을 꼼꼼하게 평가해봤다. 가진 밑천이 무언지, 잘할 수 있거나, 그럭저럭 해낼 수 있는 일이 뭔지, 무엇을 갖춰야 하고 갖출 수 있는지. 손바닥만 한 거울을 들여다보며, 그녀는 자신이 배우가 될 재목이 아님을 인정했다. 귀여운 구석이야 있었지만 지나가는 남자를 기절시킬 만큼 예쁘지는 않았다. 수재가 아니라는 건 성적표를 통해 확인했다. 예술이나 운동에도 재능이 없다는 걸, 수업을 통해 깨우쳤다. 그녀는 음치였고, 몸치였고, 일기 한 줄 그럴싸하게 쓰지 못했다. 그러나 왜 살아야 하는지 알고 있었다. 지니처럼 살지 않겠다는 의지가 있었다. 타고난 근성이 있었다. 누구에게도 고개 숙이지 않는 자존심이 있었다. 그 정도면 자신의 미래를 믿을 근거로 충분한 것 같았다. 은주는 계획을 세웠다.

고등학교를 졸업하는 열여덟 살까지 지니네 왕대폿집에 붙어 있을 것. 지니의 빨강 브래지어를 훔쳐다 팔아서라도 고교졸업장을 손에 쥘 것. 취직에 필요한 자격증을 모두 따둘 것. 취직하면 바로 튈 것. 3년 안에 전세방을 얻을 것, 폐차버스를 돌아보지 말 것.

그녀는 그렇게 했다. 서울에서 최대한 먼 곳, 광주의 한 방직공장 경리로 취직하자마자 밤 봇짐을 쌌다. 아직 어린 영주와 자신의 손으로 키운 기주가 눈에 밟혔지만 독하게 마음먹고 달아났다. 여공들 기숙사에 빌붙어 지내면서 전세보증금을 모았다. 계획대로 3년 만에 반지하 방 한 칸을 전세로 얻었다. 그런데 일차 목표를 이뤘다는 기쁨이 망각을 가져왔다. 그녀는 계획의 마지막 항목을 까맣게 잊어버렸다. 밤마다 동생들이 생각났다. 보고 싶었다. 지니에게 밥이나 제대로 얻어먹는지, 영주는 고등학교에 갔는지…….

그녀는 결국 서울행 버스를 타고 말았다. 영주에게 줄 원피스와 기주 몫의 손목시계를 사들고 폐차버스를 찾아갔다. 둘만 살짝 만나고 올 생각이었다. 그런데 영주가 "언니야" 소리치고 우는 바람에 여지없이 지니에게 붙들리고 말았다. 지니는 영주의 짐을 싸서 은주 손에 쥐여주었다. 은주의 다른 손은 영주가 붙잡고 있었다. "언니, 나 이제부터 광주에서 학교 다니는 거지?"라고 불안한 얼굴로 물으면서.

영주를 데려와 살기 시작한 지 1년, 지니가 기주를 앞세우고 쳐들어왔다. 아니, 지니네 왕대폿집이 반지하 단칸방에 통째로 들어왔다. 지니가 그 방에서 나간 건 은주가 스물여덟 살이 되던 해 봄이었다. 술과 남자로

너덜너덜해진 지니의 인생이 암으로 끝장난 해였다. 영주가 중학교 영어 선생이 되고, 기주가 군대에 간 해였다. 그리고 그녀가 결혼한 해였다.

남편은 생물학적으로는 세 살, 정신적으로는 열세 살쯤 연하인 어린애였다. 야구 말고는 좋아하는 것도 없고, 할 줄 아는 것도 없는 덩치 큰 미숙아였다. 야구를 그만둔 후부터는 하루가 멀다고 술에 취해오는 술꾼이 되었다. 그런 인간의 목을 잡아다 취직시키고, 세상이라는 정글에서 사는 법을 가르치고, 남편이랍시고 간수해오면서 그녀는 온갖 직업들을 두루 섭렵했다. 식당종업원, 마트 캐셔, 간병인, 학교 급식아줌마……

결혼 12년 만에 장만한 이 집은, 그녀에겐 단순한 집이 아니었다. 33평이라는 수학적 개념으로 정의할 수 있는 공간도 아니었다. 강은주는 지니처럼 살지 않았다는 근거였다. 자신의 개 같은 인생과 맞붙어 싸웠다는 삶의 증거물이었다. 아들 서원의 미래에다 거는 엄마의 약속이었다. 너만큼은 맨주먹으로 정글에 뛰어들지 않게 할 것이라고.

은주는 베란다 창을 닫고 거실로 들어왔다. 아쉬웠으나 돌아갈 시간이었다. 밤늦도록 서원 혼자 집을 지키게 한 게 불안했다. 그녀는 현관 앞에서 눈으로 집을 한 번 더 둘러봤다. 3년 후엔 이 집으로 돌아오리라, 생각했다. 그날까지 무엇이든 할 작정이었다. 그녀는 할 수 있었다. 몸 파는 일과 강도질만 빼면, 무엇이든.

그녀는 가방에서 눈썹연필을 꺼내 들고 현관 문턱 앞에 쪼그려 앉았다. 문턱 밑을 손톱으로 더듬어 장판 가장자리를 들어 올렸다. 시멘트 바닥에 큼직하게 썼다.

강은주 최서원

잠깐 망설이다 덧붙였다. 붙여주기로 했다.

최현수

은주는 아파트를 나갔다. 엘리베이터에서 내리면서 휴대전화를 열었다. 전화기가 꺼져 있다는 말 대신 신호가 떨어졌다. 그러나 여전히 전화를 받지 않았다. 잠시 잊었던 남편에 대한 부아가 다시 올라왔다. 아파트가 준 감동은 아파트에서 나오자마자 사라졌다. 뒷골까지 당기는 기분이었다. 이것도 재주라면 재주였다. 손가락하나 까딱하지 않고, 입 한 번 열지 않고, 마누라를 불붙은 화물기차로 만드는 것.

남편은 누군가와 통화를 하느라 휴대전화를 켰을 것이라고, 그녀는 추측했다. 김형태일 수도 있고, 옛 친구일 수도 있고, 자신이 모르는 누구일수도 있겠지. 이제 와서 그런 건 그리 중요하지 않았다. 중요한 건 자신의 연락만 받지 않는다는 점이었다.

후텁지근한 바람이 도로 배수구에서 올라왔다. 은주는 거리 맞은편을 건너다봤다. 광고탑시계가 10시 50분을 가리키고 있었다. 그래, 최현수. 누가 이기는지, 한번 해봐.

그녀는 다시 통화버튼을 눌렀다.

세령호 II

알람소리가 현수를 깨웠다. 그는 소스라쳐서 고개를 들었다. 사방을 더듬은 끝에 셔츠주머니 안에서 휴대전화가 오케스트라연주를 퍼붓고 있다는 것을 알아차렸다. 셔츠주머니 단추가 은행금고만큼이나 암팡지게 채워져 있다는 것도. 그는 미친 사람처럼 주머니를 당겨 단추를 뜯어버리고 휴대전화를 꺼냈다. 알람을 끄자마자 옆자리에 내동댕이쳤다. 이글거리는 숯이라도 만졌던 것 같았다. 손이 뜨거웠고, 온몸이 땀투성이였고, 숨이 가빴다. 뭔가가 보이기 시작한 건 한참이 지난 후였다.

비가 오고 있었다. 퍼붓는 비가 아니라 안개처럼 번지는 보슬비였다. 희뿌연 대기 속을 차량들이 오가고, 뜨문뜨문, 우산을 든 행인들이 지나갔다. 옆 차창으로 아파트단지가 흐릿하게 건너다보였다. 비로소 그는 자신이 어디에 있는지 알아차렸다. 일산이었다. '33평 아파트' 건너편 근린공원 부근도로였다. 마티즈 운전석이었다.

글러브 박스에 톨게이트영수증이 들어 있었다. 영수증에 의하면 그가 세령IC를 빠져나온 시각은 11시 08분이었다. 계기판 시계는 5시 10분을 가리켰다. 6시간이 지나간 셈이었다. 그사이 뭘 했던가. 왜 하필 이곳에 왔는가.

차에서 내려 보니 셔츠가 피투성이였다. 손에도, 팔에도, 바지 허리춤에도 거뭇거뭇한 핏자국들이 찍혀 있었다. 차의 보닛은 우그러졌고, 앞 차창은 거미줄처럼 금이 갔고, 오른쪽 전조등은 깨진 상태였다. 그는 믿을 수가 없었다. 이런 물건을 몰고, 온몸에 피 칠갑을 한 채, 고속도로를 달리고 인터체인지를 통과해서 여기까지 왔단 말이지.

'왜?'라는 질문이 어렵사리 떠올랐다. 지난밤을 되짚어보지 않을 수 없었다. 기억들은 토막토막 끊겨 있었다. 토막토막마다 악몽이 흩뿌려져 있었다. 안개, 비, 유령처럼 날아든 여자아이, 브레이크 소리, "아빠"라고 속삭이는 여자아이의 목소리, 아이를 안고 빗속을 걸어가는 자신의 뒷모습, 취수탑. 기억은 그 지점에서 먹구름 같은 무의식 속으로 이륙했다. 그리고 휴대전화 알람이 위대한 '내 집' 앞에 착륙했다고 자신을 깨운 것이다.

비가 와서인지 공원에는 사람이 없었다. 현수는 차 뒤 트렁크를 열고 근무복을 꺼냈다. 머리가 최초로 실용적인 사고를 하고 있었다. 뭔가를 생각하는 일은 뒤로 미루고, 저기 은행나무 사이로 보이는 화장실로 들어가 당면한 문제부터 해결하자고.

그는 좌변기 칸에서 옷을 갈아입었다. 피 묻은 셔츠는 쓰레기통 깊숙이 쑤셔 넣고, 핏자국을 세면기에서 씻었다. 말끔해진 걸 확인한 후, 아파트상가로 가서 담배를 샀다. 공원나무 밑으로 되돌아와 불을 붙였다. 은주의 성화로 끊은 지 반년째였지만 지금 이 순간, 뜨겁고 매운 연기가 절실했다. 고개를 숙이고 연기를 길게 삼켰다. 땅바닥이 흐릿하게 흔들렸다. 몸도 흔들리는 것 같았다. 나무둥치에 등을 기대자 '만약'이라는 질문이 급류처럼 엄습해왔다.

만약 세령호에 가지 않았더라면. 만약 술을 마시지 않았다면. 만약 무면허만 아니었다면……. 사고로 죽인 아이를 호수에 버리고 도망치는 일은 하지 않았을까? 사고로 죽이고, 호수에 버리고. 사고, 호수…… 동요가 그를 뒤흔들었다. 손가락 사이에서 담배가 빠져나갔다. 뒤늦게야 그는 자각의 구역으로 들어섰던 것이다. '사고'와 '호수' 사이에 진짜가 있었다. 숨이 턱 막혀오는 무시무시한 기억, 수용할 수 없는 진실, 자신이 의도적으로 누락시킨 '어떤 것'. 그것이 의식의 문턱에 걸리자 두 배로 커진 충격이 덮쳐왔다.

현수는 도망치듯 차에 탔다. 던져둔 전화를 집어 들고 부재중전화를 확인했다. 지난밤 은주는 열두 번 전화를 걸어왔다. 그중 일곱 번째 전화가 10시 48분에 찍혀 있었다. 다음은 10시 50분.

그는 좀 더 분명한 상황을 기억해냈다. 전화벨은 쉬지 않고 울었고, 아이는 벨소리가 그칠 때까지 자신의 손에 짓눌려 있었다. 왜 그랬던가. 소음을 듣고 달려올지도 모르는 누군가가 두려웠다면 전화를 껐어야 했다. 그런데 자신은 아이의 입을 막았다. 전화벨보다 "아빠" 하는 소리가 더 컸더란 말인가.

그는 전화를 닫아버렸다. 돌이킬 수 없는 일이었다. 복기한다고 달라지는 건 없었다. 길을 찾아야 했다. 지난밤을 인생에서 없애버릴 길, 판돈을 잃지 않고 버틸 길, 세령호로 가지 않고 살던 곳에 머물 수 있는 길, 살아온 것처럼 살아갈 수 있는 길.

없었다.

모든 것이 막다른 곳에 와 있었다. 내일이면 살고 있던 전셋집을 비워야 했다. 오늘 아침에는 세입자가 저 길 건너 '내 집'으로 이사할 것이다. 어제부로 회사에선 그의 자리가 없어졌다. 이제 와서 세령호 근무를 피할 길은 없는 것이다. 세령호에 가지 않는다는 건 회사를 그만둔다는 말과 동의어였다. 그만 둔다는 건, 삶이 뿌리째 흔들린다는 걸 의미했다.

그는 은주를 생각했다. 그녀를 설득하는 일이 무엇보다 우선이었다. 그러자면 먼저 그 일을 말해야 했다.

어이, 어이. 머릿속의 조력자가 그를 불렀다. 어떻게 말할 건데? 집을 보러 갔는데 어쩌다 보니 여자애를 차로 쳤고, 자꾸 '아빠'라고 불러 대는 바람에 입을 틀어막아 죽였고, 죽인 아이를 호수에 내던지고 도망쳤으니 그곳에 가지 말자고 해? 은주가 이해할까?

현수는 고개를 저었다. 이해 못 하겠지. 하지만 해결책은 갖고 있을 것 같았다. 비자금통장을 다섯 개나 갖고 있던 여자 아닌가. 해결책도 다섯 개쯤 내놓고 고르라고 할지 모른다. 어쩌면 함께 고민해줄지도 모른다. 한 가닥 연민도 가져줄지 모른다. 아니, 분명히 그럴 것이다. 비록 죽고 못 사는 부부는 아니었지만 아이 낳고 살 맞대며 12년을 살았지 않은가.

아침 9시, 그는 부근에 있는 카센터에 차를 맡겼다. 오후 3시쯤 찾을 수 있다고 했다. 그사이 근처 찜질방에서 시간을 보냈다. 빈속에 소주 서너 병을 우겨넣자 금방 잠이 왔다. 깨어보니 오후 5시였다. 차는 앞부분만 새 차가 돼 있었다. 라이트와 차창, 범퍼와 보닛, 어디에도 사고의 흔적은 남아 있지 않았다. 멀쩡한 차를 보자 내내 자신을 괴롭히던 절망감이 스르르 잦아드는 기분이었다. 사건도 이렇듯 감쪽같이 무마될 듯했다. 증거도 없지 않은가. 차 수리비가 엄청났으나 그는 기꺼이 비밀카드를 꺼냈다.

그의 회사에선 시간외수당이나 연가보상비 같은 돈을 급여통장으로 일괄지급하지 않았다. 경제권이 아내에게 있는 직원을 배려한 조처로, 본인이 원하는 계좌에 입금해주었다. 현수도 그 계좌를 갖고 있었다. 하루에 만 원씩 용돈을 받아쓰는 그에게는 상추텃밭 같은 계좌였다. 이제 와선 구세주가 되었다. 스스로 해결가능한 부분이 있었다는 게 기적 같았다. 집에 도착했을 땐 근거 없는 확신까지 찾아들었다. 은주에게 해결책이 있을 것이라고. 누가 뭐래도 은주는 '내 편'이라고.

"살아 있었어? 난 죽은 줄 알았는데."

은주가 문을 열어주며 뱉은 첫마디였다. 현수는 거실에 쌓인 이삿짐들을 둘러봤다.

"전화도 안 받아, 문자도 씹어, 집에도 안 들어와."

은주는 팔짱을 끼고 그의 앞을 막아섰다.

"최현수 씨 요새 막 나가네?"

그녀의 꼿꼿하고 작은 몸은 허락하기 전엔 안으로 한 발짝도 들어오지 말라고, 말하고 있었다. 그는 어정쩡하게 서서 대답했다.

"그렇게 됐어."

하려던 말은 입속에서만 맴돌았다. 나 좀 들어가게 해줘. 할 말이 있어.

"사택에도 안 갔다며. 온다고 해놓고 안 왔다며."

현수는 움찔해서 물었다.

"그 친구랑 통화했어?"

"못할 거 뭐 있어."

"전화번호를 어떻게 알고."

"마음먹으면 그깟 거 못 알아내? 전화한 김에 얘기까지 다 끝냈어. 옆집으로 가는 건 곤란하고 서원이랑 같이 방을 쓰겠다고 해서 그러자고 했고, 밥값을 내겠다고 해서 난 식탁에 숟가락 하나 더 얹기로 했어. 집 구조며 가져갈 살림살이 목록도 확인했고, 이렇게 간단한 일 하나를 못 해줘? 중요한 일이라고 얘기했는데도 이러고 다니고 싶어? 당신 가장 맞아?"

그는 등 밑이 굳어지는 걸 느꼈다. 전화로 해결했단 말이지. 그런데 왜 나한테 가라고 했어. 당신 때문에 무슨 일이 벌어졌는지 알기나 해? 은주의 얼굴이 아득하게 멀어졌다. 발이 현실에서 떨어지고, 몸이 붕 떴다. 그의 손은 은주의 뺨으로 날았다. 은주는 이삿짐 사이로 날아가 떨어졌다. 그녀 뒤에는 서원이 서 있었다. 충격에 빠진 아이의 눈은 안으로 뛰어 들어가려던 그를 멈춰 세웠다. 그는 주먹을 틀어쥐고 이를 악물었다.

"당신, 지금 뭐했어?"

은주가 고개를 들며 물었다. 한쪽 뺨이 벌써 벌겋게 부풀고 있었다. 손바닥이 아니라 기중기에 얻어맞은 것처럼.

"지금 나 때린 거 맞아? 그 왼손으로?"

그녀의 눈빛이 불안하게 흔들렸다. 목소리가 가늘고 높게 떨렸다. 그녀가 끝장전투에 돌입할 때 나오는 징후였다. 그는 도망치듯 집을 나왔다. 자신이 뭔 짓을 저지를지 몰라 두려웠다. 무작정 걷다가 도착한 곳이 동네 소줏집이었다. 술이 들어가자 한 남자가 기억났다. 술만 마시면 살림을 뒤엎고 처자식을 죽사발로 만들던 구척 거한. 월남에서 돌아온 용감한 '최상사'.

자라는 내내 현수는 최상사를 잊으려 애썼다. 최상사가 기억에서 튀어나오는 날은 오만 가지 것을 때려 부수는 날이었다. 유리병을 열면 뚜껑이 아닌 주둥이가 박살나고, 가스레인지를 만지면 꼭지가 떨어지고, 문 한 번 열고 닫으면 문짝이 떨어졌다. 백 원짜리 동전이 총탄처럼 말린 채 왼손에 들어 있었던 적도 있었다. 은주 표현에 의하면, 통제가 안 되는 그의 왼손은 힘이 남아돌아 어쩔 줄 모르는 '오랑우탄'이었다. 최상사가 그의 몸에 남긴 유전자였다. 어디를 가든, 무엇을 하든, 최상사의 아들임을 상기시키는 저주의 징표였다.

그렇다고는 해도, 그는 최상사처럼 살지 않았다. 다르게 살아왔다고 믿었다. 미치기 전엔 아내나 아이에게 손댈 일은 없다고 자신해왔다. 착각이고 과신이었다. 아니면 정말로 미쳤거나. 그러지 않고서야 낯모르는 여자아이를 죽이고 돌아와, 살인을 저지른 그 손으로 아내를 때리는 초현실적인 일이 일어날 수 있을까. 그는 이제 인정할 수밖에 없었다.

자신은 살인자였다. 그리고 세령호로 가는 외길에 서 있었다.

술기운이 돌자 현실이 그로부터 훌쩍 물러났다. 자책과 혐오가 꼬리를 내렸다. 살다 보면 별일이 다 일어난다. 그게 인생 아니겠는가. 지금 할 일은 집에 돌아가 샤워를 하고 한숨 자는 것이다. 그리하면 해 뜨는 세계가 다시 찾아오리라. 세령호에 갈 수 있으리라. '왼손의 추억' 따위는 동네 개한테 줘버리고 변함없이 잘 먹고 잘 살게 되리라. 암, 그렇고말고.

술집을 나와 대로를 횡단하며 그는 흥얼대기 시작했다.

월남에서 돌아온 새카만 최상사, 이제사 돌아왔네.
굳게 닫힌 그 입술, 무거운 그 철모……
어린 동생 반기며 그 품에 안기네. 모두가 안겼네.

영제는 의자에서 일어났다. 창가에 앉아 보낸 밤이 꿈결처럼 아득했다. 눈을 뜬 채로 잠들었다, 눈 뜬 채로 깬 기분이었다. 세령과 102호 명청이는 밤새 돌아오지 않았다. 영제가 본 바로는 그랬다. 그는 별채앞길에서 시선을 떼지도 않았고, 졸지도 않았다. 자리를 비운 건 딱 두 번이었다. 화장실에 가느라 한 번, 물을 마시느라 한 번. 사택경비실 곽 씨나 관리인 임 노인도 각자의 자리에서 CCTV를 지켜봤을 것이다. 뭔가가 나타나면 즉각 전화를 주기로 돼 있었다. 전화는 끝까지 걸려오지 않았다. 남은 경우의 수는 많지 않았다. 세 사람이 동시에 자리를 비운 사이에 돌아왔거나, 자신이 예상치 못한 경로로 귀환했거나. 이를 테면 뒷방 창문이라든가.

영제는 세령의 방으로 건너갔다. 흰 이불과 벽에 아직 핏자국이 남아 있었다. 방바닥에는 초록빛 촛농과 쇳조각과 유리파편이 흩어져 있었다. 지난밤에 본 풍경이었다. 새로 발견한 것이 있다면 창문 커튼자락에서 발견한 핏자국이었다. 그는 핏자국에서, 코피를 훔친 손으로 커튼자락을 움켜쥐고 그 힘에 의지해 창문을 빠져나가는 세령의 모습을 봤다. 그때 발견했더라면, 세령을 찾아 온 동네를 뒤지고 다니는 수고는 하지 않았으리라. 의자에 앉아 창밖을 지켜볼 일도 없었을 것이고. 옆집으로 직행하면 곧장 잡았을 테니.

왜 못 봤을까. '시야가 좁아졌다'라는 핑계 말고는 자신을 납득시킬 길이 없었다. 좁아진 정도가 아니라 핀 포인트였을 것이다. 촛농과 분노로 몸과 정신이 이글이글 타고 있었으니까. 덕택에 옆집 멍청이에게 세령을 숨길 기회만 안겨주고 말았다.

창문을 열자 젖은 나무냄새가 밀려들었다. 숲은 수증기 같은 안개로 가득 차 있었다. 옆집은 고요했다. 불빛도 비치지 않았다. 잠이 들었겠지. 영제는 임 노인에게 전화를 걸었다.

"누전 탐지기 가지고 이리 건너오세요. 지금 당장."

평소대로라면, 임 노인의 '지금 당장'은 '10분 후'와 같은 말이었다. 10분이면 영제가 샤워를 하고 셔츠를 갈아입을 수 있는 시간이었다. 그는 욕실로 들어갔다. 청개구리 같은 노인네는 실체로 '당장' 달려왔다. 초인종 대신 도어 록을 풀고 들어와 세령의 방을 둘러본 모양이었다. 그가 욕실에서 나왔을 때, 임 노인은 입을 딱 벌리고 세령의 방문 앞에 서 있었다. 뭔가 묻고 싶어 하는 표정이었으나 결국 아무 말도 하지 않았다. 영제는 안방으로 들어가 셔츠를 갈아입고 나왔다.

102호 멍청이는 자다 일어난 얼굴로 문을 열었다. 영제는 예의부터 차렸다. 그는 뼛속까지 신사였다.

"아침 일찍 미안합니다."

멍청이는 초점이 흐려진 눈으로 그와 임 노인을 번갈아 쳐다봤다.

"이 집에서 누전신호가 나온다는데 잠깐 집을 살펴봐도 되겠소?"

영제는 임 노인이 든 누전 탐지기를 턱으로 가리켜 보였다. 수색거부를 원천봉쇄할 물건이었다. 멍청이는 "아" 하더니 별 저항 없이 길을 비켰다.

"빨리 끝내세요. 잠 좀 자야겠으니까."

세령은 없었다. 임 씨와 누전 탐지기를 앞잡이로 삼아 집 안을 발칵 뒤졌지만 머리털 한 올 건지지 못했다. 집주인이 있다는 걸 빼면 전날 밤과 다를 바 없는 풍경이었다. 새로 등장한 물건이라곤 옷장 안에 든 배낭뿐이었다. 그는 배낭 안을 보자고 했다가 멍청이에게 깐죽댈 빌미만 주고 말았다.

"배낭에서도 누전신호가 나옵니까?"

영제는 돌아서기가 억울했다. 세령이 여기에 있다고 믿었다. 반드시 있어야 했다. 그는 현관 앞에 버티고 서서 한마디 더 물었다.

"혼자 삽니까? 두 사람이 사는 걸로 알았는데."

"팀장이 충주로 발령이 나서요. 내일 새 팀장이 이사를 올 겁니다."

대답하면서, 멍청이는 코 옆에 괸 개기름을 손끝으로 문지르더니 러닝셔츠자락에다 쓱 문질러서 닦았다. 더러워서 눈뜨고 볼 수가 없었다. 영제는 거실 쪽으로 시선을 돌렸다.

"혼자 좀 심심했겠습니다."

"심심할 틈 없었어요. 뚜껑이 열려서. 타이거즈가 라이온즈한테 뻗었거든요."

"어젯밤에 어딜 갔었소?"

명청이는 현관 문틀에 등을 기대고 서며 되물었다.

"귀에 문제 있습니까? 금방 야구 봤다고 했잖아요."

"어젯밤부터 누전신호가 나와서 내 손으로 이걸 수차례 눌렀소만."

영제는 검지 끝으로 현관초인종을 가리켰다.

"문 열어주는 사람이 없던데."

승환은 느릿하게 대답했다.

"맥주가 떨어져서 휴게소에 다녀온 적은 있습니다만."

노트북 옆에 놓여 있던 빈 맥주 캔이 그의 시야를 지나갔다. 할 말이 없었다. 퍼뜩 떠오르는 생각은 하나 있었다. 세령을 제 동료에게 맡겼을지도 모른다.

누전 탐지기의 다음 행선지는 두말할 것도 없이 103호였다. 허탕이었다. 영제는 차를 몰고 진료소를 찾아갔다. 초인종을 누르기 시작한 지 5분 만에, 의사가 잠이 덜 깬 얼굴로 문을 열었다. 어제저녁 6시 이후로 진료소에 찾아온 사람은 당신이 처음이라고 말했다. 영제는 진료소가 아닌 다른 병원으로 갔을 가능성은 없다고 판단했다. 승환에겐 차가 없었다. 119를 불렀다면 자신이 알아챘을 것이다. S시 택시회사에 전화를 걸어, 전날 밤부터 아침까지 세령호로 들어온 택시를 찾았다. 없었다. 개인택시는 확인할 길조차 없었다. 혹시나 하고, 휴게소 편의점을 찾아가 물었다.

"어젯밤에 눈이 멍청하게 생긴 젊은 남자가 맥주를 사가지 않았어요? 중키에 몸은 마른 편이고. 아, 머리에 새치도 났고."

점원은 힘들여 생각할 것도 없다는 듯 척, 대꾸했다.

"그렇게 생긴 손님은 하룻밤에 수십 명쯤 오십니다."

영제는 골이 지끈지끈 쑤시는 걸 느꼈다. 오늘 새벽까지도 102호 명청이의 개입은 의심할 여지가 없어 보였다. 지금에 와선 의심할 건더기가 없어 보였다. 이 상황이 도무지 마음에 들지 않았다. 뭔가 분하고, 어쩐지 찜찜하고, 왠지 기분 나빴다.

그는 호수안길과 목장축사에 다시 가봤다. 사택, 저지대마을, 학교를 차례차례 돌았다. 소득이 없었다. 하교 후로 봤다는 아이도 없었다. 평소 말을 트고 지내는 친구조차 없었다. 아이들 말로, 세령은 '전교생의 왕따'였다. 5년째 다니는 미술학원에서도 외톨이기는 마찬가지였다. 전날엔 학원에 가지도 않았다. 기사는 생일파티를 한다며 차에 타지 않았다고 말했다.

탐문으로 얻은 건 하나뿐이었다. 그의 세계에 속한 세령과 세상에 속한 세령의 모습이 딴판으로 다르다는 것. 그가 아는 세령은 제 엄마 축소판이었다. 고집 세고, 영악하며, 당돌한 계집애. 세상 속 세령은 지나치게 내성적인 아이였다. 선생이나 아이들의 시선 바깥에 숨어 있으려 하고 관계도 맺으려 들지 않았다. 사람에 따라 표현의 차이는 있었지만 같은 맥락으로 수렴되는 평가였다. 바보천치 외톨이.

세령의 휴대전화 사용내역으로 알아낸 것도 하나뿐이었다. 지난 석달, 전화를 쓰지 않았다는 것. 최근 2년간의 기록도 별다르지 않았다. 제 엄마와 집 외에는 통화를 한 곳이 없었다. 영제는 점점 화가 났다. 세령이 아니라 하영에게. 이혼소송 준비에 정신을 파느라 딸을 저따위로 길렀겠지. 외톨이가 아니라 공주여야 할 오영제의 딸을.

그는 '세령은 아직 세령호에 있다'는 가정만 빼고 모든 각도에서 상황을 검토했다. 불가능하게 생각되는 일까지 목록형식으로 작성해 하나씩 제거해가는 방식을 썼다. 먼저 장인에게 전화를 걸었다. 대뜸 듣기 싫은 소리부터 튀어나왔다.

"이제 애까지 두들겨 패서 버리나?"

"그런 적 없습니다."

"그럼 애를 왜 우리한테서 찾나?"

"부모 몰래 아이를 데리고 있는 건 유괴예요. 알고 계시겠지만."

"자네가 세령이라면 어디로 가겠나."

장인의 목소리가 부들부들 떨리고 있었다.

"밤사이에 혼자 여기를 오겠는가? 외갓집이 어디 있는지 알기나 하나?"

영제는 전화를 끊었다. 더 들을 것도 없었다. 장인이 일깨워 준바, 세령은 외가에 가 본 적이 없었다. 친가 쪽도 마찬가지였다. 거대한 땅을 물려준 양친은 세령이 태어나기 전에 그 땅에 묻혔고 그는 3대독자였다. 마지막으로 버스회사에 연락을 해봤다. 세령호를 경유하는 대중교통은 한 시간 간격으로 지나가는 S시 시내버스뿐이었고, 맨발에 흰 원피스를 입고 짙은 화장을 한 여자아이가 아침 일찍 버스에 탔다면 기사가 기억 못 하는 게 더 어려울 일이었다. 세령을 봤다는 기사는 없었다. 이제 자신 있게 결론을 도출해낼 수 있었다. 세령은 세령마을에 있는 것이다.

지금부터 뭘 해야 할지, 그는 잘 알고 있었다. 일단 병원사무장에게 출근이 힘들겠다고 연락해두었다. 그가 며칠 정도 없어도 병원은 탈 없이 돌아가는 곳이었다. 노련한 사무장이 있고 고용의사가 있었다. 원장진료를 예약한 환자들은 화를 낼 테지만 그에게는 세령이 우선이었다. 다음으로 실종신고를 하러 갔다. 경찰수색대는 기대하지 않았다. 그들을 기다릴 마음도 없었다. 전단지를 인쇄해 마을 곳곳에 붙이고 직접 수색대를 조직했다. 마을사람 20명과 수색견 훈련장에서 공수해온 셰퍼드 두 마리를 2개 조로 나눈 다음 한쪽은 세령호 주변에 풀었다. 나머지 한쪽은 관리단 운영팀장의 협조를 얻어 선착장으로 들여보냈다.

운영팀장은 관리단 직원 중 그가 유일하게 인사를 나누고 사는 사람이었다. 2년 전, 팀장이 자신의 맏딸을 영제의 치과에 데려오면서 인연이 시작됐다. 이빨이 침팬지처럼 난 계집아이였다. 영제는 수백만 원짜리 교정을 껌 값만 받고 해주었다. 중간관리자를 사귀어두면 쓸모가 있겠다 싶어서였다. 매년 관리단과 실랑이하는 사택 임대료 조정문제라든가, 사택사람들의 사소한 불평에 대한 대응문제라든가. 실제로 보탬이 된 적은 없었다. 선착장열쇠를 빌릴 수 있었던 오늘, 처음으로 '껌 값' 보상을 받은 셈이었다. 그는 열쇠를 복사해두었다. 운영팀장의 뺀질뺀질한 상판에 대고 아쉬운 소리를 또 하고 싶지 않았다.

수색은 저녁까지 계속됐다. 마을, 상가거리, 안길, 선착장, 호숫가 비탈, 그 어디에서도 세령의 흔적을 찾지 못했다. 연이틀 내리고 있는 비가 훼방꾼이었다. 일대를 깡그리 씻어버리고도 남을 강우량이었다. 찾아낸 거라곤 목장 축사마루 밑에 박힌 나무상자뿐이었다. 상자 안에는 갈색 털이 잔뜩 묻은 분홍담요가 깔려 있고 빈 그릇과 고양이 사료봉지가 들어 있었다.

분홍담요는 영제가 잘 아는 물건이었다. 세령이 병적으로 애착하던 물건이었다. 집이든, 유치원이든, 여행지든, 수족처럼 끌고 다녔다. 학교에 입학한 후엔 보조가방에 담아가지고 다녔다. 영제의 '교정'으로도 어찌하지 못한 습관이었다. 매질도, 벌도 통하지 않았다. 강제로 빼앗으면 눈을 까뒤집고 쓰러져 숨을 못 쉬는 바람에 병원으로 내달려야 했다. 세 번째 발작을 일으킨 날, 하영은 부들부들 떨며 협박을 해왔다. 한 번만 더 담요에 손대면 세령이와 같이 죽어버리겠노라고. 그는 물러설 수밖에 없었다. 마누라의 같잖은 협박 때문이 아니었다. 그가 원하는 바는 딸을 교정하는 것이지 딸을 죽이는 게 아니었기 때문이다. 그러던 어느 날부터 담요가 보이지 않았다. 그는 세령이 스스로 버렸다는 하영의 대답을 믿었다. 그것이 축사마루 밑에 깔려 있으리라고는 상상조차 해보지 않았다.

마루 밑 상자는 지난밤에 뜬금없이 창턱에 나타났던 고양이의 은신처라고, 영제는 확신했다. 세령이 자신 몰래 돌보아 왔으리라는 것도 확신했다. 그러지 않고서야, 놈이 세령의 창문으로 올라올 이유가 없었다. 분홍담요가 축사에 있을 까닭도 없고. 하영도 알고 있었던 비밀일 것이다. 모녀가 어떤 교감을 나누며 고양이새끼를 키웠을지, 그는 선명하게 상상해볼 수 있었다. '어미는 손도끼로 찍어 죽이고 새끼 둘은 생매장해버린 남자와 우리는 다른 종족이야'라고 자족하고, 그 남자의 사악한 죄과를 대리보상하면서 도덕적 우월감에 젖었겠지. 그는 뻣뻣해지는 등을 펴고 일어섰다. 두 여자의 배신이 이다음엔 어느 구석에서 튀어나올지, 자못 흥미로웠다. 분홍담요는 그대로 두었다. 그래야 놈이 안심하고 돌아올 테니까. 놈은 2번이었다. 세령을 찾은 다음에, 세령이 보는 데서 처리할 두 번째 놈. '넘버 원'은 세령을 숨겨준 놈.

날이 저물자 수색대는 해산했다. 그는 수목원으로 돌아왔다. 관리실 CCTV에 찍힌 전날 밤 상황을 재확인해볼 생각이었다. 뭔가 놓친 게 있을 터였다. 사택경비실 앞에 차를 세웠다. 경비실 안엔 임 노인이 앉아 있었다. 나흘 전, 경비 중 하나가 교통사고로 입원하는 바람에 대신 근무를 서고 있는 참이었다. 구인광고를 내두긴 했지만 쓸 만한 사람을 구할 수가 없었다. 허수아비 같은 동네노인들만 우르르 몰려왔다.

"찾았습니까?"

영제가 차에서 내리자 임 노인이 물었다. 영제는 되물었다.

"축사에 있는 고양이집, 영감님 솜씨죠?"

임 노인은 입을 다물었다. 영제는 고개를 끄덕였다. 그렇지. 그랬겠지. 이 노인네 도움 없이 거기다 살림을 차리기 어렵지. 그는 갈비뼈 밑에서 천불이 이는 걸 느꼈다. 임 영감은 선친 대부터 수목원을 관리해온 노인네였다. 아버지와는 친구처럼 지냈으나 그런 친분 때문에 수목원을 맡기고 있는 건 아니었다. 조경 솜씨, 나무에 관한 지식, 수목원에 대한 애정, 모든 면에서 그만한 사람이 없기 때문이었다. 집수리나 전기, 기계를 만지는 재주도 남달라 기술자를 따로 쓸 필요가 없었다. 그러나 아무리 유용해도, 등 뒤에서 모녀와 내통해 자신을 물 먹이는 일꾼을 놔둘 수는 없었다. 노인네는 '넘버 쓰리'였다.

영제는 수목원 관리실로 들어가 CCTV화면을 확인했다. 곽 씨나 임 노인의 말대로 밤사이에 정문으로 나가거나 들어온 사람은 없었다. 9시면 잠가버리는 후문은 말할 것도 없고. 혼란이 그를 덮쳤다. 세령은 어디로 갔단 말인가. 그 해괴한 꼴을 하고 어디로 갈 수 있을까. 축사에 있지는 않았다. 전날 밤 직접 확인한 사실이었다. 102호 멍청이의 도움을 받았다면 어디에든 흔적이 있어야 했다. 이 손바닥만 한 세령호에 만 하루씩 세령이 숨어 있을 곳은 없었다. 수색대가 찾을 수 없는 곳에 숨겼다면 모를까. 이를테면, 호수 속이라든가……

이는 세령의 죽음을 전제하는 가정이었다. 그가 손쓸 수 없는 일이라는 걸 뜻하는 가정이었다. 그러므로 그따위 가정은 하지 말아야 했다. 반드시 제자리에 갖다 놔야 했다. 하영과 세령 둘 다.

영제는 관리실을 나가 차에 올라탔다. 인터체인지 통행료영수증이 컵받침대에 놓여 있었다. 통과시각은 8월 27일 밤 9시 20분. 세령이 집을 나간 시각은 9시 40분 이쪽저쪽일 거라 짐작했다. 그는 손목시계를 확인했다. 9시 20분. 집 앞에 차를 세웠다. 이제부터 할 일이 있었다. 자신이 세령이라고 상상하는 일. 스스로 세령이 되어 세령의 행로를 더듬어가는 일. 하영이 세령을 데리고 가출할 때마다 유효하게 써먹은 추적방식이었다.

'세령이 왜 화장을 하고 제 엄마 옷을 입은 채 잠들어 있었을까'에 대한 답은 알고 있었다. 제 엄마 생각이 나면 하는 짓이었다. 얼마 전에도 그 꼴을 하고 잠들었다가 혼난 적이 있었다. 전날은 세령의 생일이었다. 제 엄마 생각이 더 간절했겠지. 생일을 축하해주는 친구도 없고 집은 텅 비어 있었으니.

그는 랜턴과 양초, 라이터를 찾아들고 세령의 방으로 건너갔다. 말끔하게 청소돼 있었다. 벽에 튄 핏자국도 사라졌다. 청소에 관한 한 발군의 솜씨를 보여주는 아주머니였다. 입에 지퍼를 채우는 솜씨도 그만만 하면 오죽 좋을까. 아주머니를 쓰기 시작한 건, 하영이 집을 나간 후부터였다. 집안 이야기가 밖으로 새어나간 것도 그때부터였다. 그것이 '동네평판'이라는 이름을 얻어 법정에까지 올라왔다. 이 늙은 나팔수는 '넘버 포'였다.

영제는 촛불을 켜고 커튼을 절반 젖혔다. 창문도 그만큼 열어두었다. 의자에 앉아 양말을 벗었다. 어젯밤 세령도 맨발이었다.

9시 40분. 그는 창문을 뛰어넘었다. 축축하고 차가운 흙이 발바닥에 닿았다. 비는 여태 그치지 않았고 안개는 지난밤보다 더 짙었다. 숲은 상상 이상으로 어두웠다. 무턱대고 걷다가는 편백나무에 몸이 박살날 판이었다. 그래도 랜턴을 켜지 않았다. 세령에게도 랜턴이 없었으므로. 그는 주변을 빠르게 둘러봤다. 중앙통행로 쪽은 아예 껌껌했다. 가로등 빛이 비쳐들기엔 거리가 너무 멀었다. 102호 멍청이의 방은 불이 꺼져 있었다. 전날 밤엔 불이 켜져 있었겠지만 선택항목에서 제외시켰다. 이미 충분히 검토한 사항이었고 결과가 없었으므로. 희미하게나마 빛이 비쳐드는 곳은 담장샛문 쪽뿐이었다. 샛문 밖엔 어둡고 무서운 뒷길이 있었다. 별채앞길은 가깝고 밝았지만 위험했다. '아빠'가 곧 나타날 테니까.

어둡지만 아빠가 없는 담장뒷길, 밝지만 아빠가 있는 별채앞길. 어둠과 아빠, 정서적 위협과 물리적 위해. 어느 쪽 힘이 더 셀까. 세령의 본능은 전자를 택하리라는 답이 나왔다. 당장 살아남는 쪽을 향해 달렸으리라. 더하여 그 길 끝에 2년간 돌봐온 고양이의 은신처가 있었다. 어쩌면 처음부터 목적지가 그곳이었을지도 모른다.

영제는 담장샛문을 열고 뒷길로 나갔다. 철망담장을 손끝으로 더듬으며 넓은 보폭으로 걸었다. 세령도 같은 방식으로 뛰었을 테니까. 생각보다 시간이 많이 걸리지 않았다. 뒷길이 끝나는 곳에 도착해 시계를 보니, 9시 55분이었다. 그는 호수안길로 들어섰다. 1번 출입구 앞에서부터 철망담장을 손으로 짚어가며 첫 모퉁이 길을 돈 다음, 희뜩희뜩한 움직임을 봤던 취수탑 부근에서 다시 시각을 확인했다. 10시 02분. 휴대전화를 열어 지난밤, 1공도교 입구에서 임 노인에게 전화했던 기록을 찾았다. 10시 01분. 전화를 끊자마자 안길로 들어왔으니 시점과 지점이 큰 오차 없이 맞는 셈이었다. 희뜩희뜩한 움직임은 세령이었다.

안개 속에서 다가오는 차를 보고 세령은 아빠라고 확신했을 것이다. 전속력으로 달리는 것 말고는 대책이 없었을 테고. 영제는 철망담장에 손끝을 댄 채 조깅속도로 달렸다. 곧 두 번째 모퉁이 길로 접어들었다. 이쯤에서 전조등 빛과 세령의 간격이 꽤 가까워졌으리라는 예상을 할 수 있었다. 자동차와 경주상대가 될 수는 없으니까. 세령은 모퉁이를 돌고 나면 자신이 전조등 빛에 잡히리라는 것을 예감하겠지. 그렇다면 달리기보다는 숨을 곳을 찾았을 것이다.

영제는 모퉁이를 돌고 난 후 랜턴을 켰다. 조도를 가장 희미한 빛으로 조절하고 주변을 둘러봤다. 두 발짝 앞에 선착장 문이 있었다. 희뜩한 움직임을 놓쳐버린 지점이었다. 그는 달리기를 멈추고 문 앞으로 다가섰다. 세령이 문과 길바닥 사이의 틈을 볼 수 있었을까. 봤다기보다 문의 위치와 틈새의 존재를 알고 있었으리란 생각이 들었다. 고양이새끼를 보러 세령목장 축사에 자주 드나들었다면 충분히 그럴 수 있었다. 어쩌면, 놈과 함께 이 틈을 통과해 호수로 내려간 적이 있을지도 몰랐다.

영제는 선착장 자물쇠를 따고 사슬을 푼 뒤 안으로 들어갔다. 만약에 대비해, 사슬과 자물쇠를 문 안쪽 고리에 걸고 잠가두었다. 문을 등지고 서서 상상했다.

세령은 낮은 자세로 포복해서 문 밑을 통과한다. 안으로 몸을 들여놓자마자 그의 차가 지나간다. 차가 지나간 후엔…… 호수비탈로 들어갔을까, 부교 쪽으로 내려갔을까.

호수비탈은 가시박덩굴로 뒤덮였고 안개가 그 위를 이중으로 덮고 있었다. 그는 비탈로 들어가 덩굴 속에 앉았다. 세령은 여기 앉아 뭘 했을까. 그의 차가 목장 쪽으로 멀어지는 걸 봤을까. 그랬다면 되돌아오리라는 걸 짐작했겠지. 선착장 앞에 서리라는 것도. 세령목장은 선착장에서 그리 멀지 않았고, 길은 목장 길 입구에서 끊기니까. 세령의 예상대로 그는 돌아왔고, 선착장 앞에서 차를 세웠다.

영제는 랜턴을 껐다. 시야는 암흑이 됐고, 세상은 고요했다. 들리느니 수문으로 방류되는 물소리뿐이었다. 세령은 이렇게 깜깜한 곳에 웅크리고 앉아 담장 앞에서 떠드는 아빠의 목소리와 덩굴잎사귀 위로 오가는 랜턴 빛에 떨고 있었으리라. 그러느라 이 음침한 호수에 대한 두려움은 느낄 틈이 없었겠지. 협박하는 목소리와 자신을 찾는 불빛이 떠난 후에야 두려움이 찾아왔을 것이고.

도로로 무작정 튀어나갔을까. 목장축사로 갔을까. 더 안전한 은신처를 찾았을까. 그는 랜턴을 켜고 조도를 높인 뒤 호수를 살폈다. 부교 앞에 떠 있는 조성호가 전등 빛에 걸렸다.

영제는 부교로 내려갔다. 조성호 갑판에 쪼그려 앉아 호수비탈과 정반대관점에서 주변을 살폈다. 출입문, 비탈, 경사로, 컨테이너, 부교. 거무레하게 물때가 낀 부교 교각에 희끔한 물체가 걸려 있었다. 종이나 비닐봉지는 아닌 것 같았다. 그는 부교로 뛰어 내렸다. 한쪽 무릎을 바닥에 대고 엎드려 그것을 걷어 올렸다. 길게 찢긴 흰 천 조각이었다. 천을 떼낸 자리 밑에선 이상한 빛이 번쩍거렸다. 랜턴을 가까이 들이대자 물속에 비스듬하게 떠 있는 연둣빛 형광물체를 볼 수 있었다. 젓가락처럼 가늘고 긴 형태였다.

영제는 몸을 더 수그려 물속으로 손을 집어넣었다. 곧 가느다란 줄이 손끝에 걸렸다. 살살 당기자 형광 빛 낚시찌와 납추가 매달린 낚싯줄이 끌려 올라오다 딱 멈췄다. 물속 무언가에 단단히 걸려 있는 것 같았다. 줄의 다른 쪽 끝은 부교 기둥에 묶여 있었다. 그는 낚싯줄을 최대한 잡아당겨 송곳니로 끊은 다음, 기둥에 묶인 부분을 풀었다. 3미터 가량 되는 줄이 손에 들어왔다. 찌는 대략 50센티미터 간격으로 세 개, 납추도 세 개. 낚싯바늘은 없었다. 물속으로 가라앉았을 줄에도 그런 방식으로 찌와 추만 달려 있을 듯했다.

낚시도구는 아니었다. 다리에 묶여 있었으니 어디선가 흘러들어온 쓰레기도 아니었다. 댐 관리단이나 쓰레기처리 회사에서 설치한 것일 수는 있겠지만. 어쨌든 알아볼 필요가 있었다. 그는 낚싯줄과 천 조각을 가지고 선착장을 나왔다. 안에 감아둔 사슬을 다시 밖에서 감고 자물쇠를 채웠다.

집으로 돌아와 천 조각부터 살폈다. 흰 실크였다. 세령이 전날 입었던 하영의 블라우스도 흰 실크였다. 1년 전 하영의 생일에 함께 고른 옷이었다. 목선부터 밑단까지 기계주름이 잡힌 민소매 블라우스로 지퍼가 등에 달려 있었다. 하영의 손이 닿지 않아 그가 지퍼 끝을 채워준 기억이 있었다. 당연히 세령도 지퍼를 끝까지 채우지 못했겠지.

영제는 다시 선착장의 시간으로 돌아갔다. 그가 떠난 직후의 시점으로.

세령은 공황상태에 빠진다. 아빠한테 쫓기느라 미처 느끼지 못했던 어둠이 얼을 빼놓는다. 사방에서 뭔가가 손을 뻗어 올 것 같고, 자신의 덜미를 잡아채서 호수로 끌고 들어갈 것만 같다. 세령은 애써 딴생각을 하려 들지만 얼마 버티지 못한다. 공포가 임계점에 다다르는 순간, 비명을 터트리며 비탈에서 뛰쳐나간다. 문 밑으로 다시 빠져나가려 해보지만 겁에 질려 허둥대다 보니 동작이 더 매끄럽지 않다. 와중에 문 모서리에 옷이 걸리고, 무작정 잡아당기는 바람에 옷자락이 찢기고, 찢긴 옷자락은 쏟아지는 비에 호수로 쓸려 내려와 부교기둥에 붙고, 세령은 밖으로……

튕겨나갔을까? 나갔다면 어디로 사라졌을까.

그는 가설을 수정했다. 옷 조각이 비에 쓸려 내려온 게 아니라면, 애초에 호수를 떠돌다가 부교기둥에 걸린 것이라면, 누군가의 손에 찢겼다는 뜻이었다. 뒤집으면 선착장 안에 옷을 찢을 만한 자가 있었다는 의미였다. 영제는 세령의 마지막 모습을 떠올렸다. 길게 풀어 헤친 머리, 짙은 화장, 지퍼를 다 채우지 못해 어깨부분이 흘러내린 블라우스, 맨발.

퍼뜩, 질문 하나가 그의 머리를 스쳐갔다. 어젯밤, 선착장 앞에 차를 세웠을 때 문에 쇠사슬과 자물쇠가 있었던가. 없었다. 문이 열려 있는 줄 알고 밀어본 기억이 났다. 오늘 아침, 수색대와 함께 들어갈 땐 바깥에 채워져 있었다. 좀 전 그곳에 갔을 때, 자신은 자물쇠와 쇠사슬을 풀어 안쪽에 채웠다. 일을 보고 나와서는 본래대로 문 바깥 손잡이에 채웠다.

그의 관자놀이에서 맥이 펄떡이기 시작했다. 그때 누군가 선착장에 있었다. 선착장열쇠를 손에 넣을 수 있는 자. 문이 열린 줄 알고 밀어보던 그 시점에 선착장엔 두 사람이 있었던 것이다. 세령은 당연히 누가 있다는 걸 몰랐겠지. 한숨에 끔찍한 가설이 성립됐다. 세령은 성폭행을 당하고 살해당한 뒤 호수에 투기됐다.

영제는 낚싯줄을 들고 S시로 차를 몰았다. 낚시점 몇 군데를 돌았다. 낚싯줄의 정체를 정확히 아는 사람은 없었다. 다만 한 곳에서 쓸 만한 단서를 얻었다. 찌와 추에 형광도료가 발린 걸로 보아 잠수부들이 야간에 물속에서 쓰는 표지물 같다고 했다. 그길로 다이빙클럽을 찾아갔다. 막 문을 닫으려던 클럽주인은 낚시점주인의 추측에 구체성을 보태주었다.

"찌와 추가 50센티 간격으로 달려 있는데 이건 수심측정용이란 뜻입니다. 산골짜기 댐이나 저수지에서 유용한 물건입니다. 고지담수에선 수심계가 제대로 작동하지 않거든요. 전자식이든, 기계식이든, 모세관식이든 다 마찬가집니다. 형광도료를 바른 걸 보면 야간 다이빙용인데, 이정표 역할도 하지 않았나 싶습니다만."

"이정표요?"

"이걸 풀고 들어가면서 길목 군데군데에 묶어두는 거죠. 그러면 물속에서 길을 잃지 않고 입수 포인트로 되돌아 나올 수 있습니다."

영제는 고개를 끄덕였다. 그래서 낚싯줄이 더 당겨지지 않았던 거야.

"초보자가 만든 건 아니겠군요."

주인도 고개를 끄덕였다.

"아마추어는 아닐 겁니다."

영제는 지하작업실에서 아침을 맞았다. 나뭇개비로 성채를 쌓으면서 삼각함수를 풀었다. 호수비탈, 선착장, 낚싯줄. 여기에 다른 단어를 대입해봤다. 세령, 호수, 잠수부.

세령호에서는 스쿠버다이빙을 할 수 없었다. 야간에 들어간 건 그 때문일 것이다. 만약 어젯밤, 세령이 나타난 시각에 그자도 물속에 있었다면…… 이 추측이 사실로 확인된다면…….

그는 거실로 올라갔다. 샤워를 하고, 면도를 하고, 옷을 갈아입었다. 걸어서 사택 202호로 올라갔다. 운영팀장 가족은 나들이를 가려는 참인 것 같았다. 다들 외출복 차림이었고, 거실에 크고 작은 배낭이 놓여 있었다.

"제가 때를 잘 못 맞춘 것 같습니다."

영제는 소파에 앉으며 말했다. 팀장의 아내는 딸들을 데리고 방으로 들어갔다. 빨리 끝내달라는 듯, 손목시계를 한 번 보면서. 영제도 시계를 봤다. 9시.

"뭐 좀 찾았습니까?"

팀장이 맞은편에 앉으며 물었다. 영제는 고개를 저었다.

"혹시 직원 중에 스쿠버다이빙하는 친구 있습니까?"

팀장의 눈이 동그래졌다.

"혹시 아이가 호수에 빠진 겁니까?"

"단정할 수는 없지만 그럴 수도 있을 것 같습니다."

팀장은 잠시 망설이는 듯하더니 자기 의견을 내놨다.

"납치 쪽은 생각해보셨습니까? 원장님 정도 재력이면 그쪽이 더……"

"그랬다면 그쪽에서 소식이 왔겠죠. 벌써 이틀째인데. 가능성은 모두 열어놓고 있습니다. 그래서 실례를 무릅쓰고 찾아왔고요. 호수로 들어가 수색을 해줄 만한 직원이 있나 해서요."

"글쎄요. 다른 댐에는 다이빙 동호회가 있는 모양이던데 우린 없습니다."

"바다가 가까우니까 취미로 다니는 직원이 있을 법한데요."

"있다면 모를 리 없죠. 여기 사람들은 옆집 숟가락 개수까지 알고 삽니다."

영제는 고개를 끄덕였다.

"부탁 하나 더 드려도 될까요?"

"무슨……"

"관리단 CCTV를 보여주셨으면 합니다. 27일 밤 9시 45분부터 호수 안길 화면을 확인하고 싶습니다만."

"그건 곤란한데. 파일을 시스템통제실에서 보관하고 있어요. 거긴 외부인 출입금지구역입니다."

"견학을 온 학생이나 단체에겐 통제실내부를 보여준다고 알고 있는데요."

"경우가 다르죠. 정식으로 견학신청을 하면 공적업무에 해당됩니다. 사적인 일로 외부인을 시스템통제실에 들일 수는 없어요."

"아이가 실종됐는데도 사적인 일입니까?"

"원장님 마음은 백번 이해합니다. 선착장 열쇠도 드린 것도 그 때문이고."

"기왕에 도와주신 거……"

"선착장 열쇠를 내준 것만으로도 난 이미 징계감이에요."

"지금 제가 견학을 신청하면 볼 수 있을까요?"

"오늘은 일요일입니다만."

팀장은 물러설 기미가 아니었다. 영제가 물러서야 했다.

"그럼 팀장님이 화면을 보시고 제게 설명해주시면 어떻습니다. 뭐가 보인다, 안 보인다, 정도만이라도."

팀장의 얼굴에 성가신 기색이 어른대기 시작했다.

"보이는 거 없을 겁니다. 세령호 카메라는 수목원 카메라와는 달라요. 적외선촬영장치가 없어서 어둠 속에선 무용지물이에요. 우리 눈하고 똑같습니다. 어젠 안개도 심했고요."

"그래도 불빛은 보일 텐데요. 가령, 랜턴 빛이라든가……"

"그러지 마시고 경찰이나 119로 연락하는 게 어떻겠습니까. 그러면 저도 일처리하기가 좋고. 업무상 요청이 있으면 호수 내 잠수나 CCTV 테이프를 보여드리는 게 가능하니까."

"실종신고는 했습니다. 경찰이 나설 때까지 기다릴 수가 없어서 그렇지. 팀장님 큰따님이 그랬다면 심정이 어떨 것 같습니까. 손 놓고, 경찰이 찾아주기만 기다리시겠습니까?"

팀장은 흘금 안방을 봤다. 그의 큰딸이 안방 문밖으로 고개를 비쭉 내밀고 있었다.

"9시 50분부터 한 시간만이라도 봐줄 수 없습니까?"

침묵이 잠깐 지나간 후, 팀장은 차 키를 꺼내들며 일어났다.

"내 차로 갑시다."

팀장은 영제를 정문경비실 앞에 내려놓고 관리단으로 차를 몰고 들어갔다. 경비실 근무자는 또 박 주임이었다. 영제는 경비실로 다가가 물 한 잔 달라고 했다. 잠시 후, 물이 담긴 종이컵이 쪽창 밖 턱 위에 놓였다. 고맙다는 인사를 건네면서 말을 붙여봤다. 쉬는 날 뭘하며 지내느냐고. 자거나 집에 간다는 대답이 돌아왔다.

"취미생활은 안 합니까? 관리단 사람들은 스쿠버다이빙도 많이들 한다던데."

박 주임은 눈을 가늘게 뜨고 그를 봤다. 뭘 알고 싶어서 빙빙 돌리느냐는 듯. 영제는 잠자코 기다렸다. 한참 만에 대답이 나왔다.

"그거야 관리단 사람들 얘기고, 우린 그런 비싼 취미 없어요. 코딱지만 한 월급으로 먹고살기도 숨 가빠서."

"102호 젊은 친구는 어때요?"

"글쎄, 그 친구 취미까지는 신경 안 써봤는데. 자기 말을 통 안하는 친구기도 하고."

이후 말이 끊겼다. 그는 창밖에서 기다려야 했다. 박 주임은 안으로 들어와 기다리라는 빈말조차 건네지 않았다. CCTV만 한참 들여다보고 있더니 갑자기 의자에서 일어났다. 영제는 관리단건물 쪽을 돌아봤다. 현관문을 빠져나와 차에 오르는 운영팀장이 보였다.

"그날 차량 출입이 있었던 것 같아요."

영제가 차에 타자 팀장이 말했다.

"차가 보이던가요."

"화면이야 깜깜하죠. 10시 02분에 움직이는 불빛이 나타났는데 속도나 모양새로 봐서 차량 같다는 거죠."

영제는 고개를 끄덕였다. 시간으로나, 위치로나 자신의 차였다.

"좀 이상하긴 합니다. 밤에 그 길로 차가 들어오는 일은 좀처럼 없는데, 그날은 두 대나 들어왔어요."

영제는 숨을 멈췄다. 팀장은 사택 입구에 차를 세우며 말했다.

"두 번째 불빛은 10시 40분경에 나타났는데 움직이는 속도가 굉장하더군요. 그러다 갑자기 멈춰서더니 20분쯤 후에 떠났어요."

"멈춘 곳이 첫 번째 차와 비슷하던가요?"

"글쎄요. 제가 비디오판독 전문가는 아니니까요."

운영팀장은 사택 앞에 차를 세웠다.

"어떻게 도움이 되겠습니까?"

"고맙습니다."

영제는 관리사무실로 들어갔다. 제2의 차량이 있다. 20분간 머물렀다 떠났고. 그가 세운 가설을 흔들어놓는 이야기였다. 시나리오를 재구성할 필요가 있었다. 그는 입주자카드에서 102호 명청이의 주민번호를 땄다. 어쨌거나 이놈 뒤부터 캐보자고, 직감이 말하고 있었다.

밤 근무는 유배의 시간이었다. 저녁 6시부터 아침 8시까지 꼬박 14시간을 홀로 보내야 했다. 보안팀 인원 여섯 중, 수문경비실 근무자 한 명과 팀장이 통상근무를 했다. 나머지 네 사람이 관리단 정문경비실을 맡았다. 주간, 야간, 비번 순으로 각 이틀씩, 2교대로. 전산화시스템을 구축한 봄부터 관리단엔 야간당직이 없었다. 수문이나 방류량 등은 본부시스템에서 원격으로 관리했다.

일정대로라면 승환은 금, 토, 이틀을 쉬고 일요일에 주간근무를 나가야 맞았다. 일정과 달리 야근을 나온 건, 저녁나절에 걸려온 야근자의 전화 때문이었다. 차사고가 난 모양이었다. 본인은 멀쩡하나 저쪽 운전자가 다쳐서 사고처리를 하고 있다는 것이었다. 승환은 "아, 예" 했고, 야근자는 "내가 일요일에 대신 근무할게"라고 말했다. 행간에 숨어 있는 의미는 이런 것이었다. 네가 나 대신 야근해라. 내가 너 대신 주간근무를 할 테니.

세령호의 밤은 지나치게 고요하고, 지나치게 어둡고, 지나치게 시간이 많았다. 들려오는 소리라야 풀벌레울음과 수문의 물소리뿐이었다. 관리단 건물을 순찰하는 것 말고는 딱히 할 일도 없었다. 평소 승환은 책을 읽거나, 인터넷을 하거나, 글을 쓰려고 애쓰면서 밤을 보내고는 했다. 그런데 대타야근을 하게 된 주말 밤에 볼거리가 하나 끼어들었다.

호수에 장치된 감시카메라는 모두 8대였다. 쓰레기차단스크린 근처에 네 대, 취수탑 벽에 하나, 선착장, 한솔등, 안길폐쇄지점에 각각 하나씩. 관리단내부나 수문과 달리 10년 전 구형카메라를 그대로 쓰고 있었다. 어둠이 내리면 호수내부 화면 역시 암전상태에 들어갔다. 보이는 건 가끔 안길로 들어오는 차량의 불빛정도였다. 레이더화면처럼, 검은 평면 위에서 광점 한 쌍이 안길을 따라 움직이는 형상이었다. 대개 길을 잘못 든 차량이었고, 안길폐쇄지점에서 돌아나가게 마련이었다. 다른 형태의 불빛이 나타나는 경우는 본 적이 없었다. 승환에게 생긴 볼거리가 바로 그 '드문 경우'였다.

10시를 조금 넘겼을 때였다. 커피 한 잔을 타들고 책상 앞에 앉고 보니 선착장화면에 흰 광점 하나가 찍혀 있었다. 신경 써서 보지 않는 한, 그냥 지나쳐버릴 만큼 희미한 빛이었다. 승환은 숨까지 멈추고 화면에 시선을 붙였다. 광점은 정지하고 움직이기를 반복하며 검은 공간을 맴돌다가 사라졌다. 잠시 후 취수탑 화면에서 잠깐 보였다 없어졌고, 한참 후 1번 출입구 화면에 다시 나타났다가 완전히 사라졌다.

승환은 손전등 빛이라고 단정했다. 누군가 선착장 안으로 들어갔다 나온 것이다. 누구일까. 생각은 자연스레 전날 밤 자신의 행로로 흘러갔다. 비슷한 궤적을 그리는 광점이 화면에 나타났으리라는 걸 추측할 수 있었다. 자동차 불빛도 나타났을 것이다. 오영제가 자기 딸을 바지주머니에 담고 와서 버리진 않았을 테니. 그나저나 박 주임은 두 종류의 불빛을 봤을까.

그는 관리단 시스템통제실 앞을 오락가락했다. 안으로 들어가 CCTV

를 켜고 지난밤 화면을 확인하고 싶었다. 입성을 막고 있는 건 통제실 감시카메라였다. CCTV를 시청하는 그를 감시카메라가 찍어서 월요일 아침 관리단 직원들에게 보여줄 것이므로.

자정이 돼서야 그의 마음에서 CCTV를 향한 집착이 사라졌다. 확인해도 대책이 없다는 점이 열망을 접게 했다. 그는 책상 앞 의자에 몸을 놔버리듯 주저앉았다. 아침나절, 누전점검기와 관리인 노인을 앞세우고 102호로 쳐들어온 오영제를 생각했다. 누전점검차 온 것은 분명, 아니었다. 오영제가 세령을 죽인 게 아니라면, 자신이 숨겨주었다고 넘겨짚고 딸을 찾아온 것이 된다. 죽였다고 한다면, 완전범죄를 위한 쇼의 서막이었다. 온종일 계속된 수색작업은 본 쇼의 일 막 일 장.

새벽녘, 비가 그쳤다. 승환이 퇴근해 수목원으로 돌아갈 무렵엔 안개도 잦아들었다. 수문은 평소보다 조금 더 열려 있었다. 방류량이 늘어서인지 지류의 물길 폭이 평소보다 넓었다. 승환은 발끝만 내려다보며 타박타박 걷다가 후문 앞에서 세령과 마주쳤다.

아이를 찾습니다

이름: 오세령

성별 및 연령: 여/12세/세령초교 5학년

특징: 등을 덮는 긴 머리, 흰 피부.

　　　왼쪽 목덜미에 동전만 한 몽고반점이 있음

실종시기: 8월 27일 금요일 밤 9시 40분경

실종당시 옷차림: 원피스처럼 보이는 흰 민소매 블라우스

연락처: 세령수목원 관리실. 전화: 000-****, 휴대전화: 000-000-****

세령의 사진은 선거벽보처럼 크고 선명했다. 세령의 방에 걸려 있던 발레리나 사진이었다. 사진 위로 호수 속에서 만난 세령의 형상이 어른댔다. 그는 허둥지둥 사진 앞을 떠났다. 전속력으로 중앙통행로를 내달려 집으로 뛰어들었다. 처리할 일이 있다는 걸 뒤늦게 깨달은 탓이었다. 집 안에 그를 지옥으로 끌고 갈 물건이 있었다. 탈수기 안에 처박은 잠수복, 배낭에 들어 있는 수중카메라와 스트로보, 잠수장비. 영제의 습격은 소득 없이 끝났으나 언제, 누가 또 들이닥칠지 모르는 일이었다. 우선 신임팀장 가족이 두 시간 후에 도착할 예정이었다.

승환은 카메라에 든 세령마을 영상을 웹 하드에 저장한 뒤 지워버렸다. 거실에 둔 물건들과 잠수복은 배낭에 담고 배낭은 종이상자에 담았다. 수원 둘째형에게 부칠 생각으로 주소를 적어 붙박이장에 밀어 넣고 나자, 휴대전화가 울렸다. 세령을 진료소에 데려갔던 날 만난 순경이었다. 한 가지 물어볼 게 있는데 현재 혼자 근무하는 관계로 자리를 비울 수 없으니, 지금 지소로 와 달라고 했다.

"혹시 금요일에 세령이 봤는가?"

자리에 앉자마자 순경이 물었다. 승환은 대답했다.

"아뇨."

"바로 옆집에 살잖나. 그런데도 못 봤다고?"

"아이가 어쩌다 한밤중에 사라졌는지, 그것부터 아이아빠한테 물어보세요. 애먼 사람 불러다 옆구리 찌르지 마시고."

순경은 볼펜을 탁, 소리 나게 탁자에 내려놨다.

"애가 없어졌잖아. 금요일 오후 이후로 봤다는 사람도 없어. 아이아빠 심정이 어떻겠나? 인간적으로 짠한 마음 안 드나?"

짠하기는. 끔찍하지. 머리 좋고 잘생긴 그 엘리트가 자기 딸한테 한 짓을 생각하면. 승환은 눈을 내리깔았다.

"정말로 못 봤나."

순경은 무려, 30분 동안 승환을 찔러댔다. 승환은 조급증이 났다. 새 팀장가족은 10시에 도착할 예정이었고, 벽시계는 10시 20분을 가리키고 있었다. 바지주머니에 손을 넣어 봤다. 있어야 할 휴대전화가 없었다. 집에 두고 온 모양이었다. 순경은 눈을 가늘게 뜨고 바라보더니 엄청난 인심을 썼다.

"바쁜 일이 있나 본데 오늘은 그만 가보게."

"또 부르겠다는 말씀은 아니겠죠?"

"내가 부를 일은 없겠지. 오늘 오후쯤 일이 본서로 이양될 것 같으니까. 충고하나 하자면, 멀리 나가거나 여기를 뜨거나 하지 않는 게 좋을 거야. 괜한 의심 사지 않으려면."

"그건 또 무슨 뜻이에요?"

"말 그대로 충고야. 외지인이고, 일전 사건도 있고 하니까."

불길한 충고였다. 여차하면 '옆집 아저씨'가 범인으로 결정될 것 같은 분위기였다. 그때 신고를 했다면 어땠을까. 이틀 동안 반복해온 질문에 답이 나오는 순간이기도 했다. 옆집 아저씨이자 외지인이고, 악연이 있다는 사실만으로 30분 동안 들볶인 참이었다. 진술을 번복하면 어떤 일이 일어날지, 굳이 상상할 필요조차 없었다.

거리 곳곳에 세령을 찾는 전단지가 붙어 있었다. 승환은 보지 않으려고 고개를 숙인 채 걸었다. 상충되는 생각으로 골이 시끄러웠다. 제 아빠 말고, 제 방에서 잠든 아이를 죽여 호수에 던질 사람이 누가 있을까. 제왕의 성을 털려다가 아이가 깨어나는 바람에 살인강도로 돌변한 좀도둑? 살인강도가 죽인 아이를 호수까지 끌고 가 버리는 수고를 할까. 성미 더러운 보스에게 한 맺힌 관리인 노인? 승환은 노인과 세령이 별채 숲에 함께 있는 걸 본 적이 있었다. 노인은 전지가위로 나무를 손보는 중이었다. 세령은 노인 발밑에 쪼그려 앉아 무슨 얘긴가를 들려주고 있었다. 한참 듣고 있던 노인은 손에 낀 면장갑을 벗어 세령에게 건넸다. 세령은 장갑으로 눈물을 닦고, 코를 풀고, 딸꾹질을 해대다가 노인에게 장갑을 돌려주었다. 노인은 받아 낀 뒤 말없이 가위질을 계속했다. 아이의 코가 묻은 장갑을 낄 수 있는 노인이 그 아이를 죽일 수 있을까.

승환은 수목원정문으로 들어선 뒤, 걸음을 멈췄다. 통행로 공용게시판 앞에 낯선 소년이 서 있었다. 청바지 벨트 고리에 엄지를 걸고, 어깨를 약간 뒤로 젖힌 자세로 게시판을 들여다보는 중이었다. 전단지 속 세령의 사진을 보고 있을 거라고, 그는 추측했다. 세령말고는 소년의 시선을 붙잡을 만한 것이 없었다. 전단지 옆에 붙은 건 사택경비를 구하는 구인광고 하나뿐이었다. 통행로 건너편엔 오영제가 팔짱을 끼고 서 있었다. 소년은 세령을 들여다보고, 오영제는 소년의 뒷모습을 응시하는 풍경을, 승환은 열 발짝쯤 떨어진 곳에서 지켜보는 꼴이었다.

"꼬마야."

침묵을 깬 사람은 오영제였다. 소년은 고개를 슬쩍 틀어 오영제를 돌아봤다.

"여기서 뭐하는 거냐? 우리 수목원 아이는 아닌 거 같은데."

소년은 몸을 돌리더니 영제와 정면으로 마주섰다.

"여긴 아무나 들어오는 데가 아니다. 나가줬으면 좋겠다만."

둘의 눈은 통행로 중간에서 얽혔다. 그사이로 옅은 안개가 흘러갔다. 승환은 담배를 꺼냈다가 도로 집어넣었다. 라이터소리가 판을 깰까, 조심스러웠다. 소년의 응전을 보고 싶었다.

"우리 아빠는 세령댐 보안팀장이고, 저는 아무나가 아니에요."

소년이 대답했다. 짐작대로 새 팀장의 아들이었다. 도심에서 흔히 볼 수 있는 소년이었다. 삐딱하게 틀어 쓴 야구모자, 흰 티셔츠, 청바지, 중성적인 느낌이 남아 있는 호리호리한 체구.

"아저씨는 누구세요?"

소년의 목소리는 침착했다. 표정은 냉정해 보였다. 초등학교 5학년이라고 했으니 많아야 열두 살일 텐데, 제 아빠뻘인 남자와의 기 싸움에서 밀리는 기색이 없었다. 타고나야만 가능한 유의 표정이요, 대담성이었다. 오영제의 얼굴에는 '이것 봐라'라고 씌어 있었다. 눈빛까지 볼 수는 없었지만 어떤 식으로 소년을 내려다보고 있을지 상상은 가능했다.

"꽤 귀여운 꼬마로구나."

영제의 이죽거림을 소년은 당차게 되받았다.

"귀엽다는 말은 오리한테나 하는 거라고 했어요."

"누가 그런 명언을 하더냐?"

질문에 대답이라도 하는 것처럼 후문 쪽에서 흰 마티즈가 나타났다. 소년은 고개를 돌려 마티즈를 봤다. 영제의 시선도 마티즈로 돌아갔다. 승환은 소년을 향해 걷기 시작했다. 마티즈는 영제 앞에서 멈췄다. 운전석에서 한 남자가 내렸다. 키도 체구도 엄청난 남자였다. 차에서 내리는 게 아니라 차처럼 생긴 조끼를 벗는 느낌이었다. 소년이 남자를 불렀다.

"아빠."

스포츠머리에 붉게 상기된 얼굴, 암벽 같은 어깨. 운동선수 출신이구나, 승환은 생각했다. 다른 이미지는 들어설 여지가 없었다.

"그 아저씨 만나셨어요?"

소년이 물었다. 새 팀장은 통행로를 딱 세 발짝에 건너왔다.

"아직."

팀장은 전단지를 보더니 얼른 승환 쪽으로 얼굴을 돌렸다. 승환은 꾸벅 고개를 숙여보였다. '안승환입니다'라고 말할 참이었는데, 어느 틈에 길을 건너온 영제가 순서를 가로챘다.

"난 이 수목원 주인인 오영제요."

팀장은 말이 없었다. 이상하리만큼 표정이 뻣뻣했다. 어렵사리 "아, 예"라는 대답이 나왔을 때, 벌겋던 얼굴은 회백색이 돼 있었다. 시선은 배달번지수를 찾지 못한 택배직원처럼 사방을 맴돌았다. 서원, 승환, 가로등, 울타리, 숲과 정문, 하늘, 다시 서원.

"아까 이삿짐 트럭이 들어가던데 혹시, 당신하고 관련이 있습니까?"

영제가 물었다. 팀장은 대답하지 않았다. 서원은 '아빠, 왜 그래?' 하는 얼굴이었다. 화살은 승환에게 돌아왔다.

"그쪽이 설명해보겠소. 이 남자 누구요?"

승환은 영제를 마주봤다. 이 남자의 계산서를 보고 싶었다. 소년과 팀장에게 무례하게 굴어서 얻는 소득이 무언지. 그는 직접 물어보기로 했다.

"댁이 그걸 왜 묻습니까?"

영제의 눈썹이 꿈틀했다.

"난 지금, 집주인인 내가 내 집에 이사 오는 자가 누군지 모르고 있다는 얘길 하는 거요."

"관리실에 가서 알아보세요. 댁한테 보고할 사람은 거기 있잖습니까."

"이봐, 젊은 친구……"

"새로 온 관리단 보안팀장입니다."

팀장의 목소리가 끼어들었다. 막 잠에서 깨어난 사람처럼 목소리가 어눌했다.

"오늘 102호에 입주할 예정입니다만."

"관리실에 입주신고는 하셨습니까."

영제가 물었다. 팀장의 시선은 다시 애매한 곳에 가 있었다. 불안하게 흔들리는 눈빛이었다. 얼굴은 여전히 창백했고, 관자놀이로 땀이 줄줄 흘렀다. 흡사 얼굴모양의 아이스크림이 녹아서 흘러내리는 것 같았다. 건강에 문제가 있는 게 아닌가, 싶었다. 그게 아니라면 구제불능으로 내성적인 성격이든가. 소년의 눈에는 복잡한 것이 어른거렸다. 분함과 실망감, 모욕감. 아마도 아빠가 이 무례한 남자의 덜미를 쥐고 눈알이 빠지도록 흔들어줄 거라 믿은 듯했다. 팀장은 또 말문이 막혔나 싶을 무렵에야 대답을 내놓았다.

"이사 끝나면 하겠습니다."

"지금 하시오. 수목원출입이나 주차문제를 해결해야 할 테니까."

영제는 마티즈를 유심히 바라보다가, 별채진입로 쪽으로 걸어갔다. 팀장의 시선은 승환에게 와 있었다. '누구시더라' 하는 표정이었다.

"저 안승환입니다. 사정이 있어서 좀 늦었습니다."

"아아. 최현숩니다."

팀장이 손을 내밀었다. 승환은 손을 맞잡았다. 팀장의 손바닥은 차갑게 젖어 있었다. 손을 놓고 보니, 승환의 손도 젖은 행주처럼 축축해져 있었다.

"저는 최서원이에요."

이번엔 소년이 손을 내밀었다.

"아아. 네가 내 룸메이트로구나."

승환은 서원의 손을 잡고 가볍게 흔들었다.

"네. 제가 아저씨 룸메이트예요."

서원은 별채앞길로 막 접어드는 영제를 흘끔 보더니 갑자기 또랑또랑한 목소리를 냈다.

"우리 아빠 룸메이트는 김강현 투수였어요. 아시죠, 파이터즈 핵잠수함. 고등학교 때부터 우리 아빠랑 배터리였대요. 그때 김강현 투수는 3번 타자였고 우리 아빠는 4번 타자였어요."

서원의 의도대로 영제는 걸음을 멈추고 이쪽을 돌아봤다. 서원은 서서히 와인드업했다. 자세가 완벽하게 잡힌 언더스로 투구였다. 서원의 손끝을 떠난 형체 없는 공은 영제를 향해 날아갔다. 누가 봐도 영제의 심장 부위에 꽂아버리는 스트라이크였다.

"그리고 우리 아빠는 파이터즈에서 제일가는 포수였어요. 어깨만 다치지 않았다면 홈런왕도 됐을 거예요."

서원은 모자챙을 뒤로 돌려 쓰더니 영제를 향해 턱을 치켜들었다. 앙다문 입술은 소리 없이 말하고 있었다. '우리 아빠 이런 남자거든, 수목원 주인이 별거야?'

영제는 꼼짝하지 않고 선 채, 서원의 시선을 받았다. 기묘한 표정이었다. 화가 난 것도 아니고, 그렇다고 재미있어하는 것 같지도 않았다.

"아저씨랑 먼저 올라가거라."

팀장이 맨홀뚜껑만 한 손으로 서원의 어깨를 퍽퍽, 소리 나게 두들겼다.

"아빠는 입주신고하고 올 테니까."

서원은 제 아빠를 올려다보며 고개를 끄덕였다. 분이 좀 풀린 얼굴이었다. 승환은 이 맹랑한 소년이 단박에 좋아졌다. 나아가 부자가 전혀 닮지 않았다는 걸 깨달았다. 비록 골상학의 대가는 아니었으나 둘의 얼굴과 골격이 근본적으로 다르다는 것쯤은 알 수 있었다. 성격차이야 좀 전에 확인한 바 있었고.

팀장은 마티즈에 올라탔다. 승환은 염려스러웠다. 관리실이 어디 있는지 알고나 가는 건가. 일단 소리쳤다.

"후문 쪽으로 가세요. 사택 앞에 있는 건 경비실이고요, 관리실은 뒤쪽에 있어요."

마티즈는 휑하니 사라졌다. 영제는 그 자리에 그 자세로 서 있었다. 승환은 서원과 나란히 별채앞길을 향해 걷기 시작했다. 최현수…… 기억에 없는 이름이었다. 몇 년 전 모기업이 바뀌긴 했지만 파이터즈 주전포수였다면 이름 정도는 들어봤을 것이다. 백업이었을까. 2군이었을까. 김강현이라면 좀 알고 있었다. 파이터즈의 원투 펀치 중 하나였고 국가대표를 한 적도 있었으니까. 할 일 없을 때, 야구 사이트를 검색해봐야겠다는 생각이 들었다. 고교시절부터 김강현과 배터리였다면 기록이 있을 것도 같았다.

영제 앞을 스쳐가며 승환은 슬쩍 곁눈질을 던졌다. 순간 뒷덜미가 오싹해왔다. 유별나게 검은 영제의 동공이 서원을 향해 활짝 열려 있었다. 무엇이든 빨아들이는 취수탑 아래 수중터널처럼.

현수는 천장을 올려다봤다. 목젖 안에서 거친 숨결이 샜다. "현수야", 부르던 목소리는 잠을 깨면서 사라졌다. 그러나 꿈의 잔상들은 쉬 없어지지 않았다. 후텁지근한 바람에 일렁이는 핏빛 수수벌판, 안개와 해풍의 짠 냄새, 지평선 너머에서 명멸하는 등대 빛. 장면들이 사라질 때까지 그는 눈을 껌벅이며 누워 있었다. 잠시보다 길고 한참보다는 짧은 시간이었다.

자신이 거실바닥에 누워 있다는 걸 깨달은 건 그만한 시간이 한 번 더 지난 후였다. 베개도 담요도 없었다. 몸은 땀으로 흠씬 젖었고 허리가 저릿저릿했다. 무엇보다 바닥에 늘어진 왼손이 기분 나빴다. 머리의 명령대로라면 그는 주먹을 불끈 쥐고 있어야 했다. 실제 손가락은 죽은 불가사리처럼 방바닥에 눌어붙어 있었다. 감각도 없고, 힘도 닿지 않았다.

현수는 몸을 일으키고 앉았다. 왼팔이 어깨관절에 매달린 채 덜렁덜렁 끌려올라왔다. 팔이 아니라 말뚝이 매달린 것 같았다. 그는 땀이 싹 마르는 걸 느꼈다. 이 이상 징후들이 암시하는 정황은 하나뿐이었다. 용팔이가 돌아왔다.

야구를 그만둔 후 사라진 놈이었으니 6년 만의 귀환이었다. 이전과 달라진 게 있다면 눈을 뜬 이후부터 마비가 지속되고 있다는 점이었다. 자고 일어나 용팔이가 된 것도 처음이었다.

집 안엔 아무도 없었다. 식탁에 아침식사만 차려져 있었다. 식탁 옆으로 전날 정리하지 못한 짐들이 널려 있었다. 승환은 거북이등판만 한 이 공간을 거실이라고 불렀다. 욕실은 거실 끝에 있었다.

현수는 샤워꼭지를 열고 물 온도를 뜨겁게 맞췄다. 셔츠를 벗고 욕조 가장자리에 걸터앉아 왼팔에 샤워기를 댔다. 누가 밀어뜨리는 것도 아니건만 자세를 유지하기가 쉽지 않았다. 무게중심이 자꾸 앞으로만 쏠렸다. 골이 흔들리고, 코가 맹맹하고, 으슬으슬 한기가 났다. 개꼴이 될 때까지 마시고 찬 바닥에서 잔 탓이었다. 은주는 담요조차 덮어주지 않은 것이고. 스스로 벌어들인 처우였다. 변명할 기회를 준다면야 한마디쯤 할 수 있겠지. 맨 정신으로 버틸 수 없는 하루였노라고.

세령호에 오기 전부터 현수는 진이 빠져 있었다. 전날 밤의 용기, 세령호에서 잘 먹고 잘 살아보겠다던 취중결심은 해가 뜨자 사라져버렸다. 세령호로 오는 것이 죽을 일 같았다. 고속도로를 달리는 게 아니라, 목에 밧줄을 걸고 다리에서 뛰어내리는 기분이었다. 기진맥진해서 도착해보니 승환이 없었다. 휴대전화도 받지 않았다. 이삿짐센터 직원들을 마냥 기다리게 할 수 없어 그는 도어 록을 풀고 현관문을 열었다. 그런 다음 승환을 데려오겠다는 핑계를 대며 집을 나왔다. 은주의 신경질을 견디느니 낯선 곳을 배회하는 편이 나았다.

수목원 후문에서, 그는 전단지를 보았다. 그 아이였다. 사진과 기억 속의 얼굴이 판이했지만 금세 알아볼 수 있었다. '알아본다'는 건 충격의 다른 이름이었다. 기억 속 존재가 현실로 튀어나와 그와 대면하는 순간이었다. 더하여 아이는 수목원주인의 딸이었다. 통행로 게시판 앞에서 아이아빠를 만났을 땐 충격이 공황상태로 치달았다. 그 남자는 옆집에 살고 있었다.

그는 수목원 관리실로 가지 않았다. 곧장 후문으로 내달아버렸다. 그 남자의 영토에 입주신고를 하고 싶지 않았다. 차를 몰아 어디로든 도망치고 싶었다. 말을 걸어온 건, 룸미러에 달린 웃는 해골이었다. 놈은 서원의 목소리로 그에게 물어왔다. 아빠, 어디 가?

어디로 가나. 갈 곳이 없었다. 인터체인지 앞에서 차를 돌리는 것 말고는 할 일도 없었다. 그는 수목원으로 돌아왔다.

하루가 어떻게 갔던가. 현수는 은주에게 쪽지와 돈을 받았던 걸 기억해냈다. 생수, 쓰레기봉지, 우유, 백열등, 빨랫줄 같은 생필품들이 적힌 쪽지였다. 그는 승환이 가르쳐준 대로 샛길을 따라 휴게소로 올라갔다. 내려온 기억은 없었다. 서원과 승환이 그를 찾으러 왔던 일만 기억하고 있었다. 함께 전망대에 앉아 있었던 것도, 승환과 서원이 자신을 일으켜 세우던 일도 어렴풋이 생각났다.

"팀장님, 다리에 힘 좀 줘봐요" 했던가. "아이고, 우리 깔려 죽어요" 했던가.

현수는 뜨거운 물에 벌게진 왼팔을 내려다봤다. 저릿저릿한 느낌이 손끝으로부터 퍼지고 있었다. 감각이 돌아오는 듯해 손가락을 힘주어 오므렸다. 순간, 물줄기와 함께 손가락 새로 휙 빠져나가는 기억이 있었다. 아니, 기억이라기보다는 감촉이었다. 연골처럼 부드럽고 연약한 무엇이 우둑, 소리 내며 꺾여 돌아가는 느낌.

감관이 복기해내는 인식들은 만화경에 가까웠다. 하나의 순간을 기억하는 오감의 인식이 제각각 달랐다. 그것들이 번갈아가며, 시도 때도 없이 그 일을 비추고 상기시켰다. 감각을 마취시키지 않는 한, 거기에서 벗어날 길은 없어 보였다. 현수는 욕실에서 튀어나갔다. 나가자마자 은주와 딱 마주쳤다. 그녀는 음식물 쓰레기통을 들고 막 거실로 들어오는 참이었다. 그는 자신도 모르게 왼손을 등 뒤로 감췄다.

"어디 갔다 와?"

현수는 물어놓고 후회했다. 괜한 걸 물었구나, 손에 든 게 핸드백도 아닌데. 은주는 그를 스쳐 베란다로 가버렸다. 눈을 내리뜨고 발소리를 쿵쿵 울리면서. 지난 토요일부터 일관되게 유지해오는 태도였다. 그는 내쫓기듯 출근했다. 정문경비실에 도착해 거울을 보니 수염이 턱을 까맣게 덮고 있었다. 생각해보니 양치도, 세수도 하지 않았다. 그보다 먼저 출근해 있던 승환이 면도기를 빌려주며 소리 없이 웃었다. 된통 깨졌구나, 하는 표정이었다.

"저 1일부터 수문근무예요. 토요일에 대리야근을 해서 내일은 비번이고요. 이따 9월 스케줄 짤 때, 참고하시라고요."

승환의 말에 현수는 고개를 끄덕였다. 두어 시간이 바쁘게 갔다. 팀원미팅을 하고, 관리단에 인사를 가고, 건물내부와 댐 시설물, 업무에 대한 전반적인 오리엔테이션을 받았다. 11시가 돼서야 시간이 좀 생겼다. 그는 서랍에서 열쇠뭉치를 꺼내들었다.

"어디 가시게요?"

승환이 물었다.

"운영팀장이 댐을 쭉 돌아보라고 하던데."

"제가 같이 가드릴까요."

현수는 움찔해서 손을 저었다.

"아냐. 혼자 가도 돼."

혼자 가야 했다. 차분하게 사고현장을 돌아보고 싶었다. 그곳에 뭔가를 빠뜨리고 온 게 아닌지, 확인하고 싶었다. 기억과 다시 맞닥뜨려야 한다는 게 두려웠지만, 한 가지 불안이라도 털어야 했다. 가는 길에 호수쪽을 살펴보겠다는 계산속도 있었다. 수면 위를 떠돌아다니는 아이의 영상이 머리를 떠나지 않았던 것이다. 그러나 결심과 달리 호수를 제대로 볼 수가 없었다. 멀리 취수탑꼭대기가 보이자 숨결부터 거칠어졌다. 걸음은 점점 느려졌다. 가고 싶지 않다는 마음과 확인하자는 마음이 목청을 높이고 싸웠다. 그 바람에 1번 출입구 앞에 서 있는 사람이 누군지 알아차리지 못했다. 얼굴을 맞댄 후에야 오영제임을 알았다.

"댐을 돌아보러 오셨나 봅니다."

영제가 말을 걸어왔다. 현수는 헛기침을 했다. 목 아래가 답답해지고 있었다. 가장 만나고 싶지 않은 사람과 가장 만나고 싶지 않은 장소에서 부딪힌 셈이었다. 시선을 돌려 출입문을 살피는 척했다. 철망 문짝에는 쇠사슬이 감기고 자물쇠가 걸려 있었다. 문 안에서부터 호수까지는 나무 디딤판을 박아 계단처럼 만든 길이 이어졌다. 쓰레기차단스크린이 설치된 쇠기둥엔 CC카메라 네 대가 동서남북 방향으로 설치돼 있었다. 호수를 가로지르며 일렬로 떠 있는 형광 스티로폼 볼은 스크린을 표시하는 부표였다.

"출입문 열쇠 가지고 있습니까?"

영제가 물어왔다. 현수는 의아해하면서도 왜 그러느냐고 묻지 않았다. 어쩐지 물으면 안 될 것 같았다.

"저게 뭐라고 생각합니까?"

영제는 호수 쪽을 가리켰다. 희고, 가늘고, 긴 손가락이 쓰레기차단스크린의 끝쪽을 짚었다. CC카메라가 달린 쇠기둥으로부터 좀 떨어진 지점에 희뿌연 물체가 떠 있었다.

"내 생각을 말해볼까요. 저건 말이지요."

영제는 표정 없이 철망너머를 건너다봤다.

"내 딸 옷입니다."

현수는 겨드랑이 아래가 차갑게 식는 걸 느꼈다. 이 남자는 매의 눈을 가졌는가.

"경찰을 부르기 전에 내려가 확인해봅시다."

"저더러 들어가라는 말씀입니까?"

스스로 듣기에도 거북할 만큼 위축된 음성이었다.

"보안팀장이 앞장서라는 얘깁니다. 난 민간인이니까."

현수는 문을 따고 떠밀리듯 안으로 발을 들여놓았다. 가시박덩굴로 뒤덮인 비탈계단을 오영제와 나란히 걸어 내려갔다. 호숫가에 이르자 영제는 긴 나뭇가지 하나를 꺾어들고 쇠기둥에 다가갔다. 흰 물체는 쇠기둥으로부터 2미터쯤 떨어진 부표에 걸려 있었다. 영제는 한 손으로 쇠기둥을 잡고 나뭇가지를 쥔 손을 호수 쪽으로 뻗었다. 흰 물체는 나뭇가지에 닿을 듯하면서도 좀처럼 걸리지 않았다. 영제의 몸은 호수 쪽으로 점점 기울어졌다. 옷이 나뭇가지에 걸렸을 땐, 쇠기둥에 걸친 손가락 마지막 마디로 몸을 지탱하고 있었다. 손가락만 툭 쳐도 호수로 빠져버릴 것처럼 위태로운 자세였다. 현수는 가슴 밑에서 무서운 충동이 치미는 걸 느꼈다. 영제의 등을 떠밀어버리고 싶은 충동. 다시는 만날 일이 없도록 호수 깊숙이 처넣어버리고 싶은 충동. 혀 밑으로 신 침이 돌았다. 왼손은 경련하듯, 움찔움찔 떨었다. 그때, 현수의 발치에 하얀 것이 털썩 떨어졌다. 그는 질겁해서 한 발짝 물러섰다. 영제는 어느새 땅에 발을 딛고 서 있었다. 미간에 새부리 모양의 동맥이 툭 불거져 있었다. 입술 끝은 기묘하게 말려 올라가 있고 흘러나온 목소리는 으스스할 정도로 나직했다.

"이제 신고를 합시다."

119가 도착하는 데는 20분 가량 걸렸다. 곧바로 관리단의 수색허가가 났다. 옷이 발견된 스크린 앞에서부터 선착장을 향해 역방향으로 수색이 시작됐다. 구조대원은 여섯, 그중 넷이 잠수 대원이었다. 남은 둘은 호수 양편에서 줄잡이 역할을 맡았다. 호수를 가로지르고도 수십 미터는 남는 긴 밧줄이었는데 올가미처럼 생긴 고리가 네 개 달려 있었다. 잠수부 넷은 거기에 손목을 끼워 고정시킨 후 일렬로 입수했다.

출입문 부근과 호수비탈에 구경꾼이 모여들기 시작했다. 어수선하고 시끄러웠다. 잠수하는 자는 넷인데 훈수하는 자는 40명도 넘었다. 호수 밑에 들어가서는 안 된다고 소리 지르는 노인도 있었다. 노인을 끌어내는 남자들도 있었다.

잠수조는 5분 간격으로 수면 위로 떠올랐다가 수신호를 주고받은 뒤 다시 들어가곤 했다. 줄잡이들은 그들을 정해진 방향으로, 일정거리만큼 이동시켰다. 현수도 그들의 이동경로를 따라 움직였다. 머릿속에선 두 목소리가 줄기차게 떠들었다. 한쪽은 당장 여기를 빠져나가 차에 올라탄 다음, 전속력으로 달아나라고 충고했다. 다른 쪽은 태연하게 경비실로 돌아가 업무를 보라고 했다. 둘 다 불가능했다.

잠수조가 떠오를 때마다, 그의 혈관에서 아드레날린이 폭주했다. 물속으로 사라지면 시큼하게 배인 땀 냄새를 맡으며 수면을 노려봤다. 영제의 존재감은 사라졌다. "그런 식으로 보면 안돼요"라는 말을 듣기 전까지, 곁에 승환이 와 있는 줄도 몰랐다. 당연히 무슨 말인지 이해하지도 못했다. 이해할 의사도 없었다. 승환은 어린애를 타이르듯, 끈질기게 속삭여왔다.

"시신과 눈을 마주치고 나면 도망갈 데가 없어요. 꼼짝없이 붙들려서 화상을 입는다고요. 먼 곳을 보고 계세요. 호수 건너편이나 하늘……"

갑자기 하늘이 어두워졌다. 해가 사라지고 남쪽 하늘에선 납빛 구름과 축축한 바람이 올라오고 있었다. 현수가 서 있는 곳은 호숫가가 아니었다. 수수밭판 속 오래된 우물 앞에 어머니와 나란히 서 있었다. 우물 안에선 아무 기척도 없었다. 잠수부의 등에 묶인 밧줄만 끝도 없이 밑으로 빨려 들어갔다. 우물가에서 줄을 잡아주는 남자는 쉴 새 없이 땀을 닦았다. 대기는 끈끈했고, 수수의 단내는 역겨웠다. 등 뒤에선 마을사람들의 웅성거림이 들려왔다.

"언젠가는 일 날 줄 알았어."

"저것을 진즉에 메워부렀어야 했는디."

"아, 저것이 사람헌테 뭔 짓을 한단가. 술 처묵고 염병 떨다 발을 헛디뎠것지이."

"뭔 소리여, 우물가에다 옷 벗어 개놓고 발을 헛디디는 모지리도 있단 말이여?"

"지 목숨 지가 끊을 인간은 아녀. 저 요사한 우물한테 홀린 거제. 우물이 저수지로 보인 것이 틀림없단게로. 멱 감을라고 들어간 거여."

"그나저나, 현수어매는 인자 어쩐다여? 애기들이 적잖이 넷 아녀."

우물가에 걸쳐진 밧줄이 두 번 출렁거렸다. 사람들은 웅성거림을 멈췄다. 수수밭이랑으로 안개가 밀려들고 있었다. 어디선가 바람이 불어와 핏빛 수수벌판을 뒤흔들었다. 어머니는 현수의 팔을 꽉 잡았다. 현수는 현기증을 느꼈다. 시야가 일그러지고 깨졌다. 파열의 틈새로 현실이 파고들어왔다. 줄잡이의 목소리가 들려왔다.

"찾았답니다."

잠수부 둘이 수면 위로 떠올랐다. 그들은 한쪽 팔로 헤엄을 치며 현수가 서 있는 기슭을 향해 다가왔다. 둘 사이에서 길고 검은 머리칼이 수초처럼 흔들리며 끌려왔다. 거리가 가까워지면서 잠수부가 붙든 가느다란 팔을 볼 수 있었다. 곧 어깨와 등이 수면으로 부상했다. 이어 엉덩이, 다리. 그것은 곧 여자아이의 형상을 이루며 비탈로 끌려올라왔다. 흰 팬티만 걸린 알몸이었다. 잠수대원은 지퍼를 열어놓은 검은 바디 백 위에 아이를 내려놓았다. 아이의 머리가 옆으로 돌아가 있었고 기억하고 있던 얼굴은 정확하게 그를 향했다. 구멍처럼 검고 텅 빈 눈이 그의 눈을 찾아들어왔다. 푸릇하게 부어오른 입술이 속삭여왔다.

"아빠."

그는 숨을 멈췄다. 세상이 멈추었다. 소리도, 움직임도, 사람들도. 그 무서운 정지의 순간에 그의 왼손만 물고기처럼 펄떡거렸다. 기억이, 잊으려 안간힘을 썼던 기억이, 그를 향해 기차처럼 질주해오고 있었다. 그는 멈칫멈칫, 뒷걸음질 쳤다. 정신없이 눈을 깜박거렸다. 눈알이 타는 것처럼 뜨거웠다. 다시는 고의로 잊지 않도록, 무의식이 잠시라도 진실을 누락시킬 수 없도록, 아이의 눈이 그의 눈에 화인을 찍고 있었다. 당신은 사고를 낸 게 아니야. 살인을 저지른 것이지.

"내 딸 맞습니다."

어디선가 영제의 목소리가 울렸다. 그것이 현수를 낙형의 제단에서 끄집어냈다. 영제는 흰 천을 아이의 몸에 덮고 일어났다. 영제의 눈자위가 저녁 해처럼 붉었다. 검은 동공은 텅 비어 있었다. 죽은 아이와 똑같은 눈이었다.

"한 대 피우시겠소, 선생."

형사가 담배를 꺼내며 물었다. 영제는 대답했다.

"안 피웁니다."

"아……." 형사는 꺼낸 담배를 자기 입에 물고 영제 앞에 앉았다. 영제는 의자등받이에 몸을 기대면서 라이터를 찾는 형사를 뜯어봤다. 40대 중반쯤 돼 보였고 온몸에 '선수'라벨을 붙이고 있었다. 짧게 깎은 머리, 튀어나온 이마, 댐 수문처럼 크고 튼튼한 앞니. 어깨는 라이터를 건네는 애송이보다 더 다부져 보였다. 선수는 영제 쪽으로 연기를 길게 내뿜었다. 슬슬 시작해봅시다, 하듯.

선수와 애송이 커플은 세령을 인양한 지 한 시간 만에 나타났다. S시 경찰서소속 형사들로 파출지소에다 임시 수사본부를 차렸다. 달랑 둘만 출동한 걸 보면 세령의 죽음이 타살인지 사고인지 판단하지 못한 것 같았다. 시신 자체가 타살이라고 주장하고 있는데도.

영제는 가장 먼저 불려와 앉아 있었다. 보호자진술이 필요하다고 했다.

"아이가 왜 그 시간에 집을 나갔습니까?"

선수가 말했다.

"실종신고를 하면서 얘기했습니다만."

"한 번 더 합시다. 쉽지 않겠지만 사소한 것까지 기억해봐요."

영제는 고개를 돌려 창밖을 내다봤다. 해가 지고 있었다. 완전히 어두워지려면 아직 두어 시간이 더 걸릴 것이다.

오후 4시경, 잠수부 줄잡이는 취수탑 10여 미터 전방까지 접근했다. 영제는 줄잡이를 따라 움직이다 보안팀장 곁에 서 있는 안승환을 봤다. 하마터면 멱을 잡아 호수에 처박을 뻔했다. 네놈이 들어가서 찾아오라고.

아침 일찍, 영제는 서포터즈로부터 팩스 하나를 받았다. 그들은 입때껏 하영의 꼬리를 잡지 못했다. 그러나 영제의 새로운 의뢰에 대해선 솜씨를 좀 보여줬다. 하루 만에 날아온 팩스에는 안승환의 신발사이즈까지 기록돼 있었다. 흥미로운 이야기들이 많았으나 영제의 시선을 끈 건 두 가지였다.

직업잠수부의 아들로 열두 살부터 잠수를 시작.

SSU(해군 해난구조대) 만기전역.

영제는 그 부분에 밑줄을 그어두었다. 특수부대 출신에 태생적 잠수부라…….

잠수는 몰라도 익사체라면 그도 아는 바가 좀 있었다. 세령강변에서 나고 자란 원주민 아니던가. 익사체는 가만 두면 물 위에 세 번 뜬다. 첫 부상 시기는 사흘에서 닷새사이. 영제가 아침부터 3번 출입구 앞을 지킨 건 그 때문이었다. 세령이 실종된 지 딱 사흘째 되는 날이었으니까. 부상 지점은 쓰레기차단스크린일 거라고 짐작했다. 발목에 돌을 달아 가라앉히지만 않았다면 물결을 타고 흘러와 걸릴 것이라고. 옷만 걸렸으니 반타작인 셈이었다. 이는 '세령이 알몸으로 호수를 떠돌고 있다'와 같은 의미였다. 강간, 살해, 유기의 단계를 밟았으리라는 그의 추정이 확신으로 바뀌는 순간이기도 했다.

영제가 안승환을 내버려둔 건 이성의 힘이었다. 낚싯줄로 증명할 수 있는 건 아무것도 없었다. 설령 낚싯줄이 승환의 솜씨로 판명난다 해도 마찬가지였다. 그날, 그 시간, 그곳에 있었다는 근거는 될 수 없었다. 기다려야 했다. 이제 시신수색이 시작된 참이었다. 심증이 아닌 확증을 잡아야 했다. 추론이 아닌 자백이 필요했다. 놈을 때려눕히는 건 그다음에 할 일이었다. 물론, 때려눕히는 걸로 끝나지 않을 것이고.

세령이 인양됐다. 발견된 곳은 한솔등 물속 능선이 끝나는 지점이었고, 알몸으로 반듯하게 누워 있었다고 했다.

그때까지도 영제는 상황에만 몰두했지, 본질을 인지하지 못하고 있었다. 죽음을 예감하고 아이의 궤적을 쫓으면서도 '내 딸이 죽었다'는 사실에 대한 인식은 실재하지 않았다. 세령과 마주치던 순간에야 '죽음'이 그에게 돌진해왔다. 그는 훅, 나뒹구는 듯한 느낌을 받았다. 등허리가 휘청하고 어깨가 덜그럭대듯 흔들렸다. 몸이 통째로 박살날 것 같은 압박감과 자신의 딸이 알몸사체로 구경꾼 앞에 누워 있다는 데 대한 모욕감과 자신의 세계가 이런 식으로 파괴될 수도 있다는 데 대한 분노와 어떤 식으로도 되돌릴 수 없다는 무력감과 자신에 대한 통제력을 상실할지도 모른다는 자각이 폭풍처럼 그를 뒤흔들었다. 마흔두 해를 살아오는 동안 단 한 번도 겪어보지 않은 충격이었다.

영제는 지퍼가 채워지는 바디 백을 이를 악물고 노려봤다. 한솔등 물속기슭이라고…… 이제는 사인을 규명하기 위해 바디테이블에 눕겠지. 검시관은 저 몸을 난도질할 터이고. 그는 세령을 끌어내려 따귀라도 갈기고 싶은 충동에 빠졌다. 지금 당장, 눈뜨고 일어나 집으로 돌아가라고. 네 아빠, 오영제가 정한 네 자리로.

"선생."

선수가 불렀다. 탐색하는 눈이 영제를 살피고 있었다. 영제는 물었다.

"부검결과는 언제 나옵니까."

"빠르면 이틀, 늦으면 일주일 정도. 그때가 되면 사고인지 사건인지 결론이 나겠죠."

선수는 영제에게 붙박은 시선을 거두지 않고 입술만 움직여 대꾸했다.

"어느 쪽이라고 생각합니까?"

"사건일 가능성이 있다고 보는데, 선생 생각은 어떠시오."

영제는 대답하지 않았다. 선수가 물었다.

"혹시, 아이가 물에 빠진 걸 알고 있었소? 보안팀장 말에 의하면, 옷이 발견된 지점에서 만났다던데."

"만약, 호수에 빠졌다면 거기에 걸릴 거라고 추측했을 뿐입니다."

"왜 하필 호수요. 다른 추측도 해볼 수 있을 텐데. 가령, 납치라든가."

"혹시, 딸이 있습니까?"

노트북을 두들기던 애송이가 눈을 들어 흘끗 봤다. 선수가 되물었다.

"육감이다, 그 말씀이신가."

"그렇습니다."

"그래서 출근도 안 하시고 아침부터 호수를 지키셨다?"

"그렇습니다."

선수는 고개를 끄덕였다.

"처음으로 돌아갑시다. 아이가 집을 나간 게 정확히 몇 시쯤이오?"

"밤 9시 40분경일 거요."

"그때까지 아이가 뭘 하고 있었는데요?"

"제 방에 잠들어 있었어요."

"잠든 상태로 나갔다는 거요?"

"깨어난 후에 도망갔다는 거요."

"도망친 이유가 뭡니까?"

"교정을 받는 게 싫었겠지요."

"교정이라. 무슨 교정? 잠들어 있었다면서."

"학회 참석차 서울에 다녀와 보니 잠들어 있었다는 얘깁니다. 집 안은 엉망이었고. 그래서 깨웠습니다."

"때려서 깨운 거요, 깨워서 때린 거요?"

영제는 팔짱을 끼고 잠시 자기 무릎을 내려다봤다. 생각해가며 말할 시점이었다.

"후자였어요. 따귀였던 걸로 기억하고."

"따귀에 도망갔단 말이오? 아빠가 앞을 지키고 있는데, 그것도 야밤에 호수안길로?"

"매를 겁내는 아입니다. 겁이 나면 공격성을 띠는 성격이고. 저한테 뜨거운 촛농이 든 유리잔을 내던지고 창문을 뛰어넘었어요. 곧장 따라 나갔는데도 못 찾았습니다."

"아이가 육상선수요?"

"별채에서 정문까지는 50미터도 되지 않습니다. 열려 있는 문은 정문뿐이고. 당연히 그리로 갔으려니 한 겁니다. 차를 몰고 나가서 마을을 한 바퀴 돌고 후문에 도착할 때까지 못 찾은 거고요. 그래서 정문으로 나간 것도, 마을로 도망간 것도 아니라고 판단했습니다."

"그래서 안길로 들어가신 거고."

"그곳은 남자도 밤에는 들어가지 않는 곳입니다. 혹시나 하고 갔지만 별 기대는 안했어요. 그보다는 없다는 걸 확인하러 간 셈인데 취수탑 부근에서 뭔가 움직이는 걸 봤어요. 아이인 줄 알고 쫓아갔는데 중간에 놓쳐버렸고. 도로폐쇄지점까지 가봤는데 없더군요."

"거기서 바로 되돌아 나왔소?"

"나가는 길에 선착장 앞에서 한 번 섰어요. 문 밑에 세령이만 한 아이가 겨우 들어갈 틈이 있습니다. 아시다시피 호수주변은 철망담장이 있어서 다른 곳으로는 못 들어갑니다. 랜턴을 비추면서 나오라고 타일러 봤어요. 마치 아이를 찾아낸 것처럼."

"나옵디까?"

"그랬다면 호수 밑에서 발견됐겠습니까?"

"나왔다가 죽을 수도 있지 않겠소?"

영제는 선수를 정면으로 봤다. 뭔 얘기를 하자는 걸까, 이 개자식은.

"안길에는 없다고 판단했어요. 스스로 돌아오길 기다리는 게 낫겠다고 결정했고."

"그런데 밤새 안 들어왔다. 그래서 선생은 어떻게 했소?"

"실종신고를 하고 수색대를 짰지요. 마을사람과 수색견을 동원해 수목원, 마을, 세령봉 오리나무 숲, 목장 축사, 선착장, 호수비탈까지 샅샅이 뒤졌어요."

"뭐 좀 있던가요?"

"아무것도."

"아무것도 없다는 사실이 어떻게 해서 호수에 빠졌다는 육감으로 연결되는지 설명 좀 해보겠소?"

"지상이 아니라면 물속밖에 더 있습니까. 내가 알기로 내 딸은 하늘을 나는 재주가 없습니다."

두 시간 후, 그는 지소를 나왔다. 조용하던 세령마을 거리에는 기자들이 몰려들고 있었다. 동행하여, 밤이 들이닥쳤다. 영제는 빠른 걸음으로 그들을 통과해 수목원으로 들어섰다. 쉬고 싶었다. 샤워를 하고 독한 술을 한 잔 마신 뒤 자리에 눕고 싶었다. 충격으로 들끓는 머릿속을 식히고, 사고와 행동에 정돈된 질서를 부여하고 싶었다. 머리회전만이라도 평상으로 돌려두고 싶었다.

102호 앞에 마티즈가 세워져 있었다. 샤워꼭지처럼 땀을 흘려대는 덩치가 몰기엔 애처로울 정도로 작은 차였다. 눈매가 드세게 생긴 제 마누라나 타면 모를까. 영제는 마티즈 보닛 앞에서 걸음을 멈췄다. 룸미러에 씩 웃고 있는 야광해골이 달려 있었다. 마티즈와 웃는 해골, 이 조합을 어디서 봤을까. 전날부터 던지고 있는 질문이었다. 당돌한 꼬마 녀석을 만난 일요일 아침부터.

꼬마 녀석은 전단지 속의 세령을 염치없이 뜯어보고 있었다. 영제는 그 꼴을 지켜보다 슬슬 부아가 났다. 세령을 바라보는 시선이 마음에 들지 않았다. 딸한테 치근거리는 동네건달을 만난 기분이었다. 낯선 얼굴인 데다 세령의 또래라는 점도 그런 기분에 한몫 보탰을 것이다. 엉덩이를 한 대 걷어 차줄까, 싶기도 했다. 내 딸한테서 멀찌감치 떨어지라고.

그때 마티즈가 나타났고, 저 웃는 해골을 봤다. 기이할 정도로 신경이 쓰였다. 마티즈와 웃는 해골. 분명 어디선가 마주쳤다는 생각이 들었다. 그것도 아주 최근에.

마티즈에서 내린 거한을 녀석은 '아빠'라고 불렀다. 영제는 호기심이 생겼다. 녀석이 누군지 알고 싶었다. 저런 놈을 아들로 둔 남자가 어떤 인간인지 보고 싶었다. 어디서 저 마티즈와 웃는 해골을 봤는지, 기억해내고 싶었다. 현수에게 시비를 건 것은 그 때문이었다. 그냥 덩치만 큰 남자였다. 아들 앞에서, 생면부지 남자에게 모욕을 당하고도 화낼 줄 모르는 사내였다. 주눅이 들어 땀을 삘삘 흘리고 허둥대는 소심한 인간이었다. 허리를 굽히며 살아온 천한 근성이 뼛속까지 배어 있는 자였다. 그런 제 아빠를 대신해 녀석은 빚을 갚았다. 녀석이 던진 직구에 영제는 실제로 심장을 강타당한 기분이었다.

세령도 그런 식으로 무작정 아빠를 옹호한 적이 있었던가. 영제는 기억을 헤집다가 그만두었다. 아무도 없는 컴컴한 집 앞에 서서, 죽은 딸이 자신을 사랑했다는 근거를 찾으려고 애쓰는 꼬락서니라니. 하영은 제 딸이 죽은 걸 알고나 있는 것인가. 세상이 세령의 죽음에 대해 떠들고 있는 이 밤에, 어미 된 여자에게선 전화 한 통 없었다. 마땅히 분노가 치밀어야 하건만 정반대의 것이 그를 덮쳤다. 그는 서늘한 파도에 눌려 휘청, 널브러지는 심정이었다.

영제는 계단에 엉덩이를 걸치고 앉았다. 마티즈 앞에 세워둔 자신의 BMW를 물끄러미 응시했다. 마티즈, 해골…… 트레일러. 마침내 그는 너무나 사소해서 흘려버리고 만 기억 하나와 맞닥뜨렸다. 철판운반용 트레일러 세 대, 그 앞으로 들어가며 길을 비키던 마티즈, 경적을 울리며 지나가는 자신의 차. 컴컴한 마티즈 차창 안에서 저 야광해골이 웃고 있었다. 세령휴게소 부근 도로였다. 101호 덩치는 수목원이 아니라 고속도로에서 처음 만난 것이었다. 덩치가 이사를 오던 일요일 아침이 아니라 세령이 죽은 금요일 밤에.

영제는 일어났다. 그래서 어쨌단 말인가. 세령휴게소를 지나는 차량은 수도 없이 많은데.

그날 밤 안길로 들어온 차량이 둘이었다. 두 번째 들어온 차량은 빠른 속도로 달려오다 갑자기 멈췄고, 20분쯤 머물다 사라졌다. 20분 동안 뭘 했을까?

문득, 공포에 질려 비명을 내지르며 문 밑 틈으로 빠져나가는 세령의 모습이 떠올랐다. 옷이 찢기고, 세령은 도로로 튕겨나가고, 때맞춰 차가 달려오고…….

영제는 다시 통행로로 내려갔다. 생각해볼 가치가 있는 질문이었다. 후문을 나가 안길로 들어갔다. 검은 하늘에 적황색 보름달이 떠 있었다. 호수비탈은 석양녘 들판처럼 붉었다. 가시박덩굴 밑에서 피어오르는 안개도 붉었다. 떠도는 대기마저 붉은 밤 속으로, 그는 느릿느릿 걸어갔다. 들리는 것이라곤 수문의 물소리와 자기 발소리뿐인 고요한 세상 속으로 들어갔다.

승환은 선착장 안으로 들어섰다. 자물쇠와 사슬을 평소처럼 문 안쪽에 채워둘까 하다가 그냥 놔뒀다. 길어야 1, 2분이면 끝날 일이었다. 부교 끝에 다다르자 선 채로 잠시 귀를 기울였다. 쓰르라미 한 마리가 쓰륵쓰륵, 울고 있었다.

그는 부교 끝에 무릎을 꿇고 허리를 굽혀 기둥 밑을 더듬었다. 아무것도 잡히지 않았다. 가슴이 덜컥 내려앉았다. 다른 기둥들도 더듬어봤다. 위치를 정확히 기억하고 있었지만 혹시나, 싶었다. 역시나 없었다. 물속으로 손을 넣어 휘저어봤다. 아무것도 잡히지 않았다. 랜턴을 켜서 수면에 대고 밑을 비춰봤다. 아무것도 보이지 않았다.

승환은 망연자실해서 주저앉았다. 지난 사흘 동안 일어난 일 중 최악이었다.

그가 낚싯줄을 기억해낸 건 불과 한나절 전이었다. 119잠수팀의 수색 과정을 CCTV로 지켜볼 때만 해도 아무 생각이 없었다. 세령이 언제, 어디쯤에서 발견될지 하는 문제에만 관심이 있었다. 물의 흐름을 감안하면 세령은 스크린 근처에서 발견됐어야 했다. 잠수팀이 취수탑 가까이 접근했는데도 발견하지 못했다면 자신과 만났던 지점에서 일직선으로 가라앉았다는 얘기였다. 세령마을이 끝나는 한솔등 기슭, 자신이 들어왔던 길을 포기하고 곧장 상승해버린 지점. 일순 그는 얼이 빠져버렸다. 세령을 만난 밤에 잊고 온 '무언가'가 뭔지, 그제야 알아차렸던 것이다. 물속 마을길을 따라 걸어둔 낚싯줄이었다.

승환은 박 주임에게 적당한 핑계를 대고 호수로 달렸다. 대책이 있어 간 건 아니었다. 동네주민이 죄다 몰려든 판에 그것이 안녕한가, 확인할 수는 없는 노릇이었다. 잠수팀이 오지랖 넓게 그걸 끌고 올라와도 말릴 도리 역시 없었다. 앉아 있는 게 불가능해서 갔을 뿐이었다.

팀장은 호수비탈에 서 있었다. 하얗게 질린 채, 땀을 줄줄 흘리면서도 시선을 호수에서 떼지 못했다. 그는 팀장이 어떤 상태인지 알아차렸다. 소심하다 못해 유약하게 보이는 그 남자는 자기 덩치만큼이나 큰 내부적 위험에 처해 있었다. 그 상태로 시신의 눈과 마주치는 날엔 치명적인 화상을 입을 게 빤했다. 그런 사람을 전에도 본 적이 있었다. 무심코 시신인양 장면을 구경하다 의식의 방어막이 타버리는 사람. 흔히들 귀신에 씐다고 하는 경우였다.

그는 팀장의 눈을 손으로 가려버리고 싶었다. 그러지 못한 것이 끝내 문제가 됐다. 팀장은 인양된 시신에게 눈을 빼앗겼고 예상됐던 타격을 받았다. 현실이 사라지고 오직 하나의 초점에만 의식을 맞추는 수동공황에 빠져버렸다. 그때 팀장의 영혼은 오로지 세령을 향해서만 열려 있었다. 마치 자신이 세령의 아빠라도 되는 것처럼.

승환이 미처 예상치 못했던 건, '진짜 아빠'의 반응이었다. 수색을 하는 동안, 오영제는 줄잡이 뒤에서 호수를 바라보고 있었다. 시선은 안정돼 있었고 표정은 냉정해 보였다. 그러나 시신이 인양되자 오영제의 태도는 극적으로 바뀌었다. 팀장과 거의 흡사한 반응을 보였다. 딸을 잃고 공황에 빠진 전형적인 아버지였다.

승환은 궁금했다. 냉정과 공황, 어느 쪽이 연기였을까. 후자라면 영제는 치과의사가 아니라 배우가 됐어야 했다. 만에 하나 공황이 실제 상황이라면, 이해할 수는 없지만 설명할 수는 있을 것 같았다. 주먹으로 자기 딸을 사랑하는 성격이라고.

그는 넋 나간 팀장을 끌고 그 자리를 떴다. 정문경비실까지 가는 동안 진이 다 빠져버렸다. 고장 난 전차를 떠메고 가는 기분이었다. 이틀 새에 벌써 두 번째였다. 위안이 하나 있었다면 낚싯줄이 발각되지 않았다는 점이었다. 하기는 어떤 한가한 잠수부가 수중수색을 4시간씩 강행하는 와중에 낚싯줄 따위에 신경을 쓰겠는가.

승환은 밤을 기약했다. 제복차림으로 갈 참이었다. 잠복해 있을지도 모르는 누군가를 만날 경우, '업무상'이라는 인상을 줘야 했으므로. 퇴근 시간을 두 시간이나 늦춘 건 그 때문이었다. 그의 계획은 단순했다. 선착장으로 들어가 낚싯줄을 잘라버린다. 그 정도면 충분했다. 납추가 달린 줄은 얌전하게 가라앉을 테니. 세령마을로 가는 길목 곳곳에 묶어뒀으므로 저 혼자 떠오르지는 않을 것이고.

그런데 없는 것이다.

어쩌면 저절로 풀려서 물속에 가라앉았을지도 모른다. 마을수색대 중 낚시광이 있어 거둬갔을지도 모른다. 어쩌면 수원으로 보낸 배낭에 들어갔을지도 모른다…….

오만 가지 '모른다'가 등장했지만 그는 이미 답을 알고 있었다. 낚싯줄은 오영제가 접수했다. 수색대가 찾아냈겠지. 아니면 토요일 밤에 CCTV

에 나타났던 손전등 빛과 관련이 있던가. 낚싯줄 윗부분 3미터 가량을 잘라갔으리란 추측도 가능했다. 쌍령재 나무에 줄을 걸 때 남겨둔 여유분이었다. 오영제가 그걸로 무얼 알아냈을지 궁금했다. 낚싯줄의 용도, 낚싯줄을 묶은 사람, 둘 다 알아냈을까. 만약, 자신이 세령마을에 들어가는 장면을 영제가 봤다면…… '봤다'라고 가정하자 무시무시한 시나리오가 등장했다.

세령의 시신이 발견된다. 경찰은 정황상 영제를 1번 용의자로 지목한다. 영제는 세령에 대한 폭행을 인정한다. 그런 다음, 세령이 매를 맞다 도망쳤고, 와중에 누군가에게 붙잡혀 성폭행을 당하고 살해돼 유기됐을 가능성을 제기한다. 예전 옆집 남자와의 시비전력을 들먹이며 용의자로 지목한 뒤 낚싯줄을 증거물로 제시한다. 이어 옆집 남자가 남몰래 야간 다이빙을 즐기는 인간이며, 선착장 부교에 낚싯줄을 묶어놓은 것도 그 때문이며, 그날 밤 선착장에 있었고, 세령은 선착장에 숨었다가 일을 당했다, 라는 완성된 이야기를 내놓는다.

승환은 땅을 치고 싶었다. 머리가 다 어질어질했다. 낚싯줄을 앞에 놓고 요리법을 연구하는 영제가 떠올랐다. 이제 형사들이 부를 일만 남았구나, 싶었다.

힘 빠진 몸을 일으키다가, 그는 그만 기함을 할 뻔했다. 오영제가 등 뒤에 서 있었다.

"여기서 뭐하는 거요?"

오영제는 머리를 기우뚱하게 기울이고 물었다. 승환은 대꾸하지 않았다. 말문이 막혔다. 관자놀이 핏줄이 팔딱거리고 몸에 서리가 내려앉았다. 비명을 지르지 않은 것만도 기특할 지경이었다. 사람을 놀라게 하는 대회가 열린다면 대한민국 대표선수는 단연 이 남자가 돼야 하리라.

"야밤에 낚시라도 하는 거요?"

"야간순찰 중이었습니다. 관리단에서 지시가 내려와서."

"아아. 근데 물속까지 순찰할 생각이신가."

오영제는 승환의 앞을 가로막고 섰다.

"거기 엎드려서 손을 휘휘 젓는다고 뭐 보이는 게 있겠소?"

승환은 제복 모자를 고쳐 썼다. 놀란 순간이 지나가자 쪽팔림과 곤혹감, 확신이 한꺼번에 들이닥쳤다. 오영제는 자신을 미행하고 있었다. 꼼짝달싹 못할 올가미를 걸기 위해서. 그래야 얘기가 맞았다. 이 시간 이 자리에서 우연히 마주칠 확률이 얼마나 되겠는가.

"예전에, 119가 생기기 전에, 그러니까 지나간 20세기에, 직업적으로 익사체를 건져주는 종족이 있었어요."

승환은 오영제를 마주보며 입을 열었다. 오영제는 바지주머니에 손을 쑤셔 넣고 차분하게 버티고 섰다.

"우리끼린 악어라고 부릅니다."

아버지는 그에게, 강도를 만나면 지갑을 던지고 튀라고 가르쳤다. 봉변을 모면하는 가장 실용적인 방법이었다. 그는 오영제가 확인하고 싶어 하는 것을 던져주기로 했다.

"악어족에겐 세 가지 금기가 있어요. 첫째, 비 오는 밤에는 물에 들어가지 않는다. 둘째, 술을 마시고 들어가지 않는다. 셋째, 서 있는 시체는 건드리지 않는다."

"재미있는 얘기요, 서 있는 시체라니……"

달빛이 오영제의 이마를 붉게 비췄다. 검은 눈이 승환을 똑바로 쏘아보고 있었다.

"주검을 다루는 자 특유의 터부죠. 돈에 눈멀어, 서 있는 시체를 건드린 악어는 하루를 못 넘기고 죽는다더군요. 시체와 팔짱을 낀 상태로 발견된다고도 하고. 서 있는 시체는 자기자리를 물려주려고 신참을 기다리는 물귀신이라고도 하고. 악어족의 재앙을 보장하는 시신이죠."

"그래서 악어가 어쨌다는 거요?"

"내가 악어의 아들이란 걸 알려드린 겁니다. 난 그날 밤, 거실에서 야구를 보면서 맥주를 마셨어요. 야구가 끝날 무렵엔 비가 내리기 시작했고."

승환은 선착장 문을 향해 걷기 시작했다. 영제는 막아서지 않았다. 뭘 더 묻지도 않았다. 생각하느라 분주한 모양새였다. 낚싯줄과 세령과 악어 삼계명 사이에 어떤 함의가 숨어 있는가, 파악하느라. 부교를 빠져나왔을 때, 영제의 목소리가 승환을 세웠다.

"한 가지 물어봅시다."

그가 돌아보자 영제는 성큼성큼 걸어와 마주섰다.

"그날 밤, 혹시 당신네 팀장이 여기 오지 않았소?"

그의 예상을 빗나간 질문이었다. 의심스러운 질문이기도 했다. 이 남자 머릿속에선 무슨 생각이 돌아가는 것일까. 영제는 덧붙였다.

"미리 집을 보러 왔다든가······"

"아뇨."

승환은 대답했다.

"그럼 이 근방에 연고지가 있나?"

"그런 걸 댁이 왜 묻습니까?"

"아. 언젠가 한 번 마주친 적이 있어서."

"본인한테 물어보세요. 외곽에서 쿵쿵대는 건 개새끼나 하는 일이에요."

승환은 곧장 몸을 돌려 선착장을 빠져나갔다. 한 대 쳤으면 사정거리를 벗어나는 게 실용주의자의 행동이었다. 영제는 따라 나오지 않았다.

그는 선착장 문을 밖에서 잠가버렸다. 안에 있는 개새끼야 문 밑으로 기어 나오든, 담장을 넘든.

취수탑 앞에 이르자 승환은 셔츠주머니에서 수첩과 볼펜을 꺼냈다. 붉은 달빛 속에 서서 메모를 시작했다.

팀장과 오영제가 근방에서 마주쳤다. 그런데 언제?

그는 두서없이 적어둔 메모들을 주르르 넘겨봤다. 아무래도 기록으로 정리할 필요가 있을 듯했다. 세령을 마지막으로 본 금요일 오후부터 금방 전 상황까지, 본 것과 아는 것과 들은 것과 사소한 느낌까지. 우선 자신을 방어하기 위해, 나아가 사건의 전체 그림을 보기 위해.

"왜 혼자 와요?"

집에 들어서자마자 강은주가 물었다.

"서원아빠는요?"

승환은 현관에서 멈칫 섰다. 그녀의 표정으로 보면, 혼자 들어온 것이 문제적 행동인 듯싶었다. 미소를 띠고 있었지만 그를 보는 눈은 웃고 있지 않았다. 서원은 그녀 뒤에 서 있었다. 손가락으로 귀 옆에 뿔을 세우고 윙크하듯 한쪽 눈을 찡긋거렸다. 상황과 대책을 알리는 신호 같았다. 엄마 화났으니 알아서 기시라.

"예, 일을 좀 보느라고 늦었습니다."

"같이 있는 줄 알았는데. 서원아빠도 전화를 안 받고 승환 씨도 연락이 안 돼서."

승환은 황당하고 어색했다. 이거 야단맞는 분위기 맞지, 싶었다. 한집에 산 지 겨우 이틀째인데. 그는 바지주머니에 손을 넣었다. 휴대전화가 꺼져 있었다. 퍼뜩, 안길로 들어가기 전에 꺼둔 기억이 났다. 컴컴한 길에서 전화벨이 울리는 것만큼 기겁할 일이 또 어디 있겠는가. 전원을 켜보니 부재전화 두 통이 찍혀 있었다. 둘 다 집 전화였다.

"꺼져 있었네요."

"서원아빠 어디 갔는지 모르세요?"

그녀는 비켜줄 기미가 아니었다.

"엄마, 아저씨 배고프시겠어요."

서원이 제 엄마의 팔을 당기며 말했다. 그녀는 아들의 손을 털어버렸다.

"아빠가 와야 저녁을 먹지."

전날 저녁에도 나왔던 대사였다. 나가서 찾아오라는 말로 들렸다. 보아하니, 이사 오기 전에 부부싸움을 한 분위기였다. 두 사람은 눈 한 번 마주치지 않았다. 승환은 서원과 함께 팀장을 잡으러 휴게소로 가야 했다. 밥을 얻어먹으려면 오늘도 가야 할 모양이었다.

"제가 찾아볼까요?"

그가 묻자, 그녀는 몸을 빙그르 돌려 주방으로 갔다.

"기다리면 오겠죠."

은주의 화법은 교묘했다. 직접 부탁하지 않고도 자기 뜻대로 사람을 부리는 재주가 있었다. 승환은 돌아서서 현관문을 열었다. 서원이 잽싸게 따라 나왔다.

"엄마, 저 아저씨 따라갔다 올게요."

"가긴 어딜 가."

그녀가 돌아보며 소리쳤다. 서원은 이미 별채앞길을 쌩하니 달려 내려가고 있었다.

휴게소 샛길은 안길보다 어두웠다. 가로등도 인가도 없는 탓이었다.

세령재 위, 휴게소 첨탑만이 파르스름한 빛을 뿌리고 있었다.

"엄마 오늘 화 많이 났니?"

승환은 랜턴을 켜며 물었다. 서원은 그에게 몸을 바짝 붙이며 대꾸했다.

"아빠가 또 약속을 어겼으니까요."

"무슨 약속."

"술을 끊겠다는 약속이요. 엄마 말로는, 아빠가 마신 술병으로 성을 쌓고도 남는대요."

서원의 목소리가 시무룩해졌다. 승환은 화제를 돌렸다.

"학교는 어떻디. 좋디?"

"학년마다 반이 하나씩 있어요."

'좋다, 싫다'를 드러내지 않는 대답이었다. 몸에 밴 듯한 언어습관이었다.

"몇 명이나 돼?"

"5학년은 열세 명이에요."

"작은 학교구나. 서로 다 친하겠다."

"그렇지도 않던데요. 마을 애들하고 사택 애들하고 같이 안 놀아요. 밥도 같이 안 먹고 서로 말도 안 붙여요. 저는 어느 쪽이랑 놀아야 할지 잘 모르겠어요."

"너한테 말 붙이는 아이는 없어?"

서원은 고개를 끄덕였다.

"애들이 절더러 별채 아이래요."

승환은 무심코 생각했다. 세령도 별채 아이로 불렸다는데.

"그럼 종일 뭐하면서 지냈어?"

"구경했어요. 게시판에 세령이란 아이가 그린 그림이 있었어요. 제목이 '무궁화 꽃이 피었습니다'인데요, 어쩐지 무섭고, 슬프고, 제 생각에는 아주…… 예술적인 그림 같았어요."

승환은 자신도 모르게 빙그레 웃었다.

"그래? 어떤 그림인데."

"창문 밑에 고양이 한 마리가 앉아 있는데요, 곁눈질로 몰래 자기 뒤를 훔쳐보고 있어요. 뒤에는 숲이 있고요, 보름달이 환하게 나무들을 비추고 있어요. 어떤 나무 뒤에는 긴 머리칼만 나부끼고요, 어떤 나무 사이에선 여자아이 종아리가 통, 통, 통 뛰어다녀요. 공중계단을 올라가는 것처럼 하늘로 걸어 올라가는 맨발도 있어요. 이것도 제 생각인데요, 그 애와 고양이가 집 뒤 숲에서 무궁화 꽃이 피었습니다, 놀이를 하는 중인 것 같았어요. 긴 머리칼이나 종아리나 맨발은 고양이가 곁눈질로 몰래 본 그 아이 모습이고요."

서원은 잠깐 말을 멈추더니 승환을 올려다봤다.

"그 아이, 죽었지요?"

비밀을 말하듯, 속삭이는 목소리였다. 통통한 볼에는 소름이 돋쳐 있었다.

"사실은요, 저 그 아이 봤어요."

승환은 어리둥절했다. 호숫가에서 서원을 본 기억이 없었다.

"마을아이들이 119구조대가 호수에 왔다고 구경하러 간다고 해서 저도 따라갔어요. 옛날에 저도 119아저씨한테 구조된 적이 있거든요. 잠수부아저씨는 오늘 처음 봤지만요. 잠수하는 것도 처음 봤고요."

"끝까지 다 봤니?"

고개를 끄덕이는 아이의 얼굴이 어두웠다.

"동네사람들 틈에 서 있다가 아빠랑 아저씨를 봤어요. 그래서 곁으로 다가가려고 하는데 그 애가 호수에서 나왔어요."

승환은 이마가 서늘해지는 걸 느꼈다. 호수 밑에서 세령과 눈을 마주치던 그때처럼.

"전 그 애인 줄도 몰랐어요. 얼굴이 이상해서 무섭고, 토할 것 같고. 그래서 집으로 가려고 하는데 다리가 안 움직이는 거예요. 그때 어떤 아저씨가 뒤에서 제 눈을 가렸어요. 움직이지 말고, 가만히 있으라고. 나중에 그 애가 119차에 실려 가고 난 다음에, 그 아저씨가 손을 풀어주면서 죽은 아이가 그 아이라고 했어요."

승환은 휴게소 첨탑을 올려다봤다. 마음이 심란했다.

"고양이는 친구가 죽은 걸 모르나 봐요. 그 애 방 창문 밑에서 기다리고 있었어요."

"어니를 봤니?"

"이름이 어니에요? 아저씨는 그걸 어떻게 알았어요?"

"세령이가 부르는 걸 들은 적이 있어. 근데 넌 거기가 세령이 방인 줄 어떻게 알았어."

"아까, 여섯 시쯤에 고양이 소리를 들었어요. 내다보니까 그 녀석이었어요. 저 금세 알아봤어요. 그림하고 똑같이 생겼던데요. 제가 야옹아, 하고 불렀더니 꼬리로 땅을 툭툭 치며 쳐다보는 거예요. 그래서 엄마 몰래 참치 캔을 꺼내가지고 그쪽으로 넘어갔어요. 저는 그런 고양이는 처음 봤어요. 가까이 가도 도망치지 않고 제가 준 참치를 다 먹었어요. 예전에 살던 동네 고양이들은 가까이 가면 막 도망쳤는데. 야옹이 아니, 어니가 참치를 먹는 동안에 저는 방 안을 들여다봤어요. 창문이 조금 열려 있었는데 한쪽 눈을 갖다 대니까 그 애 사진이 보였어요. 전단지에 있던 그 사진요. 액자처럼 벽에 걸려 있었어요. 그래서 그 애 방인 줄 알았어요. 그만 보려고 했는데, 그럴 수가 없었어요. 그 애가 저한테 말을 걸 것 같아서……"

"무서웠구나."

서원은 고개를 저었다.

"죽은 아이는 다른 아이일지도 모른다고 생각했어요."

어느새 휴게소에 다다라 있었다. 승환은 서원을 끌고 전망대로 향하며 물었다.

"왜 그런 생각을 했어?"

"사진 속 아이는요."

서원은 잠시 망설이다 말을 이었다.

"예뻤어요. 꼭 살아 있는 것처럼."

가로등이 서원의 얼굴을 비췄다. 뺨이 발그레했다.

팀장은 전망대에서도 가장 높은 지대에 맨발로 서 있었다. 아슬아슬한 자세로 난간에 배를 기대고 발아래 어둠을 응시하며 꼼짝하지 않았다. 승환은 걸음을 멈췄다. 낮이라면 세령호가 내려다보일 터였다. 지금은 고갯마루까지 안개가 차올라 있었다. 그는 궁금했다. 무엇을 저리 골똘히 보는지, 신발은 어디다 뒀는지. 서원이 팀장을 불렀다.

"아빠."

팀장의 어깨가 소스라친 것처럼 움찔했다. 이윽고 서서히 고개를 돌려 뒤를 봤다. 창백하게 질린 얼굴이었다. 커다랗게 뜨인 눈은 서원을 향해 있었다. 그러나 서원을 보는 눈은 아니었다. 호수비탈에서 세령의 시신을 보던 그 눈이었다. 환영을 보는 눈이었다. 위험한 시선이었다. 팀장은 완전한 무방비상태에 놓여 있었다.

은주는 휴게소 노점트럭에서 사과를 샀다. 과수원에서 막 따온 것 열 개들이 한 봉지가 삼천 원. 서울에선 상상도 못할 가격이었다. 돈을 내밀고 돌아서면서 좀 전 휴게소관리부에서 받은 열이 턱 밑으로 내려갔다. 동시에 배가 고파왔다.

그녀는 전망대로 갔다. 비치파라솔 테이블에 사과봉지를 내려놓고 앉았다. 빨갛고 탐스러운 놈으로 골라 블라우스 자락에 쓱쓱 닦았다. 쌍년이 어따 대고 아줌마야. 싸가지 없이……

턱이 빠지도록 입을 벌려서 절반을 한입에 베었다. 하필 그때 백 속에서 전화벨이 울리기 시작했다. 영주였다. 입속 과육이 갑자기 처치곤란 덩어리가 됐다. 삼키자니 크고, 뱉자니 아까웠다. 그녀는 우물거리며 통화 버튼을 눌렀다. 분명 "나야" 했는데 치통환자의 신음 같은 소리가 나왔다. 전화기 저편에서 영주가 물었다.

"대체 뭐라는 거야?"

은주는 불만스러웠다. 눈도 두 개, 귀도 두 개, 콧구멍도 두 개인데 입만 왜 하나일까. 말하는 입 따로, 먹는 입 따로, 이러면 얼마나 좋을까. 사자이빨이 달린 입이 스페어로 있으면 더 좋겠지. 휴게소관리부 계집애 젖통이나 물어뜯어 놓게.

"옆이 꽤 시끄럽네. 밖이야?"

영주가 물었다. 그녀는 바쁘게 사과를 씹어 삼키고 대꾸했다.

"휴게소 전망대."

"거긴 왜? 술꾼집합소라고 실컷 욕하더니."

이유가 있었다. 살림정리는 월요일에 다 끝나버렸다. 김치며 밑반찬은 이사 오기 전에 충분히 해뒀고, 집 안은 쓸고 닦아봐야 한 시간도 채 걸리지 않았다. 화요일 아침엔 서원의 새 학교에 다녀왔다. 간 김에 급식소

인력현황을 알아봤다. 차고 넘쳤다. 원주민 여자 둘이 정기적으로 나와서 조리사를 보조하고 있었다. 그리하여 이력서를 썼다. 재활용품박스에서 주운 생활정보지에 그걸 들이밀 만한 곳이 있었던 것이다. 휴게소 식당가 캐셔 자리였다. 3교대인 데다 보수도 형편없었지만 집근처라는 이점이 있었다. 보수 좋은 일자리는 대부분 S시에 있었다.

오늘 아침, 그녀는 이력서를 들고 휴게소관리부로 찾아갔다. 여직원 혼자 앉아 있었다. 여우상에 빨간 니트 위로 도드라진 젖가슴이 볼링공만 했다.

"거기 놔두세요."

놔두고 있으라는 말인가, 놔두고 가라는 말인가. 은주는 헷갈렸다. 볼링공은 여우 낯에 파우더를 덮어씌우느라 그녀를 쳐다보지도 않았다. 한참 기다리다 그녀는 입을 열었다.

"저기, 아가씨. 서류제출하면 접수증 같은 거……"

볼링공이 파우더 뚜껑을 닫고 고개를 들었다.

"아줌마, 그냥 거기 두고 가시라고요."

은주는 머리뚜껑이 열리는 소리를 들었다. 아줌마라니. 그녀가 아는 아줌마란, 유부녀에 대한 은근한 경멸과 억세고 질긴 생명체에 대한 부당한 혐오, 친근함을 가장한 젊은 것들의 무례함이 뒤섞인 호칭이었다. 국어사전이 알려주는 아줌마란, 부모와 같은 항렬의 여자를 낮추어 부르는 말이었다. 그녀는 자신이 교복도 소화할 수 있다고 여기지는 않지만 골빈 볼링공의 엄마로 보일 만큼 늙었다고 여기지도 않았다. 볼링공이 자신을 낮춰볼 이유도 찾아낼 수 없었다. 그녀는 돈을 얻으러온 거지가 아니었다. 이력서를 내러온 취업희망자였고, 일산에 '내 집'이 있는 중산층이며, 성미만큼은 아직 시퍼런 청춘이었다. 그녀는 이력서를 도로 집어 들고 볼링공에게 자신을 소개했다.

"이것 봐, 젖퉁이 아가씨. 나는 강은주야, 아줌마가 아니고."

영주가 깔깔대고 웃었다. "내가 아줌마로 보이니?"라는 은주의 물음에는 답하지 않았다. 대신 언니부부의 전황을 궁금해했다.

"형부랑 아직도 냉전 중이야?"

"그냥 그러고 있어."

"형부가 사과 안 해?"

"좀 미친 거 같아."

"내 생각엔 무서워서 못 하는 거 같은데. 언니가 한번 말 걸어보지 그래."

"야, 야, 세상에서 제일 못된 짐승이 술 처먹고 외박하고 와서 마누라 패는 놈이야. 무릎 꿇고 기어도 봐줄까 말간데 무슨……"

"초범이잖아. 그것도 따귀 한 방이라며."

한 방도 한 방 나름이었다. 그 한 방에 그녀는 현관에서 거실로 훅 날아갔다. 두 대면 황천길로 날아간다는 뜻이었다. 봐준다는 건 '죽어도 좋아'라는 말과 다르지 않았다. 그녀는 한 방 사건이 다 자기 탓이라고 생각했다. 빌기만 하면 용서해주고, 못 지킬 약속인 줄 알면서도 매번 믿어준 게 남편의 버릇을 망쳐놓은 거라고. 그녀는 때만 기다리고 있었다. 남편이 손들고 들어오는 때, "얘기 좀 해"라고 말할 때가 모든 걸 바로잡을 기회였다. 날마다 마셔대는 술, 최근에 다시 피우기 시작한 담배, 무책임한 행동, 전화를 받지 않는 버릇까지 그야말로 '한 방'에 끝장내줄 작정이었다.

"솔직히 언니도 썩 잘한 건 아니잖아. 전화로 해결할 수 있는 일을 왜 굳이 갔다 오라고 시켜? 그리고 술자리로 전화질해대는 거 남자들 질색해. 그거 남편 쪼다 만드는 짓이야."

은주는 볼링공한테 받았던 열이 또 올라오는 걸 느꼈다. 영주는 늘 이 모양이었다. 잘잘못이 명백한 사안을 놓고도 제 형부 편을 들었다. 언니인 자신보다 동갑내기 제 형부와 더 죽이 잘 맞았다. 대화, 성격, 사고, 모든 면에서 소위 '통하는 사이'였다. 그러므로 지금 올라오는 열은 단순히 형부 편을 드는 데서 비롯된 것이 아니었다.

은주가 현수를 만난 건, 스물여덟 살 여름이었다. 중매를 선 사람이 다름 아닌 영주였다. 물론 영주 본의로 한 짓은 아니었다. 막 중학교 영어 선생이 된 영주에겐 데이트신청과 소개팅이 하루가 멀다고 쏟아졌다. 꽃다운 나이에 꽃만큼 예쁜 데다, 꽃보다 비싼 직장을 가지고 있으니 어찌 안 그랬겠는가. 주말에도 한없이 한가한 은주로선 영주의 경이로운 스케줄관리 능력이 그저 존경스러울 뿐이었다. 여름방학을 맞은 날, 영주는 정체모를 '놈'과 제주도로 2박 3일 여행을 떠났다. 은주도 여름휴가를 맞아 선풍기 앞에 엎어진 월요일이었다. 점심 무렵, 라면에 떡을 넣을까, 만두를 넣을까, 고민하던 차에 영주의 전화를 받았다. 제주공항이라고 했다. 비행기에 타고서야 기억난 일인데 저녁에 소개팅이 잡혀 있다는 것이었다. 보잉 747을 제 맘대로 돌릴 수가 없어서 내처 와버렸으니 언니가 그 문제를 해결해달라고 했다. 프로야구선수라고 했다. 막 제대한 신인이라 2군에 있지만 곧 1군으로 올라갈 것이며 지금은 가진 게 없어도 장래가 탄탄한 '재목'이라 들었다고 했다. 야구에 대해선 쥐뿔만큼도 아는 게 없는 은주였지만 '재목'의 의미정도는 알고 있었다. 물 주고 거름 줘서 키워야 나무가 된다는 얘기였다. 나이도 그녀보다 세 살이나 아래였다.

"그러니까 애를 만나라고?"

"언니, 요샌 애가 대세야. 거기다 프로야구선수잖아. 호기심 생기지 않아?"

호기심이 생겼다. 프로야구선수가 어떤 종족인지 궁금했다. 명문대학을 나왔다는 점에도 솔깃했다. 체육특기생으로 갔겠지만 어쨌든 졸업장이야 똑같지 않겠는가.

저녁 무렵, 그녀는 무등산자락에 있는 호텔 커피숍에 앉아 있었다. 누군가 강영주 씨를 찾으면 우아하게 손만 들어 보일 참이었다. 그런데 '누군가'가 나타나자 이 간단한 동작을 잊어버렸다. 머리털 나고 그토록 큰 남자는 본 적이 없었다. 흡사 커피숍 기둥이 자신을 향해 성큼성큼 걸어오는 것 같았다.

"저기…… 강영주 씨죠?"

그가 다가와 물었다. 가까이에서 보니 덩치도 무시무시했다. 일견 호리호리해 보였던 건 전체 길이 때문이었다. 종아리가 그녀의 다리 길이와 맞먹고, 허벅지가 그녀의 허리보다 더 두꺼워 보였다. 연습을 하다 나왔는지, 트레이닝바지는 먼지투성이였다. 검은 모자 밑으로 드러난 뺨에선 땀이 줄줄 흘러내렸다. 어깨엔 그녀가 들어가 앉을 만한 륙색을 메고 있었다. 그녀는 일어섰다. 남들도 다 한다는 대사를 조신한 태도로 읊었다.

"처음 뵙겠습니다."

마치 선생님에게 인사하듯, 그는 모자를 벗고 꾸벅 고개를 숙였다. 빡빡머리였고 얼굴이 고등학생처럼 앳돼 보였다. 은주가 빤히 쳐다보자 그는 모자를 덮어쓰며 어색하게 웃었다. 소년처럼 웃는 남자였다. 큰 남자치곤 감수성이 예민해 보였다. 덩치와 어울리지 않는 유순한 눈매도 인상적이었다. 자리에 앉으며 은주는 '대체 근수가 얼마나 나가요?' 하려다 황급히 말투를 고쳤다.

"몸무게가 얼마나 돼요?"

그는 또 어색하게 웃었다.

"설마 세 자리 수는 아니죠?"

그는 자신 없는 목소리로 대꾸했다.

"예. 저…… 고등학교 때까지는……"

그녀는 궁금했다. 호랑이와 고양이의 베드신이 가능할까. 이 남자와 자면 자신은 고양이문양 양탄자가 될 것 같았다.

"저는 강은주예요."

현수는 슬쩍 모자챙을 들어 올렸다. 의아한 표정이었다. 은주는 헛기침을 한 번 했다. 이상하게 목젖이 벌렁벌렁하고 말까지 엉망진창으로 나왔다.

"그러니까 영주 언니예요. 걔가…… 보잉 747을 세울 수가 없어서…… 저도 굉장히 바쁘지만…… 대신 나왔어요."

현수의 반응은 "아, 예"가 다였다. 영주에 대해서도, 그녀에 대해서도 묻지 않았다. 줄곧 은주가 묻고, 그는 "네" 아니면, "아니오"로 답하는 분위기가 이어졌다. 누나뻘 되는 여자가 나왔다고 밥맛 떨어진 건가, 하고 눈치를 살피면 그런 건 아닌듯 했다. 모자챙 밑에서 그녀를 훔쳐보는 눈과 몇 번씩이나 마주쳤다. 눈이 마주치면 그는 번번이 얼굴을 붉히며 웃었다. 헤어질 무렵에야 그녀는 한 문장으로 완성된 현수의 말을 들을 수 있었다.

"저어, 내일 1시에 게임이 있어요."

어조로 봐서 오라는 말 같았다. '내일'은 휴가 이틀째였다. 야구장 말고 어디를 가겠는가. 2군 게임이 벌어지는 야구장은 상점들이 문을 닫은 밤거리만큼이나 쓸쓸했다. 스탠드는 텅 비었고 선수들은 뙤약볕 아래에서 관중도, 함성도, 맥도 없는 경기를 치르고 있었다. 그녀는 홀로 외야석에 앉았다. 현수의 얼굴은 볼 수 없었다. 거리가 먼 데다 포수마스크를 쓰고 있었던 탓이다. 룰도 모르는 야구는 재미없고 따분했으나 그녀는 끝까지 자리를 지켰다. 뙤약볕 아래서 배부른 암탉처럼 졸면서. 어디선 가 날아온 볼이 그녀의 발밑으로 떨어지지 않았다면 아마도 푹 자버렸을 것이다. 화들짝 놀라 눈을 뜨고 보니 25번을 단 선수가 외야 쪽을 바라보며 2루를 돌고 있었다. 거리가 멀었지만 그녀는 현수라는 걸 알 수 있었다. 그는 자신을 향해 손을 한 번 흔들더니 무시무시한 속도로 3루를 넘어갔다. 한 발짝 뗄 때마다 뙤약볕에 마른 땅이 쩍쩍 갈라지는 듯했다. 그가 홈으로 들어간 후에야 그녀는 발밑에 떨어진 볼의 정체를 알아차렸다. 경기를 끝내버린 끝내기홈런 볼이었다. 그녀는 볼을 주웠다.

경기가 끝난 후, 그는 외야석으로 왔다.

"볼 이리 줘요."

왔느냐는 인사도 없이 다짜고짜 그랬다. 그녀는 어처구니없어하며 볼을 건넸다. 그는 바지에서 펜을 꺼냈다. 눈 깜짝할 사이에 볼이 그녀에게 돌아왔다.

"나 지금 구단버스에 타야 돼요."

그녀는 뭐라고 대꾸할 틈이 없었다. 고개를 들었을 때, 그는 벌써 출구쪽으로 몸을 날리고 있었다. 볼에는 이런 문장이 적혀 있었다.

I believe in the church of baseball. 92년, 8월. 최현수

이후 이틀, 현수는 연락이 없었다. 은주는 영주가 돌아오자마자 사인볼을 보여주었다. 물론 은주도 아이, 빌리브, 처치, 베이스볼 정도는 알고 있었다. 그걸 이어 붙였을 때 뭔 말인지 모르겠다는 것이지. 영주의 대답

은 이랬다.

"언니. 이 남자, 팀 로빈스야, 케빈 코스트너야?"

영어문장보다 더 어려운 말이었다.

"분위기 말이야. 어느 쪽이냐고."

역시 답변할 수 없는 질문이었다. 그녀의 기억에 케빈 코스트너는 아니었다. 팀 로빈스라는 배우는 어떻게 생겼는지 잘 몰랐다. 영주가 왜 그런 걸 묻는지도 몰랐다. 영주는 은주를 새삼스럽게 뜯어봤다.

"언니가 수잔 새런든은 아닌 거 같은데. 우선 가슴이 자두잖아."

그래, 네 젖통 크다. 은주는 하고 싶은 말을 참고, 해야 할 말을 했다.

"좀 쉽게 말할 수 없겠냐?"

"그니까, 이 남자 사인을 곧이곧대로 해석하면 '나는 야구라는 종교를 믿는다'야. 근데 이게 단순히 문장으로만 보기는 좀 그렇걸랑. 〈열아홉 번째 남자〉라는 영화에서 여주인공이 하는 멘트거든."

"열아홉 번째 남자?"

"야구영화야. 수잔 새런든이 영문학 강사로 나오는데 취미가……"

은주는 점점 불안해졌다.

"취미가 뭔데?"

"신인 야구선수를 침대에서 키우는 거."

"그러니까 나랑 한번 하자, 그 말이야?"

은주의 눈이 동그래지는 걸 보고 영주는 깔깔 웃었다.

"아니, 아니, 그렇게 단정은 못 하지. 상황과 관계없이 대사만 좋아할 수도 있으니까. 별의별 종교, 별의별 남자 시험해봐도 믿을 건 야구밖에 없다, 죄의식을 강요하지 않아서 좋고 절대로 지루하지 않아서 좋다, 대충 그런 얘기야. 이 여자가 양손에 떡을 쥐고 저울질을 하는데, 그

두 떡이 케빈 코스트너하고 팀 로빈스거든. 그래서 어느 쪽이냐고 물어
본 거야."

"글쎄 어떤 떡이든, 나한테 자자고 하는 건 맞잖아."

"꼭 그런 건 아니라니까. 그 남자한테 꽂혔으면 자리 한번 만들어봐.
내가 판단해줄게."

은주는 영주의 표정을 뜯어봤다. 침대에서 신인선수를 키우는 영문학
강사, 주단위로 남자를 바꾸는 중학교 영어선생. 이 둘 사이의 차이점이
뭔지 찾아보려고 애썼다. 30분을 뚫어지게 봐도 답이 나오지 않았다.

휴가 마지막 날, 은주는 현수의 연락을 받았다. 오후에 부산으로 이동
한다며 가기 전에 잠깐 볼 수 있겠느냐고 물었다. 옆에서 듣고 있던 영주
가 현장까지 따라 붙었다.

"팀 로빈스야."

현수를 본 영주가 그녀에게 속삭인 말이다. 현수가 화장실에 가자 은
주는 물어봤다.

"팀 로빈스가 어떻게 생겼는데?"

영주는 세 마디로 압축했다. 키 196센티미터, 소년의 미소, 사랑스러
운 숙맥. 아직 신인이지만 케빈 코스트너를 능가할 재목이라는 예언이
참고사항으로 붙었다.

현수가 돌아와 앉았다. 은주는 현수를 낱낱이 살펴봤다. 현수가 쑥스
러워하든 말든, 분위기가 어색해지든 말든. 영주 말만 들어보면 닮은 것
도 같았다. 사인볼로 보면 소년의 탈을 쓴 저질건달 같았고.

어색한 분위기를 깬 건 영주였다. 생글생글 눈으로 웃으며, 노래를 부
르듯 말하기 시작했던 것이다.

"난 영혼을 믿고, 남자의 거시기, 여자의 엉덩이, 뚝 떨어지는 커브볼,

강한 근성, 고급 스카치, 방종으로 가득 찬 수잔 손탁의 소설들, 오스왈 드의 단독범행, 인공 잔디와 지명 타자 법안도 수정되어야 한다고 믿지. 유효 타구 면적과 달콤하고 소프트한 포르노……"

은주는 얼굴이 벌게지는 걸 느꼈다. 이게 돌았지, 싶었다. 똥을 바를 데가 없어서 언니 얼굴에다 바르나, 그것도 팀 로빈스 앞에서. 현수의 반응은 달랐다. 얼굴에 감돌던 긴장이 사라지고 예의 소년 같은 미소가 퍼졌다. 토실토실한 입술에선 상상도 못한 말이 흘러나왔다.

"크리스마스 선물은 이브가 아니라 아침에 풀어야 한다는 것, 그리고 나는 길고 느리고 깊고 부드럽고 촉촉한 키스를 사흘 내내 할 수 있다고 믿지."

영주는 손을 한쪽 뺨에 포개고 쓰러지는 시늉을 했다.

"오, 마이……"

은주는 비로소 눈치 챘다. 영화의 대사를 둘이 함께 나눴다는 사실을. 애써 웃고는 있었지만 웃는 게 웃는 건 아니었다. 그녀에겐 사태를 전환시킬 묘수가 없었다. 대화는 둘을 중심으로 돌아갔다. 영화에서 야구, 포수론까지. 은주가 아는 포수는 투수의 볼이나 받아주는 '따까리'였다. 영주가 아는 포수는 이런 사람이었다.

'투수의 굳건한 표적. 어떤 공도 피해서는 안 되는 사람. 판을 읽는 신의 눈과 람보의 배짱과 야수들을 아우를 큰 가슴을 가진 사람. 지난 타석에 뭐로 승부했는지 기억할 수 있고, 타자가 노리는 게 뭔지, 관찰해낼 수 있는 사람. 경기가 끝난 뒤, 상대팀의 숨소리까지 복기할 수 있는 사람. 마스크와 레그 가드, 살보대를 착용하고 쉴 새 없이 움직이며 9이닝을 버텨야 하는 사람. 홈 플레이트로 돌진해오는 주자를 온몸으로 막아내야 하는 사람.'

"포수가 받는 첫 번째 훈련이 마스크에 공을 맞아도 눈을 깜박이지 않는 거라면서요."

영주는 양 볼에 보조개를 만들며 웃었다. 남자들로 하여금 모든 걸 용서하게 만드는 강영주표 미소였다. 현수는 감동받은 표정이었다. 은주는 엉덩이 밑이 들썩들썩해 오는 걸 느꼈다. 화가 나고, 소외감이 느껴지고, 열등감이 꾸물거리고, 불안이 머리를 들었다. 영주는 지니의 유전자를 고스란히 받은 아이였다. 지니가 그녀에게 준 것이 삶의 교훈이었다면, 영주는 B컵 가슴과 남자 홀리는 재능을 물려받았다. 그녀보다 많이 배웠고, 그녀보다 좋은 직업을 가졌고, 성격까지 사분사분했다. 그런 아이가 보조개와 요설로 팀 로빈스를 홀리고 있었으니, 그녀로선 속이 타지 않을 수가 없었다. 영주에게 일깨워주고 싶어 식은땀이 다 났다. '소개팅을 한 건 나야. 사인볼을 받은 사람도 나고. 영주 네가 아니란 말이야.'

헤어지면서 현수는 영주에게 악수를 청했다. 오랜만에 즐거웠다고 말했다. 은주에게는 이렇게 말했다.

"저 다음 주 내내 원정이에요. 토요일엔 대전에 있을 거고."

그날 밤 은주는 영주에게 물어보았다.

"너 포수랑 연애한 적 있니?"

"아니. 포수는 오늘 처음 봤는데."

"그런데 어떻게 그렇게 포수에 대해 잘 알아?"

영주는 키득거렸다. 쯧쯧, 혀를 차는 소리 같기도 했다.

"그 사람, 원래 나하고 소개팅하기로 돼 있었잖아."

"그야 그렇지."

은주는 떨떠름해서 대꾸했다.

"그래서 어떤 야구도사가 쓴 칼럼을 미리 외워뒀어. 만나면 써먹으려고."

은주는 비디오가게에서 〈열아홉 번째 남자〉를 빌렸다. 야구도사의 칼럼을 통째 외울 수는 없어도 팀 로빈스가 누군지 정도는 알아야 할 것 같았다. 영주가 잠든 후, 그녀는 홀로 텔레비전 앞에 앉았다.

더럼 불즈라는 마이너리그 팀, 백만 불짜리 팔과 5센트짜리 머리를 가진 투수 누크(팀 로빈스), 누크의 조련사로 영입한 노장 포수 크래시(케빈 코스트너), 유망주 키우기가 취미인 여자 애니(수잔 새런든). 이 세 사람의 삼각 연애질과 누크가 크래시의 조련에 힘입어 특급 투수로 성장해가는 과정, 퇴물포수 크래시의 마지막 도전을 유쾌하게 버무려낸 영화였다.

운명을 믿지 않는다는 크래시에게 애니는 "당신이 믿는 건 뭔데?"라고 묻는다. 영주와 현수가 주고받은 대사는 바로 이 질문에 대한 크래시의 답이었다. 애니는 크래시의 말을 듣다가 '3일간의 키스' 부분에서 여차하면 나자빠질 듯한 표정으로 중얼거린다. 영주가 현수를 향해 날린 대사. Oh, my…….

은주는 궁금했다. 여자는 남자에게 언제 훅, 가나. 남자는 여자에게 어느 순간에 뻑, 가버리나. 영주와 현수는 한눈에 훅, 가고 뻑, 가버린 건가. 그들은 결국 만나게 돼 있었던 제 짝이었나.

주말 오후, 그녀가 대전에 간 이유는 수백 가지쯤 될 것이다. 할 일이 없어서, 집에 처박혀 있는 게 청승맞아서, 스스로 던진 질문에 답을 얻고자, 팀 로빈스를 지니의 둘째 딸이 침대에서 키울까 봐…….

2군 경기에 관중이 없기로 치면 대전도 광주 못지않았다. 그녀가 도착할 무렵, 텅 빈 한밭구장에선 파이터즈의 9회 초 공격이 시작되고 있었다. 주자를 1, 2루에 놓고 등장한 현수는 초구에 홈런을 날렸다. 볼은 외야를 넘어 장외로 나갔다. 파이터즈는 이글스를 7대 4로 이겼다. 현수는 사인을 해주던 날처럼 그녀에게 손을 들어보였다. 그녀가 온 걸 봤다는 뜻이었다. 경기가 끝난 후엔 이전처럼 선수단 버스에 타지 않았다. 코치에게 나가도 좋다는 허락을 받았다고 했다.

그날 밤, 그녀는 많은 것을 한꺼번에 알았다. 지난번, 그녀에게 준 사인 볼이 프로입단 후 친 첫 홈런 볼이었다는 것. 아버지를 열두 살에 잃었고, 어머니는 공사장에서 함바집을 하며 세 동생과 살고 있다는 것. 자신은 선수숙소에서 산다는 것. 연봉 800만 원짜리 2군선수이고, 그나마 대부분을 어머니에게 보내고 있다는 것, 친구의 성화로 소개팅에 나가긴 했지만 결혼을 생각할 형편이 아니라는 것. 나아가 그녀는 고양이가 호랑이 밑에 밤새 깔려 있어도 양탄자가 되지 않는다는 사실까지 알아내고 말았다.

그날 밤에 만든 아이가 열두 살이 된 오늘날, 영주와 통화를 하고 있는 이 불타는 여름날에, 그녀는 케케묵은 옛일로 신열을 내고 있었다. 영주에 대한 질투 더하기 재확인한 계산서 때문에. 남자 몸이라곤 남동생 것밖에 못 봤던 그녀가 온몸을 내던져 차지한 남자는 팀 로빈스가 아니었다. 5센트짜리 머리만 닮았다.

휴게소에서 수목원까지 쭉 통화를 하며 내려오던 은주는 중앙통행로 게시판에서 걸음을 멈췄다. 사택경비를 구하는 광고가 붙어 있었다. 이사하던 날에도 봤지만 그땐 무심코 지나갔다. 경비 일을 해본 적도 없고, 할 생각도 없었으므로. 지금은 아니었다.

"영주야. 두 시간 후에 다시 전화해줘."

은주는 전화를 끊고 꼼꼼하게 광고를 읽었다. 24시간 교대근무. 너무나 당연해서인지, 채용조건에 남자라야 한다는 항목은 없었다. 연령제한만 있었다. '50세 이하'. 그녀는 이 조건이 입때 사람을 구하지 못한 이유이리라고 짐작했다. 노인들만 득실대는 이 촌구석에서 사택경비를 하겠다고 찾아올 3, 40대 남자가 얼마나 될까. 더 생각할 것도 없었다. 그녀가 믿는 종교는 은행통장이었다. 그걸 집 사느라 다 털었다. 새 통장이 필요했고, 통장을 채울 일자리가 절실했다. 때마침 손에 이력서가 있었다. 그녀는 수목원 관리사무실로 돌진했다.

관리실엔 오영제 혼자 앉아 있었다. 어딘가로 전화를 거는 중이었다. 은주는 문간에 선 채 분위기를 살폈다. 그의 딸이 끔찍한 일을 당했다는 소리를, 서원에게서 들은 바 있었다. 길바닥에 넘어진 사람에게 길을 묻는 꼴이 되면 곤란했다.

"무슨 일입니까?"

오영제가 통화를 끝내고 물었다. 며칠 전에 딸을 잃은 사람 같지 않았다. 표정이 차분했다. 소매를 걷어 올린 셔츠는 정갈해 보였다. 그녀는 이력서를 내밀었다.

"구인광고를 보고 왔는데요."

오영제는 대꾸 없이 바라봤다. 눈 뜨고 자나, 싶을 만큼 오래오래 쳐다보다 입을 열었다.

"쉬운 일이 아닙니다."

"알고 있어요."

그는 이력서를 훑어봤다. 이어 즉석 면접이 시작됐다. 표정, 태도, 행동, 모든 면에서 잘 배운 분위기를 풍기는 남자였다. 흠이 있다면 눈이 지나치게 차갑다는 점이었다. 언뜻언뜻 섬뜩한 번득임도 스쳐갔다. 물론, 은주는 신경 쓰지 않았다. 눈이 월급을 주는 게 아니었다. 마트 캐셔보다 두 배를 더 준다는데, 눈이 가오리같이 생겼다 한들 뭔 상관이랴.

"언제부터 근무할 수 있겠습니까?"

사장이 물었다. 하마터면 은주는 '내일부터라도'라고 대꾸할 뻔했다. 이런 오지에서, 그것도 집 옆에다 일자리를 구한 건 행운이었다. 앞으로 일이 잘 풀릴 징조로 보이기도 했다. 그렇다고는 해도 품위를 지킬 필요가 있었다. 그녀는 새침하게 눈을 내리뜨고 대꾸했다.

"일요일부터 할게요."

"아빠, 8시 20분이에요."

욕실 밖에서 서원이 소리쳤다. 현수는 욕조 가장자리에 앉아 용팔이와 한 판 붙고 있었다. 새로운 버전의 용팔이는 이전 놈보다 고약하고 부지런했다. 나흘 동안 네 차례나 찾아왔다. 스스로 풀리지도 않았다. 뜨거운 물에 담그거나, 주무르거나, 핫팩을 대도 쉬 좋아지지 않았다. 감각이 돌아와도 악력을 회복하는 데 한나절씩 걸렸다.

어제 아침엔 출근직후에 나타났다. 커피를 타들고 막 책상 앞에 앉으려는 참에 왼팔에서 힘이 쭉 빠졌다. 곧 왼손이 책상 모서리를 내찍으며 툭 떨어졌다. 커피 잔은 바닥에 부딪혀 박살이 났다. 박 주임은 눈이 휘둥그레져서 늘어진 팔과 현수의 얼굴을 번갈아 쳐다봤다. 현수는 얼굴이 벌게져서 팔을 주무르기 시작했다. "괜찮아, 가끔 이래. 금방 좋아져"라고 궁색한 변명을 해가면서.

팔은 한 시간 후에도 변함없이 늘어져 있었다. 현수는 안절부절못했다. 어떻게 해야 할지 알 수가 없었다. 그간 해온 대증요법들은 이제 효과가 없었다. 박 주임이 커터 칼을 꺼내든 건 퇴근 무렵이었다. 일언반구 설명도 없이, 허벅지에 올려놓은 현수의 왼손을 꽉 움켜쥐더니 칼끝으로 중지를 찔러버렸다. 검붉은 핏방울이 후드득 떨어졌다. 놀랄 틈도 없이 팔꿈치에 전류가 흐르는 듯한 감각이 돌아왔다. 몇 분 후엔 악력도 돌아왔다. 현수는 팔을 내려다보며 손가락을 오므렸다 폈다 했다. 민망하기도 하고 신기하기도 했다.

"자넨 이런 걸 어떻게 아나?"

현수가 묻자 박 주임은 어깨를 으쓱했다.

"우리 어머니가 가끔 이러세요. 어머니는 팔이 아니라 다리지만. 아버지 때문에 하도 속을 끓여서 화병이 있거든요. 한 번씩 도지면 발끝 하나 못 움직이는데, 그럴 땐 약이고 뭐고 소용없어요. 발끝을 찔러서 피를 뽑는 게 최고지. 그러다 보니 본의 아니게 칼잡이가 된 거죠. 언제든 말씀만 하세요. 사양하지 않고 찔러드릴 테니까."

박 주임은 커터 칼을 서랍에 넣다가 갑자기 고개를 갸웃하며 돌아봤다.

"근데 팀장님도 화병 있어요?"

현수는 욕실 장을 열고 구급함을 뒤졌다. 쓸 만한 것이 없었다. 가위고 핀셋이고 모조리 끝이 뭉툭했다. 팔은 여전히 죽은 뱀처럼 늘어져 있었다. 밖에선 누군가 욕실 문을 두들겼고 좀 더 멀리에선 서원이 노래를 불렀다.

"아빠, 25분이에요."

현수는 세탁기 위에 왼손을 눕힌 뒤 양치용 컵을 세면기 가장자리에 내리쳤다. 사기 컵이 박살나면서 날카로운 조각들이 세면기와 바닥으로 흩어졌다. 그중 하나를 집어 중지 끝을 푹 찔렀다. 핏방울이 몽글 솟구치더니 이내 핏줄기가 돼서 손가락 사이로 떨어져 내렸다. 현수는 자신도 모르게 신음을 뱉어냈다. 혈관을 틀어막은 어떤 것이 핏줄기와 함께 몸 밖으로 빠져나가는 기분이었다. 참았던 소변을 쏟아낼 때처럼 야릇한 쾌감까지 느꼈다. 감각이 돌아오는 것도 느꼈다. 사금파리로 지른 부분이 쑤시듯 아렸다. 다시 밖에서 노크소리가 났다. 그는 구급함에서 일회

용밴드를 꺼내 손끝에 둘렀다. 물을 틀어 핏물을 씻어내고 사금파리들을 쓸어 모아 쓰레기통에 버렸다. 문을 열자마자 누군가 번개처럼 뛰어들었다. 승환이었다.

"밖에서 기다릴까?"

현수는 욕실 문에 대고 물었다. 안에서 힘을 잔뜩 준 대꾸가 들려왔다.

"먼저 가세요."

서원은 가방을 메고 현관에 서 있었다. 은주는 등을 돌리고 설거지를 하고 있었다. 그가 옷을 갈아입고 나올 때까지 본체만체했다. 차라리 고마웠다. 그녀에게 고백하겠다는 생각은 월요일 이후로 완전히 사라졌다. 소용없는 후회만 되풀이됐다. 설령 직장을 그만두는 한이 있더라도 이곳에 오지 말았어야 했다고. 어떻게든 넘어갈 수 있으리라 여긴 건 과신이고, 판단착오였다.

그 아이는 어디서든, 무시로 튀어나왔다. 피투성이가 된 아이의 모습이, "아빠"라고 부르던 목소리가, 왼손 밑에서 버둥거리던 몸부림의 감촉이. 누가 그 일을 저질렀는지 일깨우는 일은 매일 매순간 일어나고 있었다. 각성의 순간에는 미칠 것 같고, 미칠 것 같은 순간이 지나면 망연자실의 순간이 찾아들었다. 그 순간은 공포의 다른 이름이었다. 자신에 대한, 미래에 대한, 앞으로 무슨 일을 저지를지 모른다는 데 대한, 부서진 삶을 다시는 복원할 수 없다는 데 대한 공포.

술이 아니면 쓸쓸하고 무서운 그 순간을 견디기 힘들었다. 자신이 불모의 대지에 홀로 서 있는 오두막 같았다. 은주가 "서원아빠, 무슨 일 있어?" 하고 물으면, 철썩 무릎을 꿇고 모든 걸 얘기해버릴 것만 같았다. "나 어떻게 할까"라고 물을 것만 같았다. "확 죽어버려" 하면, 죽을 수도 있을 것 같았다. 자수하라면, 할 수 없었다. 서원이 아빠를 살인자로 기억하는 건 죽음보다 끔찍한 일이었다. 최서원이란 이름 뒤에 붙을 '살인범의 아들'이란 딱지가 죽음보다 무서웠다. 다 같이 죽자고 하면…… 그런 건 상상조차 하고 싶지 않았다. 시도 때도 없이 나타나 자신을 아빠라고 부르는 여자아이와 싸우는 게 나았다. 어린 시절, "현수야" 하고 부르던 우물 속 목소리와 싸웠듯이. 그러므로 버텨야 했다. 시간이, 시간이 다 해결할 것이다.

"가자."

현수는 제복모자를 썼다. 서원도 손에 들고 있던 야구모자를 썼다.

"아저씨는요"

"우리 먼저 가래."

안개가 짙은 아침이었다. 집 앞 가로등이 아직 켜져 있었다. 그 밑에 세워둔 그의 차를 낯선 남자 둘이 살피고 있었다. 나이가 든 쪽은 앞 차창 안을, 젊은 쪽은 범퍼를 들여다보고 있었다. 두 사람이 누군지, 현수는 금세 알아차렸다. 불안이 밀려들고 화가 치밀었다. 허락도 없이 남의 차는 왜 들여다보는가.

"여기서 기다려라."

그는 서원을 현관 계단 밑에 세워두고 길을 건너갔다. 젊은 남자와 마주섰다.

"내 차에서 뭐하는 겁니까?"

"아, 그냥 좀 봤습니다."

젊은 쪽이 대꾸했다. 그의 손엔 경찰신분증이 들려 있었다.

"좀 보다니요."

중년형사가 젊은 형사 옆으로 와서 섰다. 툭 던진 시선이 갈고리처럼 현수의 눈에 박혔다.

"장식물이 재미나서 말이오, 실실 쪼개는 해골이라."

현수는 태연하게 마주보려 했지만 잘 되지 않았다. 경련이 일듯 눈꺼풀이 저 혼자 까막까막했다.

"아이가 선물한 겁니다."

"아, 저 아이?"

중년형사는 서원을 향해 엄지를 젖혔다. 현수는 대답하지 않았다. 손가락질이 불쾌했다.

"근데 언제 이사를 왔다고 하셨더라?"

"일요일에 왔다고 말씀드렸는데요."

"나한테?"

"다른 형사 두 분에게 했습니다."

"아아."

중년형사는 손가락으로 코끝을 긁으며 물었다.

"정식근무는 언제부터 했소?"

"월요일부터 했습니다."

"그러니까 8월 27일……"

"30일입니다."

"그 전에 여기 와보지는 않았고?"

현수는 곁눈질로 서원을 봤다. 그 자리에 가만히 서 있었다.

"그렇습니다."

"그 참, 특이하시네. 대개 이사할 집을 미리 둘러보러 오지 않소?"

"안 왔습니다."

"차는 언제 고치셨소?"

현수는 목에서 할딱거리는 숨을 가까스로 눌러 삼켰다. 그 바람에 대답할 시점을 놓쳤다.

"사고라도 난 거요?"

"몇 달 됐습니다."

"햐, 그 수리 센터 기술 예술이구려. 몇 달 전에 고친 차가 사나흘 전에 손본 차 같으니. 거기가 어디요? 나도 좀 압시다. 단골 삼게."

"저 지금 출근해야 합니다만."

중년형사는 알았다는 듯, 고개를 끄덕이면서 질문을 멈추지 않았다.

"근데 그 아이 말이오. 혹시, 죽기 전에 본 적 있소?"

현수는 소리라도 지르고 싶은 심정이 됐다. 실제로 나온 목소리가 고함에 가까웠다.

"무슨 질문이 그렇습니까?"

"뭘 말이오?"

"30일부터 근무를 했다고 말씀드렸잖습니까."

"아…… 그렇지."

중년형사는 검지로 자기 관자놀이를 툭툭 쳤다.

"젊은 당신이 이해하시오. 우리 나이가 되면 이게 밥통이 되거든."

"이걸로 다시 볼 일 없다고 생각하면 됩니까?"

"글쎄 그건 장담 못 하겠는데. 사방으로 껄떡대고 다니는 게 우리 일이라 말이지."

두 형사는 몸을 돌리고 나란히 통행로 쪽으로 향했다. 현수는 서원을 돌아보다가 멈칫했다. 중년형사의 혼잣말이 귓속으로 새어든 탓이었다.

"씨발새끼, 지가 죽였나. 왜 얼굴이 허예져서 히스테리야."

목소리 크기로 미루어 '씨발새끼'더러 들으라는 혼잣말이었다. 현수는 얼굴에서 피가 빠지는 걸 느꼈다. 슬그머니 차창을 내려다봤다. 얼굴은 보였지만 안색까지 보이지는 않았다. 그는 이해할 수 없었다. 당시 자신은 세령호에 있지 않았다. 적어도 공식적으로는. 가장 먼저 용의 선상에서 비켜나야 맞는 것이다. 그런데 왜 자꾸 형사들이 얼쩡거리는가 말이다. 그들은 아직도 현수의 가시거리에서 걷고 있었다. 중년형사는 느릿느릿 움직이며 담배에 불을 붙이는 중이었다. 젊은 형사는 사방을 두리번대며 "조경 죽인다"를 연발했다.

"아빠 괜찮으세요?"

서원의 목소리가 갈비뼈 밑에서 튀어나왔다. 위치와 시점이 돌연해서 현수는 자신도 모르게 고함을 질렀다.

"아빠가 뭘?"

"아니에요. 그냥."

서원은 슬쩍 모자챙을 내리고 앞을 봤다. 챙에 반쯤 가려진 뺨이 붉었다. 현수는 금세 후회했다. 서원에게 소리를 지르는 건 좀처럼 없는 일이었다. 서원이 일곱 살이었던 그날 이후로 처음이었다.

댐 근무를 마치고 본사로 돌아온 지 한 달도 되지 않았을 때였다. 놀이터에 나간 서원은 밤이 돼도 돌아오지 않았다. 현수와 은주는 반미치광이가 돼서 동네를 뒤졌다. 서원을 발견한 곳은 동네 끝에 있는 공터였다. 철망펜스로 둘러친 공터 안에 오두막만 한 컨테이너박스 세 개가 일렬로 놓여 있었다. 컨테이너 밑엔 고양이나 드나들만 한 틈새가 있었고, 서원의 목소리는 그 안에서 들려왔다.

"아빠, 저 여기 있어요."

목소리가 꺼져가는 촛불 같았다. 현수는 랜턴을 구멍으로 넣어 안으로 비췄다. 컨테이너 아래에 욕조만 한 공간이 있었는데 서원은 그곳에 쪼그려 앉아 있었다. "서원아" 부르며 그가 허겁지겁 손을 들이밀자 서원은 꽉 틀어잡고, "아빠, 똥 마려워요" 했다. 이제 아빠가 왔으니 컨테이너를 불끈 들어 올려 자신을 꺼내고 똥을 누게 해줄 거라 믿는 눈치였다. 그는 망연자실했다. 틈새가 너무 작았다. 컨테이너를 들어 올리지 않는 한 끌어낼 방법이 보이지 않았다. 무슨 재주로 저 틈을 파고 들어갔는지 이해가 되지 않았다. 서원의 말에 의하면, 새끼고양이를 따라 들어갔다가 갇힌 모양이었다. 들어가는 건 가능했는데 나오는 건 안 된다는 것이었다. 은주가 어디선가 삽을 빌려왔지만 무용지물이었다. 땅을 파서 틈새를 넓힐 수 없었다. 순수한 땅이 아니라 높낮이가 들쭉날쭉한 암반으로 이루어진 좁다란 비탈이었다. 그사이사이를 메운 흙이 지나간 장마에 무너지면서 컨테이너 바닥과의 사이에 틈이 생긴 것이었다. 서원이 빠져버린 구멍도 그런 식으로 생겨난 것일 터였다.

119 구조대가 온 건 10여 분 후였다. 그들은 암반에 에어백을 대고 에어 컴프레서로 공기를 넣었다. 에어백이 기둥이 되면서 기중기가 아니면 들어 올릴 수 없을 듯했던 컨테이너가 위로 들리기 시작했다. 현수의 볼에는 끊임없이 경련이 일었다. 무서운 환영이 쉴 새 없이 덤볐다. 수수벌판, 우물, 현수야, 부르던 목소리, 우물 밖으로 끌려나오던 최상사의 퉁퉁 불은 얼굴…… 컨테이너가 20센티미터쯤 뒤로 기울어졌다. 순간, 고무기둥이 빵 터지면서 컨테이너가 서원의 머리 위로 무너지는 환영이 덮쳐왔다.

"아빠!"

서원의 목소리가 그를 환영의 지옥으로부터 구출해냈다. 한 구조대원이 구멍 속으로 손을 뻗어 서원의 상체를 끌어내고 있었다. 모두의 염려와 달리 서원은 너무나도 멀쩡했다. 볼이 발그레하고 눈은 반짝거렸다. 119 구조대가 자신을 구하러 출동했다는 사실에 흥분해서 어쩔 줄을 모르고 있었다. 그걸 보자 현수의 머릿속 어딘가에서 폭발이 일어났다.

"최서원!"

그는 서원의 양팔을 움켜쥐고 마구 흔들어댔다. 나쁜 놈, 못된 놈, 욕설이 튀어나오고 이런 곳에 또 들어가면 그땐 깊디깊은 우물에다 던져버리겠다는 폭언이 따라 나왔다. 서원이 울음을 터트리는데도 멈추지 않았다. 멈출 수가 없었다. 왼손의 힘을 조절하지도 못했다. 구조대원들이 떼어놓지 않았다면 그는 서원의 팔을 부러뜨려 놨을지도 모른다.

그날 밤, 은주는 서원을 데리고 안방으로 들어가 문을 잠갔다. 서원 옆에 오지 말고, 만지지도 말라고 소리 질렀다. 그의 사과도 받아들이지 않았다. 그는 서원의 방으로 들어가 작은 침대 한쪽에 웅크리고 앉았다. 이따금 자신 안에서 폭발하는 '무언가'가 두려웠다. 그걸 통제하지 못한다는 사실이 혐오스럽고 부끄러웠다. 서원이 그런 그를 위로하러 왔다. 한시간 후쯤, 제 엄마 몰래.

"나 아빠랑 잘래요."

"엄마한테 뭐라고 하고 왔어?"

"똥 누러 간다고 했어요."

서원은 입을 가리고 키득키득 웃었다.

그때의 폭발에는 부모로서의 '두려움'이라는 변명거리가 있었다. 금방전 그가 내지른 고함은 신경질에 불과했다. 서원은 모욕을 당하고도 응전하지 못하는 아빠를 어떤 심정으로 지켜봤을까. 애먼 자신에게 신경질을 부린 아빠를 어떻게 생각했을까. 그는 마른침을 한 번 넘기고 물었다.

"아빠가 학교까지 데려다줄까?"

"아빠 마음대로요."

서원은 고개를 숙인 채 대답했다. 현수는 서원의 가방을 벗겨 한쪽 손에 들었다. 다른 손은 서원의 어깨 위에 올려놓았다. 서원은 오른손에 신발주머니를 들었다. 잠시 망설이다 왼손은 현수의 바지뒷주머니에 슬그머니 밀어 넣었다. 현수는 서원과 보폭을 맞추며 별채앞길을 내려갔다. 가로등이 안개를 노랗게 비추고 있었다.

통행로로 들어서자 길을 건너가는 얼룩고양이 한 마리가 보였다. 서원이 반색해서 불렀다.

"어니."

고양이는 뒤를 한 번 돌아본 뒤 사택 숲으로 사라져버렸다.

"어니가 저 녀석 이름이냐?"

현수가 물었다. 서원은 고개를 끄덕였다.

"사택에 사는 모양이지?"

"아니오. 혼자 살아요. 세령목장 축사에서."

"넌 그걸 어떻게 알았는데?"

"마을아이들이 그랬어요. 축사에 은신처가 있다고. 동네어른들이 그 애를 찾으러 다니다가 발견했대요."

"그 애?"

"옆집 아이요."

현수는 말문이 막혔다. 옆집 아이라면 죽은 아이를 말하는 것인가.

"어니가 저녁이면 우리 방 창 밑에 와요. 엄마 몰래 참치 캔 하나 훔쳐다가 창턱에 놔두면 뛰어 올라와서 먹어요. 그래서 말인데요, 아빠가 고양이 사료를 사주시면 안 돼요? 만날 참치를 훔치면 엄마가 알아차릴 거예요."

"그런 걸 어디서 사는데?"

"읍내에 애견센터가 있대요. 아빠가 점심시간 때 사다가 붙박이장에 넣어두시면 안 될까요. 엄마 몰래요."

"엄마가 열어보면 어쩌려고."

"붙박이장은 아저씨가 쓰니까 안 열어보실 거예요."

현수는 고개를 끄덕였다. 서원의 눈에 반달 같은 미소가 번졌다. 애정과 믿음이 담긴 눈웃음이었다. 그가 가장 좋아하는 표정이었다. 초라한 삶을 견디게 하는 달빛이었다.

"어니 말이에요. 그 아이 친구였대요."

서원은 잠시 망설이다 말을 이었다.

"죽지 않았으면 나랑 짝이 됐을 거예요."

"네가 그 애 옆자리에 앉는단 말이냐?"

"지금은 그 애 자리 없어요. 선생님이 뒤쪽에다 따로 내놨거든요."

"그럼 넌 짝이 없는 거야?"

"나중에 자리를 바꿔주신다고 했어요."

현수는 걸음을 멈췄다. 벌컥 화가 치밀었다. 무신경하기 이를 데 없는 선생이었다. 갓 전학 온 아이를 앉힐 데가 없어 죽은 아이 옆자리에 앉힌단 말인가. 책상을 치웠다고는 해도 상식 이하의 행동이었다.

"언제 바꿔준다든?"

"금방이요."

서원은 턱을 틀어 현수를 올려다봤다. 또 화를 낼까 봐 불안해하는 눈이었다. 현수는 잠시 잊고 있던 것을 기억해냈다. 그 아이를 죽은 아이로 만든 게 누구더란 말인가.

"애들이 수군거리는 걸 들었는데요, 불쌍한 아이였대요. 엄마는 멀리 도망갔고요, 그 앤 아빠한테 매를 맞고 도망치다 죽었을 거래요. 그 아저씨가 그 애 아빠 맞지요? 이사 온 날 아빠한테 싸움 건 아저씨요. 무서운 아저씨인가 봐요. 그 아저씨랑 친하게 지내지 마세요."

현수는 혼란에 빠졌다. 아빠를 피해 도망치다 죽었다…….

"저는요, 엄마가 걱정이에요. 그 아저씨네 일을 하려고 하거든요."

현수는 눈을 크게 떴다. 거의 기겁한 심정이었다.

"그건 또 무슨 얘기야?"

"어저께 학교 끝나고 오는데요, 엄마가 사택 쪽에서 걸어오는 걸 봤어요. 취직하고 오는 길이랬어요. 사택경비로요. 게시판에 붙은 공고문을 보고 엄마가 찾아갔나 봐요. 집 사느라고 빚을 많이 져서 돈을 벌어야 한대요."

"정말로 한다든?"

서원은 고개를 끄덕였다.

"아빠, 엄마랑 화해하세요. 아빠가 잘못했다고 빌면 될 텐데. 엄마 화 풀리면 아빠가 잘 말할 수 있잖아요. 무서운 아저씨니까 거기서 일하지 말라고."

그는 멍하니 "그래" 했다. 서원은 안심한 얼굴로 학교 안으로 사라졌다.

정문경비실엔 전날부터 수문근무를 시작한 승환이 앉아 컴퓨터 모니터를 들여다보고 있었다. 인터넷 창에 세령의 뉴스가 떠 있었다. 현수는 화면을 외면하고 세면대로 가며 물었다.

"자네가 왜 여기 있나?"

승환이 뒤돌아보며 대꾸했다.

"박 주임이 잠깐 봐달라고 해서요. 우체국에 볼 일이 있다나 봐요."

"아…… 참, 당분간 주말에도 정상근무를 해달라는 요청이 들어왔는데."

"관리단에서요?"

승환이 되물었다. 현수는 일회용 면도기를 꺼내들고 턱에 비누를 문질렀다.

"자네만 오케이하면 되겠는데. 나도 나올 생각이니까."

"자기네들은 쉬시고 경비들만 정상근무를 하라고요?"

"요새 기자들이며 외부인들이 많이 들락거리니까 신경 쓰이는 모양이야. 회사에서 시간외수당은 지급할 거야."

"팀장님, 그때 왜 안 오셨어요?"

승환은 엉뚱한 질문으로 대답을 대신했다. 현수는 거울로 승환을 봤다.

"갑자기 일이 좀 생겨서 못 내려왔는데, 왜?"

"며칠 전에 누가 묻던데요. 팀장님 이사하기 전에 여기 오지 않았느냐고."

"누가? 형사가?"

"수목원 주인남자요."

현수는 수도꼭지를 틀어 면도기를 씻었다. 당황스러웠다. 왜 갑자기 세상이 자신을 궁금해하는지 짐작할 수가 없었다.

"뭐라고 했나."

"안 오셨다고 했더니 이 근방이 고향이냐고 하더라고요."

"그런 걸 왜 묻는다던가."

"팀장님과 어디서 한 번 마주쳤다던데요."

그 남자와 마주쳤다. 어디에서? 현수는 의아했다. 그에게도 귀가 있으므로 오영제가 어떤 남자인지 정도는 듣고 있었다. 자신과는 다른 세계에 사는 남자였다. 그 남자와 마주쳤을 확률은 지구와 명왕성이 랑데부할 가능성보다 낮았다. 그래도 혹시, 하고 기억을 더듬어봤다. 모래알을 헤듯 만나거나 스쳐간 이들을 하나하나 떠올렸다. 결론은 처음과 같았다. 그 남자와는 만난 적이 없었다. 점심 무렵엔 낙관을 가질 수 있었다. 해본 소리겠지. 인사로 쓰는 말이기도 하니까.

그는 조금 가벼운 마음으로 서원이 부탁한 사료를 사러 갔다. 때마침

읍내에 일을 보러 나가는 관리단직원이 있어 집에 세워둔 자신의 차를 가지러 갈 필요가 없었다. 돌아올 땐 택시로 왔다. 은주와 마주치면 어떡하나 싶었지만, 다행히도 집이 비어 있었다. 붙박이장에 사료를 감춰두고 집을 나서다 그는 현관계단에서 걸음을 멈췄다. 영제의 BMW가 그의 차 앞에 세워져 있었다. 불현듯 승환의 말이 되살아났다.

"팀장님과 어디에서 한 번 만났다던데요."

현수는 무언가 틀렸다는 걸 알아차렸다. '어디에서 만났다'가 아니었다. '마주쳤다'고 했다. 승환이 그 남자의 말을 그대로 옮겼다면, 만났다와 마주쳤다는 의미가 다를 수 있었다. 그는 계단을 내려가 BMW로 다가갔다. 그리고 차에 닿기도 전에 답을 찾아냈다. 그랬다. 마주친 적이 있었다. 그 남자가 아니라 저렇듯 새하얀 자동차와. 바로 그날 밤, 세령 휴게소 부근 도로에서.

그는 몸서리가 나는 걸 느꼈다. 그걸 어떻게 기억해냈을까. 그 남자는 천재란 말인가. 도로에서 스치는 차량번호를 다 기억할 만큼? 자신의 차는 BMW도 아니고 벤츠도 아니었다. 도로에서 숱하게 마주치는 차였다. 그는 마티즈를 돌아봤다. 앞 차창 안에서 형광해골이 히죽 웃었다. 출근길에 만난 중년형사의 말이 떠올랐다.

"장식물이 재미나서 말이오, 실실 쪼개는 해골이라니."

"그 참, 특이하시네. 대개 이사할 집을 미리 둘러보러 오지 않나."

"근데 그 아이 말이오. 혹시, 죽기 전에 본 적 있소?"

"차는 언제 고치셨소?"

시커먼 불안이 그의 머릿속으로 흘러들었다. 형사들도 알고 있었던 걸까. 남자가 말했을까. 그랬다면 집에 와서 기웃거리는 대신 지소로 부르지 않았을까. 세령호 CC카메라에서 단서를 얻었을까. 그것도 아니었다.

승환 말로는 호수내의 CC카메라는 어둠 속에선 먹통이었다. 그렇다면 인터체인지 카메라밖에 없었다. 차량번호로 알아낸 것은 물론, 아닐 테고.

그는 웃는 해골을 가만히 바라봤다. 네가 가르쳐준 거냐?

"딸아이가 도망치기 전 이야기를 다시 해봅시다."

선수가 녹음기 버튼을 누르며 말했다.

"때려주는 중이었다고 하셨던가. 교정 중이라고 하셨던가. 하여간 그때가 몇 시라고 했소?"

영제는 등을 펴고 의자 깊숙이 앉았다. 두 손은 깍지를 껴서 허벅지에 올려놓았다. 벽시계의 초침이 똑딱거리는 소리에 귀를 기울였다.

오후 3시, 영제는 선수의 두 번째 부름을 받았다. 지소 안엔 선수와 애송이, 처음 보는 형사가 하나 더 있었다. 아침나절, 수목원정문으로 들어오던 둘까지 합하면 형사는 모두 다섯으로 늘어나 있었다.

"아이가 도망친 시각이 몇 시였고, 뭘 했다고 그랬소?"

선수가 물었다.

"9시 40분경일 겁니다. 규칙을 어겨서 잘못을 지적해줬고요."

"뭐로 지적했다고 하셨더라?"

"통상 손이라고 부릅디다만."

"어디어디를 지적하셨소?"

"뺨 한쪽을 지적했다고 말씀드린 것 같은데요."

선수는 등을 뒤로 젖히고 앉으며 소리 없이 웃었다.

"나도 그 재주 좀 배웁시다. 따귀 한 대로 골반을 작살내고 목뼈를 비틀어놓고, 머리를 피 바가지로 만드는 비결이 뭐요? 전문용어로 지주막하출혈이라든가, 뭐라든가."

영제는 잠깐 멍했다.

"부검결과가 나왔습니까?"

"어젯밤에."

"금방 들은 말이 부검결과란 말이지요?"

"그렇소만."

"그럼 덤프트럭이 내 딸을 뭉개고 지나갔다는 얘깁니까."

"무슨 트럭씩이나 필요하겠소. BMW면 충분하지."

"내가 도망치는 딸을 차로 치어 죽이고 호수에 던져버렸다는 얘기는 아니겠지요?"

"직접사인은 따로 있어요. 질식사랍디다."

"살아 있는 아이를 호수에 던졌다고요?"

"차로 때려서 반쯤 죽여 놓고 숨통을 막아 끝장을 봤다, 그 얘기요. 그 것도 목뼈가 뒤로 돌아갈 만큼 무지막지한 힘으로 눌러서."

영제는 입술을 꾹 다물었다. 목 안에서 숨소리가 튀었다. 연달아 카운 터블로를 얻어맞은 기분이었다. 선수가 말했다.

"자, 하던 얘기로 돌아갑시다. 그날 밤 아이가 도망치던 상황부터."

차로 치고 숨통을 막았다. 목뼈가 돌아갈 만큼 힘센 손이. 영제는 맨 먼저 승환의 기록을 떠올렸다. SSU출신이면 그런 훈련도 받았겠지. 다 음으로 운영팀장이 CCTV를 보고 했던 말을 생각했다. 10시 40분. 빠르 게 달려와 한자리에 20분 가량 머무른 뒤 사라진 두 번째 불빛.

"선생."

선수가 진술을 재촉했다. 영제는 알고 싶은 것부터 확인했다.

"성폭행 흔적은 없습니까?"

"그게 선생이 불안해하던 부분이오?"

영제는 질문에 내재된 묘한 뉘앙스를 무시했다.

"발견될 때 알몸이었으니까."

"정확히 말하면 속옷은 입고 있었지. 겉옷은 물결에 쓸려 저절로 벗겨졌을 거고. 민소매에 가슴이 깊게 팬 성인여성 블라우스라니까."

"성폭행 흔적은 없단 얘깁니까?"

"그렇답디다. 난 아이가 발견될 때 모습에 더 관심이 많아요. 아이가 야한 어른 옷을 입고, 화장을 진하게 한 이유가 뭘까. 선생은 혹시 아는 게 있소?"

선수는 탁자에 양 팔꿈치를 괴고 상체를 앞으로 기울였다. 기대에 찬 시선은 영제의 눈을 곧장 찌르고 들어왔다. 영제는 선수가 기다리도록 내버려뒀다. 생각이 필요했다. 승환이 아니라면 누구인지. 동네사람은 아닐 것이다. 특별한 일이 있지 않는 한, 그 시각에 차를 몰고 안길로 들어가지 않는다. 외지인일 가능성이 컸다. 길을 잃고 헤매던 자. 마티즈, 웃는 해골.

"가끔 소설에서 본 것 같소만. 어린 딸한테 여자 옷 입히고 화장시키는 변태아빠 말이오. 선생 혹시 소설 좋아하시오?"

"무슨 얘기를 하고 싶은 겁니까?"

"아아. 그저 선생의 문학적 취향이 궁금해서 물어본 거요."

영제는 마음을 바꿨다. 빨리 진술을 끝내버리기로. 혼자가 돼서 혼란한 머릿속을 정돈하고 싶었다.

"엄마놀이를 한 겁니다. 일전에도 그것 때문에 혼이 났는데 계속 하더군요."

"그것 때문에 화가 나셨다고?"

"전 아이가 아내 흉내 내는 걸 좋아하지 않습니다. 딸에게 그 점을 분명하게 일러뒀어요. 그날은 더 심각한 문제가 있었습니다. 그 희한한 꼴을 하고 촛불을 켜둔 채 잠든 겁니다. 허리까지 내려오는 머리를 다 풀어헤치고요. 여차하면 몸에 불이 붙을 수 있는 상황이었어요. 집에 불이 나는 건 둘째 문제죠. 감정통제가 잘 안 됐습니다. 말씀드린 대로 손을 좀 댔습니다. 아이는 내게 뜨거운 양초 잔을 집어던지고 도망쳤고요."

"거의 전쟁 상황이었겠는데 아무도 나와보지 않았소?"

"여기 사람들은 어두워지면 밖에 나오지 않습니다. 문 닫고 자기들 일에나 신경 쓰는 게 우리 수목원 풍속이죠."

"거 참 바람직한 풍속이오. 이웃집 아이가 제 아빠한테 맞아 죽든 말든, 차에 치든 말든, 숨 막혀 죽든 말든 신경 안 쓴다……. 당신 아내도 그것 때문에 도망가서 이혼소송을 걸었다고 들었소만. 당신의 그 화끈한 손 말이오. 동네가 다 아는 비밀입니다. 그날, 1차 공판이 있었고 당신이 졌다는 것까지 알던데. 소문 빠르지 않소?"

영제는 제멋대로 뻗친 선수의 이빨을 노려봤다. 몽땅 뽑아버리고 가지런한 틀니로 바꿔주고 싶었다.

"나는 뒷담에서 도는 소문에 신경 쓰지 않습니다. 중요한 건 내 가족이니까. 내겐 아내와 딸을 보호하고 행복하게 해줄 의무가 있고, 내 방식으로 최선을 다 했어요. 당신이 내 방식을 놓고 이러쿵저러쿵하는 건 용납할 수 없어요."

"이거 무섭구먼. 그래, 용납 못 하면 어쩌시겠다고."

선수는 볼펜 끝으로 자기 손등을 톡톡 두들겼다.

"예의를 갖추라는 거요. 나는 죽은 아이의 아빠로 여기 와 있습니다. 피의자처럼 다루려면 그만한 근거를 내놔야 할 거요."

"이건 어떻소. CC카메라를 보니까 그날 밤, 당신 차가 두 번씩 안길로 들어왔던데."

"한 번입니다. 말씀드렸지만, 세령목장 앞에서 한 번, 선착장 앞에서 한 번 차를 세웠고요. 들어갈 때가 10시 02분, 수목원에 돌아온 시각은 10시 35분이었어요."

"정확하시구려. 움직일 때마다 매번 그렇게 시각을 체크하시오?"

"그땐 몰랐지요. 차후에 확인한 겁니다. 우리 수목원에도 CC카메라가 있으니까. 정문, 후문, 통행로 중간 중간, 사택 숲, 어린이 놀이터. 파일은 관리실에서 보관하고 있어요. 안개가 짙긴 했지만 차량번호 정도는 보일 거요. 관리단 카메라보다 성능이 좋고 밤에는 통행로 가로등이 환하게 켜져 있으니까. 내 동선을 시간대별로 확인하는 데 도움이 될 겁니다."

선수는 고개를 끄덕거렸다.

"그럼 그 이후에는 뭘 하셨소."

"집에서 기다렸어요. 아이가 제 발로 돌아올까, 해서. 딸아이 사망추정 시간이 어떻게 되는지 모르지만 내가 이후에 움직였다면 카메라에 잡혔지 않겠습니까."

"듣자니까, 별채 숲 뒷길엔 카메라가 없다던데."

"죽이기 전에 차로 먼저 치었다면서요. 뒷길로 가려면 제 집 뒤뜰을 지나 담장출입문을 통해야 합니다. 집 뒤 숲과 샛문을 통과할 수 있는 차도 있습니까."

"글쎄, 차를 봐야 뭐라고 대꾸할 수 있겠소만."

선수는 풀 씹는 염소처럼 입술을 씰룩이며 웃었다. 영제는 차 키를 빼서 탁자에 올려놓고 물었다.

"시신인수는 언제 할 수 있습니까."

"부검 끝났으니 바로 할 수 있지 않겠소."

영제는 지소를 나왔다. 자신의 차는 이미 끌려가고 없었다. 가로등 밑에 마티즈만 세워져 있었다. 차주인은 걸어서 출퇴근을 하는 모양이었다. 차는 며칠째 그 자리에 그대로 있었다. 그는 한동안 웃는 해골을 들여다보다 카센터로 전화를 걸어 정비기사를 불렀다.

"앞부분을 모두 갈았는데요."

30여 분 후에 나타난 기사가 말했다.

"얼마나 된 것 같습니까."

"글쎄요, 도색상태로 봐서는 최근 같은데."

"정확한 날짜는 모르겠고?"

"그걸 알려면 고친 데 가서 장부를 확인해야죠."

기사가 떠난 뒤, 그는 지하작업장으로 들어갔다.

차로 치어 반쯤 죽이고, 목뼈를 부러뜨릴 정도로 숨통을 틀어막아 완전히 죽이고, 호수에 던져 유기했다……

그는 나뭇개비 하나에 아교를 발라 성벽에 올렸다. 성벽에 세령의 얼굴이 어른거렸다. 손끝이 바르르 떨려왔다. 그런 식으로 죽으려고, 죽기 아니면 살기로 도망친 것이냐.

나뭇개비를 하나 더 올렸다. 승환에겐 차가 없었다. 운전하는 걸 본 적도 없었다. 기록에 의하면, 운전면허증은 있었다. 하지만 면허증으로 사람을 칠 수는 없었다. 사건의 핵심에서 벗어나는 부분이었다. 알쏭달쏭한 악어 이야기는 이렇게 해석할 수 있었다. '가끔 잠수를 한 건 사실이다. 하지만 그날은 하지 않았다.' 이제 승환을 의심할 유일한 근거는, 그놈이 아닐 리 없다는 자신의 고집뿐인 것 같았다. 그는 고집을 잠시 밀어놓고 원점에서 이야기를 재검토하기 시작했다.

그가 세령 인터체인지를 통과한 시각은 9시 20분이었다. 거리로 봐서, 앞차를 모조리 청소하고 다니는 평소 운전습관으로 미루어, 마티즈와 만난 시각은 9시 15분 전후였으리라고, 그는 추정했다. CCTV에 두 번째 차량이 나타난 건 10시 40분. 1시간 이상 시간차를 설명하기엔 만난 지점과 사고지점이 너무 가까웠다. 만약, 어딘가에 들렀다 왔다면? 초행길이었다면?

세령호 진입로는 처음 오는 사람이 놓치기 딱 알맞은 도로였다. 안개가 낀 밤이라면 더 말할 것도 없었다. 만약, 세령호와 팔영호로 갈리는 곳에서 길을 잘못 선택했다면…… 1시간 이상 시차가 설명되는 부분이었다. 애매한 건, 그 시간에 왜 세령호 안길로 들어왔는가 하는 점이었다. 102호 멍청이의 말대로라면, 102호 덩치는 미리 집을 보러 내려오거나 하지 않았다. 그 멍청이가 모르는 부분이 있다면, 이것도 설명이 가능했다. 집을 보러 내려오다 팔영호로 빠지는 바람에 시간이 늦었고, 세령호로 와서도 수목원을 찾지 못해 안길로 쭉 들어갔다, 라고.

영제는 덩치가 차를 고친 날이 토요일이었으리라고 짐작했다. 사건이 난 건 금요일 밤이고, 덩치가 이사를 온 날은 일요일이었으니까. 덩치에 대해 더 알 필요가 있을 듯했다. 세령IC에 장치된 CCTV도 확인하고 싶었다. 물론 통과차량이 다 세령호로 오는 건 아니었다. 세령 읍내로 들어가는 차량, 팔영호로 가는 차량, 보성이나 장흥 쪽 국도를 타는 차량도 있겠지. 하지만 타깃이 있다면 사정은 달라진다. 통행차량이 제아무리 많아도 찾아내는 건 시간문제였다. 문제는 그가 테이프를 입수할 수 없다는 점이었다. 어쩌면 경찰이 먼저 확보해 이미 확인 작업에 들어갔을 공산이 더 컸다. 뭘 찾는지도 모르면서 찾겠지만 결국 그들은 찾아낼 것이다. 찾는 분야의 달인들 아니겠는가. 그들보다 자신이 먼저 찾아야 했다.

그는 거실로 올라와 서포터즈로 전화를 걸었다. 귀에 익은 목소리가

"예, 원장님" 했다.

"알아봐 줄 것이 두 가지 있는데……"

은주는 밥을 안치고, 애호박을 볶고, 된장찌개에 두부를 썰어 넣었다. 행주로 식탁을 박박 닦았다. 손을 움직일 때마다 어깨가 욱신욱신 아렸다. 점심때 읍내 마트에 나가 물건들을 바리바리 사들고 온 탓이었다. 라면, 달걀, 참치 캔, 서원이 간식, 밑반찬 재료들…….

출근을 하려면 사내 셋이 먹을 음식을 미리 준비해둬야 했다. 사택경비 건에 대해선 저녁식사 때 통보할 예정이었다. 승환이 좀 걸리긴 했지만 미안함 같은 건 갖지 않기로 했다. 일을 하기로 결심한 이상 미안해봐야 마음만 불편할 뿐이었다. 밥 정도야 알아서 차려 먹겠지. 코딱지나 파라고 손가락이 열 개씩 달린 건 아니니까.

막 찌개 간을 보려는 참에 현관문이 열렸다. 남편이었다. 좋았던 기분이 사라지고 와락 짜증이 치밀었다. 초저녁부터 급하게 한잔하신 모양이었다. 얼굴이 벌겠다. 그녀는 고개를 돌리고 찌개에 수저를 담갔다. 한심한 주정뱅이.

"잠깐 나 좀 봐. 할 얘기가 있어."

뒤에서 주정뱅이가 말했다. 이제야 용서를 빌 생각이 난 모양이었다. 토요일로부터 엿새나 지난 저녁에. 물론, 그녀는 받아들이지 않을 생각이었다. 수저를 조리대에 걸쳐놓고 머리 고무줄을 풀어 눈초리가 당겨 올라갈 만큼 야무지게 당겨 묶고, 싱크대 서랍에서 봉투를 꺼냈다. 이런 날에 대비해 미리 작성해둔 이혼서류였다. 어디서 주워들은 말로 히든카드라고 부르는 것.

남편은 안방으로 들어갔다. 그녀는 따라 들어가 팔짱을 끼고 마주섰다. 히든카드는 옆구리에 숨겼다. 자, 최현수. 엎드려 빌어라.

"사택 일 하지 마."

남편이 말했다. 그녀는 눈을 까막까막했다. 금방 무슨 얘기를 들었던가.

"뭐?"

"그냥 살림만 해."

"내가 언제부터 살림만 할 팔자였어? 살림만 하고 쇼핑이나 하면서 사는 거, 못 해서 안 하는 줄 알아? 당신이 그렇게 살도록 벌어다 줘봤어? 그래도 될 만큼 벌어올 수 있어?"

"돈 말고 다른 것도 생각하고 살면 안 돼? 여기까지 와서 나를 등신 만들고 싶어?"

그녀는 호들갑스러운 편은 아니었지만 차분한 성격도 아니었다. 들쑤시기만 하면 화르르 타오르는 불의 성미를 갖고 있었다. 그것이 발동할 땐 모든 걸 잠시 잊는다. 그래서 이혼서류를 잠시 잊었다. 입을 열자 몇 날 며칠 장전하고 있던 총알이 자동으로 튀어나갔다.

"아아, 그게 문제셨어? 그런데 난 당신 체면보다 먹고사는 게 더 중요해. 당신이 그 알량한 야구선수 그만두고 백수노릇할 때 깨우친 진리야. 당신이 나한테 밥벌이의 위대함을 새삼 깨우쳐줬다고. 앞으로 나갈 아파트 대출이자가 얼만 줄이나 알아? 3년 후에 아파트 들어가면 우리가 그거 다 감당해야 하는 거 몰라? 지금 모아놓지 않으면 영영 입주 못 하는 거 몰라? 그뿐이야? 서원이 교육비는 또 어쩔 건데? 대학 안 보낼 거야? 그거 당신이 다 감당할 수 있어?"

"내가."

남편의 목소리는 나직했다. 그녀는 헛소리를 들었나 싶어 되물었다.

"뭐가 어째?"

"나가."

"나가? 지금 누구더러 나가래. 결혼해서 12년 동안 연봉 800만 원짜리 야구선수에, 1800만 원짜리 월급쟁이 마누라 노릇했어. 아이 낳아주고, 알뜰살뜰 살림해주고, 악착같이 아끼고 일해서 집 장만까지 해줬어. 근데 나가라고. 최현수가 나한테 나가라고?"

"그거 다 가져. 뭐든 다 가지고 나가버려."

그녀는 말문이 막혔다. 온몸이 화염에 휩싸인 것처럼 뜨거워 입을 열 수가 없었다. 다 가지라는 말은 너무나 당연해서 입 밖에 낸다는 자체가 우스웠다. 나머지 말도 남편이 아닌 그녀가 해야 할 말이었다. 저녁마다 술에 취해 뒹굴던 짐승 입에서 나올 말이 아니고. 미친 소리로 듣기에는 남편의 상태가 지나치게 멀쩡해 보였다. 흥분해서 고함을 지른 것도 아니었다. 술을 마신 것 같지도 않았다. 음성은 착 가라앉았고 말투는 차분했다. 심지어 냉정하기까지 했다. 얼굴이 벌겋긴 했지만 그걸 미쳤다는 증거로 볼 수는 없었다. 그녀는 자신의 입에서 새는 얼빠진 혼잣말을 들었다.

"당신 돌았구나."

남편은 똑같은 말을 세 번째 되풀이했다. 귀먹은 자에게 이르듯, 또박또박.

"나가."

은주는 방을 나가는 남편의 등을 멀거니 바라보았다. 현관문이 열리고 닫히는 소리를 멍하니 들었다. 충격이 분노를 덮어버린 순간이었다. 공상과학 만화영화 같은 상황이었다. 상황에 대한 접수조차 불가능했다. 지금 무지막지하게 남자다운 척하면서 사라진 바보가 최현수 맞는지 의심스러웠다. 그녀는 침대 모서리에 걸터앉았다. 다리가 떨려 서 있을 수가 없었다.

"속이 깊은 아이예요."

결혼 전 처음 인사를 하러 갔을 때, 시어머니가 남편을 두고 한 말이었다. 옳은 말씀이었다. 어찌나 속이 깊은지 속을 볼 수가 없는 남자였다. 그녀를 들여놓지도, 그녀에게 보여주지도 않는 통제구역들이 있었다. 알려들면 들수록 자물쇠가 튼튼해지는 구역이었다. 외골수에 융통성도 없었다. 유순해 보이면서도 고집이 셌다. 성실해 보이면서도 무책임했다. 그걸 미리 알았더라면 자신의 눈을 찌르는 심정으로 결혼생활을 할 일은 없었을 것이다. 불행하게도 모든 걸 알기엔 결혼 전 탐색기가 너무 짧았다. 8월에 만나 12월에 결혼했으니 불과 4개월이었다. 그녀의 배 속에는 서원이 들어 있었고.

그녀의 결혼조건은 시댁에 보내는 돈을 끊어야 한다는 것이었다. 그러지 않고는 태어날 아기와 살 길이 없었다. 현수는 흔쾌해하진 않았지만 받아들였다. 그녀 역시 꿈꿔왔던 것과 거리가 먼 결혼식을 받아들였다. 야구장에서 천막을 치고 한 결혼이었다. 피로연은 호프집에서 치렀다. 신혼집은 그녀의 반지하 전세방이었다. 영주는 독립해서 나갔다. 신혼여행지는 '차가 닿는 곳'이었다. 그의 친구가 차를 빌려주지 않았다면 그나마도 생각하지 않았을 것이다. 그래도 그녀는 가슴이 부풀어 있었다. 희망이 있었으니까. 시즌 중에 입단해 홈런 12개를 몰아친 그에게 감독이 다음 시즌 1군 발탁을 언급했던 것이다. 스프링 캠프의 성과를 보겠다는 조건이 붙긴 했지만.

부산을 거쳐 동해안도로를 타고 강릉까지 올라갔다. 경포대에 도착했을 무렵엔 땅거미가 내리고 있었다. 바다는 해돋이를 보러온 관광객들로 북새통이었다. 여관방도 꽉 찼다. 남편은 강릉시내로 들어가 보자며 비좁은 길목에서 차를 돌렸다. 순간, 차가 휘청하며 허공에 붕 뜨는 느낌이 왔다. 정신을 차리고 보니 차는 길과 백사장 사이의 도랑에 거꾸로 서 있었다. 안전띠가 잡아주지 않았더라면 그녀는 앞유리창에 머리를 부딪고 차와 같은 자세로 서 있었을 것이다.

도랑을 덮어버린 땅거미가 원인이었다. 남편은 길과 백사장이 잇대진 걸로 판단해 차를 돌렸고, 그 바람에 차가 도랑으로 처박힌 것이었다. 그가 먼저 탈출해 그녀를 끌어냈다. 괜찮으냐고 묻는 그의 얼굴이 얼어 있었다. 세상에서 가장 무서운 것을 본 것 같은 표정이었다. 그 표정을 그녀는 '사랑'이라고 믿었다. 코끝이 찡해서 그를 안아주었다. 괜찮다고 말해주었다. 사실, 놀란 것 말고는 괜찮지 않을 것도 없었다. 우선 과제는 차를 끌어올리는 일이었다.

사람들이 몰려들고 이런저런 충고들이 쏟아졌다. 견인차가 오려면 한 시간 이상 걸린다고 했다. 돈도 많이 들 것이라고 했다. 그중 누군가 자기 지프로 끌어올려주겠다는 호의를 베풀었다. 다른 누군가는 밧줄과 기다랗고도 튼튼한 널빤지를 협찬해주었다. 남편은 지프의 꽁무니와 차 앞부분을 밧줄로 연결하고 차바퀴 밑에 널빤지를 받침대로 댔다. 그러나 지프로는 역부족이었다. 차는 들썩거리기만 할 뿐 끌려 올라오지 않았다. 뒤에서는 완행버스가 빵빵거렸다. 좁은 길을 지프가 가로막고 있던 탓이다.

버스기사가 성을 내며 내려왔다. 지프는 백기를 들고 물러났다. 남편은 사과를 거듭했다. 기사는 다혈질이었다. 덩치가 태산만 한 남자가 땀을 뻘뻘 흘리며 고개를 조아리자 성낸 것만큼이나 빨리 화를 풀었다. 차를 인양하는 차는 지프에서 버스로 바뀌었다. 밧줄은 쇠사슬로 대체됐다. 기사는 버스를 출발시켰다.

이번에는 힘이 넘쳤다. 차는 한 방에 끌려 올라왔으나 적절한 순간에 멈출 수가 없었다. 끌려 올라온 여파로 반원을 그리며 미끄러지던 차는 길가에 서 있던 은주를 덮쳤다. 한순간, 은주는 현실감을 잃었다. 꼼짝하지 않고 서서 남편이 자신과 차 사이로 끼어드는 것을 바라보고 있었다. 차가 멈췄을 때, 남편은 길바닥에 나뒹굴고 있었다.

남편은 허벅지 근육파열로 그해 스프링 캠프에 합류하지 못했다. 다리로 차를 세운 대가치고는 가벼운 상처였으나 1군 발탁을 약속받은 2군 선수에겐 치명적인 부상이었다. 보상으로 그는 아내를 지키고 아들을 얻었다. 부자가 첫 대면하던 장면은 아직도 그녀에게 강건하고도 생생한 기억으로 남아 있었다. 변기뚜껑 같은 손을 부들부들 떨면서 아이의 손가락 끝을 건드리던 남편의 모습이, 행복과 두려움과 불안이 교차하는 표정으로 중얼대던 그의 혼잣말이. "내 아들……"

그랬다. '내 아들'이었다. 우리 아들이 아니고. 남편은 서원에 관한 한 어떤 결정도 그녀에게 맡기지 않았다. 서원의 목욕시간까지 자기가 정해놓고 따르게 했다. 경기를 끝내고 돌아오면, 아이와 눈을 맞추고, 웃고, 알아듣지도 못할 말을 거느라 밤을 샜다. 젖 먹을 시간이 돼서 아이를 넘겨줄 때면 자기한텐 왜 물릴 젖이 없는지 통탄하는 표정을 하고 있었다. 원정경기를 하러 가면 한밤중에 전화를 걸어 잠을 깨워놓고 물었다. "서원이 뭐해?" 돌도 지나지 않은 얼뚱아기가 야밤에 하기는 뭘 할까. 자거나, 먹거나, 울거나, 싸는 것 말고.

처음엔 그런 남편이 고맙고 든든했다. 몇 달이 지나면서 그 집착이 불편해지기 시작했다. 서원은 그녀의 손에만 오면 낯설어하고 불쾌해했다. 발작을 하듯 울어대다가도 제 아빠만 돌아오면 방실거렸다. 그녀는 뒤늦게야 알아차렸다. 신혼여행에서 남편이 목숨 걸고 지킨 사람은 자신이 아니라는 걸. 언젠가는 농담처럼 확인해봤던 적도 있었다.

"당신 아들 얻으려고 나랑 결혼한 거 맞지."

남편은 눈을 둥그렇게 떴다.

"그럼 왜 그렇게 애한테 집착해?"

"집착이 아냐."

"집착 맞아. 난 당신처럼 극성맞은 아빠가 있다는 얘기 못 들어봤어. 대개 남자들은……"

"어려서부터 다짐한 게 있어. 나는 내 아이한테 우리 아버지처럼 하지 않겠다고."

"현수 씨 아버지가 뭘 어쨌는데?"

대답을 들을 수 없었다. 그는 아버지 이야기만 나오면 입을 다물어버렸다. 아무리 애써도 공유되지 않는 부분 중 하나였다. '용팔이'에 대해 안 건 서원이 네 살 되던 해, 남편의 옷에서 신경과 약봉지를 발견한 날이었다. 벌써 몇 년째 그녀 몰래 들락거리고 있었다. 의사는 성적에 대한 스트레스가 원인이고, 심리적 압박이 환상의 병을 불러온 것 같다고 말했다.

의문이 다 풀린 건 아니었지만 한 가지 확신은 얻었다. 남편이 그때까지 '미완의 대기'라는 허물을 벗지 못한 이유, 1군 붙박이가 되지 못하는 이유. 성적에 대한 압박 때문에 왼팔마비가 오고, 그로 인해 게임을 망쳐서 다시 압박을 받는 악순환이 되풀이되고 있었던 것이다. 유순함이란 유약함의 다른 이름임을 확인하는 순간이었다.

그녀가 생각하기에, 스트레스는 겁쟁이의 변명이었다. 살아 있는 모든 것은 압박의 운명을 짊어진 존재였다. 생존을 위협하는 것은 피 터지게 싸워 거꾸러뜨려야 마땅했다. 하다못해 침이라도 뱉어줘야 했다. 그것이 그녀가 '사는 법'이었다. 남편은 사는 법을 익히는 대신 '용팔이' 품에 안긴 것이었다. 야구를 그만두자마자 용팔이가 사라졌다는 사실이 그 증거가 아니고 무엇이랴.

남편이 태생적인 미숙아라는 걸 알게 된 것도 야구를 그만둔 후부터였다. 남편은 어디 가서 돈 만 원도 빌려오지 못했다. 인맥도 없어 초등학교 코치자리 하나 얻지 못했다. 명문대 졸업장으로 백수 반년 만에 얻은 직장이 보안업체 직원이었다. 직장에 들어가선 담배와 술부터 배웠다. 물론, 일말의 연민이야 있었다. 남자나이 서른하나에 삶이자 미래였던 세계에서 쫓겨났는데 절망감이 오죽하겠는가. 그렇다고 무능과 술을 용서할 수 있는 건 아니었다. 남편이 자초한 패배였다. 뒤늦게라도 제대로 사는 것만이 점수를 회복하는 길이었다. 한 집안의 생계를 책임진 가장이 예사로 음주운전을 하고, 인사불성이 돼서 돌아와 대문을 두들겨 깨고, 동네파출소에서 남편을 찾아가라는 전화가 걸려오게 만들어선 안 되는 것이다.

은주는 자기인생의 최대과오가 최현수와 결혼한 일이라고 자인했다. 자인하고 나자 남편에 대한 온갖 실망과 현실적인 고난을 견딜 수 있었다. 짊어져야 할 짐을 한탄하는 대신, 짐을 지고 달리는 쪽을 택했다. 그녀는 불굴의 투사였다. 무엇보다 자기 삶의 사도였다. 폐차버스 골방에서 숨죽이며 꾸던 꿈을 단 한순간도 잊지 않았다.

그런데, 그런데 말이다. 천하의 강은주가 그 꿈을 이룬 마당에, 죽을힘을 다해 깔아놓은 꽃길에다, 정신 나간 술꾼 하나가 지금 오줌을 갈기고 있는 것이었다. 손찌검에, 술타령에, 나가라는 헛소리까지. 은주는 손에 쥔 이혼서류를 내려다봤다. 이젠 히든카드가 아니라 흑싸리 껍데기로 보였다. 어떻게 해줘야 분이 풀릴까. 어떻게 하면 저 화상이 정신을 차릴까.

초인종이 울렸다. 그녀는 상념에서 깨어나 거실로 나갔다. 실로 어처구니없는 상황이 기다리고 있었다. 가스레인지 위에선 밥이 타고 찌개가 끓어 넘쳤다. 식탁에선 그녀의 휴대전화가 울리고, 현관에선 초인종이 성마른 사이렌을 불었다. 꼬리에 불이 붙은 기분이었다. 그녀는 후다닥 가스레인지를 끄고 전화를 받았다. 수화기 안에서 영주의 목소리가 들렸다.

"나야."

"알아"라고 대꾸하며 그녀는 현관으로 갔다. 누군지 확인도 하지 않고 문을 열었다. 남자 둘이 서 있었다. 한쪽은 40대 중반쯤으로 보였고 다른 쪽은 승환과 비슷할 것 같았다.

"실례하겠습니다."

젊은 쪽이 경찰신분증을 그녀에게 들이밀었다. 그녀는 휴대전화를 귀에서 뗐다.

"몇 가지 여쭤볼 게 있어서 들렀습니다."

주말 아침, 8시 55분.

승환은 팀장과 나란히 현관계단에 서 있었다. 특근을 하러 나오다가 별채앞길로 다가오는 차량행렬에 걸음을 멈춘 참이었다. 검은 휘장을 두른 흰 BMW가 선두로 올라왔다. 조수석에 오영제가 세령의 영정을 품고 앉아 있었다. 이어 운구용 캐딜락과 대형 밴과 방송국 차량, 승용차 행렬이 차례차례 올라왔다.

"라이터 있나?"

팀장은 담배를 물고 주머니를 뒤지다 물었다. 승환은 라이터를 꺼내 켰다. 바람이 불길을 흔들었다. 팀장은 붕대를 감은 손으로 바람막이를 세우고 불을 빨아들였다. 표정이 장례행렬만큼이나 우울했다. 눈 밑 그늘도 깊었다.

"새벽에 비가 왔나."

팀장은 젖은 도로에서 피어오르는 안개를 내려다봤다.

"꽤 많이 왔는데 모르셨어요?"

"취해서 자느라고…… 가지."

팀장이 먼저 현관계단을 내려갔다. 승환은 눈을 끔벅이며 따라 내려갔다. 중앙통행로 가로등들이 추모라도 하듯 일제히 불을 밝히고 있었다. 측백나무 울타리 사이에선 축축한 바람이 불어왔다. 팀장은 담배를 물고 땅만 보며 걸었다. 승환은 보속을 맞췄다. 이 남자의 문제는 무엇일까. 손은 또 어디서 다쳤을까. 그제는 중지를, 어제는 손가락 세 개를 테이프로 감고 있더니 오늘은 아예 손 전체에 붕대를 감고 있었다. 밤마다 전망대에서 소주병으로 차력연마라도 하는 것인가.

전날 밤에도 팀장은 술에 취해 돌아왔다. 강은주는 거실에 쓰러진 남편을 버려두고 안방으로 들어가 버렸다. 이사를 온 후 날마다 되풀이되는 풍경이었다. 홀로 잠든 거인은 세령봉 폐축사만큼이나 쓸쓸하고 황폐해 보였다.

새벽 3시경, 막 비가 내리기 시작하던 무렵이었다. 거실에서 사람 기척이 나더니 현관문이 열리고 닫히는 소리가 들려왔다. 승환은 방문을 열고 거실을 내다봤다. 팀장이 보이지 않았다. 소파 밑에 담요만 짐승허물처럼 남아 있었다. 비 오는 꼭두새벽에 어딜 갔을까. 따라가 볼까, 하다 그는 노트북 앞으로 되돌아왔다. 모니터에 '세령호'라 이름 붙인 문서창이 열려 있었다. 마음먹은 작업에 막 돌입한 참이었다.

세령은 학교 앞 버스정류장에 서 있었다. 승강장표주에 등을 기대고 운동화코로 도로 턱을 툭툭 차면서. 고개를 숙이고 있어 얼굴은 볼 수 없었다. 보이는 부분은 희고 둥근 이마와 바람에 나풀거리는 긴 머리칼 뿐이었다…….

현관 도어 록 푸는 소리에 그는 고개를 들었다. 4시였다. 쿵, 소리에 흠 칫해 거실을 내다봤다. 팀장이 소파 밑에 쓰러져 있었다. 그는 나가 살펴 보지 않을 수 없었다.

팀장의 몸은 흠씬 젖어 있었다. 맨발인 데다 발목엔 진창이 튀고, 발뒤 꿈치에선 핏물이 배어나왔다. 맨발로 걷다 날카로운 것을 밟은 듯했다. 그 는 "팀장님" 하고 불러봤다. 팀장은 대답하지 않았다. 어깨를 흔들어도 눈 뜨지 않았다. 기분 좋은 꿈을 꾸는 것처럼 표정과 숨결이 평온하기 그지 없었다. 이해할 수 없는 상황이었다. 복잡한 수학문제를 보는 것 같았다.

승환이 팀장과 출근시간을 맞춘 건 그 때문이었다. 지난밤에 어디에 다녀왔는지, 물어볼까 하고. 그런데 물을 필요가 없었다. 팀장은 비가 왔 다는 사실조차 모르고 있었다.

"그 아이…… 매장한다던가?"

후문에 다다를 즈음 팀장이 불쑥 물었다.

"화장한다던데요. 오늘이 발인인데, 선착장에서 혼 건지기 굿을 할 모 양이에요."

팀장은 두 번째 담배를 꺼내 물며 승환을 돌아보았다.

"자네 혼 건지는 장면 본 적이 있나?"

야채장수에게 당근을 본 적 있느냐고 묻는 거나 진배없었다. 승환은 라이터를 건넸다.

"어릴 때요."

"어릴 때? 애들은 그런 거 못 보게 하지 않나. 혼 쓴다고."

"아버지가 한강에서 익사체를 건져주는 잠수부였어요. 일감 하나 맡으면 저랑 형들이랑 아버지를 도우러 가곤 했죠. 삼형제 모두 열두 살에 잠수를 시작했거든요. 덕택에 숱하게 봤어요. 팀장님은 본 적 없어요?"

"어릴 때 한 번. 제대로 보진 못했고."

"오늘은 아마 제대로 보실 거예요. 오영제가 불렀다면 선무당은 아닐 테니까."

수문경비실 앞에서 팀장은 라이터를 돌려주었다. 그리고 뒤를 돌아보더니 가로등 기둥에 설치된 휴지통으로 꽁초를 던졌다. 20여 미터가량 떨어져 있는데도 정확하게 들어갔다.

"이따 보세."

관리단으로 내려가는 팀장을 바라보다가 승환은 자신의 바지주머니에 든 것을 꺼냈다. 계획대로라면 이미 호수 밑에 가라앉았어야 할 세령의 머리핀이었다. 팀장이 꽁초를 처리하듯 휙 던져버리면 끝나는 일이건만, 매일 공도교를 오가면서도 그 간단한 일을 하지 못했다. 던지려고 꺼냈다가 한 번 들여다보고 다시 담는 짓을 며칠째 되풀이했다. 이번에도 마찬가지였다. 그는 머리핀을 호수가 아닌 주머니에 던져 넣고 경비실 자물쇠를 열었다.

10시경, CCTV모니터의 선착장화면에 저지대마을 남자들이 나타났다. 굿이 시작되는 모양이었다. 흰 머리띠를 두른 박수가 대나무를 흔들면서 부교 위로 걸어오고 있었다. 대나무 끝에 감긴 기다란 천이 바람 속에서 희룽희룽했다. 영제는 섬뜩한 물건을 들고 박수 뒤를 따랐다. 대빗자루처럼 생긴 몸통 끝에 얼굴을 붙이고, 가발 같은 걸 길게 늘어뜨린 여자아이 인형이었다. 마지막으로 삼현육각에 아쟁과 북까지 등장했다. 규모로 보면 씻김굿이 아니라 문화제 행사에 가까웠다.

승환은 인터넷 창을 열고 뉴스들을 검색했다.

세령호, 사망 초등생, 차로 치고 목 졸라 살해한 후 호수에 유기한 것
으로 추정. 부검 결과 성폭행 흔적은 없어……

세령호, 사망 초등생, 수사 난항. 사건발생 닷새가 지나도록 용의자파
악도 못해……

박수는 부교 끝에서 산닭의 목을 자르고 호수에 피를 뿌린 뒤 대나무
로 물속을 헤집기 시작했다. 승환은 웹 하드에서 '아틀란티스' 파일을 내
려 받았다. 군더더기를 자르고 압축된 동영상으로 다듬어둘 계획이었다.
세령의 죽음으로 가고 싶어도 갈 수 없게 된 지금에는, 다시는 얻지 못할
소중한 자료였다. 팀장이 나타난 건, 막 창을 열었을 때였다. 승환은 허
둥지둥 뉴스 창 밑에 아틀란티스를 숨겼다.

"승환 씨, 혹시 MP3 가지고 왔나?"

팀장이 물었다. 사우나에 들어온 사람처럼 얼굴이 벌겠다.

"가져오긴 했는데, 그건 왜요."

승환은 의아해서 물었다. 팀장이 닭 피 소동을 보고 올라온 거려니, 했
던 탓이다.

"지난번에 서원이랑 이어폰으로 같이 듣던 노래 말이야. 내 귀에도 한
번 꽂아줬잖은가. 나이트 뭐 어쩌고 하는, 왜 그…… 늑대같이 울부짖는
노래 있잖아."

승환은 웃음을 참으며 주머니에서 MP3를 꺼냈다. 아무래도 고딕메탈
얘기지, 싶었다.

"팀장님이 들으시게요?"

"굿 소리보다 나을 것 같아서. 하려면 안 보이는 데서 하든가. 선착장 카메라 앞에서……"

"그래도 한솔등에서 안 하는 게 어디에요. 거기서 했으면 호수가 요트장이 됐을걸요."

"원래는 한솔등에서 하기로 돼 있었나?"

"하기로 한 건 아니고요. 아이아빠가 원했다는 거죠. 어제 운영팀장을 찾아와서 꽤 시끄럽게 굴었다는데, 팀장님은 모르셨어요?"

팀장은 MP3를 받으면서 CCTV의 한솔등 화면을 들여다봤다.

"왜 하필 한솔등이라든가?"

"여기 사람들한텐 한솔등이 서낭당이에요. 망향제 때도 저기다 대고 절하잖아요. 수위유지를 잘해달라고 치성드리는 거라던데요."

"한솔등이 수위하고 무슨 상관이라고."

상관이 있었다. 세령호는 유입수량에 비해 담수면적이 작은 호수였다. 댐 수문이 늘 일정 부분 열려 있는 건 그 때문이었다. 상시만수위 유지. 한솔등은 일종의 수위표시기였다. 상시만수위에는 봉분형태, 가물철 저수위시엔 섬 아래 붉은 흙이 드러난 구릉이 되고, 계획홍수위가 되면 수면 아래로 완전히 잠긴다고 했다. 저지대주민들은 수위에 관한 한 인공위성보다 한솔등을 더 믿었다.

"그것 때문에 호수 한가운데에서 굿을 한단 말인가."

"다른 이유도 있고요. 한솔등 부근에 수몰된 옛 세령마을이 있는데, 세령이가 그곳에서 태어난 모양이에요. 시신도 거기서 발견됐고. 운영팀장이 좀 곤란했을걸요. 망향제 때도 들어가는 걸 허락하지 않는데……"

승환은 말을 멈췄다. 팀장의 얼굴에서 핏기가 싹 가시더니 바람처럼 경비실을 뛰쳐나갔던 것이다. 곧장 따라 나갔으나 팀장은 이미 저만치 멀어졌다. 뒷모습이 성나 돌진하는 무소 같았다. 그는 사무실로 돌아와 CCTV화면을 확인했다. 두 사람이 마주보고 서 있었다. 검은 비닐봉지를 쥐고 있는 서원과 요령을 쥔 박수. 나머지 사람들은 멀찍이 물러나 둘을 에워싸고 있었다. 팀장이 본 건, 박수가 서원에게 뭔가 위협적인 행동을 가하는 장면이었으리라. 그런데 서원은 이 시간에 왜 저기 있을까. 해답처럼, 기억나는 일이 있었다.

지난 목요일 저녁이었다. 승환은 8시가 넘어서야 퇴근했다. 세령과 관련된 뉴스들을 검색하다 보니 어느 틈에 시간이 그렇게 돼 있었다. 집 안은 이상할 정도로 고요했다. 식탁은 차리다 만 상태였고, 안방 문은 닫혀 있었다. 서원도 제 방 문을 잠가두고 있었다. 노크를 하자 안에서 "엄마?" 하고 물었다.

"룸메이트."

승환의 대답에 서원이 문을 열었다. 왜 문을 잠가두었는지는 물을 필요가 없었다. 어니가 창턱에 앉아 사료를 먹고 있었던 것이다. 서원은 아빠가 점심나절에 사다준 것이라고 설명했다. 엄마가 고양이를 싫어해서 감춰두었다며, 붙박이장을 열어보였다. 터무니없이 큰 사료자루가 숨겨져 있었다. 서원은 물었다.

"저어, 여기 넣어둬도 되지요?"

승환은 고개를 끄덕이며 어니가 사료를 깨먹는 소리에 귀를 기울였다. 오독오독, 즐거운 소리였다. 맛있는 소리였다. 저녁식사 전이라 그랬겠지만 혀 밑에 침까지 돌았다. 어니에게 슬쩍 물어보고 싶기도 했다. 그거 맛나냐?

그때였다. 노크도 없이 문이 열리고 은주가 들어왔다. 승환과 서원은 등으로 창을 가리면서 나란히 섰다. 별 교감 없이 일치한 동작이었다.

"엄마, 노크 좀 하세요."

서원이 말했다.

"아들 방에 들어오면서 노크하는 엄마도 있니?"

그녀의 눈은 승환과 서원의 뒤쪽을 살피고 있었다.

"아저씨도 계시잖아요."

그녀는 '아저씨' 같은 사소한 인물에 신경 쓰지 않았다. 성큼 다가와 서원을 밀어내고 창턱을 확인했다.

"이게 뭐니?"

그녀가 서원을 보며 물었다. 승환은 곁눈질로 창턱을 봤다. 사료접시만 놓여 있었다. 어니는 이미 사라졌다.

"예, 저. 고양이 사료예요."

서원이 말했다. 그녀는 팔짱을 끼고 서원 옆에 섰다.

"승환 씨, 고양이 키워요?"

시비를 걸고 싶어 하는 눈이 승환을 봤다. 이번에도 서원이 대답했다.

"아녜요. 옆집 아이 고양이였어요."

"그러니까 죽은 아이의 고양이란 말이지?"

여전히 그녀의 시선은 승환에게 붙어 있었다. 또 서원이 대답했다.

"아니요. 원래 들고양이인데 그 아이랑 친구였어요, 얼마 전에 저하고도 친해졌고요."

"쓰레기나 뒤지는 더러운 짐승을 방 안에 들여서 밥 주고 논다는 거구나. 무슨 병을 옮길 줄 알고. 개네들 털에 균이 얼마나 많은 줄 알아?"

"아빠가 놀아도 좋다고 허락하셨어요."

"그래? 저 밥도 네 아빠가 사줬겠구나."

"네" 하는 서원의 목소리가 옹알이수준으로 작아졌다. 은주의 눈에선 돌연한 분노가 타올랐다. 성나 꼿꼿해지는 몸이 고스란히 보일 지경이었다. 승환은 수습을 시도했다.

"창밖에서 밥을 주면 어떻겠습니까."

"안돼요. 저것들 밥줘버릇하면 떼로 몰려와요. 쓰레기봉지를 다 찢어놓을 거고요. 그거 제가 치워야 해요. 이따 얘기할 생각이었는데 말 나온 김에 할게요. 저 모레부터 사택경비실에서 일해요."

그녀는 등을 돌리고 나갔다. 식사하라는 말을 남기고.

"어니, 배고프겠어요. 다 먹지도 못하고."

서원은 거의 울먹이고 있었다. 엄마의 무례에 대한 민망함과 어니에게 사료를 줄 수 없다는 데 대한 실망감이 뒤섞인 목소리였다.

"이제 우리 집에 안 올지도 몰라요."

승환은 서원의 어깨를 툭 쳤다.

"네가 가면 되잖아."

"사료 가지고요?"

"한꺼번에 가져가면 무거우니까 날마다 조금씩."

"세령목장 가는 길은 아저씨가 가르쳐주실 거지요?"

묻는 서원의 뺨에 복숭아 빛이 번졌다. 눈빛은 기대와 흥분으로 반짝거리기 시작했다. 그는 두 가지 조건을 걸었다. 환할 때만 갈 것, 오래 머무르지 말 것.

오늘은 수업이 없는 토요일이었다. 서원은 어니에게 가는 길이었을 것이다. 비닐봉지에 든 건 어니의 사료겠지.

승환은 부랴부랴 경비실을 잠그고 뛰어나갔다. 뛰쳐나간 팀장의 기세로 미루어 누군가 결딴이 날 분위기였다. 누군가가 박수라면 더 큰일이었다. 마음만 먹으면 저 깡마른 박수의 목뼈 정도는 나무젓가락처럼 툭 분질러버릴 테니까.

그가 선착장에 도착했을 때, 일은 이미 벌어져 있었다. 박수는 자기 목을 움켜쥔 팀장의 왼손을 떼어내려고 버둥거리고, 박수의 목을 움켜쥔 팀장의 얼굴엔 살의가 번득거렸고, 사람들은 팀장의 손을 뜯어내려고 난리법석이었다. 서원은 아빠를 부르며 발을 굴렀다. 발밑에는 어니의 사료가 흩어져 있었다. 그는 서원을 무리 속에서 끌어내 선착장 문 옆으로 데려갔다. 서원은 그의 손을 뿌리치며 팀장을 돌아봤다.

"최서원."

그는 서원의 어깨를 흔들어 자신을 보게 했다.

"아저씨가 아빠를 데려올게. 네가 여기 가만히 있겠다고 약속하면."

서원은 저항을 멈췄다. 승환은 부교로 돌아갔다. 팀장을 힘으로 데려오려면 기중기를 출동시켜야 할 것이다. 그래도 어떻게든 해봐야 했다. 그는 휴대전화를 꺼내 정문경비실 번호를 눌렀다. 박 주임이 받았다.

잠시 후, 취수탑에 설치된 스피커에서 비상사이렌이 울리기 시작했다. 팀장은 반사적으로 손을 놓고 뒤를 돌아봤다. 놓여난 박수는 바닥에 널브러져 기침을 해댔고, 사람들은 팀장의 팔을 놓고 물러섰다. 그 틈을 타 승환은 팀장에게 다가갔다. 팀장은 홀린 듯한 눈으로 붕대가 감긴 왼손을 들여다보고 있었다. 악마를 대면한 듯한 눈이었다. 그는 팀장의 팔을 끌고 부교를 빠져나갔다. 다행히 팀장은 아들을 알아보지 못할 정도로 정신이 나가지는 않았다. 승환의 손을 떼어내면서 서원에게 물었다.

"괜찮니?"

서원은 "죄송해요. 아빠" 했다. 여기에 왜 왔느냐는 질책으로 들은 눈치였다.

"엄마는?"

"잠깐 어디 가셨는데, 저는 잘 모르겠어요."

팀장은 우두망찰한 눈으로 세령봉 쪽을 올려다보더니, "가자" 했다. 부자는 손을 잡고 선착장을 나갔다. 승환은 뒤를 돌아봤다. 오영제가 기묘한 미소를 띤 채 부자의 뒷모습을 응시하고 있었다.

"자네가 좀 데려다 주고 오겠나."

1공도교 앞에서 팀장은 승환에게 서원을 맡겼다.

"서원엄마를 보면 좋은 소리가 안 나올 것 같아서. 자네 올 때까지 내가 수문에 있겠네."

승환은 주머니에서 경비실열쇠를 꺼내 건넸다. 받아 쥐고 돌아서던 팀장의 다리가 휘청했다. 깜짝 놀라 손을 뻗었으나 팀장은 이미 공도교 위로 멀어지고 있었다. 단단하고 큰 어깨가 비에 젖은 흙담처럼 위태로웠다. 멀리서 굿판의 재개를 알리는 꽹과리소리가 들려왔다.

"우리도 가자."

그는 서원의 손을 잡고 걷기 시작했다. 서원은 후문으로 들어선 뒤 갑자기 걸음을 멈췄다. 왜 그러니, 라고 묻기도 전에 선 채로 와르르 토해버렸다. 토사물은 서원의 청바지와 운동화, 승환의 구두에까지 쏟아졌다. 시큼한 냄새가 축축한 대기 속으로 퍼졌다. 서원은 팔을 축 늘어뜨린 채 승환을 올려다봤다. 금방이라도 울 듯한 눈이었다.

"괜찮아. 집에 가서 씻으면 돼."

승환은 손수건을 꺼내 토사물이 묻은 서원의 턱을 닦았다. 얼굴빛이 하얗다 못해 파랬다. 살갗은 습하고 차가웠다. 뒤늦게 충격이 온 기색이었다.

"아저씨한테 업힐래?"

"걸을 수 있어요."

걷는 동안 서원은 두 번이나 더 토했다. 결국 승환의 등에 업혔다.

별채 창고 앞엔 대형 천막이 설치돼 있었다. 제사상이 놓여 있고, 술을 마시거나 밥을 먹는 사람들이 있었다. 마을주민으로 보이는 여자 몇몇은 음식쟁반을 들고 101호와 천막 사이를 바쁘게 오가고 있었다. 화단 옆엔 낯선 노인이 그림자처럼 서 있었다. 검은 양복에 등산용 지팡이, 단정하게 빗어 넘긴 머리. 세령과 똑 닮은 얼굴은 노인이 그 아이의 외조부임을 알려주고 있었다. 주워들은 바로, 친할아버지는 세령보다 먼저 저쪽 세상에 가 있다니까.

"엄마 어디 계시는지 몰라?"

승환은 현관문 앞에서 서원을 내려놓고 물었다. 서원은 고개를 저었다.

"그럼 아저씨랑 진료소에 갈까?"

서원은 다시 고개를 저었다.

"씻고 잘래?"

"네."

그는 서원을 욕실로 데려가 씻기고, 옷을 갈아입힌 다음, 침대에 눕혔다. 서원은 "아저씨" 불러놓고 잠시 머뭇거렸다.

"저어. 그 애 잘 갔겠지요?"

"세령이 말이냐?"

"네."

"그게 궁금해서 굿판에 간 거야?"

"아니, 그런 건 아니고요. 어니한테 가는 길에 카드를 주려고……"

승환은 설명을 기다렸다.

"그 애, 생일날 죽었대요. 불쌍했어요. 반 애들이 놀이에 붙여주질 않아서 학교에서도 항상 혼자 놀았대요. 생일날 축하카드를 준 아이도 없었고요. 생일인지 아무도 몰랐다나 봐요."

"그래서 네가 카드를 썼단 말이지?"

서원은 고개를 끄덕였다.

"뭐라고 썼는데?"

"그 애를 어떻게 불러야 할지 몰라서 그냥 '해피 버스데이' 했어요. 하늘나라에서 행복하기를 바랄게, 어니를 보내줘서 고마워, 라고 썼어요. 그리고 이제 나를 찾아오지 말라고."

승환은 가슴이 서늘해져서 물었다.

"그 애가 너한테 나타나니?"

"꿈에 와요. 잠이 들면 숲에서 그 애 목소리가 들려요. 무궁화 꽃이 피었습니다. 커튼을 들추면 큰 나무 그늘에 숨어 있는 그 애가 보여요. 머리를 허리까지 풀고……"

서원은 눈을 내리깔고 조그맣게 말했다.

"옷이 없나 봐요. 팬티만 입고 맨발로 서 있어요. 그 애가 저한테 나오라고 해요. '무궁화 꽃이 피었습니다' 놀이를 하자고."

"그래서 나가니?"

"아뇨. 그냥 커튼 뒤에 숨어서 지켜봐요. 넌 여기 오면 안 된다고, 이제 하늘나라로 가야 한다고 말하고 싶은데, 목소리가 나오지 않아요."

"무서워서?"

"잘 모르겠어요. 그 아이가 오면 이상하게 몸이 꼿꼿해져서 말이 안 나와요."

"카드를 누구한테 주려고 했니? 세령인 꿈에만 나타나는데."

승환은 물었다.

"101호 아저씨한테 주려고 했는데 남자무당이 가로채서 읽어보더니 갑자기 제 목덜미를 틀어쥐고 고함을 질러댔어요."

"뭐라고 했는데?"

"혼자 못 간다고요. 나랑 같이 간다고, 그 아이 흉내를 내고, 방울을 흔들고, 제게 얼굴을 들이대면서 노려봤어요. 저도 화가 나서 같이 노려봐줬어요. 그 아이 목소리는 그렇게 이상하지 않아요. 교회성가대 노래처럼 높고 맑은 목소리예요. 아저씨는 그 아이 목소리 들어보신 적 있지요?"

서원은 승환을 올려다보며 물었다. 승환은 열심히 기억해봤다. 세령의 목소리가 어땠던가.

"그래. 그런 것 같구나."

"저는요, 거짓말쟁이 남자무당은 하나도 무섭지 않았어요. 그런데 아빠가……"

서원은 돌연하게 말을 멈췄다. 다시 입을 연 건 한참 후였다.

"아저씨, 우리 아빠 괜찮겠지요?"

"괜찮아. 어른이잖아."

"어른도 무서울 때가 있다고, 아빠가 그랬어요. 이사 오지 않았으면 좋았을 텐데. 여긴 정말 이상한 동네예요."

"이사 오기 전에 여기가 궁금하지 않았니?"

"저보다 엄마가 더 궁금해했어요. 아빠가 아저씨랑 같이 살아야 한다고 하니까 엄마가 가보라고 했어요. 제 방을 줄 수 있는지, 집이 얼마나 큰지, 알고 싶다고."

"그런데 왜 안 오셨니? 아니면, 아저씨 몰래 다녀갔나?"

"잘 모르겠어요. 그것 때문에 엄마랑 아빠랑 싸웠어요. 아빠가 술 드시고 다음 날 저녁에 들어 오셨거든요."

다음 날 저녁이라…… 승환은 시계를 봤다. 어느새 오후 2시를 향해 가고 있었다. 수문에 가봐야 했다.

"아저씨, 엄마한텐 그 애 이야기 하지 마세요."

당부하는 서원의 눈자위에 걱정의 그늘이 드리워져 있었다.

"그리고 저 거기 간 것도요. 알면 큰일 나요."

"하지만 더 아프면 어떡할 거야."

"아저씨한테 전화할게요. 그렇게 해도 되지요?"

그는 잘못 들었나, 했다. 왜 아빠가 아니라 아저씨인가.

"사실은 엄마요, 지금 옆집에 계세요. 옆집 아저씨가 장례식 일을 도와 달라고 했대요. 아빠는 엄마한테 사택경비일 하지 말라고 하셨는데."

그제야 승환은 서원이 말하는 '큰일'이 무언지 알아차렸다. 아이는 혼 날 걸 걱정하는 게 아니었다. 자기 때문에 엄마와 아빠가 싸우는 걸 원치 않는 것이었다. 놀랍고도 안쓰러웠다. 천둥벌거숭이여야 할 열두 살짜리 사내아이가 부부싸움의 메커니즘을 이해하고 예측한다는 점에서. 풍부 한 경험이 아니고는 불가능한 통찰이라는 점에서.

"그래. 그렇게 하자."

승환은 대답했다. 서원은 안심한 얼굴로 눈을 감았다. 얼마 후, 잠이 들었다.

별채앞길은 아까보다 더 북적거렸다. 그사이 굿판이 101호로 옮겨와 있었다. 길바닥에서 마른 짚불이 타올랐고 불길 앞에서 그 집 파출부가 분홍색 빗으로 인형의 머리를 빗겼다. 머리 빗기기가 끝나자 박수는 불 붙은 짚 가닥으로 인형에 불을 붙였다. 잿빛 연기와 함께 인형다리가 타 오르기 시작했다. 박수는 활활 타는 인형을 손에 쥐고 작두 위로 올라섰 다. 뼈가 앙상한 맨발이 사뿐사뿐 작두날을 밟았다. 저지대마을 사람들은 무당을 에워싸고 굿판을 지켜봤다. 그들의 수군거림이 승환의 귓가를 오갔다. 그들은 세령의 죽음을 불길한 징조로 보고 있었다. 시신이 물 속 마을에 누워 있었던 것도. 외지인인 119잠수부가 마을에 들어간 것도. 그리하여 모조리 굿판으로 출두해 마을이 무탈하기를 빌고 있는 것이었다. 좀 전에 봤던 노인은 보이지 않았다. 그는 사람들 사이를 돌아다니다, 창고 뒤켠에서 은주를 찾아냈다. 그녀는 가마솥이 걸린 화덕 앞에 부지깽이를 쥐고 앉아 있었다. 정신을 반쯤 내려놓은 듯한 모습이었다.

"서원어머니."

그녀는 멍한 얼굴로 돌아봤다.

"집에 좀 가보세요."

"왜요?"

선뜻 일어설 기세가 아니었다. 승환은 바쁘게 머릿속을 뒤졌다. 서원과 약속한 걸 어기지 않고 그녀를 집으로 보낼 구실을 찾아야 했다.

"서원이 혼자 잠들어 있어서요."

"내가 알아서 할게요."

그녀는 고개를 돌려버렸다. 기껏 그런 일로 바쁜 사람을 찾아왔느냐는 듯. 승환도 돌아섰다. 더 할 말이 없었다. 팀장은 이 꼴을 예상하고 서원을 맡긴 건가, 싶기도 했다. 더 기분 나쁜 건, 이 소란이 영제가 의도한 퍼포먼스라고 속삭여오는 직감의 목소리였다. 목적은 짐작조차 할 수 없었지만.

수문경비실은 비어 있었다. 열쇠는 책상에 놓여 있고, 인터넷엔 뉴스창이 그대로 떠 있고, 의자는 책상에서 두어 발짝 뒤로 밀려나 있었다. 팀장이 들렀다 간 흔적이었다. 승환은 인터넷을 끄려다 노크소리에 뒤를 돌아봤다. 두 남자가 문을 열고 고개를 들이밀었다.

"안승환 씨죠?"

중년남자가 물었다.

"그렇습니다만."

중년남자 뒤에 서 있던 젊은 남자가 신분증을 내보였다. 그들은 형사 커플이었다.

"사건에 관심이 많으시구먼. 재미난 거 좀 떴던가요?"

중년형사가 뉴스 창을 흘금대며 말했다.

"무슨 일로 오셨습니까."

승환이 묻자, 중년형사는 제멋대로 의자를 당겨다 앉으며 물었다.

"사건이 나던 날 밤 어디서 뭘 하셨소?"

"며칠 전에 찾아온 형사님들에게 말씀드렸는데요. 집에서 야구를 봤다고요."

"세령호에서 잠수 중이었던 게 아니고?"

승환은 문 옆에 어깨를 기대고 섰다. 올 것이 왔구나, 싶었다.

"사건이 발생한 시각에 호수에 있었던 걸로 아는데. 선착장 부교에서 입수했고, 취수탑부근에서 출수했고, 입수 지점으로 헤엄쳐서 돌아간 다음 선착장을 빠져나갔고. CCTV로 확인한 거요."

눈으로 본 것처럼 정확한 동선 설명이었다. CCTV에 사람이 보일 리 없다는 걸 누구보다 잘 알면서도 승환은 불안해지기 시작했다. 애송이는 책상 모서리에 걸터앉아 승환의 표정을 유심히 살피고 있었다.

"제가 나온다는 그 신기한 CCTV 좀 보여주시겠습니까?"

승환의 말에 중년형사는 빙그레 웃었다.

"댐 관리단 직원 중에서 잠수를 할 수 있는 사람은 안승환 씨뿐이잖소."

"이 동네에 직원만 사는 건 아닐 텐데요."

"잠수장비가 40킬로그램이 넘는다고 들었소만. 부피도 크고. 공기통이 있으니 던져서 담장을 넘길 수도 없을 것이고, 그렇다고 등에다 메고 담을 넘긴 힘들지 않겠소. 아래쪽 틈은 30센티미터에 불과하고. 출입할 수 있는 곳은 문밖에 없다는 얘기지. 문을 열려면 키가 있어야 할 텐데, 직원이 아니라면 누가 그걸 손에 넣을 수 있겠소."

승환은 대답하지 않았다.

"우린 안승환 씨가 그날 뭔가를 봤다고 확신하는데."

"여기 와서 잠수한 적 없습니다."

"잘 생각해봐요. 혹시 기억날지도 모르니까."

"기억 안 납니다."

중년형사는 승환을 물끄러미 응시했다. 털구멍크기까지 재보는 시선이었다. 승환의 턱 밑에선 소름이 올라왔다. 이 중년형사가 선수라는 걸 알아차린 탓이었다. 자신 같은 인간 하나쯤은 통째 삶아 먹고 이도 쑤시지 않을 것 같았다. 그러므로 아무 생각도 하지 않는 게 최선이었다. 뭘 생각하든, 다 보일 테니까.

"본 것만 얘기해 달라는데도 협조를 못하겠다면, 뭐 할 수 없지."

마침내 선수는 의자에서 일어났다.

"사건이 종결될 때까지 안승환 씨를 용의자명단에 올려놓을 수밖에."

승환은 목에 걸리는 거친 숨을 힘들여 삼켰다. 흐리멍덩한 표정을 유지하려고 안간힘을 썼다. 이건 으름장이야. 선수와 애송이 커플은 미련 없이 경비실을 나갔다. 그들의 모습이 수문 아래로 사라지자 갈등이 머리를 들이밀었다. 끝내 입 다물 거야?

그날 그는 잘못된 시간에, 잘못된 장소에 있었다. 순전한 우연이었다. 침묵을 택한 건, 우연의 덤터기를 피하고 싶어서였다. 그런데도 같은 결과가 왔다면 계산서를 점검해봐야 했다.

털어놓을 경우. 회의감이 먼저 왔다. 뭘 털어놓을 수 있을까. 물속에서 시신과 마주친 것 말고 무엇을 더. 그걸로 안승환이라는 이름을 용의자 리스트에서 지울 수 있을까. 본능은 고난을 자초하지 말라고 충고해왔다. 입을 여는 순간이야말로 목격자에서 용의자로 차를 갈아타게 될지도 모른다고. 도진개진이라고.

계속 입을 다물고 있을 경우를 생각해봤다. 구체적인 증거가 있지 않는 한, 자신을 어쩌지 못한다는 결론이 나왔다. 단언컨대, 형사들이 CCTV에서 본 건 전등 빛뿐이었다. 선착장과 취수탑 화면을 살피다가 호수 쪽에서 움직이는 광점을 본 것이리라. 아마도 잠수전문가를 데려왔을 것이고, 전등의 위치와 조감도를 보여주며 동선을 잡아보라고 했겠지. 형사들이 가져와야 할 진짜 증거는 낚싯줄이었다. 그날 오후에, 휴게소 트럭에서 낚싯줄과 찌와 추와 형광도료를 사간 사람을 확인하는 건 양어장에서 하는 낚시보다 쉬울 일이었다. 형사들은 낚싯줄얘기를 끝내 꺼내지 않았다. 아직 오영제가 가지고 있다는 뜻이었다.

세령호, 사망 초등생, 수사 난항. 사건발생 닷새가 지나도록 용의자 파악도 못해……

승환은 인터넷뉴스의 헤드라인을 들여다봤다. 자신이 형사라면, 가장 먼저 오영제를 의심했을 거라고 생각했다. 형사들이 자신보다 머저리라는 생각도 들지 않았다. 오영제는 용의자 취급을 받았을 것이다. 그런데도 낚싯줄을 내놓지 않았다. 오영제의 속셈이 뭘까. 부검결과를 보고 유효가치가 없다고 판단한 것일까. 유효가치의 기준은 뭘까. 경찰에게 넘겨줄 만한 '증거'와 오영제의 유효가치는 다른 것인가. 본인이 직접 수사

262

에 나섰다는 뜻으로 해석하려면 오영제가 범인이 아니라는 전제가 필요했다. 설마…… 설마, 범인이 아닌 것은 아니겠지?

승환은 뉴스 창을 차례로 껐다. 맨 마지막에 아틀란티스 창이 남았다. 아침나절에 열어놓고 지금껏 잊고 있었던 것이다. 질겁한 기분이었다. 맙소사, 소리가 절로 튀어나왔다. 이걸 열어놓은 채, 형사들에게 잠수한 적 없다고 주장했다니. 팀장에겐 들어가서 관람하시라고 열쇠를 내맡기고. 속이 탄 나머지, 팀장에게 전화를 걸어 묻고 싶었다.

혹시, 그 동영상 보셨어요?

휴게소는 한산했다. 일요일 밤인데도 들고나는 차량이 그리 많지 않았다. 평소라면 무리지어 있었을 동네술꾼도 보이지 않았다. 현수는 전망대를 독차지하고 앉아 술을 마셨다.

이곳에 올라올 때마다 그는 오늘이 마지막이야, 했다. 다음 날엔 어김없이 술병을 들고 전망대에 앉아 있었다. 진짜 주정뱅이가 돼버린 것 같았다. 그래도 어쩔 수 없다는 생각이 들었다. 취해야만 조력자의 변명을 끌어낼 수 있었다. '죽이려던 게 아니야. 아이의 입을 막으려던 거지.' 필름이 끊겨야만 자유로울 수 있었다. 시도 때도 없이 들려오는 "아빠" 하는 목소리에서, 왼손이 기억하는 살인의 감각에서, 예전의 삶으로 돌아갈 수 없다는 데 대한 회한에서, 모든 것이 자신의 통제권 밖에 있다는 무력감에서, 누구에게도 도움을 청할 수 없다는 쓸쓸함에서, 저벅저벅 다가오는 경찰의 발자국소리에서.

어제는 '목격자'라는 변수를 만났다. 지금껏 그를 압박해온 것들이 한 방에 평정된 순간이었다.

수문경비실에 들어설 무렵, 그는 굿판에서 저지른 일로 제정신이 아니었다. 자신은 사람들 앞에서 살인을 실연해 보인 거나 다름없었다. 서원을 승환에게 맡기고 도망친 건 충격과 수치심 때문이었다. 서원을 똑바로 볼 수가 없었다. 어쩌다 그 영상을 열었는지는 기억나지 않았다. 자신이 또 무슨 일을 저지를지 모른다는 두려움으로 머리가 호두알처럼 졸아 있었다. 시야가 열려 있었으니 뭔가 보이기는 했다. 영화인가 보다, 했고 수중촬영이구나, 짐작했다. 물속마을 풍경이 나올 때에도 별 감흥이 없었다. '오영제'라는 활자가 클로즈업되던 마지막 순간까지도. 화면이 껌껌해진 후에야 비로소 이름에 의미가 실렸다. 오영제…… 불현듯, 승환의 목소리가 귓가를 스쳐갔다.

"한솔등 부근에 수몰된 옛 세령마을이 있는데 세령이가 그곳에서 태어난 모양이에요. 시신도 그곳에서 발견했고."

현수는 화면을 마지막장면으로 되돌렸다. 맨 밑에 촬영시각이 표기돼 있었다. 2004년 8월 27일 10시 45분. 그는 영상을 처음부터 다시 보기 시작했다. 카메라는 기나긴 도로를 지나 마을입석 앞에 다다랐다.

어서 오세요, 여기는 세령마을입니다.

마우스를 잡은 그의 손이 부들부들 떨리기 시작했다. 다시 승환의 이야기가 떠올랐다.

"아버지가 한강에서 익사체를 건져주는 잠수부였어요. 일감 하나 맡으면 저랑 형들이랑 아버지를 도우러가곤 했죠. 삼형제 모두 열두 살에 잠수를 시작했거든요."

촬영자가 누구인지는 마을입석만큼이나 자명했다. 촬영시각, 촬영장소, 촬영자가 지시하는 바를 깨닫는 데는 몇 초면 충분했다. 승환은 사건의 목격자였다.

현수는 도망치듯 관리단으로 내려갔다. 오후 내내 머리를 싸매고 있었다. 실로 오랜만에 머리를 작동시킨 시간이기도 했다. 그는 수많은 경우의 수를 두 범주로 압축시켰다.

1. 승환은 모든 걸 봤다.

2. 물속에 있어서 범인은 보지 못했다.

분명해 보이는 것도 하나 있었다. 승환이 아직 경찰에 신고하지 않았다는 것. 신고를 했다면, 이미 자신은 수갑을 차고 유치장에 들어앉아 있어야 했다.

안승환은 어떤 사람일까. 현수는 승환의 평소언행을 되짚어봤다. 뭔가 이상한 점이 있었던가. 아무 기억도 떠오르지 않았다. 어쩌면 당연한 일이었다. 정신 못 차리게 혼란스러웠던 일주일이었다. 파도에 휩쓸려 바다를 떠돌아다닌 듯한 밤낮이었다. 승환까지 신경 쓸 여력이 없었다. 그는 승환에 대한 분석을 포기하고 자신의 관점에서 상황을 읽었다. 모든 걸 봤다면, 침묵할 이유가 없다고. 승환이 얻을 이득이 없었다. 상사와 잘 지내려고 입을 다물었을 리도 없었다. 상사가 암에 걸린 데다 유산을 물려줄 가족도 없는 억만장자라면 모를까.

범인을 보지 못했다면, 상황을 본 것이 아니라 물속으로 가라앉는 시신만 봤다면 침묵할 이유가 있었다. 출입금지구역에서 잠수한 사실을 숨기고 싶었을 테고, 그 자신이 용의자가 될 위험을 피하고 싶었을 것이다.

주말 이틀, 그는 휴대전화를 수도 없이 열었다 닫았다 했다. 승환과 마주칠 때마다 속만 태웠다. '자네, 나랑 술 한잔하겠나'라고 말하기가 그리도 어려울 줄은 몰랐다. 번번이 눈치만 살피다 기회를 놓쳐버리곤 했다. 단둘이 마주 앉아 술 한잔 나누고 나면, 취기에 힘입어 어떻게든 찔러볼 수 있을 것 같은데.

현수는 자정이 넘어서야 집으로 돌아왔다. 승환에게는 끝내 전화하지 못했다. 대신 머릿속 조력자와 화통한 대화를 나눴다. 될 대로 되라지. 제가 날 봤다면 어쩔 거야. 나라는 증거 있어? 그 카메라로 내 얼굴이라도 박아 냈냐고.

그는 안방침대에 쓰러지듯 누웠다. 은주가 첫 출근을 한 날이었다. 은주 없는 안방은 편안하고 좋았다. 그래, 강은주. 아주 잘했어. 돈 많이 벌어오라고. 서방은 발 뻗고 잘 테니까.

현수는 수수벌판을 맨발로 걷고 있었다. 한 손엔 아버지의 구두를, 한 손엔 랜턴을 쥐고 키 큰 수수 그늘 밑을 걸었다. 보름달이 뜬 밤이었다. 수수벌판은 달빛을 받아 붉게 타올랐고 동네에선 개들이 짖어댔다. 동네 개란 개는 모조리 달을 보고 짖어대는 것 같았다. 그는 우물 앞에서 걸음을 멈췄다. 숨을 한 번 들이 쉰 다음 구두 한 짝을 내던졌다. 수면을 치는 둔탁한 마찰음이 울리자 잠들어 있던 우물이 깨어났다. 남자의 목 쉰 소리가 그를 불렀다. 현수야. 현수야아…… 나머지 한 짝도 내던졌다. 이거나 먹어. 먹고 그 입 닥쳐. 우물은 시키면 입으로 구두를 날름 삼켰다. 이번엔 소녀의 목소리가 속삭여왔다. 아빠.

그는 눈을 떴다. 초점이 제대로 맞지 않았지만 자신이 어디에 있는지 바로 알아차렸다. 잠든 곳은 안방이었는데 눈뜨고 보니 거실소파 밑에 누워 있었다. 몸을 일으키고 앉자 왼팔이 덜렁 늘어졌다. 용팔이가 또 와 있었다. 출근부 도장을 찍을 모양이었다. 매일 아침 잊지도 않고 행차하는 걸 보면.

실내등 스위치를 켜고 그는 자신의 몸을 살폈다. 전날과 달리 머리나

옷은 젖어 있지 않았다. 대신 바짓단과 발이 흙투성이였다. 바닥엔 랜턴이 뒹굴고, 현관문 앞까지 흙 묻은 발자국들이 찍혀 있었다. 틀림없는 자신의 발자국이었다.

현수는 현관문을 나갔다. 집 밖에는 이미 아침이 찾아와 있었다. 막 떠오른 태양은 계단 칸칸마다 찍힌 발자국을 보여주었다. 발자국은 계단 밑에서 집 앞 화단으로 방향을 틀었다. 습기를 먹어 부드럽게 부푼 흙 위로 두 형태의 발자국이 찍혀 있었다. 가는 발자국, 오는 발자국. 그는 '가는 발자국'을 따라 걸었다. 102호와 101호 사이에 놓인 나직한 나무울타리를 넘고, 101호 뒤뜰을 지나, 담장뒷길로 나아갔다. 지난 목요일 저녁, 은주와 싸운 후 홀로 걸었던 그 길이었다. 발자국이 다다른 곳은 취수탑 다리였다. 세령을 던져버린 바로 그 자리.

현수는 다리난간 밑에 주저앉았다. 서 있을 수가 없었다. 무서운 확신이 돌풍처럼 그를 흔들고 있었다. 지난 사흘, 그가 꾸었던 꿈은 꿈이면서 꿈이 아니었다. 꿈속의 현실이었다. 현실 속의 꿈이었다. 열두 살 시절 그를 지배했던 우물에 대한 기억이었다. 수수벌판을 떠나면서 떼어버린 줄 알았던 꿈속의 악령이었다. 용팔이는 전령사에 불과했다. 그의 인생을 깨부수러 진짜가 돌아온 것이었다.

그래도 그는 우겨보고 싶었다. 그럴 리 없어. 말도 안 되는 얘기야.

말이 됐다. 무슨 일이든 일어날 수 있었다. 그 자신이 그걸 가장 잘 알고 있었다. 사건이 일어난 밤에 스스로 증명해 보인 바 있었다. 일어날 수 없는 일이 있다면, 자신의 삶이 8월 27일 밤 10시 45분 이전으로 돌아가는 것이었다. 9월 6일 월요일 이른 아침에 그가 할 수 있는 일이 있다면, 엉덩이를 들고 일어나 세령수목원 102호로 돌아가는 것이었다. 보안팀 야근자가 나타나 '팀장님 여기서 뭐하세요?'라고 물어오기 전에.

승환이 방문 앞에 서 있었다. 어깨에 수건을 걸고 입을 딱 벌린 채, 들어서는 그의 몰골을 훑어봤다. 늘어져 흔들거리는 그의 왼팔을 의아한 눈으로 쳐다봤다. 그는 뭐라 설명할 기운이 없었다. 설명할 말도 없었다. 그저 서원이 이 꼴을 보지 않아 다행이라고 생각했다.

"내가 먼저 씻어도 될까."

현수가 묻자 승환은 얼빠진 표정으로 길을 비켰다.

"그럼요."

욕실로 들어가자마자 그는 용팔이 퇴출작업에 들어갔다. 욕실장 구석에 숨겨놓은 커터칼을 꺼내고 오른손으로 왼팔을 잡아서 세탁기 위에 올려놓았다. 손바닥이 위를 보도록 반듯하게 펴고 칼날을 댔다. 용팔이는 전날보다 곱절로 악질이 돼 있었다. 엄지 밑둥치를 세 번씩 그어도 감각을 돌려주지 않았다. 핏물이 손을 적시는 정도로는 양에 안 차는 모양이었다. 내버려두면 영원히 배가 고플지도 몰랐다. 이미 지난 목요일에 그 기미를 확인한 바 있었다. 어디 한번 해보자고 버텼다가 그는 오전 내내, 직원들의 눈총 속에서 외팔이로 지내야 했다. 그런 일을 또 겪고 싶진 않았다.

그는 칼날을 손목으로 가져갔다. 푸릇하고 굵은 정맥이 지나는 곳이었다. 힘 조절이 중요했다. 동맥이나 인대에 닿지 않도록 얕고, 좁고, 빠르게. 칼날이 손목 위를 미끄러지며 살갗이 벌어졌다. 물대포를 발사하는 것처럼, 혈관이 울컥, 울컥, 핏물을 뿜어냈다. 손끝을 타고 시원스레 쏟아져 내렸다. 현수는 기묘한 황홀감이 찾아드는 걸 느꼈다. 시야가 뿌옇게 흐려지고, 뜨겁고 날카로운 감각이 왼팔 신경절을 타고 달렸다. 용팔이가 퇴장하기 직전에 던져주는, 통각에 가까운 쾌감이었다.

"팀장님!"

그는 아득한 곳에서 울리는 승환의 목소리를 들었다. 세 가지 일이 한꺼번에 벌어졌다. 황홀경이 걷히고, 용팔이가 사라지고, 쥐고 있던 커터 칼이 벽으로 날아갔다. 승환이 칼을 쥔 오른손을 틀어잡고 세탁기에다 손등을 내친 것이었다.

"맙소사, 이게 뭐하는 짓이에요."

승환은 성난 소리를 지르며 수건을 현수의 손목에 둘렀다. 그를 벽으로 밀어붙여 세워놓고 손목을 가슴 위로 들어 올리며 온 힘을 다해 수건을 조였다. 그는 몸을 맡긴 채 떨떠름해했다. 이 친구는 왜 이리 호들갑인가, 태어나 처음 피를 본 사람처럼.

"괜찮아."

현수는 자신의 목소리가 먼 지평선 뒤에서 들려오는 것 같다고 생각했다.

"깊이 뱄어요."

승환이 피에 젖은 수건을 떼어내고, 새 수건을 댄 다음 압박붕대를 찾아 손목을 감았다.

"진료소에 가서 꿰매는 게 좋겠어요."

"정맥만 살짝 건드린 거라니까."

갑갑해하는 승환의 눈이 현수를 봤다.

"지난주 내내 붕대를 감고 다닌 게 이것 때문이에요?"

현수도 갑갑했다. 용팔이를 어떻게 소개해야 할지 알 수가 없었다. 그는 히스테리 환자로 보이고 싶지 않았다. 입을 다물자니 자살기도로 오해받기 딱 알맞았다. 이 미친 짓을 세령의 사건과 결부시킨다면 그야말로 낭패였다.

"가끔 왼팔에 마비증세가 와. 선수시절부터 그래. 정형외과의사는 문제가 없다는데 나는 실제로 팔을 못 쓰는 거야. 쥐났을 때처럼, 피를 내면 풀리니까 정맥을 좀 그은 것뿐이야. 동맥을 자르려던 게 아냐. 그럴 생각도 없었고……"

현수는 거기서 입을 다물었다. 자기변명이 구차해서 부끄럽고 화가 났다. 승환이 믿지 않는 기색이라 더 울컥했다.

"일단 꿰매고 얘기하세요."

"이 시간에 진료소 문도 안 열었을 거고……"

"여기 진료소의사 귀 밝아요. 막 부임해서 군기가 바짝 들었고요. 문 두들기면 나와요."

승환은 그를 욕실 밖으로 끌어냈다. 진료소까지 따라올 심산 같았다. 현관에 선 채 두리번거리더니 신발장을 열었다.

"이상하다."

승환은 고개를 갸웃했다. 현수는 구두를 찾아 신으며 물었다.

"뭐가?"

"제 운동화가 없어요. 어젯밤에 현관에 벗어놓은 것 같은데."

현수는 움찔해서 동작을 멈췄다. 어제 아침, 은주도 승환과 똑같은 말을 했던 것이다. '이상하네. 여기 벗어둔 구두가 왜 없지?'라고 중얼대며 현수에게 곁눈질을 던졌다. 그 눈은 이렇게 말하고 있었다. 나 출근 못하게 하려고 감춘 거 아냐?

"자넨 집에 있어. 서원이도 곧 일어날 거고. 나 혼자 다녀올게."

그는 허둥지둥 현관문을 열었다. 문을 닫으면서 덧붙였다.

"집사람한테는 얘기하지 말게. 알면, 나를 정신병원에 넣으려 할 테니까."

대답이 없어 슬쩍 돌아봤다. 승환이 복잡한 표정으로 그를 보고 서 있었다. 그래, 갑갑하겠지. 말한 장본인도 한심스러운데 오죽할까.

"어쩌다 이러셨습니까."

엑스레이를 찍은 후, 진료소 의사가 물었다. 현수는 잠자코 있었다. 대답이 궁색했다.

"아시겠지만 자해는 건강보험적용이 안 됩니다. 보험가로 본인부담하는 것도 안 되고."

현수는 눈을 내리뜨고 대답했다.

"왼팔에 가끔 마비증세가 옵니다. 피를 내면 풀리고요."

의사도 믿지 않는 눈치였다. 상처를 꿰매면서 잔소리를 늘어놨다. 동맥을 끊으려면 손목이 덜렁거릴 정도로 잘라야 한다. 죽는 것도 쉽지 않다. 백에 아흔아홉은 실패하는 게 동맥절단이다. 힘줄을 절단하는 날엔 죽지도 못하고 애먼 팔만 못쓰게 된다……. 치료가 끝나자 팔걸이용 지지대를 목에 걸어주었다.

"당분간은 팔을 걸고 다니세요. 손을 위로 향하게 해야 붓기가 빠지니까."

현수는 약을 받아들고 진료소를 나왔다. 진료소 문 앞에 선 채로 담배를 피웠다. 그의 시선은 도로를 향해 있었지만 그의 머리가 보고 있는 건 한 남자였다. 밤마다 누군가의 신발을 옆구리에 끼고 담장뒷길을 걸어가는 남자. 취수탑 다리 앞에서 호수를 향해 신발을 내던지는 남자. 첫날엔 실내용슬리퍼, 그제는 은주의 구두, 어젠 승환의 운동화.

끔찍한 물음이 그의 머리를 스쳐갔다. 오늘은 누구의 신발일까. 순서도, 선택기준도 알 길이 없었다. 그가 아는 건 하나뿐이었다. 꿈속의 남자로부터 지켜야 할 신발이 있다는 것.

지난 봄, 서원은 수학경시대회에서 상을 받아왔다. 현수는 비밀카드를 그어 나이키 농구화를 샀다. 서원은 그걸 발에 꿰어보지도 못하고 은주에게 빼앗겼다.

"이거 사이즈가 작아. 엄마가 내일 바꿔올게."

현수는 의아해서 말했다.

"안 작아. 지금 신는 거보다 한 사이즈 큰 거 샀어."

은주는 신발을 상자에 담으며 말했다.

"서원이 발이 얼마나 빨리 크는 줄 알아? 그리고 이거 하나면 다른 신발 다섯 개는 사."

서원은 울상이 돼서 그를 쳐다봤다. 현수는 그제야 은주의 속셈을 알아차렸다. 버럭, 고함이 튀어나왔다.

"그냥 신겨."

"문제는 늘 당신이야. 애한테 십만 원이 넘는 신발을 덥석 사주고 싶어? 이런 거 맛들이면 점점 더 비싼 걸로 요구하는 거 몰라?"

현수는 은주 손에서 운동화를 낚아챘다. 그녀가 손대지 못하도록 주머니에 들어 있던 볼펜으로 신발덮개 안쪽에 이름을 썼다. 최서원.

이번엔 이름쓰기로 해결할 수 없었다. 신발을 숨겨야 했다. 그러나 숨길 곳이 없었다. 꿈속의 남자는 자신의 눈을 통해 세상을 보고 있으므로. 서원에게 직접 감추라고 할까. 혹여 아빠가 네 운동화를 찾아 집 안을 홀랑 뒤집더라도 절대로 내놓아서는 안 된다고.

현수는 발부리로 담배를 비벼 껐다. 현기증보다 더 새카만 절망이 밀려들고 있었다.

마티니의 법칙

그 아이의 장례식 전날, 나는 종일 들떠 있었다. 6교시 수업이 어머니 잔소리보다 더 지루했던 기억이 난다. 쉬는 시간마다 게시판 부근을 서성이며 그 아이의 그림을 훔쳐보던 기억도 난다. 속으로 그랬을 것이다. 네 친구 걱정하지 마, 내가 잘 보살필게.

수업을 끝내고 집에 돌아와 보니 어머니가 없었다. 냉장고에 쪽지만 붙어 있었다.

"엄마 읍내 농협에 간다. 손 씻고, 숙제부터 할 것. 간식은 찬장에."

"숙제 끝냈어요. 아저씨한테 놀러 갔다 올게요."

나도 쪽지를 써서 자석으로 붙였다. 어머니가 확인전화를 하면 아저씨가 알아서 해줄 거라 믿었다. 어니에게 갈 수 있도록 해준 사람이 아저씨였으니까. 개구멍문과 담장뒷길을 알려준 사람도, 효과가 7시간이나 간다는 바르는 모기약을 준 사람도 아저씨였고.

책가방에서 책을 꺼내고 사료봉지와 모기약, 물통, 어머니가 둔 간식을 넣었다. 다시 방방해진 가방을 둘러메고 내 방 창문으로 뛰어내렸다.

그 아이 방 창문은 항상 한 뼘쯤 열려 있었다. 방충망은 닫혀 있었지만 안을 들여다보는 데는 아무 지장이 없었다. 때문에 틈만 나면 일삼아서 그 아이 방을 들여다보고 있었다. 그날도 어김없이 창문 앞에서 걸음을 멈췄고, 안을 들여다봤다. 곧장 사진 속 그 아이와 만났다. 검고 큰 눈이 서늘한 시선으로 나를 맞았다. 원망하고 나무라는 눈빛이었다. 밤마다 커튼 뒤에 숨어서 불러도 모른 체한다고.

나는 몸을 돌리고 창문 앞을 떠났다. 더 머물고 싶었지만 기분 나쁜 것이 등을 떠밀었다. 누군가 뒤에서 덜미를 덜컥 잡아챌 것 같은 느낌. 거기에 서 있으면 항상 그랬다.

개구멍문은 금방 찾을 수 있었다. 다른 지표들도 어김없이 나타났다. 호수 1번 출입구, 취수탑, 선착장, 도로 폐쇄지점, 세령목장 진입로, 오리나무 숲, 목장 폐가, 호두만 한 감들이 매달린 감나무, 이어 종착역인 폐축사. 문을 활짝 열어젖히자 햇빛이 들이치고 콘크리트 통로가 회색 얼굴을 드러냈다. 통로 양쪽으로 축사 마루가 이어졌다. 똥을 받는 마루 밑은 판자로 막혀 있고, 마루 위는 녹슨 쇠파이프 칸막이가 막고 있었다. 나는 두리번대지 않고 곧장 안으로 들어갔다. 아저씨 말에 의하면 맨 구석에 마루가 꺼져 내린 구멍이 있고, 그 안에 어니의 은신처가 있었다.

"어니, 어니."

구멍 앞에 도착해 속삭였다. 칸막이를 뛰어 넘고 싶은 마음이 굴뚝같았지만 꾹 눌러 참았다. 어니가 놀라 도망치면 낭패였다. 사료봉지만 벌려 칸막이 사이로 살며시 밀어 넣었다. 그리고 기다렸다. 오래 기다리지는 않았다. 어니가 구멍에서 나오는 데는 30초면 충분했다. 아저씨 표현에 의하면, 녀석은 '개냥이'였다. 생김새는 살쾡이요, 성격은 똥개라 했다. 호의를 베풀면 의심 없이 마음을 주고, 기분이 나면 함께 산책도 해주는 개 같은 고양이. 어니는 사료를 다 먹은 후 칸막이 쇠파이프에 턱을 문질렀다. 우리 집에 들어와도 좋다는 신호 같았다.

어니의 집 역시 아저씨가 알려준 것과 일치했다. 나와 어니가 함께 들어가 앉을 수도 있을 만큼 널찍하고 튼튼했다. 듣지 못한 게 있다면, 바닥에 깔린 분홍담요였다. 담요 모서리에는 듣기만 해도 가슴 뛰는 이름이 검은 실로 수놓여 있었다. 오세령.

나는 모기약을 몸에 골고루 바르고 상자에 등을 기댔다. 무더운 날인데도, 사방에서 악취가 나는데도 그리 신경 쓰이지 않았다. 들뜬 기분이면서도 한편으론 편안했다. 그 아이 방에 들어와 앉은 느낌이었다. 그 기분 좋은 느낌에 취해 꾸벅꾸벅 졸았다. 잠시 후엔 꿈을 통로 삼아, 실제 그 아이의 방으로 잠입해 들어갔다.

그 아이는 침대에 반듯하게 누운 채 잠들어 있었다. 길게 풀어헤친 머리, 하얀 뺨과 팬티만 입은 알몸, 가느다란 종아리. 밤마다 편백나무 그늘 속에 숨어 나를 부르던 모습이었다. 눈을 감고 양팔을 길게 늘어뜨린 채 누워 있다는 게 다를 뿐. 나는 책상 위에 쪼그려 앉아 그 아이를 내려다봤다. 눈 한 번 깜박이지 않고 오래오래, 어떤 손이 꿈결을 흔들 때까지.

눈을 뜨자 마루 위에 앉아 있는 한 남자가 보였다. 그 아이의 아버지였다. 나는 움찔했다. 마음 한구석이 찔렸고, 다른 한구석에선 경계심이 돋았고, 첫 만남에서의 적개심이 되살아났다. 이 아저씨가 여기 왜 왔을까.

내 무릎에서 잠들었던 어니는 보이지 않았다. 그가 나타나자 어디로 숨어버린 것 같았다. 그를 좋아하지 않는다는 뜻도 되었다.

"여기서 뭐하는 거냐?"

남자가 물었다. 나는 마루 위로 올라가 그 남자 앞에 섰다.

"여긴 아저씨네 수목원도 아닌데 왜 그러세요."

"여긴 내 딸이 키우는 고양이의 집이거든."

그는 나무상자 안에 있는 내 가방을 쳐다보더니 빙그레 웃었다.

"아예 짐을 싸들고 왔구나. 너도 그 녀석 초대를 받은 거냐?"

허를 찔린 기분이었다. 주먹이 들어올 줄 알았는데 악수 신청이 들어온 기분이었다. 대답을 해야 할까, 더 두고 봐야 할까, 잠시 망설였다.

"아저씨는 여기 웬일이세요."

"나도 가끔 초대를 받은 적 있어서 왔다만."

그는 몸을 일으켰다.

"네가 내 딸 담요 위에서 뒹굴고 있을 줄은 몰랐지."

웃음기가 싹 가신 얼굴이었다. 처음 수목원에서 만났을 때 봤던 그 표정이었다. 그럼 그렇지. 결국 시비를 걸어오는구나. 나는 바지주머니에 손을 쑤셔 넣고 고개를 뒤로 젖혀 그를 마주봤다. 남자는 뜻밖의 말을 꺼냈다.

"내일이 우리 세령이 장례식인 거 알고 있니?"

알고 있었지만 대답하지 않았다

"10시에 선착장에서 세령이 혼을 건질 거야."

무슨 뜻인가 싶어 잠자코 있었다.

"내 딸 친구를 돌봐주는 게 고마워서 널 초대하는 거다. 장례식이 끝나면 내 딸 방을 들여다보기 힘들 테니까. 방을 폐쇄할 거거든."

발바닥부터 얼굴까지 한꺼번에 벌게지는 기분이었다. 그 방 창문 앞에 서 있을 때마다 느끼던 오싹한 느낌이 기억났다. 숲 어디쯤에서 지켜봤으리란 추측이 자동으로 뒤따랐다. 나는 가방을 꺼내 메고 칸막이 사이를 빠져나왔다. 달리지 않으려고 안간힘을 쓰며 축사 통로를 걸어갔다.

막 문 앞에 다다랐을 때, 그의 목소리가 뒷덜미를 잡았다.

"오겠니?"

잠깐 망설이다 남자를 돌아봤다.

"그리고 이 일은 우리끼리만 알았으면 좋겠는데."

나는 초대를 받아들였다. 아저씨에게까지 비밀을 지켰다. 그땐 우연이라고만 생각했다. 소설을 읽은 지금에 와서야 그 만남이 오영제의 의도였음을 알겠다. 그는 죽은 딸과 나를 이용해 아버지를 건드린 것이다. 아직도 모르겠는 건 의도의 목적이었다. 단순히 아버지를 괴롭히기 위한 것이었는지, 다음 행동을 위한 포석이었는지.

그 밖에도 숱한 의문들이 꼬리에 꼬리를 물었다. 형사들이 어머니를 찾아와 무슨 얘기를 했는지, 오영제가 서포터즈에게 알아봐 달라고 한 '두 가지' 일은 무엇인지, 우물과 아버지 사이에 도사리고 있는 악령이 무엇인지, 아버지가 내 신발을 두고 노심초사한 까닭이 뭔지.

소설의 나머지 부분에 답이 있을 테지만 나는 더 읽고 싶지 않았다. 궁금증만 점점 증폭됐다. 아저씨는 왜 이 소설을 썼을까. 작품으로 세상에 내놓으려고? 인물 모두를, 심지어 아저씨 본인까지 실명을 쓴 걸로 미루어 그런 목적은 아닌 것 같았다. 내게 보여주려고? 무엇을 보여주려고? '진실'을? 진실은커녕, 어디서부터 어디까지가 사실인지조차 알 수 없었다. 사실과 사실 사이에 숨겨진 이야기들은 어떻게 알아냈는지. 특히 오영제의 장은 거의 공상으로 보였다. 아버지와 어머니의 장은 취재가 가능한 부분이었다. 고모들, 작은아버지, 영주이모, 외삼촌. 아버지 본인이 입을 열었다면 더 말할 필요도 없겠지. 하지만 오영제는 달랐다. 그의 내면까지 말해줄 수 있는 사람이 대체 누구란 말인가. 당사자와 딸은 죽었다. 소설에 의하면, 그의 아내는 당시 세령호에 없었다. 딸의 장례식에도 나타나지 않았다. 아저씨는 귀신이라도 만나고 다닌 것일까?

좋다. 그랬다 치자. 백번 양보해 귀신이 알려줬다고 치자. 그것이 아버지가 저지른 일이 '사실'이라는 상황을 뒤집을 수 없다면, 움직일 수 없는 사실이라면, 숨겨져 있는 이야기 따위가 무슨 의미를 갖는단 말인가.

나는 소설의 다음 장으로 넘어가는 대신 스크랩북을 펴봤다. 당시의 일간지기사들이 시간순차로 정리돼 있었다. 처음 보는 기사들이었다. 그러나 선데이매거진의 범주를 벗어나는 기사는 없었다. 어머니와 오영제에 관해 언급한 기사 외에는.

어머니는 사건 나흘 후 세령호로부터 60킬로미터쯤 떨어진 세령강 하구언에서 시신으로 발견됐다. 사인은 두부 손상이었다. 기사대로라면, 아버지가 어머니의 머리를 둔기로 쳐서 즉사시킨 후, 2공도교 아래로 던져버렸다. 그 아이의 목뼈를 틀어 호수로 내던졌듯. 검찰은 오영제도 동일한 흉기에 의해 살해됐을 것이라고 추정하고 있었다. 체포될 당시, 현장에서 발견된 몽치에는 오영제와 아저씨와 아버지의 혈흔이 모두 묻어 있었다. 아버지는 의식을 잃은 상태에서 체포됐다고 했다. 곧바로 병원으로 후송됐으나 생명이 위독한 상태라고 씌어 있었다. 오른쪽손목 복합골절 및 인대근육 손상, 코뼈 골절, 하악골 함몰골절 및 치아 손실, 사건 이틀 전에 입은 왼쪽 발등 개방골절로 인해 패혈증까지 와 있었다. 기사는 경찰이 오영제의 시신을 찾는 데 주력하고 있다는 말로 마무리됐다.

스크랩북의 뒤쪽은 아버지가 열흘째 중환자실에 있다는 기사, 두 번째 죽을 고비를 넘기고 가까스로 의식을 찾았다는 기사, 퇴원해 구치소로 후송됐다는 기사, 이후 재판과정을 취재한 기사들로 채워졌다. 오영제의 시신을 찾았다는 기사는 마지막 장까지 나오지 않았다. 아저씨가 빠짐없이 기사를 모았다고 한다면, 오영제는 죽은 자가 아니라 실종자였다.

나는 스크랩북을 닫고, 편지뭉치를 뒤적거렸다. 모두 해남우체국 사서함으로 온 것이었다. 발신지는 프랑스 아미앵, 발신자는 문하영. 아저씨의 소설에서 본 이름이었다. 오영제의 아내, 아저씨와는 어떤 교집합도 없는 상대였다. 나는 점점 혼란에 빠졌다. 이 여자가 왜 아저씨에게 편지를 보냈단 말인가. 그것도 아홉 통씩이나.

첫 번째 편지를 열었다.

저는 며칠째 잠을 못 이루고 있습니다. 밤이면, 인아가 깨지 않도록 조심조심 마당으로 나가 사과나무 밑에 가만히 서 있고는 합니다. 인아는 그런 저를 불안한 눈으로 지켜보는 기색입니다. 제가 고민하고 있는 게 무언지 눈치챈 것 같기도 합니다. 어제는 이런 말을 했습니다.

"하영아. 너 하고 싶은 대로 해. 무엇이든, 누군가가 아니라 너를 위해서 해."

"그래"라고 대답했습니다.

그 사건 이후, 저는 딸의 이야기를 입에 담은 적이 없습니다. 그것은 봇물과도 같아서 한줄기가 흘러나오면 이내 둑을 무너뜨리고 저를 침몰시키리라는 걸 알고 있는 까닭입니다. 그런데도 저는 말하기로 마음먹었습니다.

제가 무엇을 말할 수 있을지 의문이긴 합니다. 저는 그때 딸의 곁에 있지 않았고, 아무것도 도울 수 없었습니다. 딸에게 무슨 일이 있는지도 몰랐습니다. 무엇 하나 돌이킬 수 없었을 때에야 딸의 죽음을 알았습니다. 딸이 어떤 운명과 맞닥뜨렸는지도 모르고, 어미 된 저는 프랑스 체류를 연장시키겠다고 카사블랑카에 나가 있었습니다. 낯선 이국의 항구를 서성이며 인생이 제게 준 상처와 고뇌에만 휩싸여 있었습니다.

딸의 소식을 들은 건, 장례식이 끝난 후였습니다. 저는 먹지도 못하고 잠도 이룰 수 없었습니다. 얼마나 외로웠을까, 얼마나 무서웠을까, 얼마나 아팠을까. 그런 생각을 하면 제가 살아 있는 것이 끔찍한 범죄 같았습니다. 몇 번에 걸친 자살시도가 실패로 돌아간 뒤, 저는 가까스로 살 방법을 찾아냈습니다. 제 목을 죄어오는 죄책감을, 딸을 죽인 자에 대한 분노와 증오로 덮어버린 것이지요. 그것이 저를 점점 황폐하게 만들고 있다는 것을 알면서 말입니다.

그쪽이 보낸 첫 편지는 그런 제게 또 다른 분노를 안겨주었습니다. 그쪽을 파렴치한으로 단정 지었습니다. 소설가라는 것이 그랬고, 그 일을 소설로 쓰고 있다는 얘기가 그랬고, 딸과 저와 남편에 대해 얘기해달라는 요구가 그랬습니다. 한편으론 무섭기도 했습니다. 남편도 모르는 제 주소를 어찌 알았는지, 혹시 남편의 하수인이 아닌지, 이것은 저를 불러들이려는 남편의 계략이 아닌지.

행여, 하고 친정에 연락해보았습니다. 아버지가 알려주었노라고 하셨습니다. 오래전, 딸의 유품을 간직했다가 전해준 사람이라고 하셨습니다. 불안은 가셨지만 분노가 가시지는 않았습니다. 아무리 딸에게 호의를 베풀었던 사람이라 해도 제게 이런 무례한 요구를 할 수는 없다고 생각했습니다.

그쪽이 보낸 두 번째 우편물을 보고 나서는 커다란 혼란에 빠졌습니다. 사전만큼이나 두꺼운 미완성 원고는 제가 몰랐던 잔인한 진실들을 담고 있었습니다. 이 사람은 왜 이 이야기를 썼을까, 왜 이토록 나를 괴롭히는 것일까, 거듭 생각했습니다. 돈을 벌겠다는 것인가. 작가로서 명성을 얻겠다는 것인가. 세상이 모르는 것, 아무도 알고 싶어 하지 않는 진실을 말하겠다는 공명심인가. 원고를 태워버렸음에도 글은 사라지지 않았습니다. 제 딸이 겪은 일이 제 앞에서 벌어지는 상황처럼 생생했습니다. 딸의 마지막 모습이 저를 지옥으로 던져 넣었습니다. 그쪽이 증오스러웠습니다. 또 편지가 온다면 그땐 열어보지도 않고 태워버리겠다고 마음먹었습니다.

그쪽은 머리가 좋은 사람이더군요. 세 번째 편지가 왔을 때. 겉봉투에 붙은 작은 사진 한 장을 봤을 때, 태평양 너머에서 제 마음을 읽고 있는 게 아닌가 싶었습니다. 저는 그 사진을 찢어버릴 수도 태울 수도 없었습니다. 사진 속 장소는 제게 너무나도 익숙한 곳, 딸을 생각하면 언제나 함께 떠오르는 곳이었습니다. 안개 낀 별채앞길, 가로등, 측백나무 울타리. 통행로를 향해 나란히 걸어가는 남자와 소년, 한눈에도 아버지와 아들임을 알 수 있는 그들의 뒷모습이 결국 편지를 열게 만들었습니다.

이 아이가 그의 아들입니다, 라고 하셨지요.
아이가 세상 끝에 와 있습니다, 라고 하셨지요.
아이에게 진실을 알려주고 싶습니다, 라고 하셨지요.
아이를 자유롭게 해주고 싶습니다, 라고 하셨지요.

안 된다고 생각했습니다. 용납 못 한다고 생각했습니다. 세상 끝보다 더 참혹한 곳으로 떨어져버려야 한다고 생각했습니다. 밧줄을 목에 걸고 벼랑에 매달려서 오래오래, 고통받으며 살아야 할 것이라고 생각했습니다. 제가 그리 살고 있듯이…….

어젯밤에도 저는 이 사과나무 밑에 서 있었습니다. 새벽이 될 때까지 움직이지 않고 어둠을 바라보았습니다. 그 안에서 한 소년을 보았습니다. 제 딸과 나이가 같은, 한 번도 만난 적이 없는, 세상에 존재하는 줄조차 몰랐던 소년은 영락없는 제 딸의 모습을 하고 있었습니다. 제 딸처럼 한 사람이 아닌, 세상의 손에 살해당하기 직전으로 보였습니다. 함께 동봉한 선데이매거진이라는 주간지, 수없이 되풀이된 전학과 휴학의 기록. 소년을 세상 끝으로 몰아내고 있는 남편의 잔인한 손아귀가 보였습니다. 소년의 목을 졸라댔을 비난과 분노와 저주의 손들이 보였습니다. 거기에는 제 손도 끼어 있었습니다.

편지는 그쪽의 질문에 답변하는 형식으로 작성하겠습니다. 그에 앞서 말해둘 것이 하나 있습니다.

저는 남편과 12년을 살았습니다. 남편이 저를 아는 만큼, 저도 남편을 안다는 뜻입니다. 그렇기는 하나 제 관점에서 남편을 얘기하는 건 그리 도움이 되지 않을 듯합니다. 제 입장을 먼저 옹호할 것이 빤하니까요. 생각 끝에 제가 남편이 되어, 남편의 말로 얘기하자고 마음먹었습니다. 그쪽은 이제부터 문하영이 아닌, 오영제에게 질문을 던지는 것입니다. 뒤집어서, 제가 아니라 오영제의 답변을 받는다고 생각하셔도 좋습니다.

부탁도 하나 있습니다. 소설이 완성되면 제게도 한 부 보내달라는 것입니다. 저도 진실을 알고 싶습니다.

아래층에서 인아가 부릅니다. 아침을 먹으라는군요.

저는 이만 내려가 봐야겠습니다.

문하영 드림

편지를 봉투에 담았다. 봉투에 찍힌 발신날짜는 올 1월 20일이었다. 나머지 편지는 보지 않았다. 두려웠다. 그 많은 세월이 흐른 뒤 내 앞에 도달한 그 여자의 슬픔, 나에 대한 이해할 수 없는 연민과 관용이 두려웠다. 연민하지 말고, 관용하지도 말라고 얘기하고 싶었다. 나는 당신에게 아무것도 바라지 않는다고.

의도적으로 피해온 수많은 희생자들의 눈물과 딱 맞닥뜨린 기분이었다. 그 눈물을 피해 창문을 보고 앉았다. 소금기와 먼지가 부옇게 들러붙은 창문을 오래오래 쳐다봤다. 신기한 마음이 일었다. 저 더러운 창으로 하늘과 구름과 달과 별똥별과 빗줄기와 눈보라와 바다와 등대를 봐왔다는 게. 문득 배가 고팠다.

나는 부엌으로 나갔다. 냄비에 물을 받아 가스레인지에 올렸다. 찬장 문을 열어놓고 한참 고민했다. 뭘 꺼내려 했더라. 비틀어 짠 형태로 말라버린 행주가 보였다. 적어도 석 달 전부터 거기 놓여 있었던 듯했다. 청년회장의 아내인 부녀회장이 세상을 떠난 지난 초가을부터.

행주를 쥐고 대문 밖으로 나갔다. 바람 속에 서서 내 방 창문유리를 닦았다. 행주 밑에서 소금기가 쓰적쓰적 쓸려 다녔다. 유리는 점점 더러워졌다. 내 머릿속도 점점 혼탁해졌다. 오영제가 살아 있단 말인가. 문하영은 그렇게 믿는 것 같았다. 근거 있는 믿음일까. 죽을 리 없다는 믿음에서 온 믿음일까. 아저씨는 나를 쫓는 자가 오영제임을 알았을까. 문하영의 편지로 보아 그런 듯도 했다. 언제부터 알았을까. 오영제는 왜 나를 해치지 않았을까. 기회라면 그간 수없이 많았는데, 세상에서 몰아내는 걸로 그친 이유가 뭘까.

"아가." 소리에 동작을 멈췄다. 청년회장이 대문간에 서 있었다.

"니 시방 거그서 뭣허냐. 불에다 냄비 얹어 놓고."

그제야 생각해냈다. 내가 찬장에서 꺼내려던 것이 행주가 아닌 라면이었다는 걸.

"냄비 탔어요?"

"냄비만 탔것냐, 이 쎄빠진 놈아. 자다가 뭣이 이상해서 나와봤응게 망정이제, 안 그랬으면 집까장 꼬실라묵을 뻔했어야."

나는 방으로 들어왔다. 허기는 잊어버린 지 오래였다. 뭘 하다 방을 나왔는지도 잊어버렸다. 습관처럼 책상 앞에 앉았고, 그대로 열려 있는 노트북 화면을 쳐다봤다. USB 창 안에 폴더 두 개가 나란히 떠 있었다.

세령호. 자료.

'자료' 폴더를 열었다. '아틀란티스'라는 제목이 붙은 동영상파일이 맨 위에 나타났다. 아래로 쭉 MP3파일이었다. '1'이라는 번호가 붙은 파일을 열었다. 잠시 잡음이 들리더니, 나직하고 굵은 남자의 목소리가 흘러나왔다.

"서원이가 어떻게 자랐는지 상상하는 게 가장 즐거워. 그 아이 생일마다 승환 씨가 보내준 사진을 벽에 쭉 붙여놨거든. 보면 볼수록 신기해. 열다섯 살까지 소년이다가 열여섯 살에서 청년으로 훌쩍 뛰어오르는 거. 내내 아이 곁에 있었다면 난 아마 그 마술 같은 점프를 못 봤을 거야. 지금도 생생해. 초등학교에 입학하던 날, 그 아이 모습이. 강당에 모인 아이들 수백 명 중에서 우리 서원이만큼 품위 있는 아이는 없었어. 내가 얼마나 자부심을 느꼈는지, 훗날 그 아이가 남자가 되면 꼭 얘기해주겠다고……"

정신없이 파일을 껐다. 손끝이 부들부들 떨리고 있었다. 잊으려 안간힘을 써온 목소리였다. 정말로 잊은 목소리였나 보았다. 한참을 듣고서야 그가 누군지 알아차렸으니. 어쩌면 당연한 일인지도 모른다. 휴대전화 속에서 "서원아" 하고 부르던 음성이 내가 기억하는 아버지의 마지막 목소리였으니까.

노트북도 껐다. 다시는 그 목소리를 듣고 싶지 않았다. 소설도 읽고 싶지 않았다. 아버지가 저지른 짓을 확인하는 게 너무나 괴로워서, 라고 말하면 그건 거짓말일 것이다. 나를 괴롭힌 건 아버지 그 자체였다. 그는 내가 기억하는 거인이 아니었다. 어리석고 나약한 겁쟁이였다. 그 왜소하고 볼품없는 남자와 대면하는 게 싫었다. 최현수라는 사내의 초라한 인생에 숨이 막혔다. 그러나 파일을 닫아도, 노트북을 꺼도, 그 남자의 목소리는 끌 수가 없었다.

"서원아."

책상에서 돌아앉아 냉장고를 열었다. 문을 붙잡고 가만있었다. 뭘 꺼내려 했는지, 또 잊어버렸다. 그 목소리 때문에.

"서원아."

냉장고를 닫고 방 한구석에 웅크려 앉았다. 창밖으로 덜컹덜컹, 바람이 지나갔다. 바람 속에서 그가 불렀다.

"서원아."

다시는 당황하지 않을 줄 알았다. 당황할 일 같은 건 없을 줄 알았다. 아니었다. 전 방위에서 돌진해오는 그의 목소리에 나는 얼빠진 어린애처럼 어쩔 줄 몰라 하고 있었다. 거리로 나가 아무나 붙들고 묻고 싶은 심정이었다. 내가 어째야 하느냐고. 저 목소리를 멈추게 하려면 어떻게 해야겠느냐고.

5

'오배우'라는 별명이 궁금하다고? 내 외사촌을 찾아간 모양이지? 그 멍청이 말고는 이 오영제를 그렇게 부를 놈이 없거든. 그래, 요새 차는 좀 팔린다던가? 내가 염려할 일은 아니지만, '오배우'라는 별명 하나 줍자고 멀쩡한 차를 바꾸지 않았기 바라네.

이미 들었겠지만 그놈 어미가 붙인 별명이야. 호적상으로는 내 어머니 친언니고, 나한테는 이모지. 그런 인연으로 내가 그 집에 잠시 머물렀던 적이 있어. 당산동에 있는 5층 아파트 꼭대기층이었지. 아마 열두 살이었겠군, 세령초교 5학년 때였으니까. 어머니는 신념이 확고한 분이었지. 명문대, 그중에서도 의대에 가려면 초등학교 때부터 서울 애들 수준으로 공부해야 한다고 믿었어. 나는 내 의사와 무관하게 전학을 가게 된 거고. 재미난 건 어머니가 세령초교 선생이었다는 사실이야. 당신 학교 아이들에게는 열심히 공부하면 원하는 대로 될 수 있다고 떠들면서 당신도 당신 말을 안 믿었던 거야. 그렇지 않고서야 아버지 반대를 무릅쓰면서까지 3대독자를 서울로 보냈을 리 있겠나.

서울생활이 그리 평탄하지는 않았어. 우선 외사촌이라는 멍청이와 한 방을 써야 했어. 그것만 해도 기분 상하는 일인데 놈은 내 물건을 제멋대로 만졌지. 난 내 물건을 만지는 걸 가장 싫어해. 게다가 학교 애들은 대놓고 촌뜨기 취급을 하는 거야. 세령마을이라는 곳엔 전기가 들어오느냐, 텔레비전이 있느냐, 자동차도 다니느냐. 담임이란 여자는 더 웃겼지. 글쎄, 날더러 화장실청소를 하라지 뭔가. 전학 첫날부터 짝꿍하고 싸운 벌이라나. 내가 그놈 주둥이를 좀 손봐줬거든. 맞아 싼 놈이었어. 그날 나는 어머니가 S시에서 맞춰준 새 양복을 입고 있었는데, 놈이 넥타이를 잡아당기면서 아버지 옷을 줄여 입고 왔느냐고 했단 말이지.

나로 말하면, 세령강 백릿길을 호령하던 대지주의 아들이야. 아침마다 아버지는 내 손을 잡고 그 넓은 평야를 돌아보곤 하셨지. "영제야, 이 땅이 다 네 거다." 그때마다 어머니는 고춧가루를 뿌렸다네. "촌구석 지주를 누가 알아준답디까." 어머니는 말이지, 아버지한테 시집온 걸 '사기당했다'와 같은 말로 여겼던 여자야. 할아버지가 세령초교에 막 부임한 처녀선생을 꼬드겨서 아버지와 결혼시킨 모양이더라고. 우리 아버지 최종학력이 농고졸업인 걸 결혼하고서야 알았다더군. 여하튼 중요한 건, 태어나면서부터 내가 세령마을 '도련님'이었다는 거야. 학교에서는 선생님 아들이자 육성회장의 아들이고. 학교 아이들은 누가 대장인지 잘 알고 있었어.

나는 담임에게 그 점을 얘기해줬어. 나에 대해 잘 몰라서 저러나, 하고. 그 여자는 내게 여기는 세령마을이 아니라고 얘기해주더군. 첫날이니까 잘 몰라서 그런 거라고 여기고 이번 한 번만 봐주겠다나. 또 이런 일이 일어나면 일주일 동안 화장실 청소를 시키겠다고. 다음 날에도 비슷한 일이 벌어졌지. 담임은 청소를 하거나 무릎 꿇고 앉아 있거나, 선택하라더군. 난 교무실을 나와서 가방 싸들고 집으로 와버렸지. 아니나 다를까 그 여자가 이모한테 전화를 걸었던 모양이야. 이모가 딱따구리처럼 쪼아대는데 아주 돌아버리겠더라고.

난 세령마을로 돌아가고 싶었다네. 서울 온 지 딱 이틀 만에. 그런데 갈 방법이 없는 거야. 어머니한테 전화해봐야 나올 얘기가 빤했어. 나를 그 집에다 처박으면서 몇 번씩 다짐했거든. 서울은 세령마을하고 달라. 네 맘대로 되지 않아도 참을 줄 알아야 해.

난 말이지, 그때나 지금이나 참는 게 제일 싫은 사람이야. 내 맘대로 되는 세상에서 살고 싶은 사람이고.

맥이 빠져서 방에 들어가서 보니까 내 책상에 올려둔 성냥개비 모형 집이 망가져 있는 거야. 몇 달씩 공들여 만든 건데. 누가 이랬느냐고 물었더니, 멍청이가 심드렁하게 대답하더군. 나비가 파리를 보고 흥분해서 날뛰다가 그랬다고. 나비는 그 집에서 키우는 고양이였어. 눈이 노랗고 등에도 노란 줄무늬가 있는 놈. 고양이가 한 짓이라도 달라질 건 없지. 주인이 도의적인 책임을 져야 마땅한 거야. 박치기로 멍청이 코를 봐버렸어. 멍청이는 코피가 났다고 울고 이모라는 여자는 저녁밥을 안 주더구면. 잘못했다고 빌어야 밥을 준다나.

굶었지. 그리고 안 잤어. 그 집 인간들이 모조리 잠들고 난 후에 할 일이 있었거든. 거실에 여행용 트렁크처럼 생긴 물건이 있었는데, 그게 나비란 놈 집이야. 놈은 그 안에 엎어져 자고 있더군. 잽싸게 뚜껑 지퍼를 채워서 밖으로 들고 나갔어. 그리고는 계단참 창문에서 지퍼를 열고 거꾸로 흔들어 버렸지. 나비가 나비같이 날아갔다네. 난 트렁크를 제자리에 두고 방으로 들어왔지. 그제야 잠이 오더군.

아침에 난리가 났지. 이모란 여자는 또 밥을 안 주더군. 나비를 찾아다니느라 내 아침 같은 건 안중에도 없었던 거지. 어디 그뿐인가. 학교에 가려고 옷을 찾았더니, 바지고 셔츠고 어머니가 싸준 옷가방에 그대로 들어 있더라고. 다림질은커녕, 옷걸이에 걸어두지도 않은 거야. 그걸 옷이라고 내 손으로 꺼내 입고 두 끼를 굶은 채로 도시락도 없이 나가는데 정말로 거지가 된 것 같더라니까. 우리 어머니는 내 팬티까지 다려서 입혔거든.

학교에서도 열 좀 받았지. 담임이란 년이 날더러 복도에 나가 있으라는 거야. 가는 건 네 마음이지만 들어오는 건 제 허락이 있어야 한다나. 안 나갔지. 있는 대로 꼭지가 틀어져서 그년을 노려보고 있었지. 그랬더니 그년이 얼굴이 벌게져서는 내 팔을 틀어잡고 질질 끌어내는 거야. 그때 말이야, 어디서 낄낄대는 소리가 들리는 거야. 돌아봤더니 짝꿍이란 놈이 책으로 얼굴을 가리고 웃고 있더군. 화약고에 불을 던진 것이지. 온몸이 활활 타오르면서 앞이 시뻘게지고 배 속에서 폭탄이 터졌다네. 쾅, 쾅.

정신을 차려보니 양호실이었어. 양호선생 말로는 내가 발작을 일으켰다더군. 눈 뒤집고, 혀 물고 꽈당. 담임이란 년은 겁이 나서 나를 양호실로 옮긴 것이지. 다들 내가 간질병이라도 걸린 줄 알았던 모양이야. 점심시간에 담임이 오더니 조퇴를 시켜줬다네. 부모님이 올라오셨다니까, 함께 병원에 가보라고.

한달음에 달려갔지. 그런데 현관문 열자마자 골 때리는 일이 벌어지고 있는 거야. 어머니와 아버지 앞에 나비 시체가 떡하니 놓여 있고, 이모란 년은 내가 한 짓을 떠벌리느라고 침을 튀기는 중이었어. 외사촌 놈이 잠결에 내가 나가는 걸 봤다나. 현관 밖으로 나가는 소리가 들려서 잠을 깼는데, 좀 있으니까 다시 들어와 자기에 자기도 잠들었다고 했다는 거야. 그 말을 듣고 혹시나 해서 아파트 뒤로 가봤더니 나비가 떡이 돼서 화단에 나자빠져 있더라는 거지.

아버지가 사실이냐고 물었지. 난 그런 적 없다고 대답했고. 어머니는 설마 이모가 거짓말을 하겠느냐고 나를 다그치더군. 네가 무슨 짓이든 했으니까 나비가 저렇게 된 거 아니냐고. 그게 어머니가 아들한테 할 말인가? 나도 모르게 눈물이 주르르 흐르면서 말문이 둑 터지듯 터지더군. 외사촌하고 싸운 벌로 이모가 밥을 세끼나 굶겼다고. 배가 고프고, 서럽고, 아버지가 너무너무 보고 싶어서 잠이 오지 않았다고. 사촌이 들을까 봐 복도에 나가 컴컴한 하늘을 보면서 눈이 붓도록 울었다고. 아침도 굶고 학교에 갔더니 담임은 이유도 없이 나를 교실에서 쫓아냈다고.

말이라는 건 이상한 힘이 있어. 슬픈 얘기를 좀 했더니 실제로 슬퍼지더라고. 얘기를 끝냈을 땐, 온몸의 힘이 쫙 풀리면서 기진맥진한 느낌마저 드는 거야. 시험 삼아 학교에서 하던 짓을 그대로 해봤지. 효과 끝내 줬지. 효과가 너무 화끈해서 병원에 실려 갔다는 게 문제지만. 검사하고, 주사 맞고, 별 쇼를 다했다네.

그날 나는 세령마을에 돌아왔어. 그날 어머니는 아버지한테 납죽하게 얻어맞았고, '내 새끼'를 밖으로 내돌려 병신을 만들어놓았다는 게 첫 번째 이유, '내 새끼' 말을 믿지 않고 '제 언니' 편을 들었다는 게 두 번째 이유. 아버지가 어머니를 손본 건 그때가 처음이었는데 이후로 손볼 일이 날마다 생겼지. 몇 년 후 유방암으로 가실 때까지 말일세. 불쌍한 양반. 난 어머니 장례식 때야 알았다네. 그 집 사람들이 날 '오배우'라고 부른다는 거.

나는 편지를 접어 봉투에 담았다. 동틀 무렵부터 읽기 시작한 문하영의 편지는 이제 두 통만을 남겨 두고 있었다. 읽고 싶어 읽은 건 아니었다. 아버지의 목소리를 피하려고 읽었으니, 목적으로만 보면 탁월한 선택이었다. 아버지의 목소리가 공을 네트 위로 넘기는 수준이라면, 문하영이 보낸 오영제의 목소리는 스매싱이었다.

편지 일곱 통이 2개월에 걸쳐 폭풍처럼 몰아쳤다. 아저씨의 질문은 다양했고 오영제의 목소리로 작성한 문하영의 답변은 솔직했다. 연애, 결혼, 욕망, 아내와 딸을 보는 시선, 일상, 성적취향까지, 실제로 오영제가 썼다는 착각이 들 정도로 소설 속 오영제와 닮았다. 가장 놀라웠던 건 오영제의 상상력이었다. 문하영은 이혼소송을 내기 전 딸을 데리고 두 번이나 도주한 적이 있었다. 두 번 다 이틀을 넘기지 못하고 꼬리를 잡혔다. 오영제는 책상머리에 앉아 자신이 문하영이 돼서 모녀의 행로를 따라갔다. 그 추적과정이 어찌나 치밀하고 정확한지 진절머리가 날 지경이었다. 이를 정신적 오르가즘상태에서 문하영에게 알려주었다는 얘기도 있었다.

나는 편지를 내려놓고 가만히 귀를 기울였다. 아버지의 목소리는 들려오지 않았다. 10분, 20분, 30분이 지나도 잠잠했다. 오영제가 아버지 입을 제대로 틀어막아준 셈이었다. 시끄러운 게 있다면, 위장이었다. 부글부글 끓고, 메스껍고, 뜨거운 신물이 났다. 작년 겨울 어느 날이 생각났다. 편의점 문 앞에서 급료를 받겠다고 2시간 동안 서 있던 날. 그때와 증세가 비슷했다. 이번엔 서울역노숙자가 아니라 소 떼를 먹일 양이 필요할 것 같았다. 냉장고에 들어 있는 건 달걀 두 알, 먹다 둔 참치 캔, 생수 한 병뿐이었다. 편의점은 30리 밖에 있었지만 다녀오기로 했다. 먹어서 된다면 먹어야 하는 것이다.

뒤꼍에서 자전거를 끌고 나오자, 대문간에 집배원이 서성대고 있었다.

"여기 최서원이라는 사람 사요?"

집배원의 물음에 가슴이 덜컥, 내려앉았다. 어제부터 최서원에게 날아드는 것들이 왜 이리 많은가.

"전데요."

집배원이 내민 것은 전보였다. 발신지, 서울구치소.

멍하니 서 있는 동안 집배원은 사라졌다. 받아든 전보지 위로 눈발이 떨어졌다. 하늘이 잿빛이었다. 대기는 봄날처럼 푸근했다. 나는 자전거를 다시 뒤꼍으로 가져다 놓았다. 전보를 보고 싶지 않았고, 보지 않을 핑계가 필요했건만 더 할 일이 없었다. 방으로 들어와 책상 앞에 앉는 것 말고는. '서울구치소'라는 활자가 왜 그리도 무서웠던가. 봉투를 열어보기까지 족히 30분은 걸렸을 것이다.

12월 27일 09시 사형수 최현수의 형이 집행됐음을 알려드립니다……

전보지가 저만큼 멀어졌다. 내용이 더 있는 것 같은데 잘 보이지 않았다. 혀 밑에 미지근한 침이 돌았다. 전보를 쥐고 무릎으로 걸어 냉장고 앞으로 갔다. 물을 꺼내 병째 둘러 마셨다. 용광로에서 부글부글 끓어오르는 쇳물을 마신 것 같았다. 갑자기 나는 앉을 수도 서 있을 수도 없게 되었다. 앉으면 배가 뜨거워서 비명이 튀었다. 서자니 다리가 후들거려 거꾸러질 것 같았다. 엉거주춤 벽에 기대서서 나머지 내용을 읽어보려 안간힘을 썼다.

유가족은 …… 28일 09시 이후……시신을 인수하시기……

전보가 자꾸 손에서 빠졌다. 주워들고 떨어뜨리길 몇 번이나 되풀이했다. 시야는 흐릿해지다가 끝내 먹통이 돼버렸다. 귀까지 먹통이었다. 세상과 소리가 한꺼번에 사라졌다. 나는 어둠과 정적 속에 꿇어앉아 금방 읽은 내용을 기억해보려 했다. 기억은 오영제가 내쫓은 목소리를 상기시켰다.

내내 아이 곁에 있었다면 난 아마 그 마술 같은 점프를 못 봤을 거야.

내 안의 목소리가 말했다. 예정대로 죽은 거야. 그게 뭐 어떻다고.

내가 얼마나 자부심을 느꼈는지, 훗날, 그 아이가 남자가 되면 꼭 얘기해주겠다고⋯⋯

어떻게 죽었을까. 꿈에서처럼 교수대에 목이 매달려서? 죽기 전에 어떤 마음이었을까. 무서웠을까. 아버지 손에 죽은 그 아이의 공포를 이해했을까. 떨었을까. 후회했을까. 슬펐을까. 의연하게 맞았을까. 숱한 나날, 수많은 순간, 당신이 아들 손에 죽고 또 죽었다는 걸 알고 있었을까. 마지막 순간에 뭐라고 말했을까.

살려달라고 애원하셨어요? 용서를 빌었어요? 설마, 설마 나를 부른 건 아니겠지요?

"서원아."

끝내 그의 부름이 되살아나고 말았다. 뼈끝에 불을 붙이는 발화의 목소리였다. 나는 잠수복을 찾아 입었다. 잠수장비를 챙겼다. 버디 없이 들어가지 말라는 아저씨의 경고는 저만치 밀쳐버렸다. 불을 꺼야 했다.

청년회장은 집에 없었다. 나는 안방 문을 열고 텔레비전 위를 더듬었다. 열쇠꾸러미가 걸리자 망설임 없이 낚아챘다.

바다 위로 함박눈이 쏟아지고 있었다. 바람은 잠잠했고 파도는 평소보다 낮았다. 등대 아래로 내려가 배를 출발시켰다. 갯바위를 빠져나간 뒤부터 무서운 속도로 달리기 시작했다. 눈이 내려 시계가 나빴지만 상관하지 않았다. 돌섬 부근에 형성된 긴 물결 띠도 무시해버렸다. 달리기 시작한 몸속 불길이 경보체계를 완전히 망가뜨린 것이었다.

배가 서쪽 포인트에 닿았다. 나는 배를 앵커시키고 곧장 입수했다. 절벽난간에 다다르자 직벽을 택해 몸을 날렸다. 하강과 함께 거친 조류가 나를 거머들였다. 익숙하던 흐름보다 스무 배쯤 억셌다. 하향조류였다.

카메라맨을 죽음으로 몰고 간 놈. 호흡이 뒤엉키고 머리에서 생각이 사라졌다. 폭포수 같은 물기둥이 나를 해저로 내리꽂고 있었다.

나는 어떤 시도도 하지 않았다. BC를 부풀리지도 않았고, 피신할 직벽을 찾지도 않았고, 수심계를 확인하지도 않았다. 죽음이 나를 움켜쥐고 있는데도 저항의지조차 없었다. 물기둥의 흰 포말에 둘둘 말린 채 몸을 완전히 놔버렸다. 입속에 든 호흡기를 빼는 것마저 귀찮았다.

어느 순간, 물과의 접촉감이 희미해지기 시작했다. 어깨 위가 허전해지고, 몸을 압박하던 힘이 홀연히 사라졌다. 브레이크가 걸리듯 추락이 멎었다. 흰 물기둥은 내 이마 위에서 말려 올라가고 있었다. 이윽고 시야에서 사라져버렸다.

엘리베이터는 승객을 엉뚱한 층에 내려주고 갔다. 나는 버려진 고대 성터 같은 곳에 도착해 있었다. 활짝 열린 철문, 가시박덩굴이 휘감아버린 차량차단기, 그 위로 잿빛 고기 떼가 오갔다. 녹슨 철망담장 안쪽에는 거대한 편백나무들이 솟쳐 있고 덩굴줄기가 전깃줄처럼 늘어져 있었다. 그곳은 세령수목원이었다. 차량 차단기를 넘어 중앙통행로로 들어섰다. 토사가 충적되고 검게 썩은 나무둥치들이 쌓이고, 콘크리트 바닥이 치솟아 오른 통행로를 서서히 유영해갔다. 이윽고 게시판이 나타났다. 전단지가 붙어 있었다.

아이를 찾습니다
이름: 오세령

7년 전 그날처럼, 나는 그 아이 사진에 눈을 붙들렸다. 차임벨처럼 딩동거리는 멜로디 연주음이 들려오지 않았다면 움직이는 걸 영원히 잊어버렸을지도 모르겠다. 소리는 별채 쪽에서 울리고 있었다.

"Fly me to the moon. And let me play among the stars……"

나는 별채앞길로 올라갔다. 지붕이 무너진 103호가 나타났다. 벽널이 떨어지고, 거실 유리창이 깨져나가고, 계단이 내려앉은 102호 앞 화단을 돌아 101호 뒤뜰로 들어갔다. 그리고 내가 서 있곤 하던 창문 앞에서 멈췄다. 급류가 쓸어버린 옛 수목원에 그 아이의 방만 그 시절 그대로 남아 있었다. 창문은 한 뼘 열려 있고, 그 아이의 사진은 여전히 그 자리에 걸려 있었다. 책상 위에선 촛불이 붉게 탔다. 고깔모자를 쓴 곰돌이 푸 인형 앞에선 노래하는 대관람차가 돌았다. 풍선들이 비눗방울처럼 방 안을 떠다녔다.

나는 창문을 열고 방으로 들어갔다. 침대에 그 아이가 잠들어 있었다. 기억하던 모습 그대로였다. 길고 검은 머리칼, 흰 얼굴, 가느다란 종아리, 맨발. 갑작스러운 피로가 몰려왔다. 눈이 감기고 몸에서 긴장이 빠져나갔다. 나는 그 아이 옆에 반듯하게 누웠다. 그 아이의 손 위에 내 손을 올려놓았다. 달빛이 창문으로 들이쳤다. 공기는 따뜻하고, 그 아이의 손은 보드라웠고 내 가슴에는 평온이 찾아들었다. 잠들고 싶었다. 눈만 감으면 영원히 잠들 수 있을 것 같았다.

"서원아."

나직한 남자의 목소리가 잠을 깨웠다. 나는 눈을 떴으나 몸을 움직일 수 없었다. 의식은 몽롱하고 시야에선 아지랑이가 피어올랐다. 그래도 누가 나를 깨웠는지는 알 수 있었다. 아버지였다.

"서원아."

아버지의 목소리가 귀 안에서 폭발음처럼 울렸다. 나는 뺨을 얻어맞은 듯한 충격을 느끼며 잠에서 깨어났다. 주변을 살폈다. 그 아이는 없었다. 침대도, 대관람차도, 풍선도, 달빛도. 마법이 사라진 공간엔 어둠만 남아 있었다. 숨이 뻑뻑했다. 지독한 한기가 덮쳤다. 몸을 일으키려 했지만 어딘가에 꽉 끼어 움직일 수 없었다. 생각을 해야겠는데, 뭘 생각해야 하는지 알 수가 없었다. 내가 어디에 있는지도 알 수 없었다. 목 위에 붙은 둥그런 물건이 머리가 아니라 뻥튀기 같았다. 다시 목소리가 울렸다.

"멈추고, 생각하고, 행동하고."

이번엔 아버지가 아니었다. 잠수를 배우던 날부터 들어온 아저씨의 정언명령이었다. 나는 일어나려고 바르작대던 동작을 멈췄다. 호흡을 조절하며 주변을 둘러봤다. 앞, 뒤, 양옆, 모두 검은 바위로 둘러싸여 있었다. 머리를 뒤로 젖혀 위를 봤다. 드높은 상공에 길고 불규칙한 틈이 벌어져 있었다. 틈 사이로 내다보이는 허공은 내가 앉은 곳보다 한층 밝았다. 틈 가장자리는 산호초의 그림자가 에워싸고 있었다. 손목에 찬 다이브 컴퓨터를 체크했다. 총 잠수시간 24분, 현재수심 48.5미터, 질소 바(bar) 그래프는 눈부신 속도로 빨간 벽돌을 쌓고 있었다. 비로소 내 상황을 파악할 수 있었다. 물기둥이 나를 크레바스처럼 깊은 바위틈에 쑤셔 박은 것이었다. 쑤셔 박힌 자리에서 질소마취에 걸려든 것이고, '수심 10미터당, 빈속에 마티니 한 잔꼴'이라고 하는 '마티니의 법칙'에 의하면, 나는 마티니 다섯 잔을 원 샷 해버린 꼴이었다. 그러니 그토록 황홀한 꿈을 꿨겠지.

일단 바위틈을 빠져나가야 했다. 쪼그려 앉은 상태에서는 부상 여부조차도 확인이 불가능했다. 나는 양손으로 주변을 더듬어서 힘받이가 될 만한 바위 턱을 찾아냈다. 거기에 손을 짚고, 몸을 위로 띄우면서 틈새에 빠진 다리를 끌어올렸다. 서서히 상승해 바위 위로 올라선 뒤 공기

잔량부터 확인했다. 51바(bar). 눈앞이 아찔해왔다. 평상시의 내 공기 소모량과 절대압을 고려했을 때, 버틸 수 있는 시간은 겨우 3분 남짓이 었다. 뒤늦게 지난번 잠수 후 공기를 채워두지 않았다는 사실이 기억났다. 스페어에어도 소지하지 않았다는 절망적인 자각이 뒤따랐다. 질소 배출시간은커녕, 수면에 도달하기에도 빠듯했다. 서둘러 상승을 시작했으나 긴장한 탓인지 공기소모량까지 평소보다 많았다. 수심 15미터 지점에서 공기통은 바닥을 봤다. 나는 웨이트벨트를 풀었다. 호흡기를 문 채로 기도를 열었다. 비상부력상승을 시도한 건 잠수를 배운 이래 처음이었다.

영원과도 같은 15미터였다. 파도 위로 솟구치던 순간, 폐가 폭발해버리는 듯한 느낌을 받았다. 뼈와 근육은 격통으로 오그라들고 감압병에 대한 두려움이 찾아들었다. 나는 스노클을 물고 파도 속에 누웠다. 대롱으로 들어오는 차가운 공기를 마시며 손가락으로 파도를 두들겨보았다. 움직일 수 있었다. 발을 흔들어봤다. 핀 끝이 흔들리는 게 보였다. 전신마비의 위험에서 가까스로 벗어나는 순간이었다.

바다는 눈보라에 휩싸여 있었다. 희뿌연 대기 밖에서 등대의 안개경보등이 점멸하고 있었다. 나는 배의 붉은 우현등을 바라보며 헤엄쳤다. 힘이 다 빠지고, 감각마저 사라질 무렵, 가까스로 배에 몸을 걸쳤다. 15분 후, 등대 아래에 도착했다. 절벽 끝에 누군가 서 있었다. 얼굴까지 보이진 않았지만 아저씨나 청년회장이 아닌 것만은 분명했다.

내가 절벽 위에 도착했을 때, 남자는 사라지고 없었다. 자동차 바퀴자국만 기차레일처럼 도로를 향해 이어지고 있었다. 나는 집으로 돌아왔다. 마른 옷으로 갈아입고, 담요를 몸에 두르고 휴대용 산소통과 마스크를 꺼냈다. 산소를 마시며 전보문을 다시 읽었다.

12월 27일 09시 사형수 최현수의 형이 집행됐음을 알려드립니다.

내일 시신을 인수할 수 있다고 했다. 모레는 아버지의 생일이었다.

나는 전보문을 내려놓고 인쇄된 원고를 집어 들었다.

나는 아버지가 교수대로 간 이유를 아직도 제대로 모르고 있었다.

세령호 III

영제는 메디컬센터 지하주차장에 차를 세웠다. 일주일 만의 출근이었다. 세령의 삼우제까지 쉴까, 하다가 생각을 바꾼 터였다. 처리할 일들이 많았다.

급류가 흐르듯, 오전이 갔다. 예약환자 진료, 잡다한 서류결재, 부조한 이들에게 보낼 감사카드 문구와 명단작성…… 정오 무렵에야 영제는 숨 쉴 틈을 얻었다. 가방에서 최현수의 신상자료를 꺼냈다. 지난 사흘, 그를 각성상태로 지내게 만든 자료였다.

출생, 성장과정, 성격, 삶의 궤적…… 최현수의 인생은 그의 예상을 한 치도 벗어나지 않았다. 유일하게 빛난 시기는 고교시절이었다. 이후 쭉 내리막이었다. 모든 면에서 패배자였다. 남자로서도, 가장으로서도, 인간으로서도. 이런 놈이 오영제의 딸을 죽인 것이다. 그렇게 확신할 만한 몇 가지 정황이 있었다.

사건 당시 음주운전으로 면허정지 상태였다는 점. 무면허 상태에서도 습관적으로 음주운전을 했다는 점. 최근 집을 샀다는 점.

대출을 빼면 남는 게 없는 집이었다. 다음 달부터 나갈 대출이자가 최현수 월급의 절반을 넘었다. 그곳에 별표를 해두었다. 이는 최현수가 구속되거나 직장을 잃을 경우, 아슬아슬하게 쌓아올린 그들의 성이 무너진다는 걸 뜻했다. 여기에 두 가지 추측을 추가했다. 최현수가 사건 당일 세령호에 왔으리라는 점, 최근에 차를 수리했으리라는 점.

다만 이해되지 않는 부분이 있었다. 위의 정황으로 봤을 때, 최현수는 사고처리를 할 수 없었을 것이다. 그러나 빠져나갈 기회는 있었다. 사고현장은 한적한 호숫가였다. 최현수는 사건에 연루되지 않을 조건을 갖추고 있었고 세령은 놔두면 알아서 죽어줄 상태였다. 차를 돌리는 걸로 해결될 일이었던 것이다. 그런데도 죽어서 호수에 던지는 극단적인 수를 뒀다. 왜 그랬을까. 무슨 일이 있었기에.

영제는 출근길에 본 최현수의 모습을 떠올렸다. 진료소 문 앞에 서서 도로를 내려다보며 담배를 피우고 있었다. 왼쪽 손목에 붕대를 감은 걸로 보아 치료를 받고 나오는 길인 듯했다. 손을 지지대에 걸고 있는 걸로 미루어 사소한 상처는 아닌 걸로 보였다. 깁스를 하지 않은 걸로 보면 뼈를 다친 것도 아닌 듯했다. 영제는 세령진료소로 전화를 걸었다.

"아침에 다녀간 최현수 환자 동생입니다."

진료소 의사는 '아'도 아니고 '예'도 아닌 애매한 소리를 냈다. 이름만으로는 기억이 안 나는 눈치였다.

"왼손을 다친 환자 말입니다. 키가 굉장히 커서 기억하실 것 같은데."

"아아."

"상태가 어떻습니까. 형수님이 걱정을 해서요. 형님이 별 얘기를 안 하는 모양입니다."

"전화로 말씀드리기는 그렇고, 직접 진료소로 오시라고 하시죠. 바로 코앞인데."

"그러기 힘든 사정이 있습니다. 형수가 몸이 좀 불편해요. 저는 지금 외지에 출장을 나와 있고."

의사는 또 애매한 소리로 "아아" 했다. 영제는 치미는 짜증을 삼켰다.

"문제가 있다면 큰 병원으로 모시고 갈까, 해서 전화를 드린 겁니다."

"친동생입니까?"

의사가 물었다. 영제는 신상자료에 적힌 최현수의 남동생과 최현수의 인적사항을 불러주었다.

"왼쪽손목 정맥 하나를 잘랐어요. 상처가 깊긴 한데, 동맥이나 인대는 괜찮습니다. 출혈도 심각한 수준은 아닌 것 같고."

의사가 말했다.

"자해입니까?"

영제가 물었다.

"글쎄요. 가끔씩 원인 모를 왼팔마비 증세가 온다는데 혹시 알고 계십니까?"

"왼팔마비요?"

"정형외과적 문제는 아니라더군요. 오래된 증상인데 피를 내면 풀린답니다."

"마비를 풀려고 정맥을 잘랐다는 말씀이십니까?"

"본인 주장으로는 실수랍니다. 왼손에 비슷한 상처자국이 여럿 있고 모두 최근 상처 같습니다만."

"선생님이 보시기엔 자해 같습니까, 실수 같습니까?"

"정맥을 절단하는 것과 손끝을 따는 건 실수로 설명하기 어려운 차이죠. 되풀이될 가능성도 크고. 그러다 보면 정말 심각한 일이 일어날 수도 있고요."

"정신과상담이 필요하다는 말씀입니까?"

"제 소견은 그렇습니다."

"알겠습니다. 설득해보겠습니다만, 형님이 제 제안을 거절하고 다시 선생님에게 갈 수도 있습니다. 혹시 그러더라도 저와 통화했다는 말은 하지 않았으면 합니다. 불쾌해할 겁니다. 고집이 센 데다 좀 예민해서요."

전화를 끊은 뒤, 영제는 최현수의 신상자료를 다시 들여다봤다. 최현수가 손목을 그었다……

현수의 의료기록에 자해전력은 없었다. 정신과치료도 받은 적이 없었다. 신경과 치료기록은 있었다. 진료소의사에게 주장했다는 왼팔마비증세 때문이었는데 이를 숨기고 선수생활을 했다고 적혀 있었다. 필연적으로 수비실수가 뒤따랐고 그로 인해 얻은 별명이 '용팔이'였다. 여기에 최현수가 왼손잡이라는 점을 보태면, 실수 쪽으로 무게추가 기울었다. 자살시도라면 왼손으로 칼을 쥐는 게 자연스럽고 절단된 곳이 오른쪽 손목이어야 했다.

세령의 일과 최현수의 내성적인 성격을 조합하면, 자살시도에 더 가까워 보이기도 했다. 자살시도일까, 실수일까. 전자라면 재시도가 수순이고 그땐 성공할 확률이 높았다. 실수라 해도 마찬가지였다. 실수를 거듭하다 보면 언젠가는 돌이킬 수 없는 실수를 저지르는 법이니까. 어느 쪽이든 그의 계획에 어긋나는 일이었다.

그의 계획은 이랬다. '최현수는 모든 걸 자백한다. 오영제는 카니발을 주최한다.' 영제는 최현수가 아들로 인해 눈이 뒤집히는 역치를 알고 싶었다. 조사결과는 만족스러웠다. 최현수는 간단한 자극으로 돌아버렸다. 세령을 어떻게 죽였는지, 대중 앞에서 재현해 보이기까지 했다. 목뼈가 부러질 뻔한 무당은 애초에 약정한 금액의 두 배를 불렀다. 그는 화통하게 지불했다.

영제에게 남은 과제는 확증을 쥐는 것이었다. 발뺌할 수 없는 증거, 8월 28일 최현수가 차를 고친 정비소를 찾아야 했다. 서포터들이 이 미션을 수행하느라 지금 서울 땅을 뒤지고 있었다. 찾는 대로 그는 D-Day를 잡을 예정이었다. 그럴 리 없겠지만 최현수가 아닐 경우, 헛수고를 하는 셈이니까. 그보다 더한 헛수고는 최현수가 죽어버리는 것이었다. 계획을 수정할 필요가 있었다. '증거를 찾고 날을 잡는다'에서 '날 잡고 증거를 찾는다'로.

영제는 수첩을 열고 자신의 일정을 확인했다. 이번 금요일에 체크표시가 돼 있었다. 센터 내 의사들과 혜화보육원으로 의료봉사를 나가는 날이었다. 그날 강은주는 비번이었다. 그는 서포터즈에 연락해 이번 토요일로 날을 잡았다고 통보했다. 무슨 수를 쓰든 토요일오후까지 정비소를 찾아내라는 압박이기도 했다.

점심때는 센터 내 의사들과 약속이 있었다. 의례적 위로와 감사 인사가 오간 후, 영제는 금요일 의료봉사 건에 대한 안건을 내놓았다. 모두 찬성했다. 빠지겠다는 사람도 없었다. 큰일을 치른 참인데 그럴 여력이 되겠느냐는 걱정이야 있었지만. 혜화보육원 원장도 영제의 제안을 고맙게 받아들였다. 영제는 이벤트회사에 연락하고 관광버스 한 대를 예약했다.

오후 4시, 영제는 세령초교로 차를 몰았다. 부탁해둔 대로 담임은 세령의 유품들을 챙겨놓았다. 실내화, 리코더, 미술도구, 명복을 비는 반 아이들의 편지, 그리고 액자에 넣은 그림 한 장. 제목이 '무궁화 꽃이 피었습니다'였다. 영제가 들여다보자 담임은 이런저런 말을 전했다. 아이들이 좋아하던 그림이고, 한 아이가 자주 들여다보던 그림이며, 그 아이가 그림을 떼어내자 가장 아쉬워했다고.

"그 아이가 누굽니까?"

그는 인사치레로 물어봤다. 담임은 흥미로운 답을 들려주었다.

"최서원이라고, 세령아버님도 아실지 모르겠네요. 수목원에 사는 아이
니까."

선생은 액자를 검은 비닐케이스에 넣어주었다. 그는 학교를 나와 관리
단으로 향했다. 정문경비실에 최현수 혼자 앉아 있었다.

"운영팀장을 만나러 왔소만."

영제는 경비실쪽창 앞에 차를 대고 말했다. 현수는 대꾸없이 수화기를
들었다. 왼쪽어깨가 맥없이 처져 있었다. 팔걸이에 끼워둔 왼손은 벌겋
게 부어올라 있었다. 얼굴빛은 그보다 더 붉었다. 거뭇거뭇 자라난 턱수
염 아래까지 벌건 기운이 번지고 있었다. 긴장하는 기색이 역력했다. 포
수 출신 맞나 싶었다. 이토록 속내를 못 숨기는 인간이 어떻게 타자들을
상대했을까. 그러니 프로생활 6년 동안 한 번도 선발을 못 했겠지.

"들어가시죠. 신분증은 여기 맡기시고."

현수는 수화기를 내려놓고 방명록을 내놓았다. 영제는 운전면허증을
건네고 이름과 주민번호를 썼다. 관리단 직원들은 영제가 나타나자 당황
한 기색이었다. 그럴 만도 했다. 누구 하나 세령의 장례식에 코빼기도 내
밀지 않았으니. 운영팀장도 당황한 무리 중 하나였다.

"갑자기 오셔서 좀 놀랐습니다."

"댁으로 갈까 하고 왔는데, 생각해보니 아직 퇴근 전일 것 같아서 이리
왔습니다."

누군가 녹차 두 잔을 가져왔다. 과장은 채 우러나지도 않은 녹차를 들이
켜며 영제에게 권했다. 영제는 권유를 무시하고 곧장 본론으로 들어갔다.

"우리 센터에 매달 봉사활동을 나가는 모임이 있습니다. 이번 달엔 S시에 있는 혜화보육원이라는 곳에 갈 예정이었습니다만, 제 사정 때문에 계획을 바꿨습니다."

"그러시겠죠. 아직 따님 일도 해결되지 않았는데."

팀장은 고개를 끄덕였다. 돼지처럼 작은 눈은 '그런 얘기를 왜 나한테 하는데?'라고 묻고 있었다.

"의료봉사를 나가는 대신 그날 아이들을 수목원으로 초청하기로요."

팀장은 다시 녹차 잔을 들었다.

"사택아이들도 함께 어울리면 어떨까 싶습니다만. 가든파티 형식이니까, 부담 없고 즐거울 겁니다. 그전에 보육원 아이들에게 댐 관리단 내부 견학도 시켜주시고. 아이들에게 좋은 추억이 될 겁니다. 물론 준비는 저희 쪽에서 합니다."

"글쎄요, 견학은 어렵지 않은 일입니다만, 파티문제는 갑작스러워서. 금요일 오후라면 다들 일정도 있을 테고."

"파티참석이 힘들면 견학만 시켜주셔도 됩니다."

"그야 어렵지 않지요. 오히려 원장님이 힘드실 것 같은데. 아직 범인도 못 잡았고……"

"그 아이들, 우리 세령이와 친했습니다. 제가 늘 데리고 다녀서. 이번 초청 건도 지난봄에 세령이가 그 아이들에게 약속한 겁니다. 제가 대신 약속을 지켜줄 생각입니다."

팀장의 얼굴에 뒤늦은 이해의 표정이 어렸다.

"언제라고 하셨죠?"

"이번 금요일입니다."

"견학을 하려면 늦어도 오후 3시까지 관리단에 도착해야 할 겁니다."

"알겠습니다. 아, 그리고 부탁이 하나 더 있습니다."

엉덩이를 들려던 팀장은 엉거주춤 되앉았다.

"내일이 세령이 삼우제입니다."

"아, 벌써 그렇게 됐습니까. 시간 참 빠릅니다."

"그래서 얘긴데. 내일 잠깐 호수에 들어갔으면 합니다만."

팀장은 난처한 표정을 지었다.

"그 부분은 지난번에 서로 양해가 된 줄 알았는데요. 한솔등에는 들어
갈 수 없어요. 망향제 때 들어가게 해달라는 주민청원도 못 들은 척하는
상황입니다."

"아무 일도 하지 않을 겁니다. 그저 한솔등 주변을 한 바퀴 돌아볼 생
각입니다. 이번만 양해해주시면 세령이 일로 부담 드리는 일은 없을 겁
니다. 10분이면 충분하고요. 아빠 배웅도 없이 떠나면 제 딸이 쓸쓸해하
지 않겠습니까. 작별인사라도 하고 싶습니다."

"원장님 심정은 알겠는데…… 배도 좀 문제고. 용역회사직원이 와야
움직일 텐데 그쪽 사정이 어떨지. 정기 청소기간도 아니고, 그쪽이 우리
댐만 맡고 있는 것도 아니고."

영제는 눈가가 뜨거워지는 걸 느꼈다. 눈 뒤편에서는 편두통 같은 울
화통이 터졌다. 이 배불뚝이는 제 선에서 해결할 수 있는 일도 선선히 허
락하는 법이 없었다. 기어코 상대로 하여금 머리를 조아리게 만드는 버
릇이 있었다. 교정이 필요한 습성이었다. 그는 운영팀장을 '넘버 파이브'
에 올려놨다.

"팀장님이 호출하면 오겠지요. 보수는 그쪽이 부르는 대로 지불할 생
각입니다."

팀장은 후루룩, 녹차 들이켜는 소리로 답변했다. 영제는 기다렸다. '예

스'라는 답이 나올 거라 확신하면서.

"몇 시쯤 하실 생각입니까."

녹차를 다 마신 후에, 팀장이 물었다.

"정오에 하겠습니다."

"좋습니다. 대신, 지난번처럼 무당을 데려가서는 안 됩니다."

영제는 자리에서 일어났다. 미련 없이 관리단을 나와 별채로 향했다. 집 앞에 차를 세우고 102호를 올려다봤다. 거실커튼도, 베란다 창도 활짝 열려 있었다. 덕택에 청소기를 들고 왔다 갔다 하는 강은주를 볼 수 있었다. 그는 뒷좌석에서 서원에게 줄 선물을 꺼냈다. 102호 계단을 올라가 초인종을 눌렀다. 은주가 놀란 얼굴로 문을 열었다.

"여긴 웬일이세요. 원장님이."

"아드님 지금 있습니까?"

"아뇨. 금방 제 아빠한테 놀러갔어요. 근데 우리 서원이는 왜요?"

영제는 지난 금요일 오후 풍경을 떠올렸다. 즐거운 상상이 돋아났다. 지금 목장 폐축사에서 고양이와 뒹굴고 있을 것이라고 알려주면 이 여자는 어떤 표정을 지을까. 철석같이 제 아빠한테 갔다고 믿는 것 같은데.

"아, 그럼 강은주 씨가 전해주시겠습니까."

영제는 가져온 선물을 내밀었다. 은주는 냉큼 받지 않고 의아한 표정부터 지었다.

"이게 뭐예요?"

"그림입니다."

"그림이라니요?"

그는 재킷주머니에서 생일카드를 꺼냈다.

"장례식 날 호수에서 세령이 혼을 건질 때 아드님이 제게 준 겁니다.

보시겠습니까."

은주는 머뭇머뭇 받았다. 카드를 읽는 얼굴에서 웃음기가 싹 빠져나갔다. 안색이 창백해졌고, 급기야는 눈꺼풀이 바르르 떨렸다.

"이 그림은 아드님의 카드에 대한 제 화답입니다. 직접 열어보게 하세요. 아마 좋아할 겁니다."

은주는 마지못한 태도로 그림을 받았다. 감사하는 기색은 눈곱만큼도 없었다. 선물을 받는 태도가 하영과 비슷한 수준으로 뻔뻔했다. 영제는 그림을 도로 뺏어버리고 싶어 손이 근질근질했다.

"근데 이것 때문에 오셨어요?"

은주는 내려오지도 않은 앞머리를 쓸어 올리며 물었다. 소에 밟힌 것처럼 납작하게 꺼진 이마가 눈에 거슬렸다. 아니, 총체적으로 거슬리는 여자였다. 양피지처럼 얄팍한 뺨과 깊이 없는 표정, 상대를 탐색하는 교활한 눈. 최악은 시든 배춧잎 같은 몸뚱어리였다. 이런 여자와 하느니 쇠고기덩어리에 구멍을 뚫어 하는 게 더 나을 것 같았다. 성품이나 순진하면 봐줄 만도 할 텐데, 바싹 마른 콩깍지보다 더 되바라졌다. 면접을 할 때만 해도 그랬다. 도무지 구직자의 고분고분함이 없었다. '나 만만찮은 여자야'라고 말하고 싶어 안달 난 태도였다. 일반아파트 경비보다 보수가 많음에도 근무조건을 하나하나 따지고 들었다. 보너스, 건강보험, 업무한계와 권리, 휴가일수까지. 그가 이 매력 없는 여자를 고용한 건 보험과 비슷한 성격의 포석이었다. 안승환과 한집에 사는 데다 최현수의 마누라였고, 그는 두 사람을 싸잡아 의심하고 있었다. 지금에 와서 생각하면 감탄할 만한 예지력이었다. 여러모로 쓸모가 많았다. 최현수의 신경을 건드리기에 이보다 더 좋은 인물은 없었다. 필요할 때, 남편과 아들로부터 떼어놓을 수 있다는 점에서도 그렇고.

"아닙니다. 얘기할 것도 있고 해서 겸사겸사 들렀습니다."

영제는 대답했다. 은주는 카드 모서리를 만지작거리며 그를 정면으로 쳐다봤다. '얘기해봐라, 일단 들어보겠다' 하는 눈빛이었다. 영제는 입가 근육이 굳어지는 걸 느꼈다. 만약 곽 씨가 이랬다면 경비일 그만두고 집에 가서 마누라 궁둥이나 두들겨야 했을 것이다.

"금요일 저녁에 수목원에서 파티가 있습니다. 제가 후원하는 보육원아이들이 초대 손님이고요. 파티는 이벤트회사에서 책임지지만 아이들을 통제하는 건 우리 일입니다. 관리인 노인네 성미가 괴팍해서요. 애들이 나무를 망치면 그 노인네는 파티를 망쳐놓을 겁니다."

은주는 머뭇대지 않고 대꾸했다.

"저는 그날 비번인데요."

"곽 씨가 비번이었으면 그 양반이 일을 맡았겠죠. 사택경비실을 비울 순 없으니까."

"저도 제 생활이 있어요. 시간외근무를 하려면 희생해야 할 게 있고요."

영제는 눈에 부드러운 미소를 담았다. 쌍년이 말이 많아. 하라면 할 것 이지.

"시간외근무수당이라는 항목은 괜히 있는 게 아닙니다."

그는 은주에게 손을 내밀었다.

"제 카드 돌려주시겠습니까."

10분째, 승환은 CCTV의 한솔등 화면을 지켜보고 있었다. 청소시즌에나 뜨는 조성호가 한솔등 주변을 빙 돌아 선착장으로 되돌아가고 있었다. 거리가 멀어 얼굴까지 보이진 않았지만 갑판에 서 있는 남자는 오영제였다. 운영팀장에게 아무 짓도 안 하겠다고 약속했다더니 정말로 아무

짓도 하지 않았다. 설치물처럼 움직임 없이 서 있다가 배가 선착장에 닿자마자 CC카메라 밖으로 사라져버렸다.

승환은 하던 일로 돌아갔다. 지난 목요일, 현관에서 찍은 팀장과 서원의 사진을 JPG파일로 바꾼 뒤 PC바탕화면에 깔았다. 근사한 사진이었다. 구도, 분위기, 아련한 색감까지, 디지털카메라가 아니라 아날로그카메라로 찍은 것 같았다. 내친 김에 휴대전화 대기화면에도 사진을 깔았다. 그런 다음 그림파일을 웹 하드에 저장하고 포털 검색창에 최현수를 쳤다. 공식적인 프로필이 나오지 않았다. 그럴 만도 하다 싶었다. 파이터즈는 사라진 팀이었고 팀장은 현역선수도 아니었으니. 구글 웹 자료는 너무나 방대해 뒤질 엄두가 안 났다. 이름만 같은 최현수가 수만 명도 넘었다. 키워드에 '김강현 투수'를 추가하자 자료가 좀 줄기는 했다. 적어도 지레 나자빠질 양은 아니었다. 그는 한 시간 가까이 뒤진 끝에 어느 야구 사이트에서 게시물 하나를 건질 수 있었다.

비운의 포수, 용팔이를 아십니까.

게시물을 올린 날짜는 불과 열흘 전이었다. 제목을 클릭하자 인상적인 사진이 먼저 나타났다. 팀장이 포수마스크에 손을 대고 어딘가를 바라보며 미소 짓고 있었다. 마스크를 쓰기 직전에 찍힌 사진 같았다. 아주 앳돼 보였다. 사진 밑에는 꽤 긴 글이 있었다.

파이터즈 시절, 핵잠수함이라 불리던 김강현 투수를 모르시는 분은 없을 겁니다. 은퇴 후 이런저런 일에 손을 댔다가 깡통을 찼다는 소문이 있었죠. 그가 광주 한 대학가에 소주방을 냈다고 해서 그곳에서 동창회를 하기로 하고 어제 저녁 8시로 예약을 해두었습니다. 동문으로서 술 한잔 팔아줘야겠다 싶어서요. 거기서 뜻밖의 인물을 만났습니다. 평범한 샐러리맨 차림이었지만 저는 금세 알아봤습니다. 사실, 그런 거구를 못 알아본다는 게 더 어렵죠. 최현수 선수였습니다. 20대 친구들에겐 이 이름이 낯설지도 모르겠습니다. 프로에서 그리 주목받지 못한 선수였으니까요. 하지만 광주 대일고 출신 386들은 기억하고 있을 겁니다. 대일고의 진정한 레전드는 투수 김강현이 아니라 포수 최현수였다는 걸. 그가 4번을 치던 시절, 대일고는 전국 규모의 고교야구대회를 싹쓸이한 바 있습니다. 클러치 능력이 뛰어난 선수였죠. 한 대회에서 끝내기 홈런을 두 개나 친 적도 있고요. 그러나 그의 진가는 타석보다 포수마스크를 쓰고 앉았을 때 제대로 발휘됩니다. 그 시절 그의 별명은 용팔이가 아니었습니다. 우리는 그를 최박수라고 불렀습니다. '박수부대'할 때 박수가 아니고 남자무당 '박수' 말입니다. 신들린 것처럼 판을 읽어낸다고 해서 붙은 별명이었습니다……

그쯤에서 읽기를 멈췄다. CCTV의 취수탑 다리에 한 남자가 나타났기 때문이다. 승환은 줌인 버튼을 눌렀다. 카메라는 다리난간에 기대서는 남자의 모습을 비췄다. 희끗거리는 머리, 검은 양복, 등산용 지팡이, 꼿꼿한 자세. 승환의 머릿속으로 한 노인이 지나갔다. 그는 게시물과 팀장의 사진을 웹 하드에 저장하고 경비실 문을 잠근 뒤 잰걸음으로 1공도교를 빠져나왔다. 기억이 맞는지 확인해볼 참이었다.

노인은 그 자리에 있었다. 고개 한 번 돌리지 않은 것처럼, 꼿꼿한 자세 그대로.

"모처럼 안개가 없네요."

승환은 노인 옆으로 가서 섰다.

"여기 댐 직원이오?"

노인은 돌아보지도 않고 물었다.

"관리단을 말씀하시는 거라면 아닙니다. 경비원이에요."

"아."

"세령이 외할아버지시죠?"

노인은 고개를 돌려 승환을 봤다. 맞는 모양이라고, 그는 생각했다.

"장례식 때 뵀습니다."

"그래요? 난 인사 나눈 기억이 없는데."

"아뇨. 세령이와 닮아서 외할아버지가 아닐까, 저 혼자 짐작한 것뿐입니다. 친할아버지는 돌아가신 걸로 알고 있으니까요."

"우리 세령이를 잘 아시오?"

노인의 얼굴에 경계와 혼란이 동시에 떠올랐다.

"잘 아는 건 아니고요, 몇 달 전에 좋지 않은 상황에서 만난 적이 있습니다."

승환은 발아래를 내려다보았다. 나뭇가지 하나가 교각을 휘도는 작은 소용돌이 속에 갇혀 있었다.

"집 뒤 숲에서 코피를 흘리며 떨고 있었어요. 그것도 야밤에요."

그는 진료소사건을 들려주었다. 이야기를 듣는 동안 노인의 표정에선 경계와 혼란이 서서히 지워졌다. 연민과 고통, 죄책감이 그 자리를 채웠다.

"범인이 누구든 말이오……."

노인의 목소리 끝이 바르르 떨렸다. 주름진 눈가에 붉은 기운이 번지고 있었다.

"그 아이를 죽게 만든 건 제 애비요. 난 그렇게 생각해요."

316

승환은 바지주머니에 손을 넣고 머리핀을 만지작거렸다. 노인에게 건 넬 수 있다면 최선의 처리가 될 터였다. 그러나 불안감 때문에 선뜻 건넬 수가 없었다. 자칫하면 이것이 빌미가 돼서 의심을 받을 수도 있었다.

"저."

그는 마음을 정하고 핀을 꺼내 노인에게 내밀었다.

"세령이 물건입니다. 어쩌다 보니 제 손에 남게 됐는데 돌려줄 기회가 없었어요. 외할아버지께서 간직하시는 게 맞을 것 같습니다만."

노인은 핀을 받아 손바닥에 놓고 한동안 들여다봤다.

"젊은이 이름이 뭐요?"

묻는 노인의 얼굴에 의심의 기색은 없었다. 진료소사건 때 우연히 손에 넣은 것이라 여기는 눈치였다.

"안승환입니다."

"고맙소. 그 이름 잊지 않으리다."

노인은 전화번호 하나를 남기고 다리에서 떠났다. 승환은 그 자리에 남아 호수를 내려다봤다. 나뭇가지는 아직도 소용돌이에 갇혀 공회전하고 있었다.

팀장은 그날 밤 왜 오지 않았을까. 그날 밤부터 만 하루 동안 어디에 있었던 것일까. 정말로 왼손마비 때문에 손목을 자른 것일까. 술은 왜 그렇게 마셔대는 걸까. 새벽마다 어디에 다녀오는 것일까. 의식이 있는 상태에서 한 행동일까, 꿈속의 행동일까.

어젯밤, 팀장은 거실에 홀로 앉아 영화를 보고 있었다. 승환은 따라가 보리라 벼르다 3시가 넘어 그만 잠들고 말았다. 팀장은 등산화를 신고 출근했다. 초췌한 얼굴엔 이해할 수 없지만 명징하게 읽히는 표정이 있었다. 안도감이었다.

승환은 팀장이 세령마을 동영상을 봤는지 궁금했다. 봤다면 어떤 식이든 반응이 있어야 했다. 박 주임 말로, 팀장은 컴맹에 가까웠다. 컴퓨터를 만지지 않을뿐더러 인터넷에도 관심이 없었다. 그런 사람이 포털 밑에 감춰둔 동영상을 찾아서 봤을까. 그것도 아들 일로 눈이 뒤집혀버린 정신없는 날에.

"팀장님, 전화 받으세요."

현수는 눈을 떴다. 박 주임이 자신의 턱 밑에 전화기를 들이대고 있었다. 의자에 기대앉은 채 졸았던 모양이었다.

"여보세요" 하자 전화기 안에서 김형태가 물었다.

"잘 지내나?"

현수는 "그냥" 했다. 눈두덩에 아직 잠기운이 눌러앉아 있었다. 지난밤, 잠과 씨름한 탓이었다. 꿈꾸지 않으려면 잠들지 말아야 했고, 잠들지 않으려고 TV 앞에 앉아 리모컨을 눌러대며 시간을 보냈다. 그러나 집중할 만한 프로그램을 찾기가 쉽지 않았다. 사실은 아무것도 눈에 들어오지 않았다. 화면과 소리가 따로 놀았다. 그는 결국 잠들어버렸다. 그나마 다행인 건 서원의 신발이 전날 그가 해둔 대로 세탁기 안에 그대로 들어 있었다는 점이었다. 은주가 '꿈속의 남자'에 대해 아직 눈치채지 못했다는 점도 한 가닥 위안이 되었다.

"자네 무슨 일 있는 거 아니지?"

뜬금없는 질문이었다. 가슴을 덜컥 내려앉게 하는 질문이기도 했다.

"아니, 어제 저녁에 차를 손보려고 카센터에 갔다가 김 사장한테 이상한 얘길 들어서."

"무슨 얘기?"

"지난 주 금요일에 형사가 찾아왔대."

잠기운이 싹 달아났다. 현수는 부지중에 자세를 고쳐 앉으며 박 주임을 흘끔 봤다. 머릿속엔 자신의 차를 살피던 두 형사가 나타났다.

"둘이 왔더래?"

"아니. 혼자 왔다던데. 장부 좀 보자고 해서 보여줬더니, 뒤적뒤적하다가 지난달 28일쯤 자네가 여기 와서 차를 고치지 않았느냐고 묻더래."

현수는 숨을 삼켰다. 강건한 주먹이 갈빗대를 내지른 기분이었다.

"그래서 뭐라고 했대?"

"수리한 차는 장부에 다 기입한다고 했다던데. 짐작 가는 데 없어? 혹시 차사고 냈어?"

"아니."

현수는 맥없이 대꾸했다.

"그래? 그럼 다행이고. 혹시 무슨 일 있으면 빨리빨리 처리해버려. 일 키우지 말고."

처리할 수가 없어. 이미 다 커버려서. 현수는 휴지를 뽑아 이마를 닦았다.

"참, 이번 목요일에 기술팀이 거기 내려갈 거야."

"왜?"

"CC카메라를 야간촬영용으로 교체하려나 봐. 안개용 서치라이트도 달고. 관리단 쪽으로는 따로 공문 보낼 거야."

"왜 갑자기……"

"거기 살인사건 났다며. 그것 때문에 관리단에서 우릴 달달 볶잖아. 보안팀 인원 늘리라고. 우리 쪽에선 이걸로 어떻게 때워보자는 거고."

현수는 전화를 끊은 후로도 오랫동안 의자에서 움직이지 않았다. 상황을 정리해보려 애썼지만 가슴만 점점 답답해왔다. 숨쉬기도 힘들 지경이었다. 끝내 최현수라는 이름이 용의자로 자리매김한 모양이었다. 형사가 거기까지 갔다는 건 물증추적에 나섰다는 의미 아니겠는가. 추적에 들어갔으니 찾아내는 건 시간문제일 테다. 얼마나 걸릴까. 그사이 뭘 해야 하나. 새벽마다 신발을 들고 호수에 가는 꿈속의 남자는 어째야 하나, 왼팔에 살림 차리고 들어앉은 용팔이는 어쩔 것이며 한집에 사는 목격자는 또 어쩔 텐가. 해결이 요원한 문젯거리 앞에서 현수는 속수무책으로 손 놓고 앉아 있었다.

퇴근 무렵이 돼서야 그는 가까스로 뭔가 해볼 용기를 냈다. 그나마 가장 쉬운 일, 휴대전화를 열어 승환에게 전화를 거는 일. 승환이 "네, 팀장님" 했다. 몇 날 며칠 망설이던 말이 마침내 나왔다.

"나랑 술 한잔하겠나."

현수는 휴게소 편의점에서 소주 두 병과 버드와이저 캔 몇 개를 샀다. 맥주는 전망대 비치파라솔 밑에 두고, 그는 난간에 기대서서 소주를 마셨다. 종이컵에 가득 따라 거푸 두 잔을 들이켰다. 발아래를 내려다보며 술기운이 오르기를 기다렸다. 목을 조여 오는 두려움을 술의 그늘로 끌어다 놓을 수 있다면, 그러면 물을 수 있을 것 같았다. 한담처럼 가볍게, 남의 일처럼 무심하게, 그날 밤 너는 무엇을 보았느냐고.

40분이 지나도 승환은 나타나지 않았다. 현수는 초조했다. 변덕이 시시각각으로 끓었다. 뭘 하느라 안 오나, 했다가 차라리 오지 않았으면, 싶었다. 나타나기 전에 사라져버릴까, 생각도 했다. 만나서 뭘 어쩌겠다는 건지 막막하기만 했다. 지금 같아선 스스로 속내만 까 보이고 끝날 것 같았다. 자인하건대, 승환이 타자라면 자신은 백전백패였다. 승환에 대해 아는 게 거의 없었다. 더하여, 야구장을 떠난 후부터 자신의 머리는 쭉 있으나 마나 한 물건이었다. 필요할 일이 없었다. '필요'를 부르는 상황자체를 피해왔기도 하고.

"좀 늦었습니다."

7시경, 뒤에서 그가 기다리던 목소리가 들렸다.

"서원이한테 들렀다 오느라고요."

승환은 캔 하나를 들고 옆으로 와서 섰다. 현수는 그제야 서원이 혼자 있으리라는 사실에 생각이 미쳤다. "뭘 하던가?" 물어놓고 얼굴이 확 달아올랐다. 염치없고 부끄러웠다. 이 친구의 정체가 뭐든, 서원에겐 자신보다 미더운 존재라는 생각마저 들었다. 적어도 지금은.

"저녁 먹고, 텔레비전 보고 있어요. 아빠 만나러 간다니까, 도넛이 먹고 싶다고 전해달라던데요. 딸기과립 뿌린 걸로요."

현수는 고개를 끄덕였다. 승환은 버드와이저를 들어 보였다.

"좋아하는 거 어떻게 아셨어요?"

"자네 책상에서 두어 번 본 거 같아서."

이번엔 승환이 고개를 끄덕였다.

"아, 예."

어색한 침묵이 찾아왔다. 승환은 달빛이 흐르는 세령봉 기슭을 내려다보며 맥주를 마셨다. 현수는 말머리를 찾느라 안간힘을 썼다.

"자넨 왜 여기 와 있나?"

"팀장님이 올라오라고 하셨잖아요."

"아니. 그런 얘기가 아니고……"

현수는 당황했다. 어떻게 해야 원하는 이야기를 들을 수 있을지, 감이 잡히지 않았다.

"그러니까 내 얘기는……"

승환은 배시시 웃었다. 무슨 얘긴지 알면서 딴전을 피운 모양이었다. 현수는 얼굴이 굳어지는 걸 느꼈다. 하마터면 지금 농담을 즐길 기분이 아니라고 말할 뻔했다.

"실은 저도 잘 모르겠어요."

승환도 미소를 거뒀다. 어딘지 우울해 보이는 눈이 나타났다.

"얼마 전까지만 해도 아는 줄 알았는데."

현수도 발아래로 시선을 돌렸다. 뜻밖이란 생각이 들었다. 승환은 자기가 하는 일쯤은 잘 알고 제대로 통제하는 부류인 줄 알았다.

"어릴 때 집안 형편이 좋지 않았어요. 실은 안 좋은 정도가 아니라 궁둥이가 뻘겠죠. 물에 빠져 죽는 인간이 날이면 날마다 있는 게 아니었으니까. 우리 아버지는 잠수 말고는 할 줄 아는 일이 없었어요. 어머니가 남의 집 일을 해서 우릴 굶기지 않고 키우신 거죠. 전 그래도 아버지가 좋았어요. 제게 물속 세상을 알려준 분이니까. 그런데 형들은 달랐나 봐요. 가난에 한이 맺힌 거죠. 제가 고2 때 둘째형이 입대했어요. 배운 게 도둑질이라고, 그렇게 잠수를 싫어하면서도 SSU에 지원했는데 입대 전날 저녁밥을 먹으면서 아버지한테 그러는 거예요. 저를 대학에 보내자고요. 우리 집안을 이 지긋지긋한 물속에서 건져낼 놈이 있다면 저뿐이라고. 대학입학금은 자기가 책임지겠대요. 멍했죠. 머구리배를 타던 큰형이 찬성하고 아버지가 고개를 끄덕일 땐 뒤통수 맞은 기분이었고요. 그런 거 생각도 못 해봤으니까. 고등학교나 졸업하면 다행이다, 했거든요. 사실 둘째형은 저를 과대평가하는 면이 있었어요. 문학제나 백일장 같은 데서 상 받아오는 걸 사건으로 받아들이고는 했어요. 심지어 저를 챈들러라고 부르기까지 했죠. 제가 챈들러처럼 써서 그런 건 아니고요, 작은형이 아는 작가가 챈들러밖에 없었어요. 형의 우상이 필립 말로였거든요."

현수는 담배를 꺼내 승환에게 내밀었다. 승환은 한 개비를 뽑아냈다.

"한 집안의 희망이 된다는 것, 가족의 희생을 담보로 대학에 다닌다는 게 어떤 의미인지 아세요?"

알지. 알다마다. 현수는 승환이 내민 라이터로 불을 붙였다. 그 역시 어머니의 희망이었다. 고교졸업 후 프로지명을 받았으나 어머니가 입단을 반대했다. 대학을 거쳐 프로에 가는 것이 엘리트코스로 통하던 시절이었다. 어머니는 아들이 엘리트가 되기를 원했다. 어머니의 선택은 그의 선택이었고, 그의 실패는 어머니의 실패였다. 어머니는 그가 야구를 그만둔 이듬해에 느닷없이 돌아가셨다.

"갑옷을 입고 100미터 달리기를 하는 거나 같아요. 숨이 턱턱 막혔죠. 제 레인에서 벗어나고 싶었고요. 제대하고 어찌어찌 철도청에 입사했는데 2년도 못 채우고 도망쳐버렸어요. 출근하고, 퇴근하고, 월급 받고, 승진에 매달리고, 한 집안의 가장 노릇하는 미래가 제 앞에 있었어요. 그것이 삶이긴 하겠지만 과연 나 자신일까, 싶었던 거죠. 나와 내 인생은 일치해야 하는 거라고 믿었거든요."

현수는 자신의 손끝에서 깜박거리는 담뱃불을 멍하니 바라보았다. 인생과 그 자신이 일치하는 자가 얼마나 될까. 삶 따로, 사람 따로, 운명 따로. 대부분은 그렇게 산다.

"실은 다 개소리예요."

승환은 머리를 벅벅 긁으며 실없이 웃었다.

"그냥 직장생활이 싫었어요. 싫어서 미치겠던 어느 날, 하필 제 근무 때, 젊은 여자가 달려오는 기차 앞으로 뛰어들었어요. 나중에 장의사가 와서 시신을 수습하는데, 아무리 찾아도 손가락 하나와 귀 한 짝이 안 보인다는 거예요. 그래서 긴 집게하고 비닐봉지 들고 선로를 더듬기 시작했죠. 날이 어둑어둑해질 때야 받침목 밑에서 귀를 찾았는데 찾고 보니까 갑자기 그런 생각이 들더라고요. 초등학교 나와 한강에서 시체 찾는 아버지나, 대학 나와 선로에서 시체 귀를 찾는 나나, 두 인생이 다를 게 뭐냐. 그냥 하고 싶은 거 하다가 죽자. 마음 변하기 전에 사표 쓰고 튀었죠. 한 2년 내키는 대로 굴러다니다 여기까지 왔고요. 아버지 뒤통수치고 꽁지 빠지게 내뺀 셈인데, 정신을 차리고 보니 또 긴 집게를 쥐고 형태만 다른 기찻길에 서 있더라고요. 그걸 열흘 전에야 알았어요."

승환은 고개를 뒤로 젖혀 밑에 남은 맥주를 들이켰다. 현수도 남은 소주를 한입에 털어 넣었다.

"서원이가 자네 책을 읽고 있는 것 같던데. 제목이 《올 킬》이던가. 본래 하고 싶었던 일이 그거 아니었나?"

"큰형이 머구리배 선장이에요. 배도 몰아주고, 머구리도 하면서 반년 넘게 빌붙어 지냈어요. 그때 쓴 소설인데 어쩌다 보니 등단작이 됐어요. 등단만 시켜주는 문예지 신인추천에 뽑혀서. 그거 들고 개선장군 흉내 냈다가 아버지한테 맞아 죽을 뻔했잖아요."

"왜?"

"책 말고 돈을 보여 달래요."

이후 승환은 말이 없었다. 물끄러미 그를 바라보고 있을 뿐이었다. 냉정하고도 주의 깊게 상대를 살피는 눈이었다. 자신을 부른 진짜 용건이 뭔지, 알고 싶어 하는 눈이었다. 현수는 두서없이 시선을 옮기다 비치파라솔로 갔다. 어떻게 말해야 자연스럽게 들릴까. 맥주 캔 두 개를 집어 들자 말할 용기가 사그라졌다. 그런 게 원래 있었는지조차 의심스러웠다.

승환은 등을 돌린 채 발아래를 내려다보고 있었다. 발꿈치를 들고 난간에 가슴을 기댄 뒷모습이 아슬아슬했다. 현수는 갑작스러운 현기증을 느꼈다. 시야에 시커먼 차단막이 드리워지고 있었다. 그 위로 환영의 영사기가 돌았다. 주인공은 그의 왼손이었다. 죽어가는 소녀의 비명을 틀어막은 왼손, 덤으로 목까지 틀어버린 힘센 왼손, 그 일의 목격자를 난간 밑으로 떠밀어버리는 어둠의 왼손. 현수는 까마득한 골짜기 밑에서 울려퍼지는 승환의 목소리를 들었다.

"그날 밤, 난 당신을 봤어."

현수는 소스라쳐서 한 발짝 물러섰다. 정신이 들고, 검은 차단막이 사라지고, 현실의 화면이 나타났다. 팔을 뻗으면 닿을 곳에 승환의 등이 있었다. 그는 지지대에 걸린 자신의 왼손을 내려다봤다. 승환의 등 뒤에서 악마와 내통한 심정이었다.

"뭐하세요?"

승환이 돌아보며 물었다. 현수는 허둥지둥 승환 옆으로 가서 맥주를 건넸다. 머릿속에선 조력자의 목소리가 채근하고 있었다. 바로 지금이야, 물어보라고. 그날 밤 뭘 봤는지.

"저기."

"저기요."

승환은 맥주를 받아들다가 씩 웃었다.

"먼저 얘기하세요."

현수는 당황했다. 내내 그 생각만 하고 있었으면서도 전혀 준비가 돼 있지 않았다. 그 동영상, 자네가 직접 찍은 건가? 아니, '그 동영상은 뭔가'라고 물어야 할까. 우연히 봤네만, 이라고 덧붙이면 좀 나을까?

휴대전화 벨소리가 생각을 끊었다. 승환이 바지주머니에서 전화를 꺼냈다. 폴더를 열자 쨍쨍거리는 여자목소리가 튀어나왔다. "아, 예" 대답하는 승환의 표정에 당혹감이 퍼졌다. 현수를 흘끗 쳐다보며 "알고 있습니다"라고 대꾸했다. 이어 "알겠습니다" 했다. 현수는 통화상대가 은주임을 알아차렸다.

"집에 서원이 혼자 있는데 어떻게 된 거냐고요."

전화를 끊으며 승환은 어색하게 웃었다. 나머지 말은 전하지 않았다. 현수는 무슨 말일지 알고 있었다. 당장 술판 접고 집으로 가라고 했겠지.

은주에게 남편은, 그녀가 정한 위치에서 그녀가 정한 일을 하고 있어야 하는 존재였다. 혈액형만큼이나 확고부동한 신념이었다. 술자리로 전화를 해대는 건 그 신념 때문이었다. 자정을 넘기고 들어오면 대문의 안전잠금장치를 눌러버리는 것도 그 신념 때문이었다. 그 경우, 현관문은 문이 아니었다. 은주의 목소리로 말하는 철판이었다. "나가!"

말하는 철판 앞에 앉아 밤을 보내며, 현수는 달착지근한 상상을 해본 적이 있었다. 저 여자가 밤사이에 심장마비로 가버린다면 어떤 일이 벌어질까. 곧장 떠오른 건 자신의 어깨에 올라탄 귀신이었다. 자신의 뒤통수에 조이스틱을 꽂고 오줌 누는 횟수까지 조종하는 귀신. 이후로 그는 '달착지근한 상상'을 하지 않았다. 차라리 문 앞에 앉아 꾸벅꾸벅 조는 쪽이 백번 나았다. 그에게 강은주는 여자가 아니었다. 사랑할 수도 없고, 벗어날 수도 없는 삶의 통제자였다.

"내려가시죠."

승환이 말했다. 현수는 고개를 끄덕였다. 동영상 얘기는 끝내 꺼내지 못했다.

서원은 TV를 켜 놓은 채 소파에 잠들어 있었다. 그는 서원을 안아다 침대에 눕히고 사들고 온 도넛을 책상에 올려놓았다. 씻으러 갔던 승환이 들어오자 그는 거실로 나갔다. 어제처럼 서원의 신발을 세탁기에 감췄다. 휴대전화 알람을 새벽 2시에 맞춰두었다. 꿈속의 남자가 나타나기

326

전에 그를 깨워줄 원군이었다. 만일에 대비해, 식탁의자들을 안방으로 끌고 들어가 문 앞에 바리케이드를 쌓았다. 꿈속의 남자를 따라가려 하면, 곧장 발이 걸려 넘어지도록.

준비가 끝나자 그는 침대에 누워 눈을 감았다. 은주가 없는 날, 두어 시간만이라도 자둘 요량이었으나 뜻대로 되지 않았다. 깨어 있으려 애쓸 땐 막무가내로 들이닥치던 잠이 자려고 눕자 놀란 망아지처럼 내빼버렸다. 전망대에서 해결하지 못한 문제가 '후회'라는 형태로 되살아났다. 어떻게든 동영상 얘기를 꺼냈어야 했는데. 상사로서 질책하듯 다그쳐볼 수도 있었을 텐데. 자네, 그날 밤에 호수에 있었던 게 맞나? 왜 금지구역에 들어갔나. 뭘 보긴 봤나. 앞으로, 어쩔 생각인가. 이 일이 관리단에 알려지면 어떤 파장이 일어날지 생각해봤나?

머릿속 조력자가 그에게 물어왔다. 물어서 어쩔 건데. 뭘 봤는지 알면 어쩔 건데. '팀장님을 봤어요'라고 대답하면 어쩔 건데. 그 친구까지 영원히 입을 틀어막아서 호수에 던져버리려고? 목격자인 걸 밝히지 않는 데는 이유가 있을 거야. 본인이 숨긴다면, 이쪽에서도 모르는 척하는 게 최선이라고.

그는 창 쪽으로 몸을 돌리고 누웠다. 창밖풍경이 내다보였다. BMW와 마티즈가 안개 속에 일렬로 서 있었다. 두 차 사이로 장면 하나가 끼어들었다. 트레일러 앞으로 들어가며 길을 비키는 마티즈, 사납게 경적을 울리며 스쳐가는 BMW. 현수는 자신도 모르게 신음을 흘렸다. 길을 잘못 들어 조절지 댐에 도착했을 때, 차라리 서울로 돌아갔더라면. 그랬더라면…… 구멍처럼 시커먼 여자아이의 눈이 그의 시야로 돌진하듯 다가왔다. 그는 질끈 눈을 감았다. 눈이 사라지기를 기다렸다. 지금은 죄책감을 상대할 힘이 없었다. 후회할 힘마저 잃었다. 운신할 공간은 면도날 폭만큼도 되지 않았다. 죽을힘을 다해 버티다 체포되든가, 그전에 미쳐버리든가. 그 밖에 스스로 죽어버리는 간편한 길이 있었다.

현수는 반대편으로 돌아누웠다. 별채앞길 가로등 빛이 건너편 벽을 비추고 있었다. 희미한 빛 속엔 세령마을 입석이 떠올라 있었다. 입석 옆엔 검게 썩어가는 고목이 있고 나뭇가지에 빈 올가미가 걸려 있었다. 그는 몸을 돌려 반듯하게 누웠다. 그와 함께 어두운 천장에서 목에 올가미를 건 남자가 툭 떨어졌다. 그는 목에서 튀는 비명을 가까스로 눌러 삼켰다. 두건을 쓴 남자의 얼굴이 자신을 향해 꺾여 있었다. 몸은 빈 그네처럼 흔들렸다. 한 번씩 흔들릴 때마다 끼익, 끼익, 소리가 울렸다. 그는 양손으로 귀를 틀어막았다. 소리는 그치지 않았다. 점점 커지고 또렷해졌다. 그것은 그네소리가 아니었다. 남자의 목뼈가 꺾이는 소리였다. 끼익, 끼익……

현수는 마른침을 삼켰다. 혀가 마르고 목이 탔다. 머릿속이 텅 비면서 술잔이 시야에 나타났다. 독주 한 잔이면, 이 잡다한 환영들을 쫓아낼 수 있을 것 같았다. 예정대로 두어 시간 잘 수도 있을 것 같고. 방문 앞에 쌓아둔 의자를 치우고 거실로 나갔다. 벽장문을 열어 파이터즈 유니폼 상자를 꺼냈다. 헬멧 속에 칼바도스 한 병이 있었다. 아니, 있어야 했다. 지금처럼 '한 잔'이 절실할 때를 위해 은주 몰래 감춰둔 것이었다.

몇 달 전, 유럽여행을 다녀온 처제부부가 집에 들른 적이 있었다. 선물이라고 사온 것이 칼바도스였다. 한국에선 흔하지 않은 술이라 형부 생각이 나서 샀다고 했다. 그는 고마운 마음으로 받았다. 처제부부가 돌아간 뒤, 은주는 있는 대로 성미를 부렸다. 분노의 몸통은 아니꼬움이었다. '집도 없는 것들이 유럽씩이나 나다니는 정신 나간 행태'에 속이 뒤집혀 있었다. 분노의 추동엔진은 술에 대한 혐오요, 에너지는 자존심도 없이 술병을 받아든 술꾼에 대한 증오였다. 술꾼은 눈치까지 없어서 그녀의 분노에 기름을 붓고 불을 놓았다. 자기들 인생, 자기들 마음대로 사는데 웬 오지랖이냐고 핀잔을 줬던 것이다. 술을 내놓으라는 명령도 거부했다. 대가로 그는 술을 빼앗기고 욕을 들어먹었다. 술 한 잔 마시지 않고 만취한 것처럼 알딸딸하던 밤이었다. 저것들처럼 살다간 늙어서 빌어먹기 딱 알맞다느니, 태산도 갈아먹을 것들이라느니, 술 한 병에 헬렐레한 당신은 '불알 달린 지니'라느니. 분노의 횃불은 올림픽성화처럼 타오르다가 그녀의 신념을 갈파하는 데서 가까스로 진화됐다.

집 없는 자, 인생을 즐길 자격도 없다. 집 살 때까지 이 술은 마실 생각도 하지 마라.

이튿날 그는 백화점 주류코너에서 칼바도스 한 병을 샀다. 입이 떡 벌어지게 비쌌으나 기세 좋게 비자금을 털었다. 은주에 대한 반감으로 제정신이 아니었다. 집에 돌아온 후에야 제정신도 돌아왔다. 그는 고민스러웠다. 정신이 나갔을 때 저지른 일을 정신이 돌아온 뒤에 수습하기가 쉽지 않았다. 바꾸러 가자니 창피하고 마시자니 딸 엄두도 나지 않았다. 그리하여 상자 속에 모셔두었다. 좋은 옷을 옷장에 걸어두고 입지 못하는 노인네처럼.

그런데 모셔둔 것이 없었다. 그는 벽장을 발칵, 뒤집었다. 다리미, 다리미판, 전기담요, 플라스틱용기, 밥상, 작년 추석에 마련한 휴대용제초기…… 온갖 잡동사니들이 끌려나오는데 술만 나오지 않았다. 냉장고, 싱크대, 거실 서랍들을 뒤지고 안방으로 뛰어 들어가 장롱과 화장대까지 뒤집어 엎었다. 술은 끝내 나오지 않았다.

그는 피가 거꾸로 솟는 걸 느꼈다. 범인이 누군지는 두 번 생각할 것도 없었다. 은주였다. 비상금 찾기의 달인이 비상 술이라고 못 찾아낼까. 부앗김에 화장대 서랍을 후려치듯 닫다 애먼 손가락만 찍어버리고 말았다.

어찌나 아팠는지, 결혼생활 12년 동안 꿈에서도 해보지 못한 용감무쌍한 말이 튀어나왔다. 아아, 개 같은 년……

이 한마디를 기점으로 감정의 흐름이 궤도를 바꿨다. 그를 짓누르던 두려움과 술에 대한 갈망이 은주를 향한 분노로 치달았다. 분노의 보폭이 너무도 커서 멀미가 날 지경이었다. 심장은 출정의 팡파르를 울렸다. 그는 욱신대는 손가락을 빨며 현관으로 나갔다. 사택경비실로 갈 생각이었다. 남편의 말이라면 모조리 개소리로 듣는, 남편 알기를 개똥 치우는 작대기로 아는, 남편 물건을 개 불알로 여기는 무식하고 못된 여편네의 귀싸대기를 올려줄 작정이었다. 거꾸로 집어 들고 분이 풀릴 때까지 흔들어줄 작정이었다. 그런 다음 소주 한 병 사들고 전망대로 올라가 '다 지나간 일'이라고 세령호를 향해 선언해버리면, 자신의 삶을 틀어쥐고 흔드는 손들이 싹 사라질 것 같았다. 평온이 올 것 같았다.

그는 다급하게 신발을 신으려다 멈칫해서 고개를 들었다. 살을 쏘는 듯한 시선이 관자놀이에 느껴졌던 것이다. 고개를 돌리자 신발장거울 안에 그 남자가 있었다. 곤두선 머리칼, 미간에서 펄떡거리는 굵은 핏발, 번들거리는 진홍빛 눈자위, 분노로 떨리는 창백한 입술과 팽팽하게 경직된 어깨. 최상사였다. 동시에 현수 자신이었다.

현수는 고개를 돌려 뒤를 봤다. 벽장에서 끌려나온 잡동사니, 열려 있거나 바닥에 뒤집혀 있는 서랍들, 식탁에 늘어놓은 부엌 물건들, 열려 있는 안방 문 사이로 난장판이 된 방 안이 내다보였다. 이 멋진 풍경은 어린 시절 익히 봐온 것이었다. 그러나 아버지 작품은 아니었다. 자신의 작품이었다. 거울 속에서 아버지가 이죽거렸다.

절대로 애비처럼 안 산다며? 살아보니 넌 별 수 있든?

그를 통제하던 마지막 줄 하나가 툭, 끊겼다. 현수는 자신의 내부에서 빠져나오는 '꿈속의 남자'를 보았다. 그 남자가 그의 몸을 빌려 행동하는 시간, 그의 몸이 벌이는 신나는 복수극을 관전할 시간이 찾아온 것이다. 집 안 풍경이 조각나듯 흩어졌다. 현수의 시야에는 남자와 거울 속 아버지만 남았다. 현수는 남자가 지지대에서 그의 왼손을 빼내는 걸 기꺼운 마음으로 지지했다. 왼 주먹이 아버지를 향해 뻗어가는 걸 기쁘게 지켜봤다. 날카로운 파열음을 내며 아버지의 얼굴이 산산조각 나는 걸 후련한 마음으로 응시했다. 잡동사니 속에서 휴대용제초기를 찾아 쥐는 왼손을 기대에 차서 내려다봤다. 꿈속의 남자는 용팔이의 지배를 받지 않았다. 왼손잡이 슈퍼맨이었다.

현수는 남자를 따라 현관문 쪽으로 몸을 날렸다. 순간, 등 뒤에서 "아빠"하는 속삭임이 울렸다. 그는 뒤를 돌아봤다. 지퍼가 벌어지듯 그의 시야를 가로막은 장막이 한 뼘 가량 열렸다. 그 틈새로 서원과 승환의 얼굴이 비쳤다. 꿈속의 남자는 이미 계단을 뛰어 내려가고 있었다. 현수의 몸은 남자의 인력에 무방비 상태로 끌려갔다.

남자는 담장뒷길로 내달렸다. 어둡지 않은 밤이었다. 반달이 남자의 앞을 비추고, 달빛을 받아 반짝거리는 목책들이 유도등처럼 남자를 호수로 인도했다. 현수는 남자의 마음을 읽을 수 있었다. 남자는 저 빌어먹을 수수벌판을 깡그리 밀어버릴 참이었다. 베어낸 수숫대로 우물을 메워버릴 작정이었다. 그 시커먼 입을 열어 현수야, 하고 부르지 못하도록. 아빠라고도 부르지 못하도록.

남자는 제초기를 켜들고 수수벌판으로 뛰어들었다. 달이 붉게 타오르고 대기에선 바다냄새가 떠돌았다. 윙, 하는 제초기소리에 수수들이 두런거리기 시작했다. 현수야. 현수야…….

"닥쳐. 입 닥치라고."

남자는 장작을 패듯 제초기를 내리찍고 휘둘렀다. 수수들이 날 끝에서 쓰러져나갔다. 핏빛 머리를 뒤로 꺾으며 그를 불렀다. "아빠."

제초기는 푸른 매연을 내뿜으며 자동차처럼 웽웽거리고, 시커멓고 긴 형체를 꿈틀거리며 수수를 난자하고, 허공을 베고 대기를 가르며 춤을 추다가 남자의 손에서 화살처럼 튕겨나갔다. 커다란 호를 그리며 반달 아래로 가라앉았다. 첨벙, 하는 소리를 끝으로 정적이 찾아왔다. 남자는 어둠 속으로 꺼지듯, 사라져버렸다.

현수는 꿈에서 깬 것처럼 사방을 둘러보았다. 무슨 일이 있었던가. 왜 여기 와 있는가. 그가 발견한 건, 풀죽처럼 갈아버린 가시박덩굴을 맨발로 밟고 서 있는 광인이었다. 호수에 비친 자신의 모습은 악령 그 자체였다. 머리털은 잘려나간 잡목 그루터기처럼 곤두서 있고, 손목지지대는 목에서 덜렁대고, 왼팔은 허벅지 밑으로 축 늘어져 있었다. 땀투성이 몸엔 풀물이 흘렀다. 살갗엔 조각난 덩굴줄기와 이파리들이 뒤덮여 있었다.

한기가 그를 휘감았다. 끝내 미치고 말았다는 자각과 앞으로 또 무슨 일을 저지를지 모른다는 불안, 형태만 다른 제초기를 들고 누군가를 향해 돌진할지도 모른다는 두려움이 등을 덮쳤다. 현수는 호숫가에 풀썩 주저앉았다. 와들와들 떨면서 무릎 사이에 얼굴을 묻었다. 시커멓게 밀려드는 절망과 자기혐오 속에서 정신을 차려보려고 처절하게 싸웠다. 지나간 기억을 하나하나 되짚으며 도움이 될 만한 걸 찾아보려고 안간힘을 썼다. 그리하여 마침내, 8월 27일 밤 이래로 가장 현실적인 일을 시작할 수 있었다. 자신이 어디쯤에 와 있는지 평가하는 일. 서 있는 곳에서 뭘 해야 하는지, 뭘 할 수 있는지, 최선이 무엇인지 모색하는 일.

수요일 퇴근 무렵, 영제는 하영을 담당하고 있는 서포터로부터 전화를 받았다.

"5월 1일에 프랑스로 출국했습니다. 드골공항에서 내렸고요. 입국한 흔적은 없습니다."

프랑스라니. 한계령에서 사라진 지 이틀 만에 출국했다니. 영제도 해외도피를 의심한 적은 있었지만 프랑스는 좀 뜬금없었다. 시점도 지나치게 빨랐다. 서포터가 물었다.

"혹시 연고가 있습니까? 친척이라든가."

"내가 알기론 없어요."

"친구는 어떻습니까? 장기체류를 도와줄 만큼 절친한 사람."

그렇게 절친한 친구가 있었던가. 영제는 그녀의 친구를 만난 적이 없었다. 결혼식 때 인상이 고만고만한 여자들과 인사를 나눈 게 유일한 대면이었다.

"생각을 좀 해봐야겠습니다."

"뭔가 기억나면 전화 주십시오."

영제는 집에 도착하자마자 2층 서재로 올라갔다. 책장에서 결혼 앨범을 꺼냈다. S시의 한 성당이 가장 먼저 나타났다. 마리아상을 배경으로 하영 홀로 서 있었다. 얼굴에 웃음기라곤 없었다. 하영은 그날 한 번도 웃지 않았다. 제 아버지의 손을 잡고 흰 카펫이 깔린 성당통로를 걸어오는 동안에도 고개를 푹 숙이고 있었다. 혼인서약을 할 무렵엔 마스카라가 눈가로 시커멓게 번져 있었다. 왜 그렇게 울었을까. 무엇이 문제였을까. 그녀는 야수에게 납치당해서 결혼한 것이 아니었다.

영제가 하영을 만난 건 1991년 가을이었다. 교정과 레지던트과정을 마친 뒤 강남의 한 치과에서 월급의사로 경력을 쌓던 무렵이었다. 어느 날 출근길에 엘리베이터에서 그녀를 처음 봤다. 그녀는 파일무더기와 종이봉투를 끌어안고 "잠깐만요"를 외치며 막 문이 닫히는 엘리베이터 안으로 뛰어들었다. 헐렁한 니트와 낡은 청바지 차림이었지만 그 안에 근사한 몸이 들어 있다는 걸, 그는 한눈에 알아봤다. 시선이 마주치자 그녀는 멋쩍게 웃었다. 그는 웃지 않았다. 웃을 여유가 없었다. 생애 처음으로 눈에 든 여자였다. 대충 묶은 머리, 섬세하게 변하는 눈동자의 표정, 무엇보다 완벽한 턱을 갖고 있었다. 치아는 갓 교정을 끝낸 것처럼 희고 매끄럽고 가지런했다. 그는 혀를 밀어 넣어 그녀의 치아를 맛보고 싶었다. 물론 맛보기 전에 그녀가 누군지 그것부터 알아야 했다.

그녀는 7층에서 내렸다. 그것만으로도 뒷조사가 가능했다. 스물다섯 살, 미대를 졸업했고, 7층 애니메이션 제작사에서 원화를 그리는 애니메이터였고, 전자제품 수리공인 홀아비의 맏딸이었다. 제대를 반년 앞둔 남자친구도 있었다. 그는 상관하지 않았다.

하영을 손에 넣는 데는 한 달도 채 걸리지 않았다. 그녀의 몸은 상상한 것보다 더 역동적이었다. 조용하면서도 용감하고, 예측불가능한 당돌함이 있었다. 누가 가르쳤을까. 누가 이토록 매끈하게 몸을 조율해놨을까. 설마, 군대에 갔다는 그 애송이가?

그는 질투로 정신이 반쯤 나갈 지경이었다. 행위 후 그녀가 보인 태도는 불쾌함까지 보태주었다. 그녀는 반듯하게 누워 움직이지 않았다. 그가 안아도 아득한 곳을 헤매는 사람처럼 천장만 올려다봤다. 불러도 대답조차 하지 않았다. 금방 사랑을 나눈 남자가 그녀의 세계 안에 없었다.

이걸로 바이바이야, 영제는 그렇게 판단했다. 그 판단이 출근한 지 한 시간도 되지 않아 뒤집혔다. 하영은 버릴 여자가 아니라 교정할 여자였다. 아침에 헤어진 뒤 점심 때 찾아가야 하는 여자, 사무실 비상계단으로 끌어내 입술이라도 더듬어야 살 것 같은 여자는 버릴 수가 없는 것이다. 그는 당분간만 참기로 했다. 인생은 길고 교정할 시간은 많았으므로. 일단 그의 세계 안에 들여놓은 다음에 한눈파는 버릇부터 교정할 계획이었다.

하영과 결혼한 건 이듬해 2월이었다. 그녀의 배 속엔 세령이 있었다. 때맞춰 아버지가 돌아가셨고, 그는 고향인 세령마을로 내려와 공보의 3년을 마쳤다. 그사이 물려받은 유산 중 하나인 수목원에 별채를 지었다. S시 중심가의 5층짜리 건물은 메디컬센터라는 의료전문 빌딩으로 만들었다. 모든 것이 순조로웠다. 그의 인생은 그가 계획한 대로 이루어지고 마음먹은 대로 흘러갔다. 그러지 못한 게 있다면 오직 하나, 하영이었다.

그녀는 학습능력이 현저하게 떨어지는 학생이었다. 응용력 면에선 거의 저능아 수준이었다. 걸핏하면 그가 정한 원칙을 어기고는 "몰랐어요" 했다. 그녀가 모르는 일이 대체 얼마나 많았던가. 잔뜩 허기져서 들어왔는데 식탁에는 세령의 크레파스와 스케치북이 놓여 있고, 옆집에 사는 댐 경비들에겐 창녀처럼 웃다가 남편인 자신은 수목원여주인의 표정으로 바라보고, 뭔가를 물었을 때 "아무것도 아니에요"라고 대답하고, "네"라고 답해야 할 때 침묵해서 그의 속을 뒤집어 놓았다. 그중에서도 가장 참을 수 없는 건 시선이었다. 남편을 앞에 둔 채 딴 세계를 더듬는 시선, 그녀가 존재하는 세계에서 그 세계의 주인인 자를 배제한 시선, 처음 그녀를 가졌던 날 봤던 텅 비고 멍한 시선.

앨범의 첫 사진에서도 그녀는 그런 눈으로 카메라를 보고 있었다. 그때 카메라 뒤에는 한 여자가 서 있었다. 그 여자는 혼인서약을 하기 직전, 허리를 숙이고 살금살금 다가와 하영의 손에 손수건을 쥐어줬다. 부케도 그 여자가 받았다. 대학동기라고 했던가.

영제는 앨범사진을 넘겼다. 지인들 단체사진 속에 그 여자가 있었다. 조그맣고 얼굴이 하얀 여자. 그가 여자 얘기를 물었던 적이 있었다. 아마도 웨딩업체로부터 앨범을 받은 날이었을 것이다. 하영은 유학준비를 하고 있다고 대답했다. 여자에 대한 얘기는 거기까지였다. 이름이 뭐였더라. 흔한 성은 아니었는데. 은? 민? 모……

그는 서포터에게 전화를 걸었다.

"기억나는 친구가 한 명 있어요. 이름은 모르고 성이 명일 거요. 아내와 대학동기라고 들었던 것 같소만. 찾을 수 있겠소?"

서포터가 "그럼요" 했다. 영제는 술기운처럼 퍼지는 흥분을 느꼈다. 자리에 앉아 있지 못할 만큼 심장이 펄떡거렸다. 마침내 하영의 꼬리 비슷한 걸 잡은 것이다. 운이 좋다면 몸통이겠지. 만약 그렇다면 직접 잡아올 생각이었다. 이쪽 일을 해결한 다음에……. 그는 문득 현관 벨이 울리고 있다는 걸 깨달았다. 현관 앞 계단에 임 노인이 서 있었다. 노인은 팔뚝 길이로 자른 편백나무 둥치 하나를 내밀었다. 그가 전날 부탁해둔 것이었다.

"비가 자주 와서 고슬고슬한 나무가 없습디다."

"상관없습니다."

영제는 나무를 받아들고 문을 닫으려 했다. 임 노인은 그 자리에 서 있었다.

"뭐 할 얘기라도 있습니까?"

영제가 묻자 임 노인은 102호를 가리켰다.

"어젯밤에 담장뒷길에서 저 집 남자를 봤소. 벌써 두 번째 본 거요. 처음 본 건 지난주 금요일이고. 그때는 남자슬리퍼를 들고 가더니 어제는 제초기를 들고 가더구먼."

"그게 몇 시경입니까."

"막 순찰을 시작했을 때니까 2시 반이나 됐나. 하도 이상해서 따라가봤더니……"

336

"어디서 뭘 하던가요?"

"취수탑 다리 아래 비탈에서 풀을 베고 있습디다."

달밤에 일광욕을 한다는 말보다 더 황당했다. 말하는 임 노인도 황당한 표정이었다.

"거기서 그쳤으면 미친놈, 하고 말았을 거요. 그런데 느닷없이 제초기를 호수에다 던져버리더니 풀썩 주저앉아 우는 거요. 어린애처럼 엉엉, 울더라니까. 울다가 조용해지나 했더니, 이번엔 다리 위로 휙 날아 올라와서 담장뒷길로 뛰더란 말입니다. 맨발로 컴컴한 뒷길을 뛰는데 그 엄청난 덩치가 귀신보다 빠릅디다. 어찌나 순식간에 사라졌는지 내가 헛것에 홀렸나, 싶더구먼. 그 집 여자한테 말할까 하다가, 나랑 말을 트고 지내는 사이도 아니고, 하여간 여러 가지로 불편해서 원장님한테 대신하는 거요. 혹시 그 사람 만나거든 전해줘요. 호수에 가서 뭔 짓을 하든 상관없지만 야밤에 담장뒷길로 나다니지 말라고. 대낮 같이 훤한 통행로 놔두고 그게 무슨 짓이랍니까. 나무에 부딪치기라도 하는 날이면 항우장사라도 머리통이 안 남아날 거요."

영제는 지하작업장으로 내려갔다. 편백나무 껍질을 벗기기 시작했다. 두어 시간 후, 나무는 매끈한 속살을 드러냈다. 반듯하고 단단해 보이는 재목이었다. 껍질을 벗기고, 형태를 만들고, 사포로 문질러 송진을 바르면 멋진 물건이 될 걸로 보였다. 이틀 후면 아름다운 물건이 될 테고. 그는 거실로 올라왔다. 한숨 자둘 필요가 있었다. 휴대전화 알람을 2시로 맞추고 방으로 들어갔다.

2시 30분. 영제는 세령의 방으로 건너갔다. 검은 바지에 검은 방수점퍼, 주머니엔 랜턴이 들어 있었다. 임 노인이 헛소리를 한 게 아니라면, 곧 최현수가 나올 시간이었다. 별채 숲엔 굵은 빗줄기가 쏟아지고 있었다.

늦장마가 오는지, 거의 매일이다시피 비가 오락가락하고 있었다. 기상청은 당분간 이런 날씨가 지속될 것이라고 예고했다. 영제에게는 제2의 '서포터'였다. 뜻대로 된다고 암시하는 비였다. 그는 창문 밑에 둔 작은 냉장고를 손바닥으로 쓸었다. 안에 세령의 유해가 안치돼 있었다.

영제는 자신의 세계를 둘러싼 성벽은 높고 단단해 세상의 무엇도 무너뜨릴 수 없다고 믿었다. 지금 자신 앞에 놓여 있는 건 세령의 유해와 추억의 잔해뿐이었다. 카드로 쌓아올린 탑처럼, 한 조각이 빠지는 순간에 와르르 무너진 것이었다. 그렇게 만든 자를 용서할 수 없었다. 폐허를 인정할 수도 없었다. 모든 것은 제자리에 있어야 했다. 그가 정한 위치에, 그가 정한 모습으로.

주말 카니발을 성공적으로 마치는 게 우선이었다. 그런 다음 하영을 잡아오면 본래대로 복원할 수 있으리라고, 그는 믿어 의심치 않았다.

3시. 임 노인이 헛소리를 했나 싶을 즈음, 창문 밑으로 흰 물체가 스쳐 지나갔다. 영제는 창밖으로 고개를 내밀고 밖을 살폈다. 최현수였다. 비가 억세게 내리는데도 우산이나 우비조차 없었다. 흰 셔츠에 맨발이었다. 머리에 헤드랜턴을 끼고, 한 손은 지지대에 걸고, 다른 손엔 신발 한 켤레를 쥔 채 앞만 보며 걷고 있었다. 영제는 방수점퍼 후드를 덮어쓰고 고무장화를 발에 꿴 뒤, 창문을 넘어갔다.

최현수의 걸음은 한없이 느렸다. 담장샛문에 닿기까지 거의 10여 분이 걸렸다. 그사이 한 번도 뒤를 돌아보지 않았다. 주변을 살피지도 않고 발아래도 보지 않았다. 그러니 샛문 턱에 발이 걸리지 않을 재주가 있겠는가. 최현수의 다리가 휘청하는가 싶더니, 문밖으로 드세게 튕겨나가 흙탕물 웅덩이에 얼굴을 박고 엎어졌다. 어뢰라도 터진 것처럼 물보라가 치솟고, 싯누런 흙탕물이 최현수의 몸을 덮쳤다. 500년쯤 자란 편백나무가 쓰러지면 저런 장면이 나올까. 영제는 나무 뒤에 몸을 숨기고 웅덩이에서 고개를 드는 최현수를 지켜봤다.

최현수는 신발을 움켜쥔 채 팔꿈치로 땅을 짚고 일어서더니 언제 넘어졌느냐는 듯, 다시 걷기 시작했다. 주술에 걸려 움직이는 인형처럼 뻣뻣하고 둔한 움직임이었다. 온몸에서 흙탕물이 흘러내리는데도 신경조차 쓰지 않는 것 같았다.

호수안길로 접어들면서 안개는 더 짙어졌다. 최현수가 멈춘 곳은 취수탑 다리 앞이었다. 서너 발짝 거리로 따라 붙었던 영제도 걸음을 멈췄다. 동시에 헤드랜턴의 빛이 영제의 얼굴에 와서 멎었다. 현수가 느닷없이 고개를 홱 돌려 뒤를 봤던 것이다. 영제는 꼼짝할 수 없었다. 온몸을 방어모드로 긴장시키며 상대의 반응을 지켜보는 것 말고는.

현수는 주변을 둘러보듯 서서히 고개를 돌리더니 다리로 들어섰다. 영제는 어리둥절했다. 얼떨떨하다 못해 비현실적이기까지 했다. 안개가 짙기는 했다. 비바람이 시야를 어지럽힌 점도 있고. 그렇다고는 해도, 불과 서너 발짝 떨어진 거리에서 랜턴 빛이 정확히 상대의 얼굴을 비추는데 어떻게 못 볼 수가 있단 말인가.

현수는 취수탑 다리 한중간에서 다시 걸음을 멈췄다. 영제는 투명인간이 된 기분으로 현수를 향해 걸어갔다. 여전히 미행자를 보지 못한 눈치였다. 난간 앞에 우뚝 선 채 안개에 휩싸인 호수만 노려보고 있었다. 얼마 후, 손에 쥔 신발 한 짝이 호수로 날아갔다. 곧 나머지 한 짝마저 안개 속으로 사라졌다.

첨벙, 소리가 울리자마자 현수는 몸을 돌렸다. 영제로선 예측할 틈도, 피할 틈도 없었다. 좀 전 시선이 마주쳤을 때와 똑같은 상황이 벌어졌다. 시선의 충돌이 아니라 물리적 충돌이었다는 점만 달랐을 뿐. 그도 작은

체구가 아니었건만 현수와 어깨를 맞부딪히는 순간, 차에 받힌 것처럼 다리 밖으로 날아갔다. 도로바닥에 등뼈를 박치고 떨어지면서 그는 자신도 모르게 짤막한 비명을 터트렸다. 정신을 수습하고 보니 어둠 속에 홀로 누워 있었다.

담장뒷길을 거슬러 가는 내내, 그는 누군가 뒤따라오는 듯한 느낌을 떨칠 수가 없었다. 기습적으로 돌아보며 손전등을 비춘 적도 여러 번이었다. 안개와 빗줄기, 파랗게 번득이는 번개 불빛 말고는 아무것도 없었다. 담장샛문에 도착해 다시 돌아보았다. 마찬가지였다. 그는 102호 앞뜰로 돌아갔다. 거실 커튼 밖으로 불빛이 새어나오고 있었다. 그는 베란다 아래 배롱나무 그늘에 서서 귀를 기울였다. 사람이 움직이는 기척을 느낄 수 없었다. 잠들었을까? 몽유병일까? 기면증일까? 아니면, 술버릇일까?

어느 쪽이든 영제로선 소득이 있는 미행이었다. 현수의 폭발적인 신체 능력과 스피드를 경험한 것만으로도 충분히. 자신이 어떤 인간을 상대하려는 것인지 사전에 파악한 셈이었다. 몸싸움은 말할 것도 없고, 1미터 이내로 접근하는 것도 위험했다. 최현수는 사람처럼 생긴 전차였다. 전차에 부딪친 어깨는 아직 들어 올릴 수조차 없었다. 그에겐 아침에 할 일이 두 가지나 생겼다. 출근하자마자 엑스레이를 찍어보는 것. 엔진 한 부분을 미리 망가뜨려 놓는 것.

오영제가 집으로 들어간 후, 승환은 별채뒤뜰에서 나왔다. 집 앞쪽으로 소리 죽여 걸어가다 102호와 101호 사이에서 멈춰 섰다. 101호는 껌껌했다. 거실도, 각층 창문들도 불이 꺼져 있었다. 화단으로 난 지하실 창문에만 불이 들어와 있었다. 자주 봐온 풍경이었다. 볼 때마다 호기심이 일던 풍경이기도 했다. 밤마다 지하실에서 뭘 하는지. 명분도 있겠다,

확인해볼 기회였다. 그는 101호 화단으로 들어가 지하실창문 옆에 몸을 붙이고 섰다.

과연 제왕의 집인지라, 창문크기도 제왕 사이즈였다. 102호 지하실의 네 배는 될 듯했고, 블라인드가 창의 2/3쯤까지 드리워져 있었다. 블라인드 밑으로 영제의 뒷모습이 내려다보였다. 당구를 치듯, 테이블을 향해 엎드린 자세였다. 발 옆에는 대팻밥과 나무껍질과 목둣개비들이 흩어져 있었다.

승환은 쪼그려 앉아 손으로 땅을 짚고 창문 밑에 얼굴을 들이댔다. 궁금해하던 지하실 내부가 한 화면으로 잡혔다.

102호 거실만 한 공간에 당구대크기의 원목테이블이 놓여 있었다. 창가 쪽 모서리에 바이스에 끼운 통나무 토막이 놓여 있고, 영제는 창문을 등진 자세로 엎드려 대패질을 하는 중이었다. 테이블 한중앙에는 모형 성채가 있었다. 언뜻 봐도 정교한 모형물이었다. 아이들 두엇은 들어갈 크기였고, 둘이 들어가 뛰어도 될 만큼 튼튼해 보였다. 승환은 나무판을 잘라 만든 것이려니, 했다. 성채 주변에 쌓아둔 나무개비들을 보고서야 그것이 아님을 알아차렸다. 나뭇개비를 겹겹으로 쌓고 붙여서 올린 성채였다. 벽 밑에 나무토막들과 목공용으로 보이는 기계가 놓인 걸로 보아 나뭇개비마저 직접 제조해 쓰는 것 같았다. 기가 질리는 기분이었다. 통나무를 쪼개 나뭇개비를 만들고, 그걸로 저 어마어마한 성채를 쌓으려면 얼마큼의 참을성과 집중력이 요구될까. 저 집요한 에너지가 누군가를 파멸시키는 데 쓰인다면 어떨지, 상상만 해도 오싹했다. 그 대상이 얼마 전까지도 자신이었다는 데 생각이 미치자 오한이 일었다. 현재 누구를 향해 있는지는 좀 전에 확인한 바 있었다. 다만, 오영제가 지금 깎고 있는 것이 나뭇개비로 보이지는 않았다. 통나무 하나를 깎아 나뭇개비 하나를 얻는 작가주의적 작업방식이 아니라면. 어른 팔뚝만 한 길이와 굵기, 대패질로 둥글게 깎아가는 작업방식이 암시하는 건 하나뿐이었다.

몽치야, 라고 생각했을 때 대패를 잡은 손이 움직임을 멈췄다. 영제는 고개를 돌려 창문을 올려다봤다. 승환은 창에서 얼굴을 떼고 일어나 벽에 바짝 붙어 섰다. 곧 창가로 다가와 블라인드 틈으로 밖을 살피는 영제를 볼 수 있었다. 승환에겐 세령호의 악성안개가 고마운 순간이었다.

얼마나 지났을까. 영제의 얼굴이 창가에서 사라졌다. 하던 일로 돌아간 건지, 밖을 살피러 나오는 건지 승환으로선 판단하기가 어려웠다. 그렇다고 허리를 굽혀 다시 안을 살펴볼 엄두도 나지 않았다. 그의 시야에 들어오는 것은 깎다만 통나무와 대패가 놓인 테이블 모서리뿐이었다. 그는 화단을 빠져나가는 쪽을 택했다. 현관이 아닌 뒤뜰 창문을 통해 자신의 방으로 들어갔다. 창문을 닫고 커튼을 칠 때까지, 101호 쪽에선 별 기척이 들려오지 않았다. 정작 그를 놀라게 한 건 서원이었다. 잠들어 있어야 할 시간에 침대에 앉아 그가 들어오는 모습을 지켜보고 있었다. 서원의 다리 사이엔 어니가 바짝 긴장한 자세로 웅크리고 있었다.

그는 진창이 묻은 장화를 벗어들고 쉿, 했다. 서원도 쉿, 했다. 나오지 말고 그대로 앉아 있으라고 하자 고개를 끄덕였다.

팀장은 TV 앞에 잠들어 있었다. 헤드랜턴을 켠 채로, 흙탕물에 푹 젖은 몸을 새우처럼 말고, 색색 소리 내어 숨을 쉬었다. 표정은 평온해 보였다. 승환은 장화를 현관에 내려놓고 팀장에게 다가가려다 우뚝 서버렸다. 안방문턱에 강은주가 팔짱을 끼고 서 있었다.

"승환 씨랑 같이 술 마신 거였어요?"

은주가 물었다. 성난 눈이 승환의 몸을 훑어 내리고 있었다. 그도 얼떨결에 자기 몸을 내려다봤다. 팀장과 같은 몰골이었다. 누워 있고, 서 있다는 차이만 있었다.

"예, 저, 그게 아니라 전망대에서……"

은주는 안방으로 들어가며 문을 후려치듯 내닫았다. 이 장면을 서원이 문틈으로 내다보고 있었다. 승환과 눈이 마주치자 서원은 잽싸게 방을 나왔다. 그는 팀장 곁으로 가서 앉았다. 머리부터 발끝까지 더럽지 않은 곳이 없었다. 머리는 아예 황토색이었다. 승환은 서원의 도움을 받아가며 팀장의 옷을 벗겼다. 얼굴과 몸에 붙은 흙을 수건으로 대충 닦고 바닥의 물기를 훔쳤다. 그사이 서원은 승환이 깔고 자던 요를 가져왔다. 승환은 통나무를 굴리듯, 팀장을 밀어 요 위에 눕혔다. 서원은 다시 이불을 가지러 갔고 그는 욕실로 갔다.

"아저씨, 우리아빠 병에 걸린 거 아니지요?"

샤워를 끝내고 나와 옷을 입는 그에게 서원이 물어왔다. 불안해하는 눈이 그의 마음을 들여다보려 애쓰고 있었다.

"악몽을 꾸는 거야."

"제가 밤마다 그 애 꿈을 꾸는 거랑 비슷한 거예요?"

승환은 서원의 옷장 위로 올라가 있는 어니를 쳐다보며 고개를 끄덕였다. 강은주 역시 서원처럼 아무것도 모르는 걸까.

"저는 그 아이가 불러도 안 나가지만 아빠는 나가는 거지요. 그렇지요?"

서원이 재차 물었다. 눈에 담겼던 불안이 표정 전체로 퍼지고 있었다. 아빠의 기행에 겁을 먹은 눈치였다. 뭔가 불길한 기미를 느끼는 것도 같았다. 어제 새벽 일 때문일 거라고, 승환은 생각했다.

"그래."

서원은 얼른 고개를 끄덕였다. 승환의 말을 절대적으로 믿겠다는 표정으로 드러누웠다. 승환도 믿고 싶었다. 정도가 심한 수면장애일 뿐, 다른 이유는 없으리라고. 마음이 편하기는 하겠지만 진실은 아니었다. 그는 그걸 분명하게 알고 있었다.

초저녁, 팀장과 은주는 언성을 높이고 싸웠다. 안방 문과 뒷방 문이 모두 닫혀 있었던 터라 내용을 알아듣지는 못했다. 양쪽 모두 감정이 격앙돼 있다는 정도만 알아차릴 수 있었다. 서원은 귀에 이어폰을 꽂고 책에 눈을 박았다. 듣지 않으려는 기색이 역력했다. 승환도 노트북에 시선을 둔 채 팀장이 나가는 소리를 들었다. 은주는 방에서 나오지 않았다.

팀장은 자정이 넘도록 돌아오지 않았다. 전망대에 있겠지, 하면서도 승환은 쏟아지는 비 때문에 신경이 쓰였다. 1시가 넘어가자, 데리러 가야겠단 생각이 들었다. 벽에 걸어둔 가방에서 헤드랜턴을 꺼내다가 그는 다시 노트북 앞으로 돌아왔다. 문득 생각나는 것이 있어 인터넷을 열고 야구 사이트를 찾아갔다. 팀장에 대한 게시물은 아직 그대로 있었다. 올린 날짜를 확인했다. 8월 28일 토요일 오후 10시 05분. 찬바람이 가슴을 스쳐갔다.

팀장은 27일 약속을 못 지킨 것에 대해 "갑자기 일이 생겨서 못 내려왔는데"라고 해명했다. 글을 쓴 남자는 27일 저녁 8시에 광주의 술집에서 팀장을 만나 사인까지 받았다. 광주에서 세령은 1시간 반 거리였다. 운전취향에 따라 1시간 주파도 가능했다. 그에게 첫 전화가 걸려온 시각은 9시 03분이었다. 두 번째 전화는 10시 30분. 갑작스레 온갖 생각들이 머릿속을 질주하기 시작했다.

이사 오던 날 오영제와 첫 대면에서 보인 팀장의 과한 소심증과 세령이 인양되던 순간 나타난 수동공황 증세. 근방에서 팀장과 마주친 적이 있다던 오영제의 말. 세령의 장례식 날 선착장에서 보여준 팀장의 극적인 행동과 지난 일주일간의 기행들……

실체가 없던 직감에 '정황'이라는 틀이 만들어지고 있었다. 거침없이 그려지는 그림에 겁마저 났다. 승환은 허둥지둥 랜턴을 꺼냈다. 우비를 입고 우산은 여벌로 챙겼다. 맹렬하게 치닫는 생각을 멈춰 세울 필요가 있었다. 시간과 근거를 가지고 짚어가야 할 문제였다.

전망대엔 사람이 없었다. 팀장 홀로 비치파라솔 밑에 앉아 졸고 있었다. 들이치는 빗줄기에 몸은 함빡 젖었고, 맨발은 흐르는 빗물 속에 잠겨 있었다. 테이블에는 빈 소주병 세 개와 그의 구두, 양말이 굴러다녔다. 양말을 안주 삼고 구두에 술을 따라 마신 듯한 그림이었다.

"팀장님."

승환이 부르자 팀장은 눈을 떴다. 그러나 잠을 깬 기색은 아니었다. 승환을 알아보지도 못했다. 테이블에서 구두를 찾아들고 일어나 빗속으로 비척비척 걸어갔다. 그는 단박에 상황을 이해했다. 팀장을 끌고 가는 건 술기운이 아니라 꿈이었다. 집도 아닌 전망대에서 꿈속으로 이륙해버린 것이었다. 아득한 곳을 더듬는 팀장의 시선과 위태로운 걸음새가 그렇다고 알려주었다. 부른다 한들, 돌아오지 않을 터였다. 깨운다 한들 깨어나지도 않을 것 같았다. 적어도 꿈에서 놓여나기 전에는. 뭔가를 하는 것이 오히려 위험을 초래할 것 같았다. 팀장은 완벽한 무방비상태에서 움직이고 있었다. 승환은 헤드랜턴을 팀장의 머리에 씌워주었다. 할 수 있는 조치는, 팀장이 어둠 속을 걷지 않도록 해주는 것뿐이었다.

팀장은 느릿느릿 샛길을 내려갔다. 수목원정문 차량차단기에 허리가 걸리자 상체를 숙여 밑으로 통과했다. 별채앞길로 올라간 뒤 102호와 101호 사이를 지나쳐서 뒤뜰로 들어갔다. 승환은 몇 발짝 사이를 두고 따라가다 101호 측벽 모서리에서 걸음을 멈췄다. 세령의 방 창문에서 오영제가 튀어나왔던 것이다. 검은 방수점퍼에 검은 장화, 랜턴. 아무리 봐도 죽은 딸의 방에서 시간을 보내던 아빠의 차림은 아니었다. 팀장을 기다리고 있었던 본새였다.

기묘한 상황이 시작됐다. 팀장이 앞서가고, 영제가 미행하고, 승환이 둘을 쫓았다. 취수탑에서 벌어진 영제와 팀장의 충돌은 승환에게 선택의 순간을 불렀다. 그는 영제를 택했고 그 결과 영제의 과녁을 분명하게 볼 수 있었다. 승환은 팀장에 대한 의구심들을 잠시 밀쳐놓기로 했다. 영제의 속내가 더 궁금했다. 단서를 잡고 싶었다. 무엇이 오영제로 하여금 팀장을 조준하게 했는지, 경찰에 알리지 않고 은밀하게 행동하는 이유가 뭔지, 무슨 일을 벌이고 있는 것인지. 지하실을 엿본 결과 얻은 건 혼란뿐이었다. 미행과 몽치. 우주선과 양파만큼 거리가 먼 단어들이었다.

승환은 불을 끄고 서원의 곁에 누웠다. 전날 오후에 박 주임이 전달한 애기를 떠올렸다. 금요일 오후 3시에 오영제가 초대한 보육원아이들이 댐 관리단 및 수문 견학을 올 예정이었다. 견학 후엔 수목원에서 가든파티를 연다던가, 어쩐다던가. 들을 때만 해도 뜬금없는 짓 같았다. 지금에 와서 생각하니 한 그림의 조각들 같았다. 미행, 몽치, 댐 견학……

새벽까지 뒤척인 탓이었을 것이다. 승환은 늦잠을 잤다. 허둥지둥 옷을 걸치며 거실로 나갔다. 팀장 가족은 식탁에 둘러앉아 있었다. 다들 밥알을 깨작대고 있었다. 팀장은 안색이 초췌했으나 말끔하게 면도를 한 상태였다. 왼팔은 여전히 팔걸이에 걸려 있었다. 강은주는 지난밤 일에 대해 한마디도 하지 않았다. 팀장도 서원도 마찬가지였다. 식탁에는 폭탄 같은 침묵이 감돌았다. 누군가 입만 열면 곧장 터져버릴 분위기였다.

침묵은 출근길에도 계속됐다. 승환과 팀장은 안개가 흐르는 1공도교를 나란히 걸어갔다. 팀장은 장화를, 승환은 등산화를 신고. 둘 다 정상적인 신발이 아니었다. 둘 다 그 이유를 알고 있었고, 둘 다 알고 있다는 말을 하지 않았다. 팀장은 수문경비실 앞에서 승환을 돌아봤다. 할 얘기가 있는 듯한 눈이었다. 승환은 기다렸다. 팀장은 잠깐 머뭇거리더니 몸을 돌려 관리단으로 내려가 버렸다.

"아침에 푸른숲 도서관 청소하는 거 잊지 마쇼."

곽 씨가 빈 도시락을 챙겨들며 말했다. 은주는 건성으로 "예" 했다.

"여기 아줌마들 겁나게 까다로우니까, 욕 안 먹게 잘해요."

"예."

"공부방 시간이 딱 정해진 게 아니라 자기들 맘 대로니까, 꼭 점심 전에 해놔요."

"예."

곽 씨는 긴 잔소리를 끝내고 경비실을 나갔다. 은주는 휴대전화를 열고 영주에게 문자를 보냈다.

전화 좀 할래. 지금.

곧장 전화가 걸려왔다.

"무슨 일이야?"

영주가 물었다. 그녀는 숨을 길게 삼켰다. 자존심을 내세울 때가 아니었다. 영주라면 냉정하게 상황을 판단할 수 있을 것 같았다. 그녀가 찾지 못한 해법을 줄지도 몰랐다.

"어제저녁에……"

어제저녁, 남편은 이혼서류를 내밀었다. 진지하고도 멀쩡한 얼굴로 "우리 이혼하자" 했다. 그녀는 픽, 웃었다. 이 인간이 술만 마시더니 결국 돌았구나, 했다. 이혼운운이 하도 같잖아 한마디 물어볼 마음이 생겼다.

"이혼사유는 뭔데?"

"당신하고 더 살기 싫어."

얼씨구, 살기 싫어? 은주는 깔깔대기 시작했다. 배 속에서 울컥, 솟구치는 웃음을 참을 수 없었다. 눈가로 눈물이 비어져 나왔다. 통곡과 구별이 안 되는 광적인 웃음이었다.

"대행사에 이혼서류 접수해놨어. 당신이 도와주면 숙려기간 없이 바로 처리될 거야. 이혼사유는 남편의 폭력과 술주정이고."

그녀의 입가에 경련이 일었다. 웃음은 목 안으로 말려들어갔다.

"서원이, 집, 차, 살림살이, 다 당신이 가져가. 앞으로 양육비를 댈 수 없을지도 몰라. 하지만 버틸 수 있는 데까지 버틸 거고, 버티는 동안엔 월급 다 보낼게. 당신이라면, 서원이 잘 보호하고 키울 수 있을 거야."

그녀는 이 상황이 엄포전이 아님을 깨달았다. 남편은 주머니에서 봉투 하나와 통장 하나를 꺼내놓았다.

"총동원한 거야. 하나는 현금이고 하나는 마이너스통장. 비밀번호는 월급통장하고 같아. 서울은 어렵겠지만 경기도 쪽에는 원룸 한 칸 얻을 수 있을 거야."

원룸? 마침내 그녀의 입이 터졌다.

"이혼? 누구 맘대로? 누군 살고 싶어서, 최현수가 미치게 좋아서 붙어살았대? 지금껏 당신을 참아준 건 서원이 때문이야. 알기나 해?"

"알아. 잘 알아. 그러니까 더 참지 마."

남편은 또박또박 말했다. 은주도 또박또박 말하려 애썼다.

"당신이 나한테 해야 할 말은 이혼하자가 아냐. 미안하다야. 정신 차리고 살겠다고 용서를 구하는 거야. 최현수가 지금 제정신이라면……"

"여태 뭘 들었어. 당신이 곁에 있는 한, 나는 제정신으로 살 수가 없단 말이야. 당신 얼굴만 봐도 무섭고, 당신 목소리만 들어도 발작이 일어나고, 당신이랑 살 맞대는 게 죽는 것만큼이나 끔찍해서 날마다 시간마다 새록새록 미쳐간다고. 완전히 미쳐버리지 않게 나를 좀 놔줘. 제발."

고통스러운 충격파가 그녀의 아랫배를 가격해왔다. 서원을 낳던 밤처럼, 숨길을 턱턱 막아버리는 뜨겁고 날카로운 고통이었다. 불길 속에서 숨을 쉬는 기분이었다. 그녀는 봉투를 집어 들고 안에 든 돈을 꺼냈다. 백만 원쯤 돼 보이는 만 원짜리 뭉치를 부들부들 떨리는 손아귀에 말아쥐었다.

"내가 무서워?"

돈뭉치로 남편의 귀빰을 후려쳤다.

"나 때문에 미쳐가?"

두 번째 따귀를 갈겼다.

"내가 끔찍해?"

세 번째 따귀가 날아가는 손을 남편이 틀어잡았다. 돈뭉치가 손아귀에서 빠져나가 방바닥으로 풀럭풀럭 흩어졌다. 설원처럼 휑뎅그렁하고 찬 남편의 눈빛이 그녀의 눈에 닿았다.

"나가. 내일 당장 서원이 데리고 나가."

통행차단기를 내려버리는 듯한 목소리였다.

"안 나가면 내가 끌어낼 거야."

남편은 그녀의 손을 밀치듯 놓고 방을 나가버렸다. 그녀는 힘에 떠밀려 나뒹굴듯 주저앉았다. 흩어진 지폐들 사이에서 정신이 아득해지는 혼란에 빠졌다. 최현수가 이혼을 요구해. 감히 나한테.

자정이 넘어도 남편은 돌아오지 않았다. 그녀는 거실과 안방을 들락거리며 남편이 돌아오기를 기다렸다. 건넌방은 고요했다. 스탠드불빛만 문틈으로 희미하게 새어나왔다.

새벽 2시, 현관문 열리는 소리가 났다. 남편이 들어오는 소리가 아니었다. 승환이 나가는 소리였다. 남편을 찾으러 갔으려니 싶어 거실에서 기다렸다. 남편은 혼자 돌아왔다. 그녀를 보는 둥 마는 둥하고 거실에 쓰러져 누웠다. 그대로 잠이 들어버렸다. 진흙탕에서 뒹굴다 온 것처럼 온몸이 흙투성이였다. 맨발이었다. 그녀는 아무것도 할 수 없었다. 방문 앞에 서서 남편을 바라보는 것 말고는. 분노보다 혼란이 더 컸다.

건넌방에서 승환이 나온 건, 얼마 후였다. 남편과 다를 바 없는 몰골이었다. 남편을 찾으러 가서 머리를 맞대고 떡이 되도록 술을 마신 게 분명했다.

"여자가 생긴 거 아닐까?"

영주의 첫 답변이었다. 은주는 대답했다.

"나 등신 아냐."

"언니가 등신이라는 게 아니라……"

"여자 생긴 걸 못 잡아내면 그게 마누라야?"

"그럼 사고 친 거네."

"무슨 얘기야."

"그니까, 도박이라든가, 공금횡령이라든가. 아니면 술김에 누굴 때렸다든가. 수습하기 어려운 사고를 쳤다면 그럴 수 있지 않겠어?"

"네 형부 고스톱도 칠 줄 몰라. 공금횡령 같은 거, 할 만한 요령도 없고 조건도 안 돼. 술 먹고 싸운 적도 없고, 누구 때린 적도 없어."

"저번에는 언니 때렸잖아."

은주는 화가 치밀었다. 따귀 한 대는 때린 것에 속하지 않는다고 한 인간이 누구던가. 하필 이 순간에, 그걸 들먹이는 심보는 또 뭔가. 그녀는 전화를 끊어버리고 싶은 걸 가까스로 참았다. 도움이 절실했다.

"하여간 사고는 아냐. 사고를 쳤다고 해도 수습해달라고 나한테 가장 먼저 자백할 인간이야."

"언니더러 다 가지라고 했다면서. 양육비는 못 준다고 했다면서. 언제까지 버틸지 모르지만 버티는 동안엔 월급을 다 보내겠다고 했다면서. 서원이 잘 키워달라고 했다면서. 형부가 언니한테 서원이 키워달라고 부탁할 사람이야? 다른 거 언니 다 줘도 서원인 안 내놓을걸. 사고야. 그것도 돌이킬 수 없는 사고, 그래야 가능한 말이야. 가령 재산에 차압이 들어올 상황이라고 상상해봐. 처자식 보호하는 방편으로 이혼이 최선이야, 안 그래? 언니한테 털어놓지 않은 게 좀 이상하긴 하지만. 하여간, 분한 것만 생각하지 말고 차분하게 알아봐. 직장동료라든가, 친구라든가, 안부전화처럼 자연스럽게 연락해서, 지나가는 말처럼 물어보란 말이야. 형부가 못하면 언니라도 나서서 해결을 해야지."

은주는 지난주 목요일 밤에 찾아온 형사들을 떠올렸다. 세령의 사건으로 물어볼 게 있어 왔다고 했다. 탐문수사고, 의례적인 것이라고도 했다. 은주는 저녁준비를 하던 중이니까 어서 질문을 하시라고 대답했다. 첫 질문은 이사하기 전에 여기 온 적이 있느냐는 것이었다. 없다고 하자 꼬치꼬치 캐고 들었다. 미리 살 집을 둘러보는 게 상식 아니냐는 둥, 남편이라도 와보지 않았느냐는 둥, 최근에 차를 고친 흔적이 있는데 사고가 난 게 아니냐는 둥…… 은주는 그 일로 인해 부부싸움을 하고 지금껏 냉전 중이라는 얘기를 형사에게 털어놓고 싶지 않았다. 대신 상식적인 대답을 내놨다. 차는 자신의 명의로 돼 있고, 사고를 내서 차를 고쳤다면 보험회사에서 통보해왔을 것이며, 그런 일을 자신이 모를 수가 없다고. 그들은 답을 듣고도 30여 분이나 더 미적거리다 물러갔다.

그때만 해도 은주는 형사들의 방문을 심각하게 생각하지 않았다. 의례적인 탐문이라니, 곧이곧대로 알아들은 것이다.

그녀는 가장 먼저 김형태에게 전화를 걸었다. 남편이 혹시 차사고를 내지 않았는지 물었다. 김형태는 아닐 거라고 대답했다. 음주운전으로 면허가 정지된 후부터 조심스럽게 운전을 하는 것 같더라고 했다. 은주는 가슴언저리에서 울리는 덜컥, 소리를 들었다. 음주운전이라니, 면허 정지라니. 남편의 고교동기인 김강현에게선, 남편이 8월 27일에 들렀다는 답을 들었다. 저녁 8시까지 함께 술을 마셨는데 언제 사라진 지도 모르게 없어져버렸다고 했다. 남편의 단골 카센터에 전화를 걸어 최근에 차를 고친 적이 있는지 물었다. 사장은 무슨 일이 있느냐고 되물었다. 형사가 찾아와 똑같은 걸 물었다는 것이었다.

은주는 휴대전화를 닫았다. 더 알아보는 게 무서웠다. 전화를 건 곳마다 상상도 못 한 이야기들이 쏟아지고 있었다. 음주운전, 면허취소, 김강현의 술집에서 사라진 후부터 집에 돌아오던 토요일오후까지 오리무중 상태로 비어 있는 하루, 형사들의 뒷조사…… 남편은 도대체 무슨 일을 저지르고 다니는 것일까. 문득 이사 오기 전날, 베란다에서 빨래를 걷다가 들은 노래가 생각났다.

"월남에서 돌아온 새카만 최상사, 이제사 돌아왔네……"

거나하게 취한 술꾼의 노래였다. 남편의 목소리였다. 창문을 열고 아래를 살피자 비틀비틀 걸어오는 남편이 보였다. 그녀는 있는 대로 화가 나서 방으로 들어가버렸다. 지금에 와 생각하니 그것도 이상했다. 남편은 그런 노래를 부른 적이 없었다. 더 생각해보니 남편이 노래 부르는 것 자체를 본 적이 없었다. 술과 야구 말고는 좋아하는 게 없는 남자였다. 서원이 말고는 그를 웃게 할 만한 일도 없었다.

그녀를 휘감고 있던 분노와 혼란이 조금씩 가라앉았다. 대신 불길한 질문들이 머릿속에서 들뛰었다. 남편이 지금처럼 날마다 폭음한 적이 있었던가. 자신에게 손찌검을 하거나 폭언을 한 적이 있었던가. 자신이 일하는 걸 말린 적이 있었던가. 없었다. 지난 2주간의 일들은 이상행동으로 봐도 좋을 것이다. 그녀는 마지막으로 승환에게 전화를 걸었다. 그날 밤 정말로 남편이 오지 않았느냐고 물었다. 승환은 그렇다고 대답했다. 긴 한숨이 나왔다. 그래, 그럴 리가 없지. 아닐 거야, 아니어야 하고.

노크 소리가 났다. 긴 생머리 여자가 경비실창문을 두들기고 있었다. 은주는 수화기를 손으로 막고 창문을 열었다.

"아줌마, 지금 도서관 청소 좀 해주실래요. 오늘은 11시에 공부방 모임이 있어서요."

생머리는 쫑쫑거리며 빌라 안으로 사라졌다. 저녁마다 수목원 통행로에서 짧은 반바지 차림으로 조깅을 하는 여자들 중 하나였다. 은주는 청소기를 끌고 '푸른 숲 도서관'으로 갔다.

도서관은 사택아이들의 실내놀이터이자, 도서관이며, 사택여자들의 모임장소였다. 그럴 목적으로 지어진 장소 같았다. 편백나무 벽과 마루, 해가 잘 비치는 남향 창, 다양한 종류의 게임기와 장난감, 플라스틱 놀이기구들, 그네, 볼 풀, 책이 빽빽하게 꽂힌 책장. 구석 나무장에는 실외용 운동기구들을 모아놓았다. 농구공, 야구공, 알루미늄배트, 글러브……

사택여자들은 이곳을 아이들 공부방으로 썼다. 독서, 논술, 영어, 한자 등, 전문 학원만큼이나 다양한 프로그램이 운영되고 있었다. 강의는 사택여자들이 돌아가며 맡았고, 자료준비를 핑계로 곧잘 이곳에 모이는 모양이었다. 곽 씨는 이 모임이 뒷소문의 원상지라고 알려주었다. 구설수에 휘말리지 않으려면, 여자들과 말을 섞지 말라는 충고도 덧붙였다.

그녀는 청소기를 돌리고 책장 구석구석 먼지를 털어냈다. 잡생각을 떨치려고 팔이 아플 지경으로 마룻바닥을 박박 닦았다. 청소가 끝나갈 무렵, 여자들이 우르르 몰려들어왔다. 누군가 그녀에게 말을 걸어왔다.

"아줌마네 아이 괜찮아요?"

콧등에 주근깨가 덮인 여자였다.

"듣자니까 무당이 애를 잡았다던데."

"무슨 말씀이신지……"

은주가 의아해하자 주근깨 여자는 도리어 놀란 표정을 지었다.

"몰랐나 보네? 아니 애 엄마가 어떻게 그걸 몰라. 온 동네가 수군거리는 얘긴데."

"무당이라면 그 여자애 장례식에 왔던 박수 말씀이세요?"

주근깨의 목소리가 두 배로 호들갑스러워졌다.

"어머나, 정말 모르나 보다. 그날 그 집 아저씨가 무당 목을 졸랐다던데. 함께 사는 총각이 말려서 큰일은 면했지만. 아저씨가 말 안 해?"

"무슨 말씀인지, 저는 통……"

"실은 우리도 직접 본 건 아니고요."

생머리 여자가 나섰다. 그저 들은 얘기라는 전제를 붙인 후, 토요일 선착장에서 일어난 소동을 전해주었다.

"곽 씨가 순찰 돌다가 보니까, 그 집 총각이 애 업고 정신없이 집으로 뛰더래요. 아줌마 그날 집에 없었어요?"

은주는 발바닥부터 벌겋게 달아오르는 걸 느꼈다. 장례식 날, 승환이 자신을 찾아와 집에 가보라고 했던 일이 기억났다. 일요일 아침 곽 씨가 뜬금없이 "아이 괜찮죠?" 하고 물었던 게 생각났다. 오영제가 가져온 그림이 떠올랐다. 아마도 서원을 살펴보러 왔으리라. 저지른 일이 있으니. 서원의 설명에 의하면, 그림은 죽은 아이가 그린 것이었다. 은주는 건네주려던 그림을 쓰레기봉지에 처박았다. 그런 불길한 물건을 서원의 방에 걸어둘 수는 없었다. 그 일로 서원은 지금껏 그녀와 말을 하지 않고 있었다. 은주가 말을 붙이면 서늘한 눈으로 바라볼 뿐 대답조차 하지 않았다. 그럴 때 서원의 눈은 제 아빠의 눈과 똑같았다. 사람을 한없이 무안하고 쓸쓸하게 만드는 눈.

은주는 가까스로 눌러놓은 분노가 되살아나는 걸 느꼈다. 동네사람들이 다 아는 일을 혼자만 모르고 있었다니. 남편과 승환과 서원은 무슨 속셈으로 입을 다물고 있었던 걸까. 사람을 이렇게 등신천치로 만들어도 되는 걸까. 남편을 족쳐야 하나, 수문으로 가서 따져야 하나. 아니다. 오영제에게 전화를 걸어 죽은 딸의 그림을 선물한 의도가 뭐냐고 물어보는 게 먼저였다. 몸을 돌려 나가려는 그녀를 주근깨가 불러 세웠다.

"아줌마, 저기 책장에 세정제 있거든. 기왕 걸레 들었으니까 유리창 좀 닦아줘요. 그간 아저씨들이 보이는 데만 닦아서 때가 부옇게 배겼어."

은주는 눈을 내리떠서 주근깨를 봤다. 곽 씨가 그녀를 사모님이라고 부르던 게 기억났다. 누구의 사모님이신지. 관리단장 사모님쯤 되시나. 왜 반말인데?

그녀는 입술을 꾹 물고 세정제를 찾아 들었다. 여자들은 책상 앞에 모여 앉았다. 과연 들은 대로였다. 명색이 배웠다는 것들 입에서 나오는 소리가 죄다 남의 뒷소문이었다. 단연 세령의 가족이 화두였다. 딸 유골을 납골당이 아니라 자기 집 냉장고에 넣어뒀다는 둥, 경찰이 오영제를 범인으로 의심한다는 둥.

"내가 그랬잖아. 애가 제 아빠 손에 죽는 건 시간문제라고. 그 집 여자도 마음 잘 먹은 거야. 도망 안 갔으면 딸이랑 같이 죽었을지 누가 알아."

생머리 여자가 말했다. 주근깨는 혀를 찼다.

"자기는 말 좀 가려서 해라. 낮말은 새가 듣고 밤말은 쥐가 듣는다는데."

주근깨는 은주에게 곁눈질을 던졌다. 그녀는 창가에서 몸을 돌리고 주근깨를 마주보며 팔짱을 꼈다. 이 여자가 지금 누구한테 새니 쥐니 하는 거야?

"거기서 뭐해요? 다 닦았으면 가서 아줌마 일이나 보지."

주근깨가 말했다. 은주는 도서관을 나왔다. 분해서 다리가 후들거렸다. 부아로 머리가 끓었다. 새삼스레 자신이 경비임을 깨달은 데서 온 모멸감이었다. 경비취급을 받는 게 당연하다는 데서 온 충격이었다. 자신을 이렇게 만든 건 남편이었다. 한때 동료였던 선수들의 마누라처럼 패션쇼장을 드나들며 사는 건 바라지도 않았다. 최소한 이런 모멸은 겪지 않고 살게 해줘야 하는 것 아닌가. 남편이 경비 일을 못하게 했다는 사실은 면죄부가 되지 않았다. 제대로 남편노릇만 했다면 하라고 등 떠밀어도 안 할 테니까.

은주는 라면 두 개를 끓였다. 혼자 다 먹어치웠다. 먹고 나자 화가 가라앉았고, 다시 불안이 덮쳐왔다. 결국 그녀는 남편에게 전화를 걸고 말았다.

"나야."

전화기 저편에서 남편이 말했다. 목소리가 착 가라앉아 있었다. 그녀는 말했다.

"하나만 물어볼게. 당신 그날, 내가 집 보러 다녀오라고 시킨 날, 여기 왔어, 안 왔어."

긴 침묵이 흘러갔다. 지옥불이 그녀를 태우고 갔다.

"안 왔어."

마침내 남편이 대답했다. 은주는 안도했다. 수긍했다. 무슨 일이 일어났는지 알아보기보다 눈감고 믿는 쪽을 택했다.

"그럼 됐어."

전화를 끊고 밖으로 나갔다. 자꾸만 눈에 밟히는 것이 있었다. 일산 아파트 현관에 써놓고 온 이름들. 강은주, 최서원, 최현수.

재활용품을 치우고 쓰레기장을 청소했다. 음식물 쓰레기통을 북북 문질러 씻었다. 사택앞길을 쓸고, 사택계단을 밀걸레로 닦았다. 더 청소할 곳이 없자 걸레를 들고 도서관으로 올라갔다. 오늘만 벌써 세 번째였다.

목요일 오후, 본사 기술팀이 도착했다. 현수는 그들과 함께 금지된 땅, 한솔등에 상륙하는 영광을 맛봤다. 면적도, 형태도 투수마운드와 비슷했다. 수풀이 땅을 뒤덮고 중심에 서 있는 쌍둥이소나무는 둥치가 그의 몸통보다 세 배쯤 더 굵었다. CC카메라 깃대는 소나무와 나란히 서 있었다. 그곳에 180도 각도로 주변을 비춘다는 적외선카메라 두 대가 장치됐다. 현수는 쌍둥이소나무 밑에서 정문경비실로 전화를 걸었다.

"내 얼굴 보이나?"

전화 속에서 재미있어하는 목소리가 대꾸했다.

"코털까지 보이는데요."

선착장카메라도 교체됐다. 취수탑 꼭대기엔 대형 탐조등이 장착됐다. 현수는 심란한 마음으로 카메라들과 탐조등을 둘러봤다. 자신의 꿈을 세계만방에 펼쳐 보여줄 물건들이었다. 당장 오늘 밤을 어떻게 넘길지 암담했다. 기대할 수 있는 건 행운뿐이었다. 자신이 밤새 깨어 있거나, 탐조등과 적외선을 차단해버릴 만큼 천하무적 안개가 등장하거나.

기술팀이 떠난 후, 현수는 타이레놀 두 알을 삼켰다. 머리가 지독하게 아팠다. 눈은 빨갛게 충혈되고 귀도 먹먹했다. 열이 오르는 것처럼 불쾌하고도 나른한 근육통까지 겹쳤다. 독감이 아닌가 싶었다. 밤마다 비를 맞고 미친개처럼 나돌아 다녔으니 더한 것이 와도 싸다, 싶었다.

저녁 7시가 되자 땅거미와 안개가 호수를 덮기 시작했다. 그때까지 정문경비실에 남아 미적거리던 현수는 자리를 털고 일어났다. 밖으로 나가며 야근자인 박 주임에게 일렀다.

"집에 가는 길에 안길에 들러볼 테니까, 자넨 화면을 좀 지켜봐 주겠나. 최신장비가 센지, 안개가 센지 한번 알아보자고."

박 주임이 대답했다.

"선착장 앞에 도착하시면, 제가 연락 드리겠습니다."

현수는 1번 출입구 앞에서 눈부신 백색광과 마주쳤다. 탐조등이 첫 시동을 건 모양이었다. 등대불빛처럼 광달거리가 긴 빛이었다. 빛의 궤적으로 보아 360도로 회전하는 등이었다. 구부러진 지형이 빛을 가로막지만 않는다면 곧장 1공도교까지도 닿을 듯했다. 그는 모퉁이를 돌아 취수탑을 지나갔다. 선착장 앞에 도착하자 박 주임이 문자를 보내왔다.

장비 원.

현수는 세령목장 진입로로 올라갔다. 오후가 되면 서원이 꼭 들르는 곳이었다. 축사에 사는 고양이에게 사료를 주러 간다고 했다.

"혼자 가면 무서울 텐데."

그가 걱정하자 서원은 코를 찡긋거리며 웃었다. 저를 뭐로 보세요, 하듯.

"한꺼번에 많이 주고 오지 그러니. 그럼 날마다 가지 않아도 되잖아."

"그러면 어니가 실망할 거예요. 늘 목장 길 밑으로 마중을 나오거든요."

현수는 으슥한 축사에 아이 혼자 드나드는 게 마음에 걸렸다. 어떤 곳인지 궁금하기도 해서 온 김에 가볼까 싶었다. 오솔길을 오르는 동안, 탐조등이 네댓 번 오리나무 숲을 베고 지나갔다. 그때마다 그는 뒤를 돌아봤다. 누군가 어스름한 호수 위에 머리만 내놓은 채 자신을 지켜보고 있는 것 같았다. 결코 잊을 수 없는 누군가가.

그는 몸을 숨기듯 축사로 들어갔다. 안이 어두컴컴했으나 곧 어니의 보금자리를 찾을 수 있었다. 바닥에 분홍색담요가 깔려 있고 사료와 물이 반쯤 남은 플라스틱 그릇 두 개가 놓여 있었다. 그 옆으로 바르는 모기약과 자그마한 손전등이 보였다. 승환이 줬을 법한 물건이었다. 현수는 손전등을 집어 들고 단추를 눌렀다. 전등크기에 비해 불이 제법 환했다. 그는 전등을 끄고 제자리에 놔둔 다음, 축사를 나왔다. 인기 있을 만한 놀이터는 아니었으나 위험할 일은 없어 보였다.

날은 아직 완전히 어두워지지 않았다. 현수는 감나무 밑 평상에 엉덩이를 걸치고 앉았다. 두통이 점점 심해지고 있었다. 그는 셔츠주머니에서 타이레놀 두 알을 꺼냈다. 물이 없어 질겅질겅 씹어 넘겼다. 혓바닥에 도는 아릿한 맛까지 알뜰하게 삼켰다. 이내 텅 빈 위장으로 진통제 기운이 퍼지는 걸 느꼈다. 그는 나무둥치에 등을 기댔다. 눈을 감고 서늘한 저녁 대기를 들이마셨다. 아침나절 일을 생각했다.

알람 소리에 눈을 떴고 축축한 몸에 담요가 덮여 있다는 걸 알아차렸다. 등 밑에는 요가 깔려 있었다. 짐작건대, 승환의 손길이었다. 그는 이 젊은 친구가 무서웠다. 새벽마다 어디에 가는지, 자기 운동화가 어디로 사라졌는지 알고 있을 텐데도 아무것도 묻지 않았다. 속내가 뭘까, 왜 묻지 않느냐고 묻고 싶기까지 했다. 한편으론 미안했다. 가장 밑바닥엔 기대와 미더움이 있었다. 어쩐지 한편이 돼줄 것 같은 친구였다. 돌아가신 어머니에게도, 은주에게도 하지 않았던 얘기를 털어놓고 싶었다. 25년 동안 홀로 져온 짐을 만난 지 얼마 되지도 않은 타인 앞에 부려놓고 싶었다. 도와달라고 말하고 싶었다. 근거 없는 믿음이었고 실현되지 않을 바람이었다. 그는 진저리나게 잘 알고 있었다. 자신을 도울 자는 자신뿐이라는 걸.

그가 할 수 있는 일은 그리 많지 않았다. 서원이 맞게 될 '살인자의 아들'이라는 낙진을 덜어줄 길은, 은주와 서원을 자신의 곁에서 떨어뜨려 놓는 것뿐이었다. 이혼이 완료된다면 완전하진 않아도 우산 정도는 될 수 있겠다, 싶었다. 자신의 거취는 그때 가서 정해도 늦지 않았다. 자수를 하든, 체포될 때까지 버티든, 죽어버리든.

만 하루, 그는 계획을 검토해봤다. 그리고 실행에 옮겼다. 마이너스 통장을 만들고, 비자금계좌를 털고, 팀원들이 자리를 비운 틈을 타 인터넷으로 이혼소송 대행업체를 찾았다. 바다에 구조신호용 유리병을 띄우는 심정으로 합의이혼 서류를 작성했다. 은주의 합의를 끌어내기가 쉽지 않으리라는 건, 그도 알고 있었다. 은주는 이유를 납득하기 전까지 교도소 문처럼 꿈쩍하지 않을 것이고, 그는 하루 용돈 만 원을 어디에 썼는가, 하는 것조차 납득시키지 못하는 인간이었다.

이혼합의에 이르려면, 모든 걸 고백하는 길밖에 없었다. 고백하면, 납득 못 해도 이혼은 해줄 가능성이 컸다. 서원에 관한 일이라면 슈퍼맨보다 용감해질 수 있는 여자였다. 알면서도 사실을 고백을 하지 못했다. 이혼통보를 듣고 깔깔거리는 여자에게 어떤 고백을 할 수 있겠는가. 그는 실로 엉뚱한 고백을 해버리고 말았다. 아니, 늘 꿈꾸던 고백이라 해야 옳겠다. 그 말을 해버리는 자신을 수도 없이 상상해왔으므로. 당신하고 더 살기 싫어.

점심시간에 걸려온 은주의 전화는 땅 위로 불거진 나무뿌리 같았다. 그는 종일 거기에 발이 걸렸다.

"하나만 물어볼게. 당신 그날, 내가 집 보러 다녀오라고 시킨 날, 여기 왔어, 안 왔어."

그는 알아차렸다. 은주가 마침내 이상한 낌새를 느낀 것이고 자신은 고백할 기회를 얻었다는 걸. 그러나 배달된 밥상을 놓고 팀원들과 마주 앉아 있는 시점은 고백의 순간으로 적절하지 않았다. 그는 입안에 들어 있던 감자조각을 가까스로 넘기고 "안 왔어"라고 대답했다. 그녀는 1초도 머뭇대지 않고 "그럼 됐어" 했다. 전화는 끊겼고, 말할 기회는 영영 사라져버렸다. 그녀는 두 번 다시 묻지 않을 터였다. 안도감이 확연하게 묻어나는 목소리가 그렇다고 얘기하고 있었다. '나는 아무 얘기도 듣고 싶지 않아.'

천하의 강은주도 어찌할 수 없는 일이었던 것이다. 무서운 진실, 너무나 어마어마해서 감당할 수 없는 일은 못 본 체하고 싶은 것이 인간이라는 영장류의 천성일지도 몰랐다.

"오랜만입니다."

귀에 익은 목소리에 그는 상념에서 깨어났다. 눈을 뜨자 영제가 랜턴을 들고 서 있었다.

"저런, 어쩌다 이러셨습니까?"

영제는 왼손을 가리키며 물었다.

"피를 빨아먹으려고 구멍을 좀 냈습니다."

현수는 영제의 눈을 마주보며 대꾸했다. 영제는 하하, 웃었다. 시원스러운 웃음이었으나 기묘한 날이 숨겨져 있었다.

"보기보다 심각하진 않은 모양이죠. 농담씩이나 하시는 걸 보니."

"여긴 웬일이십니까?"

현수의 목소리는 차분하게 가라앉았다. 머릿속도, 심장박동도 침착해졌다.

"마음이 심란해서 나왔습니다. 산책이나 할까 하고. 참, 오늘 한솔등 카메라를 교체했다면서요. 잘 보이던가요?"

"아직 모르겠습니다. 밤에 안개가 끼어봐야 알겠죠."

현수는 몸을 일으키고 목장 진입로 쪽으로 발을 뗐다.

"먼저 내려가겠습니다. 퇴근하던 길이라."

그는 앞만 보고 걸었다. 뒤쪽 사정은 보지 않아도 알 수 있었다. 뒷덜미에 영제의 시선이 갈고리처럼 박혀 있었다. 길을 어떻게 내려왔는지는 전혀 기억나지 않았다. 문득 주변을 둘러보니 소주병을 들고 휴게소 전망대에 서 있었다. 손에 쥔 술병을 들여다봤다. 병째 둘둘 부어도 취하지 않을 것 같은 밤이었다. 그러나 마실 수가 없었다. 마셔서는 안 되었다. 취한 상태로는 꿈속의 남자와 대결할 수 없었다. 가슴에선 두 목소리가 싸웠다. 그만 버티고 죽어버리라는 고함소리. 죽을 용기로 자수를 하라는 설득의 목소리. 그는 난간 아래로 소주병을 던져버렸다.

현수가 전망대를 내려온 건 자정이 좀 넘었을 때였다. 막 문을 닫는 비디오 가게로 들어가 공포영화 두 편을 빌렸다. 은주가 없는 밤이었지만 안방침대에 다시 눕고 싶지 않았다. 거실에 앉아 밤을 꼴딱 새는 편이 나을 것 같았다.

거실은 컴컴했다. 서원의 방도 불이 꺼져 있었다. 현관에는 신발 두 켤레가 놓여 있었다. 서원의 농구화, 승환의 등산화. 그는 서원의 농구화를 세탁기 안에 넣고 대야에 찬물을 담아 세탁기 뚜껑에 올려놓았다. 뚜껑을 열면 대야가 떨어져 요란한 소리를 내도록. 제아무리 잠이 깊어도 소음과 찬물이면 깰 수 있겠지. 전날처럼, 현관문 앞에 의자로 바리케이드를 쌓아두고 싶었지만 승환을 생각하고 포기해버렸다. 대신 휴대전화 알람을 30분 간격으로 맞추고 알람소리가 새어나가지 않도록 이어폰을 꽂아 셔츠주머니에 넣었다. 남은 일은 영화를 보는 것뿐이었다. 영원히 잠들지 않을 수야 없겠지만 지금은 눈뜨고 있어야 할 때였다. 그는 테이프를 꽂고, 볼륨을 죽이고, 거실소파에 기대앉았다.

영화는 그의 기대를 빗나갔다. 머리가 쭈뼛 서고 잠이 천리만리 달아나는 영화가 아니었다. 좀비들이 떼로 몰려나와 비위 상하는 걸 먹고 돌아다니는 영화였다. 다른 영화의 주인공인 인텔리 뱀파이어는 아무짝에도 쓸모없고 지루한 얘기만 늘어놓았다. 그는 눈이 깔깔해지는 걸 느꼈다. 얼마 후엔 자막이 잘 보이지 않았다. 초점이 옆으로 퍼지고 이마를 찔러대던 두통마저 뒷골 밖으로 빠져나갔다. 세 번째 알람이 울리자 현수는 허리를 곧게 펴고 앉았다. 네 번째 알람이 울렸을 때, 그는 고개를 앞으로 떨어뜨린 채 꾸벅꾸벅 졸고 있었다. 술에 의지해 잠들려 했던 때가 불과 엊그제였다. 그때가 그나마 좋은 시절이었다. 꿈속의 남자가 나타나면서부터, 그 시간만 되면 잠이 덮쳐왔다. 막무가내로, 장소 가리지 않고, 심지어 걷는 와중에도. 현수는 지구만큼이나 무거워진 머리를 들고 화면에 집중하려 안간힘을 썼다. 2시간만 버티면…… 동이 틀 터였다. 동이 터서……

현수는 자기 안에서 홀연히 일어서는 남자의 움직임을 느꼈다. 남자는 신발 한 짝씩을 양손에 나눠 쥐고 가볍게 팔을 흔들며 서풋서풋 계단을 내려갔다. 현수는 뒤따라갔다. 안개 속으로 많은 것들이 스쳐 지나갔다. 별채 앞 가로등, 진홍색 꽃이 흐드러진 앞뜰 배롱나무, 비에 젖어 검게 보이는 101호 측벽, 창문. 창문 안에 영제의 얼굴이 있었던 것도 같았다. 그는 놀라지 않았다. 놀랄 틈도 없이 얼굴이 사라졌다. 남자는 어느새 샛문 밖으로 나가고 있었다. 현수는 달리듯 쫓아가, 샛문 밖을 내다봤다.

마술처럼 안개가 걷혔다. 붉은 보름달이 떠 있었다. 달빛을 받은 수수벌판도 불길이 이는 것처럼 붉었다. 수수밭 사이로 난 샛길만이 천국으로 가는 계단처럼 새하얗게 빛나고 있었다. 남자는 길 중간쯤에 서서 손짓을 보냈다. 이리 와. 한 발짝만 문밖으로 내놓으면 돼.

현수는 기꺼이 문밖으로 발을 내딛었다. 순간, 날카롭고도 억센 이빨이 발등을 물었다. 뼈를 부수뜨리는 듯한 물리적 통각은 단숨에 그를 현실로 끌어냈다. 비명을 토하고 눈을 뜨게 만들었다.

안개가 그를 에워쌌다. 휴대전화는 요란한 기상명령을 전송하고, 머리 위에선 외등이 빛나고, 샛문 바깥으로 내디딘 그의 맨발은 커다란 덫이 물고 있었다. 악어이빨처럼 날카롭고 강고한 덫이. 새카만 통증이 다리를 먹어치우고 허리로 올라왔다. 그는 발을 감싸 쥐고 나둥그러지듯 주저앉았다. 덫을 벌리려고 안간힘을 썼다. 불가능했다. 용팔이가 돌아와 있었다. 행진하듯, 신발을 쥐고 팔을 흔들며 걷던 기억이 생생한데도 왼손은 꿈쩍하지 않았다. 어깨 끝에 매달려 시계추처럼 덜렁거릴 뿐이었다. 오른손 하나로는 아무것도 할 수 없었다. 벌리려 들면 들수록 덫은 점점 더 깊이 살을 파고들었다. 솟구치는 핏물이 발을 벌겋게 적시며 안개가 깔린 뿌연 땅으로 스며들었다. 현수는 손을 놓아버렸다. 이를 악물었으나 어찌할 수 없는 흐느낌이 밀려나왔다.

"팀장님, 괜찮아요?"

등 뒤에서 조심스러운 목소리가 들려오더니 곧 승환이 눈앞에 나타났다. 그리고 맙소사, 를 연발하기 시작했다. 승환은 전등을 세워두고, 덫의 아귀를 벌려 발을 빼낸 뒤, 셔츠를 벗어 피가 솟구치는 상처부위를 묶었다.

"일어나세요"

승환은 그의 팔을 어깨에 걸고 일으켜 세우려 안간힘을 썼다. 현수는 도울 수 없었다. 현기증이 몰아치고 있었다. 숲이 뒤집히고 있었다. 의식은 가물가물한 지평선으로 밀려났다.

"일어나요, 제발."

지평선 너머에서 승환의 속삭임이 들려왔다.

"난 팀장님을 업고 뛸 수가 없어요."

팀장은 일어나려 들지 않았다. 승환을 뿌리치고 손을 뻗어 발치를 더
듬거렸다. 금방까지도 움직이던 왼팔은 허벅지 사이에 축 늘어져 있었
다. 땅을 더듬던 오른손이 찾아 쥔 건 서원의 농구화였다. 한 짝은 문짝
옆에서, 한 짝은 조금 떨어진 나무 밑에서. 팀장은 신발을 찾자마자 눈을
감아버렸다. 숨결에는 코를 고는 듯한 잡음이 섞였다. 수면상태로 돌아
간 건지, 혼절한 건지 승환으로선 구분할 수가 없었다. 분명한 건 자신이
팀장을 업고 뛸 수 없다는 점이었다. 깨워서 걷게 해야 했다.

승환은 102호 뒤뜰로 달렸다. 열려 있는 방 창문으로 뛰어올랐다. 서
원이 침대에 앉은 채 그를 기다리고 있었다. 뱀을 만난 고슴도치처럼 신
경이 곤두선 모습이었다.

"아빠는요?"

"샛문에."

상황을 설명할 시간이 없었다. 신발을 벗을 틈도 없었다. 등산화를 신
은 채로 거실로 뛰어나가 소파에 걸쳐둔 팀장의 제복셔츠를 더듬었다.
예상대로라면 차 키가 거기 있어야 했다. 팀장은 뭐든 셔츠주머니에 넣
는 사람이었다. 지갑, 메모지, 명함, 휴대전화…… 차 키만 없었다. 바지주
머니에선 백 원짜리 동전 두어 개가 나왔다. 그는 조급해지기 시작했다.

"뭐 찾으세요."

서원이 곁에 와서 물었다.

"아빠 차 키 어디 있는지 아니?"

"싱크대 서랍에요. 엄마가 빼앗아버렸어요. 사무실 가까우니까, 기름
쓰지 말고 걸어 다니라고요."

"찾아줄래?"

곧 차 키가 승환의 손에 놓였다.

"아저씨, 저도 같이 갈래요."

서원이 말했다. 승환은 잠시 생각했다. 자신에게도, 팀장에게도 누군가의 도움이 필요했다. 그 누군가가 사택경비실에 있을 강은주는 아니었다. 팀장은 깊은 수면 상태에서 움직이다 덫에 걸린 참이었다. 그가 보기에, 발의 상처보다 무방비상태에서 타격을 받은 의식이 더 위험했다. 외부자극이 더해진다면 균열이 간 방어벽이 완전히 무너져버릴지도 몰랐다. 누군가를 데려간다면 안정감을 줄 존재라야 했다. 적임자는 서원이었다. 이 판단이 옳기를 바랐다.

"침착하겠다고 약속하면 데려갈게."

쓸데없는 다짐이었다. 우스운 우려였다. 서원은 샛문에 쓰러진 아빠를 보고도 흥분해서 덤비지 않았다. 피투성이 발을 보고도 소리치거나 울지 않았다. 제 아빠 옆에 무릎을 꿇고 앉아 주문을 거는 것처럼 속삭여서 의식을 깨웠다.

"아빠, 눈떠요. 진료소에 가게 일어나세요."

그는 기적을 보는 기분이었다. 정신을 놔버린 줄 알았던 팀장이 눈을 떴다. 그가 내민 손을 붙들고 일어났다. 그의 어깨에 몸을 기대고 다리를 질질 끌긴 했지만 자기 발로 뒤뜰을 빠져나와 차에 올라탔다.

문을 두들긴 지 5분 만에 진료소 문이 열렸다. 처치는 두 시간이 넘게 걸렸다. 식염수를 세 병씩 들이부어 상처 안까지 씻어내고, 발등과 발바닥을 빙 둘러 꿰매고, 엑스레이를 찍고, 깁스를 대고, 피 검사를 하고, 링거액을 꽂고, 주사를 다섯 대씩이나 맞은 뒤에야 팀장은 진료실 뒤편 주사실에 누울 수 있었다. 서원은 탈진해 잠든 제 아빠 곁을 지켰다. 승환은 러닝셔츠 바람으로 진료실 의자에 앉아 의사의 질문에 대답해야 했다.

"주로 야밤에 부상자를 데려오시는군요. 설마, 이번에도 모르는 사람은 아니겠죠?"

의사는 기억력도 좋았다. 석 달 전 일을 고스란히 기억하고 있었다. 승환은 가장 말하기 편한 관계를 들이댔다.

"형님입니다."

"아. 그럼 그분은 둘째이신가. 혹시 무슨 얘기 못 들으셨습니까?"

승환은 의아해서 의사를 봤다.

"저번에 전화로 자세히 말씀 드렸는데. 환자를 주의해서 보셔야 한다고요."

"저어, 무슨 말씀이신지……"

"정맥을 자른 날, 최현수 씨 남동생이 전화를 했어요. 자살시도냐고 물어서, 습관적 자해일 수도 있으니 정신과상담을 해보는 게 어떠냐고 권했는데. 데려가 보셨습니까? 보아하니 그런 것 같지는 않지만."

승환은 고개를 갸웃했다. 팀장의 남동생은 서울에 산다고 들었다. 그 새벽에, 형이 다친 걸 어떻게 알고 전화를 했단 말인가. 팀장 스스로 알렸을 것 같지는 않았다.

"아무튼, 저 정도면 행운입니다. 상처가 깊고 뼈에 금이 가긴 했지만 완전히 부서진 건 아니니까. 인대도 다치지 않은 것 같고. 덫에 걸리면 작은 짐승들은 발목이 끊깁니다."

"그 동생이라는 분 이름이 뭐라던가요?"

승환이 묻자 이번엔 의사가 의아한 얼굴을 했다.

"왜요? 무슨 문제 있습니까?"

"남동생은 저 말고는 없는데요."

"그럼 그 사람은 누구란 말입니까? 신분도 확인하지 않고 환자에 대해 말하진 않습니다. 본인은 물론 환자의 주민번호까지 정확하게 대던데."

"혹시, 그 전화번호 적어놓으셨습니까?"

"적어놓진 않았고. 나흘 전이니까 응답기 테이프에 아직 남아 있을 겁니다."

"찾아봐주실 수 있겠습니까."

의사는 찜찜한 얼굴로 응답기를 만지기 시작했다.

"시간상으로 이거 같습니다만. 점심시간 직전에 걸려왔으니까."

9월 6일, 11시 50분, S시 지역번호가 찍혀 있었다. 승환은 자신의 휴대전화에 그걸 입력해두었다. 그새에 시계바늘은 6시 50분으로 가 있었다. 서원을 집으로 보내야 했다. 이제 은주를 부를 차례였다. 승환이 주사실로 들어가자 의자에 앉아 있던 서원이 일어섰다. 표정으로 묻고 있었다. 아빠는 어떻대요?

"진통제 맞았으니까 아픈 건 곧 가실 거야. 상처가 깊어서 오래 치료를 받아야 하지만."

"진료소에 입원하는 거예요?"

"정형외과가 있는 큰 병원으로 가서 정식으로 치료를 받아야 할 거야."

서원은 고개를 끄덕였다. 승환은 서원에게 과제를 주었다.

"아저씨가 말한 걸 엄마한테 가서 그대로 전해야 해. 엄마가 놀라지 않도록 차분하게."

"해볼게요."

"아침에 숲으로 산책을 나갔다가 덫에 걸렸다고 하는 거야. 지금은 치료 끝내고 링거를 맞으면서 주무신다고. 오케이?"

서원은 고개를 끄덕였다. 승환은 서원을 진료소 문까지 데려다 준 후,

공중전화로 들어갔다. 휴대전화에 입력해둔 전화번호를 눌렀다. 여자 목소리가 전화를 받았다.

"감사합니다. 오영제 치과입니다."

승환은 전화를 끊었다. 상황의 윤곽이 잡히는 느낌이었다. 오영제와 팀장은 전혀 다른 의미에서 비슷한 수준으로 위태로웠다. 오영제는 살해당한 아이의 아빠였다. 충돌지점을 향해 폭주하는 자동차였다. 팀장은 범인일 가능성이 높았고 침몰하는 난파선이었다. 두 극점 사이에서 '어떤 일'이 일어나고 있었다. 그게 어떤 일인지 도무지 짐작이 되질 않았다. 짐작할 만한 단서가 없었다. 그래서 무서웠다.

승환은 회복실로 돌아갔다. 현수는 나직하게 신음하고 있었다. 눈물과 뒤범벅이 돼서 흐느끼는 소리였다. 악몽에 쫓기는 표정이었다. 승환은 현수의 어깨를 슬쩍 흔들었다.

"팀장님."

팀장은 눈을 떴다. 동시에 몸이 꼿꼿해지고 시선은 허공에 붙박여버렸다. 호흡마저 정지한 느낌이었다. 입을 벌린 채, 목에 걸린 숨을 내뱉지 않았다. 코를 골다 무호흡 상태로 들어간 사람처럼.

"팀장님."

팀장의 시선이 천천히 허공을 미끄러지다 승환의 눈으로 들어왔다. 꿈의 표면으로 막 솟구쳐 오른 눈빛이었다. 바짝 마른 입술에선 피리소리 같은 한숨이 새어나왔다. 숨결이 시큼하고 뜨거웠다.

"괜찮아요? 의사 데려올까요?"

팀장의 눈은 승환에게 붙박인 채 움직이지 않았다. 많은 것을 말하는 눈이었다. 분노와 두려움, 현실에서 자신을 탈출시키고자 하는 자의 절박함, 어둠으로 치닫는 자의 절망. 승환은 팀장의 어깨에서 손을 뗐다.

가슴이 갑갑해왔다.

"물 한 잔만 주겠나."

긴 침묵이 지나간 후, 팀장이 말했다. 승환은 탁자에 놓인 종이컵에 물을 따라주었다. 팀장은 몸을 일으키고 앉아 한입에 들이켰다. 다시 침묵이 찾아왔다. 팀장의 자세로 보아 다시 누울 것 같지는 않았다. 표정으로 보면 뭔가를 말하고 싶어 하는 것 같았다. 승환은 베개를 세워 팀장의 등 뒤에 받쳐주었다.

"자네, 지평선까지 펼쳐진 수수벌판 본 적 있나."

"아뇨. 산기슭 밭뙈기는 본 적 있지만요."

"벌판에 자라는 수수는 키가 크고 알이 굵다네. 석 달도 안 돼 검붉은 색으로 익고. 달이 뜨고 바람이 불어오는 여름밤이면, 수수벌판은 핏빛 너울이 일렁이는 바다처럼 보이지. 내가 태어나고 자란 동네에 그런 수수벌판이 있었어. 검은 바위산이 벌판 끝 지평선을 가로막고 있었고. 황무지였어. 버석버석 마른 땅에선 안개가 연기처럼 피어오르고, 대기에서 짠 냄새가 나는 곳. 지평선 너머에 바다가 있었거든. 언젠가 아이들과 바위산에 올라가 바다를 내다본 적이 있어. 산 밑에 작은 마을이 있고 까마득한 층암절벽 위엔 흰 등대가 있고……"

팀장은 벽에 머리를 기대고 창밖을 건너다봤다. 또 비가 내리고 있었다.

"우린 그곳을 등대마을이라고 불렀다네."

팀장의 눈은 다시 어둠 속으로 들어가 있었다.

"달이 뜨지 않은 어두운 밤이면 나는 홀로 수수벌판 끝까지 걸어가 보곤 했어. 지평선 너머에서 번뜩이는 등대불빛을 보려고. 열두 살 시절이야. 학교에서 특별활동으로 야구를 하던 시절. 미치도록 진짜 야구선수가 되고 싶었던 시절. 동네어른들은 귀에 못이 박히게 말했지. 달이 뜨지 않는 밤에는 수수벌판으로 들어가지 말라고. 수수의 키가 2미터도 넘게 자라서 앞이 잘 보이지 않거든. 이랑이 어찌나 많고 복잡한지 우리 같은 어린애들은 길을 잃기 십상이었고. 저기인가 해서 가보면 거기고, 거기인가 해서 보면 여기고. 수수밭 미로에 걸리면, 종일 헤매고도 빠져나오지 못할 때가 많았어. 게다가 수수밭 가운데에 오래된 우물이 있었거든. 바깥쪽 높이는 1미터나 될까 말까 한데, 안은 아주 깊었어. 허리를 걸치고 엎드려서 들여다봐도 안이 깜깜할 정도로. 언제부터 있었는지는 아무도 몰라. 그저 수수밭주인이 파놓은 거려니 하더라고. 아이들은 우물에 신발을 빠뜨려선 안 된다고 했어. 신발을 빠뜨린 아이는 반드시 우물이 불러들인다고. 우리 식구가 이사하기 훨씬 전에 실제로 우물에 빠져 죽은 아이가 있었던 모양이야. 그 사건 이후 어른들이 밭주인한테 쫓아가 우물을 메워달라고 했는데 말을 안 들었나봐. 남의 수수밭에 들어가지 말라고 욕만 먹었다더라고. 밭주인이 읍내사람이었거든."

팀장은 잔기침을 했다. 갈증이 나는 모양이었다.

"자네, 수수가 두런대는 소리 들어본 적 있나?"

"아뇨."

승환은 새 종이컵에 물을 따라주었다.

"한여름이면 사방이 아주 조용해지는 때가 있어. 뙤약볕이 내리쬐는데 공기는 유리병 안에 들어온 것처럼 답답하고, 매미도, 아이들 소리도, 뚝 그치는 순간. 그 고요의 시간에 바람 한 점 없는 수수밭에서 기이한 소리가 나는 거야. '쏴' 하는 게 파도 소리 같기도 하고, 태풍에 나무들이 흔들리는 소리 같기도 하고, 고양이 수십 마리가 한꺼번에 우는 소리 같기도 하고. 그게 신발을 빠뜨린 사람을 불러들이는 소리라더군. 소리에 홀려 우물로 들어간 사람 인골이 우물에 수십 개나 박혀 있다고. 난 아무도 몰

래 그곳에 가곤 했어. 그것도 혼자. 낮엔 늘 동생들이 붙어 있었거든. 어
머니는 읍내 제분공장에 다니셨어. 아버지 대신 돈을 벌어야 했으니까.
아버지는 월남전에 나갔다가 팔 하나를 잃고 돌아온 상이군인이었어. 그
것 말고도 아버지를 가리키는 말이 또 있었다네. 망나니, 주정뱅이, 노름
꾼, 백수건달, 외팔이, 개잡놈. 집안이 늘 살얼음판이었어. 내가 아는 아버
지는 이랬지. 좋아하는 것과 싫어하는 것에 대한 태도 차이가 너무나 분
명한 인간, 좋아하고 싫어하는 게 상황과 상대에 따라 바뀌는 인간이었
어. 예를 들면 야구 같은 것. 그땐 고교야구가 전성기를 누리던 시절이야.
전국대회가 열리고 야구중계가 있는 날엔 도박판에도 안 나갈 정도로 좋
아했지. 됫병소주를 가랑이 사이에 놓고 쉴 새 없이 마셔대면서 중계를
보곤 했어. 그런데 그렇게 좋아하는 야구가 아들이 하면 싫은 일이 되는
거야. 그 시절엔 집안일이 다 내 몫이었어. 동생들 치다꺼리에 집 안 청
소, 아버지 식사 차려드리는 일. 어머니가 퇴근을 해야 비로소 거기서 해
방이 되는 거지. 문제는 내가 야구를 시작하면서 집에 오는 시간이 늦어
지고, 그러다 보니 아버지 일상이 불편해졌다는 거야. 운동을 하고 집에
가는 날마다 죽도록 매를 맞았어. 나는 늘 궁금했어. 어머니는 왜 저런 남
자와 결혼했을까. 우리 어머니는 아무리 고달파도 자식들한테 눈 한 번
흘긴 적이 없는 분이었거든. 아버지는 술만 마시면 손에 걸리는 대로 두
들겨 패는 인간이었고. 처자식이든, 말리는 동네사람이든, 안 가리고 걷
어차고 팼어. 술을 안 마시는 시간은 딱 두 번이야. 양치질할 때하고 잠잘
때. 그 인간 술 마시고 집에 오는 시간을 동네사람들이 다 알았어. 십리
밖에서부터 고무 팔을 빼서 풍차처럼 내돌리면서 노래를 뽑아대니까. 월
남에서 돌아온 새카만 최상사, 이제야 돌아왔네. 굳게 닫힌 그 입술……"
  팀장은 가만가만 시를 읊조리듯 노래를 불렀다.

"내 소원은 누군가가 그 입을 굳게 닫아주는 거였어. 아주 굳게, 나아가 영원토록. 동생들도 지겨웠지. 막 야구에 미치기 시작한 열두 살짜리 사내아이가 감당하기엔 세 아이의 무게가 너무 무거웠어. 뭐든 내 책임이었으니까. 여동생이 아버지의 라디오를 고장 낸 것도, 막 기어 다니기 시작한 막내가 마룻바닥에서 뭔가를 집어먹고 배탈이 나는 것도, 하다못해 어머니 퇴근이 늦는 것까지. 모두를 대표해서 내가 매를 맞았어. 하소연을 하면 어머니는 나를 안고 다독거리면서, 네가 우리 집 기둥이야. 동생들한텐 네가 엄마 대신이고, 엄마는 우리 현수만 믿고 살아, 하시는 거야. 난 말이지, 대리엄마 노릇도, 집안 기둥이 되는 것도 싫었어. 싫은데 싫다고 하지를 못한 건 어머니가 돈을 벌어야 했기 때문이지. 안 그러면 우린 거지가 될 테니까. 야밤에 우물에 가게 된 건 그 때문이었어. 수수밭 우물은 내가 짊어진 모든 책임들의 무덤이었어. 정말로 죽어버릴까 봐 무서워서 실제 신발은 던지지도 못했어. 그저 우물 앞에 서서, 없어져버렸으면 하는 인간들을 떠올리면서, 내 마음 속의 신발들을 집어 던졌지. 아버지, 남동생, 여동생, 막내 꼬까고무신까지. 상상 속에선 못 던질 게 없었다네. 심지어 우리 집을 통째로 던져버린 날도 있었어. 내 마음의 온갖 사악한 것들을 다 꺼내 던지고 나면 죄책감이 찾아드는 거야. 그러면 동생들이나 아버지한테 조금쯤은 진심으로 대할 수 있게 되지. 여름방학이 끝나가던 무렵이었을 거야. 일요일이었는데, 야구반을 담당하던 체육선생이 전화를 걸어왔어. 어머니가 받았지. 나를 잠깐 학교로 보내달라고 했던 것 같아. 어머니가 체육복 갈아입고 얼른 학교에 가보라고 하시더라고. 갔더니 덩치가 엄청나게 큰 남자가 나를 기다리고 있었어. 광주에 있는 한 초등학교 야구코치라고 했어. 야구반 선생한테 쓸 만한 포수감이 하나 있다는 얘기를 듣고 찾아왔다는 거지. 난생처음 정식포수장비를 입어본 날이야. 진짜 가죽으로 된 포수미트를 껴본 날이고. 코치는 공을 받게 하고, 던지게 하고, 타격을 시켜보더니, 이런저런 설명도 없이 몇 살이냐고 묻는 거야. 열두 살이라고 했더니 부모님을 만나고 싶다고 했어. 더 늦으면 안 된다고. 난 무슨 뜻인 줄도 모르고 코치를 집으로 모셔가면서 조바심을 쳤지. 아버지가 집에 계시면 어쩌나, 했다가 어머니도 계시니까 괜찮을 거야, 했다가. 그날따라 아버지가 나가지 않고 집에 있었다네. 코치는 아버지에게 생각지도 못한 얘기를 꺼냈어. 나를 데려가서 정식으로 야구를 시키고 싶다고. 체격조건도 좋고 타고난 재능도 있어 보이는데 더 늦으면 제대로 꽃을 피우기가 힘들다고. 집안 형편에 대해서도 어느 정도 들었다고. 아이만 준다면 자기가 데려가서 먹이고 재우고 운동시키겠다고. 어머니는 정말로 재능이 있느냐고 물었어. 아버지는 고무 팔을 휘둘러서 코치를 쫓아냈고, 나는 코치가 차를 세워놓은 곳까지 따라갔어. 어린 마음에, 아버지 몰래 나를 데려가줬으면 했던 거지. 그런 내가 안쓰러웠던 모양이야. 운전석에 탔다가 다시 내리더니 차 트렁크에서 포수미트를 꺼내 내게 내미는 거야. 학교에서 껴본 그 가죽 미트 말일세. 부모님 마음이 변하면 꼭 찾아오라고 글러브에다 전화번호를 적어줬다네. 꿈같았지. 밤에 잠이 다 안 올 정도로 좋았어. 미트에 기름칠하고 닦고 반짝반짝 광을 내서 머리맡에 두고 몇 번을 만져봤는지 몰라. 어머니를 졸라서 꼭 코치를 찾아가겠다고 결심했고. 그런데 말이지, 아침에 일어나보니까 그게 없어. 마루로 나가봤더니 형체도 못 알아볼 정도로 조각조각 잘려서 사방에 널려 있는 거야. 그 인간이 술 먹고 들어와서 가위로 잘라버린 거지. 나도 모르게 눈물이 와르르 쏟아지더라고."

팀장은 말을 멈추고 마른침을 삼켰다. 눈이 빨개져 있었다.

"그날 밤 아버지는 밤늦도록 집에 돌아오지 않았어. 아마 자정이 넘었을 거야. 나는 어머니 몰래 수수밭에 갔어. 신지도 않고 신고 나갈 데도 없는 신발, 그런데도 늘 반짝반짝 닦아둬야 하는 아버지 구두와 랜턴을 들고 컴컴한 수수밭을 걸어갔어. 안개가 짙은 밤이었어. 바다냄새는 더 심하게 나고, 수수들은 더 시끄럽게 두런거리고, 어디에선가 아버지 노랫소리가 들려오는 것만 같고. 무서웠지. 미치도록 무서웠는데, 그걸 이길 만큼 증오심이 컸던 모양이야. 우물 앞에서 아버지 목소리를 들은 것 같았어. 현수야, 현수야. 나는 우물을 향해 구두 한 짝을 던졌어. 입 닥치라고, 다시는 집에 오지 말라고 소리쳤어. 그랬더니 이번엔 진짜 아버지 목소리가 들려오는 거야. 현수야. 현수야아……. 목에서 가래가 끓는 것 같은 소리였어. 작아졌다 커졌다 하면서 미친 듯이 나를 부르더라고. 난 우물이 말하는 거라고 생각했어. 애들이 그랬으니까. 살아 있는 우물이라고. 말로 홀리는 우물이라고. 난 부들부들 떨면서도 나머지 한 짝마저 기어코 던져버렸어. 죽어버려, 지금 죽어버려, 집에 돌아오지 마. 아버지 목소리는 천둥처럼 커졌어. 현수야, 현수야아……. 나는 귀를 막고 뒷걸음질하다가 몸을 돌려 도망을 치기 시작했다네. 달리고 달리는데도 동네가 나타나지 않았어. 아무리 달려도 '현수야' 하는 목소리를 벗어날 수가 없는 거야. 한 발짝 내디디면 두 발짝씩 거꾸로 끌려가는 것 같았어. 밤이 새도록, 아니 영원히 수수밭을 빠져나갈 수 없을 것만 같았어. 그러던 어느 순간, 목소리가 더 이상 들리지 않는다는 걸 알았어. 돌아보니까 집 앞이야. 외등 아래서 보니까 꼴이 말이 아니더라고, 땀으로 흠뻑 젖은 데다 옷은 더럽고, 바짓단은 뭐에 걸렸는지 찢기고, 발바닥에선 피가 흐르고."

다시 팀장의 말이 끊겼다. 격앙된 감정을 가라앉히려 애쓰는 표정이었다.

"다음 날 아침에야, 나는 우물이 말을 한 게 아니라는 걸 알았어. 수수밭에 들어갔던 일꾼이 우물 부근에서 아버지 신발과 옷을 발견한 거야.

동네사람들이 죄다 수수밭으로 몰려갔어. 이장이 랜턴을 안으로 넣어서 비춰봤고. 물속에 사람 얼굴이 떠 있는 것 같다고 했어. 와서 보라고 하는데 나와 어머니는 무서워서 가까이에 가지도 못했어. 우물에 들어간 사람은 등대마을에서 왔다는 잠수부였어. 얼마 후에 그 사람이 내려뜨린 밧줄이 두 번 깐닥거리고, 사람들이 줄을 당기기 시작했어. 그리고 아버지가 올라왔지. 나는 끝까지 보고 있을 수가 없었어. 부릅뜬 아버지의 눈이 나를 노려보는 것 같아서. 우물에 떨어져 정신을 잃었다가 깼다가 하는 동안 나를 그렇게 불러댔겠지. 우물은 깊은데 물은 그리 많지 않았던 모양이야. 잠수부 말로는 겨우 2미터 남짓하더래. 구두를 던질 때, 나를 부른 건 우물이 아니라 진짜 아버지였던 거지. 사람들은 정말 이상한 일이라고 했어. 거길 왜 들어갔는지 모르겠다고. 옷을 벗어놓고 들어간 걸 보면 실수로 빠진 것도 아니고, 아버지 성격으로 보면 자살을 할 사람도 아니고. 결국 취중 사고사로 결론이 났지. 어머니가 그곳을 떠난 건 나 때문이었어. 잠만 들면 꿈을 꾸고, 꿈을 꾸면 얼굴윤곽이 없는 남자가 나타나 나를 밖으로 끌고 나갔거든. 밤마다 수수벌판과 우물가를 유령처럼 떠돌게 된 거야. 신발이란, 신발은 모조리 가져다 던져버려서 식구들은 신을 신발이 없었지. 동네사람들은 내가 완전히 돌아버리기 전에 병원에 데려가 보라고 난리였어. 마을을 떠난 후에야 꿈속의 남자가 사라졌는데…… 대신 용팔이가 나타났다네. 그래도 대학 때까지는 놈과 힘겨루기가 가능했어. 자주 나타나는 편도 아니었고, 타격으로 커버가 가능했으니까. 프로에 입단하면서 균형이 깨진 거지. 전성기를 맞은 건 내가 아니라 놈이었거든. 놈은 야구를 그만두고서야 사라졌다네. 그런데 그것들이 이제 한꺼번에 돌아온 모양이야. 날마다 이 꼴사나운 짓을 벌이는 걸 보면. 지금에야 깨달은 거지만, 지난 6년이 내 삶에서 가장 평화로운 시절이었어. 꿈도, 욕망도, 삶의 의미도, 다 잃어버렸지만…… 서원이가 있었거든. 그 아이는 내 삶에 마지막 남은 공이야."

팀장의 표정에 망설이는 기색이 나타났다. 승환은 잠자코 기다렸다.

"조금만 기다려주겠나. 내가 그 아이를……"

회복실 문이 벌컥, 열렸다. 은주가 들이닥치듯 들어왔다. 팀장은 입을 다물었고 승환은 의자에서 일어났다. 제복차림인 걸로 미루어 퇴근하자마자 달려온 듯했다. 그녀는 침대 옆에 서더니 말없이 팀장을 내려다봤다. 팀장은 눈을 내리뜨고 종이컵 만지작거리기에 들어갔다.

"승환 씨, 어떻게 된 일이에요?"

그녀가 물었다. 눈은 여전히 남편에게 두고.

"아, 예. 그게……."

"자네, 출근시간 늦지 않았나."

팀장이 말했다.

"예, 겁나게 늦었네요."

승환은 시계를 보는 척하며 냉큼 돌아섰다.

"제가 링거 끝날 때쯤 모시러 올게요."

막 문을 여는 찰나, 팀장의 목소리가 다시 뒤를 붙들었다.

"자네 혹시 서원이 운동화 봤나?"

팀장님이 갖고 계셨잖아요, 하려다가 움찔했다. 생각해보니 진료소에 올 때 팀장은 빈손이었다. 더 생각해보니, 서원을 데리고 팀장에게 돌아갔을 때부터 없었던 것 같았다.

"차에 있을 거예요. 제가 챙겨둘게요."

차에는 없었다. 차에서 샛문에 이르는 길목에도 없었다. 샛문 근처에도 없었다. 그는 상황을 차근차근 돌아봤다. 차 키를 가지러 집으로 돌아갈 때만 해도 팀장은 운동화를 쥐고 있었다. 팀장 옆을 비운 사이에 없어진 것이었다. 팀장이 정신을 잃었던 잠깐 사이에. 누굴까. 덫을 놓은 장본인인가. 왜 하필 서원의 신발을 가져갔을까. 설마 신발의 의미를 알고 있단 말인가. 자신도 이제 막 알게 된 참인데 그 인간이 어떻게? 그리고 왜? 뒷덜미로 먹구름이 몰려드는 것 같았다. 지금 무슨 일이 일어나는 것일까.

꿈속의 남자로부터 서원의 신발을 지키는 일은 팀장의 절대과제였을 것이다. 서원의 신발을 호수에 던진다는 건, 아들의 죽음을 의미하는 일이었을 테니. 전날 밤 서원의 신발을 세탁기 안에 감춘 것도, 그 위에 물을 담은 대야를 올려놓은 것도, 그런 의지에서 비롯된 행동이었으리라. 문제는 꿈속의 남자가 팀장의 눈을 통해 모든 걸 본다는 데 있었겠지.

새벽녘, 문밖에서 쾅, 하는 소리가 울렸을 때, 서원은 침대에서, 승환은 의자에서 동시에 일어났다. 그가 쉿, 하자 서원은 고개를 끄덕였다. 그는 발소리를 죽여 거실로 나갔다. 팀장은 욕실에 있었다. 세탁기 안에서 서원의 신발을 꺼내고 있었다. 늘 그랬듯, 욕실 앞에 서 있는 승환은 보지 못했다. 무심하게 곁을 스쳐서 현관문을 열고 나갔다. 승환은 불안해하는 서원에게 꼼짝 말고 기다리라고 다짐을 해놓고 창문을 통해 뒤뜰로 나갔다. 나가서도 곧바로 쫓아가지 못했다. 혹시 영제가 나타나지 않을까 싶어 배롱나무 그늘에 숨어 한참을 기다렸다. 그러느라 팀장의 묵직한 비명이 울렸을 때에야 허둥지둥 달려가게 된 것이다. 팀장을 기다리고 있었던 건, 영제가 아니라 덫이었던 셈이다.

승환은 박 주임에게 전화를 걸어 사정을 이야기했다. 좀 늦을 것 같다고 말해놓고, 충동적으로 차를 S시 쪽으로 몰고 나갔다. 가다가 가장 먼저 눈에 띄는 카센터에 들어갔다. 그를 맞는 정비기사에게 물었다.

"차를 언제 고쳤는지, 보면 알 수 있습니까?"

"보닛을 열어보면 알 수 있죠."

승환은 보닛을 열어보였다. 기사는 이음새의 쇠 부분을 들여다보더니 말했다.

"한 달도 안 됐겠는데요."

"한 달이오?"

"넉넉하게 잡아 그렇다는 거죠."

"빠듯하게 잡으면요?"

"보름 이쪽저쪽일 겁니다. 그런데 오늘은 어딜 손보시려고요?"

손보지 않고 나오자니 미안해서, 그는 기사 손에 만 원짜리 한 장을 쥐여주었다.

보름 이쪽저쪽. 오늘은 9월 10일. 8월 28일은 12일 전이었다. 지금 그의 직감이 만들고 있는 달력대로라면, 팀장이 차를 고칠 수 있는 유일한 날짜였다. 세령호에 온 이후로는 차에 타본 적도 없으니까. 애써 직감을 무시하자면 그전에, 그러니까 넉넉잡아서 한 달 전쯤에 차를 고쳤을 수도 있었다. 그는 직감을 무시하고 싶었다.

승환은 차를 수문경비실 옆에 세워두었다. 팀장을 데리러 가려면 가까운 곳에 두는 게 나을 것 같았다.

"종일 안 올 줄 알았더니 오긴 오네."

수문을 지키고 있던 전날 야근자가 밖으로 나왔다. 2주 전 토요일에 승환이 대리야근을 해주었던 선임자였다. 그 점을 잊어버린 모양이었다. 짜증이 잔뜩 난 얼굴로 승환을 훑어보고 사라졌다. 승환은 책상에 붙어 앉았다. 생각나는 대로 수첩에 적어봤다.

병원에 전화를 해서 동생행세를 한다. 팀장을 미행한다. 몽유병에 대해 안다. 정확한 자리에 덫을 놓아 심각하나 죽지는 않을 만큼 부상을 입힌다. 서원의 운동화를 집어간다. 오늘 오후, 초청한 보육원아이들이 온다. 댐 견학, 가든파티가 예정돼 있다.

병원에 전화를 걸어 동생행세를 했다는 건, 팀장의 신상조사를 했다는 얘기였다. 그러지 않고서야 동생의 주민번호까지 알 수 없을 테니까. 영제가 팀장을 의심하게 된 결정적인 단서가 뭘까. 범인이라는 걸 확신한다는 점은 분명한데. 이는 명명한 증거를 가졌다는 의미기도 했다. 그걸 경찰에 넘기지 않았다는 것이 가장 마음에 걸렸다. 이전 낚싯줄을 발견했을 때 보였던 행동과 일맥상통하는 부분이었다. 직접 처리하겠다는 뜻인가. 그렇다면 덫으로 발을 뭉개놓은 건 사전 정지작업으로 볼 수 있으리라. 팀장의 힘을 미리 빼놓는다는 점에서 의미가 있을 테니까. 다리 하나를 못 쓴다면, 거기에 왼팔까지 말썽이라면……

가장 불가사의한 부분은 보육원 아이들이었다. 댐 견학, 가든파티. 지금까지의 정황들과 연결할 고리가 없었다. 본토에서 만 킬로미터쯤 떨어진 섬 같았다.

가장 기분 나쁜 건, 사라진 서원의 농구화였다. 서원과 현수는 특별한 부자였다. 무당의 일로 영제도 그걸 알았을 것이다. 뒤집으면, 그걸 알기 위해 계획한 소동일 수도 있었다. 설마 서원을 이용하겠다는 것인가? 사라진 농구화는 거기에 대한 암시인가. 일순, 뭔가가 번뜩 머리를 스쳐갔다. 너무나 빨라 읽을 수가 없었다. 라인드라이브로 담장을 넘어가버린 홈런볼 같은 생각이었다. 어쩌면, 너무 끔찍해서 스스로 외면해버린 생각일지도 몰랐다. 어느 쪽이든, 그것은 다시 떠오르지 않았다. 대신 팀장의 마지막 말이 떠올랐다.

"조금만 기다려주겠나. 내가 그 아이를……"

그는 기다리기로 마음먹었다. 인터넷을 열고 웹 하드에서 '세령호' 파일을 다운로드했다. 사건기록을 처음부터 재검토하기 시작했다. 이야기의 줄기는 팀장을 중심에 낀 채 오영제를 향해 치닫고 있었다. 점점 복잡하고 혼란스러운 양상을 띠었다. 핵심이 되는 문제는 두 가지였다. 두 사람이 맞닥뜨릴 접점이 어디인가. 거기에 무엇이 있는가.

단서를 찾아 스크롤바를 이리저리 움직였다. 빠진 데가 있는지, 놓친 부분이 있는지, 좀 더 구체적인 표식이 있지 않은지……. 어느 순간, 그는 동작을 멈췄다. 등 밑에서 소름이 올라오고 있었다. 자신이 검토하고 있는 건 기록이 아니었다. 제대로 구성한 소설의 플롯이었다. 살만 붙이면 곧바로 이야기가 될 뼈대였다. 아니라고 부정할 길이 없었다. 살을 찌우기 위한 취재방안이 붉은 글씨로 입력돼 있었다. 수첩에는 순간순간 떠오른 아이디어들이 깨알처럼 적혀 있고, 웹 하드에는 세령에 대한 인터넷 뉴스, 틈틈이 검색해둔 팀장에 대한 자료, 오영제에 대한 취재기록이 차곡차곡 쌓여 있었다.

그는 힘이 빠져 마우스를 놓았다. 지금 자신이 기다리는 게 무엇인지 생각했다. 오영제의 복수극을? 최현수라는 살인범이, 파멸을 향해 뚜벅뚜벅 걸어가고 있는 한 남자가, 자기 삶의 마지막 공을 지키기를?

금요일 오후, 퇴근준비를 하던 영제는 서울로 간 서포터의 전화를 받았다.

"카센터 찾았습니다."

"그래요? 어디던가요?"

"일산이에요."

"최현수의 아파트 근처란 말이오?"

"맞습니다. 서울을 뒤지다가 문득 생각이 나서 그쪽으로 가봤는데, 한 번에 찾았습니다. 아파트 근처에는 거기 하나밖에 없더군요. 8월 28일 아침에 맡기고 오후에 찾아갔답니다. 카드로 결제했고요. 그런데 경찰도 움직이는 것 같습니다."

영제는 가운을 벗으려던 동작을 멈췄다.

"무슨 얘기요?"

"일산에 오기 전에 들른 가게에서 먼저 다녀간 사람들이 있다는 얘기를 들었습니다. 둘이랍니다. 하나는 40대 중반쯤, 하나는 피도 안 가신 애송이고. 동선반경이 비슷했던 것 같습니다. 제가 한발 빠르긴 했지만 그쪽도 조만간 찾아낼 겁니다."

영제는 며칠 전부터 보이지 않는 형사 둘을 떠올렸다. 선수와 애송이 커플.

"카센터 직원들 입막음이 되겠소?"

"불가능합니다. 장부가 있는데요."

그는 다시 의자에 앉았다. 낭패감이 몰려왔다. 선수와 애송이가 오늘 안에 일산에 이른다면, 죽 쒀서 개 주는 꼴이 될 판이었다. 지소에 남은 형사들이 그들의 연락을 받고 최현수를 체포하러 올라오는 데는 1분도 걸리지 않을 테니까. 일을 앞당기는 건 불가능했다. 그렇다고 두 형사들이 서울에서 계속 헛발질하기만 기대하며 이틀을 보내자니 그것도 복장 터질 노릇이었다. 그래도 터지는 것 말고는 길이 없었다.

"거기서 12일 새벽까지 잠복해요. 그 안에 형사들이 나타나면 즉시 연락하고."

"제가 무슨 수로 형사들을 알아봅니까."

영제는 선수와 애송이커플의 차량번호를 알려주었다. 나타나기만 하면 차를 들이받아서라도 딴 곳으로 유인하라고 할 참이었다. 그것 말고는 다른 수가 생각나지 않았다. 적어도 지금은. 그는 가운을 벗어 걸고 5씨씨(cc) 주사기 몇 개와 페리돌(정신과용 진정제) 한 상자를 가방에 담았다. 지난 월요일에 제약회사 직원에게 주문해둔 것이었다. 갈아서 캡슐에 담은 바륨(수면유도제)도 잊지 않고 챙겼다.

관리단 정문에 관광버스 한 대와 승용차 십여 대가 서 있었다. 아이들은 버스에서 내려 줄을 서는 참이었다. 영제는 정문경비실 앞에 차를 댔다. 박 주임과 다른 경비 하나가 근무하고 있었다. 방명록에 사인을 하면서 지나가는 말처럼 물었다.

"팀장님은 어디 가셨습니까?"

"오늘 안 나오셨습니다."

박 주임이 대꾸했다.

"대장이 평일에 쉬기도 하는군요."

"아뇨. 발을 좀 다쳐서 하루 병가를 냈습니다."

"저런, 좀이 아니라 많이 다친 모양인데요. 병가까지 낸 걸 보면."

"오늘만 쉬고 내일 밤부터 근무하실 겁니다."

영제는 방명록을 돌려주며 물었다.

"다쳤다면서 밤 근무를 해요?"

박 주임은 방명록을 책상에 내려놓으며 영제를 흘끔 봤다. '우리대장에게 언제부터 그렇게 관심이 많았우?'라고 되묻는 눈이었다.

"이따 가든파티에 초대할 예정이었습니다만. 아이들이 댐을 지키는 용감한 보안대장을 만나고 싶다고 해서."

"그건 좀 어렵겠는데요."

최현수는 영제가 기대한 결과 중 최선을 택해주었다. 만약, 계속 쉬는 쪽을 택했다면 애먼 경비 하나가 가시관을 써야 했을 것이다. 영제는 안타까운 표정을 지으며 물러났다.

"내일은 주말인데, 다들 고생이 많겠습니다."

"뭐, 그렇죠. 따님 일로 지난주부터 보안팀만 비상근무를 하고 있으니까."

박 주임은 손을 들어 관리단 중앙현관을 가리켰다.

"들어가 보세요. 차장님이 내려와 계실 겁니다."

견학은 댐 전시관으로부터 시작했다. 세령댐 건설로 수몰된 마을을 화상으로 복원한 자료, 일대 지형조감도, 댐 건축방식, 안정성과 방호체계 등에 대한 운영팀 차장의 장광설을 듣는 사이 30분이 갔다. 수력발전소에서 다시 30분.

"이곳은 시범적으로 원격조종시스템을 도입한 무인발전소입니다. 앞으로 많은 발전소들이 이 무인시스템을 도입할 예정인데 그에 앞서……"

아이들은 줄을 서서 발전기 터빈을 프레임처럼 에워싼 2층 통로를 빙 돌았다. 호기심에 찬 눈들이 발아래 기계들을 내려다보고 있었다.

"혹시, 질문 있습니까?"

설명을 마친 차장이 물었다. 또랑또랑하게 생긴 꼬마가 손을 들었다.

"사람이 없으면 발전기는 누가 조종해요?"

"아, 그건 본부에서 명령을 내립니다. 다른 발전소는 기술자들이 교대 근무를 하면서 발전기를 돌리지만, 우리 발전소는 컴퓨터가 그 일을 대신하고 있는 것입니다."

차장의 말에 아이들은 "와" 하는 감탄사를 터트렸다. 똑똑한 꼬마가 재차 물었다.

"본부에서 여기까지 다 볼 수 있단 말이에요?"

"물론이죠. 저궤도 인공위성이 이곳 정보를 화상으로 전달해주니까."

"인공위성이 댐 안까지 볼 수 있나요?"

"당연하죠. 이 일대 날씨와 강우량도 받아볼 수 있어요. 책상에 가만히 앉아서 인공위성이 보내준 화상 자료를 보고 유속측정이라든가, 방류량이라든가, 하는 복잡한 문제들을 해결하는 것입니다."

아이들이 또 와, 했다. 영제는 슬쩍 끼어들어 말했다.

"우리 댐 관리대장님께서 그 인공위성이 보낸 화상을 곧 우리한테 보여주실 거야."

차장은 '대장'이라는 영제의 잘못된 호칭을 정정하지 않았다. 기분 나쁜 기색도 아니었다. 아이들은 '대장님'을 따라 중앙통제실이 있는 관리단 건물 2층으로 이동했다. 대장님은 수력발전소에서보다 훨씬 친절한 어조로 중앙통제실 바깥쪽 사무실을 소개했다. 수질 측정 장치, 강우량 및 수위 등을 표시하는 표시창, 저궤도 인공위성이 관할하는 구역의 조감도, 홍수 예비경보망……

"통제실 입실에 앞서 주의사항을 하나 알려드리겠습니다. 통제실 기계에 손을 대서는 안 됩니다. 귀로 듣고 눈으로 보고, 손은 허벅지 옆에 착!"

아이들이 합창했다.

"착!"

통제실 문은 열려 있었다. 근무자들은 견학 팀이 들어가자 부랴부랴 바깥 사무실로 빠져나갔다. 창문이 없는 방이었다. 면적은 그리 크지 않았다. 스무 평이나 될까. 한쪽 벽은 대형기계들이 점령하고 있었다. 차장이 기계들을 설명했다. 인공위성 화상 전송장치, 방호시스템, 원격호출

제어장치, 경보설비, 캐비닛처럼 생긴 수문 원격제어 감시반. 반대편 벽은 CCTV 모니터와 캐비닛 다섯 개가 차지했다. 모니터 받침대엔 자유롭게 이동시킬 수 있도록 바퀴가 달려 있었다. 문과 마주보이는 벽엔 책상 다섯 개가 주르르 놓여 있었다. 각 책상 위엔 컴퓨터 모니터와 프린터, 서류와 필기구통 등이 있고, 소형 선인장화분도 몇 개 눈에 띄었다. 문 쪽 벽에는 통제실 내부용 CC카메라와 홍수예보-경보망도가 붙어 있었다. 경보망도 밑에 용도를 모를 기계 두 대가 있고, 방 한복판에 1인용 소파 두 개가 원탁을 사이에 두고 놓여 있었다.

아이들은 인공위성에서 전송되는 화상전송시스템과 수문 원격제어 감시반에 가장 큰 호기심을 나타냈다. 두 기계 사이에 전봇대와 굵기가 비슷한 원형기둥이 버티고 있었다. 차장은 기둥 앞에 서서 설명을 시작했다.

"여러분, 세령댐이 세령강 허리를 막아 만든 댐이라는 사실은 알고 계시지요?"

"네!"

"세령댐은 물이 많이 들어오는 호수에 속합니다. 그래서 우리 관리단은 수문을 통해 내보내는 물의 양에 특히 신경을 쓰고 있고요. 평소보다 내보내는 양이 많아지거나, 수위가 높아지면 자동으로 대피경보가 나가게 돼 있습니다. 여러분이 이곳에 들어오면서 보셨겠지만 3공도교 입구의 스크린은 현재수위를 알려주는 역할을 하고 있습니다. 우리 댐은 홍수 때나 가뭄 때나 상시만수위인 41미터를 유지하려고 노력하고 있는데, 수문을 열고 닫아 그 임무를 수행하는 것이 바로 제 뒤에 있는 이 원격제어 감시반입니다. 우리 댐엔 수문이 모두 다섯 개고 삼중 방호시스템으로 유지됩니다. 일차로 이 감시반이 제어를 하고, 이차로 본부에서 인공위성을 통해 원격제어를 합니다. 과학화 시스템이 이뤄지기 전까지는 이때 여러분이 견학할 수문에서 직접 제어를 했지만……"

팀장은 수문 원격제어 감시반에 대한 설명을 마치고 CCTV 앞으로 아이들을 끌고 갔다. 12개로 분할된 화면을 하나씩 줌인하면서 댐 각부에 대한 설명을 하는 동안, 영제는 동료의사와 수문 원격제어 감시반 앞에 서 있었다. 덩치는 엄청났지만 작동은 간단해 보이는 기계였다. 마스터버튼 밑에 제1수문을 시작으로 제5수문까지 버튼이 하나씩 달려 있다. 각 수문 버튼 밑으로 다시 작동버튼 다섯 개가 있었고, 작동버튼 옆엔 ±기호가 붙은 숫자버튼이 붙었다. 그 외, 다른 버튼이나 장치는 전혀 없었다.

관리단 견학이 끝나자 아이들을 실은 버스는 수문이 있는 1공도교로 올라갔다. 안승환이 어슬렁거리며 나와 견학 팀을 맞았다. 차장은 목이 아팠는지, 다리입구에 서서 생수를 들이켰다. 피부과 원장이 그 옆에 붙어 다양한 질문을 던졌다. 영제는 피부과 옆에 붙어 둘의 대화를 들었다. 댐이 들어선 이래, 수문을 가까이에서 본 건 처음이었다. 관리단 통제실에 들어간 것도 물론, 처음이었지만.

수문 규모는 생각보다 어마어마했다. 공도교 밑으로 깊이가 수십 미터쯤 돼 보이는 곳에 설치돼 있었고, 1미터쯤 안쪽에 스토퍼라 불리는 비상수문이 하나 더 있었다. 두 문 사이에 도르래로 움직이는 여러 가닥의 굵은 쇠줄이 걸려 있었다. 콘크리트 벽에는 개보수용 사다리가 붙어 있고, 수문 위쪽인 옥상에는 각문을 비추는 서치라이트와 CC카메라가 달려 있었다. 수문과 스토퍼의 수동개폐장치도 그곳에 있었다. 옥상으로 올라가는 출구는 자물쇠로 잠겨 있었다.

"만약, 홍수가 나서 이 수문 다섯 개를 모두 열어야 한다면 방류량이 얼마나 됩니까?"

피부과가 물었다. 차장은 웃었다. 그런 일은 일어날 수 없다는 여유로운 표정이었다.

"초당 2,500톤 정도를 쏟아낼 겁니다."

"야, 대단하네. 10분만 흘려버려도 100만 톤이 넘는다는 얘기 아닙니까. 저 아래 지류가 그걸 감당할 수 있습니까?"

"그런 일은 일어날 수 없죠. 그전에 대피경보가 나가고 적절한 조처가 취해질 테니까."

"경보가 자동으로 울립니까?"

"아뇨. 방류 시 경보는 사람이 시작합니다."

"관리단에 사람이 없으면 안 울린다는 얘기네요. 이를테면 밤이라든가, 주말이라든가."

"본사 컴퓨터가 원격으로 조종합니다. 사람보다 오히려 더 관리가 철저합니다."

"아하. 그런데 경보가 울릴 때 대피하면 괜찮습니까?"

피부과의 표정에는 불안감이 떠올라 있었다. 차장은 S시 주민인 피부과를 안심시켰다. 물이 11킬로미터를 가는 데 걸리는 시간은 1시간 30분 정도라고 했다. S시는 14킬로미터밖에 떨어져 있지 않은 도시지만 세령호보다 지대가 높아 대피할 시간이 충분하다는 말도 덧붙였다.

"수목원과 저지대마을은 문제가 될 것 같은데요."

이번엔 영제가 물었다. 차장은 자신만만했다.

"금방도 말씀드렸지만 그런 일은 절대로 일어날 수 없습니다. 홍수 시엔 예비방류라는 게 있으니까요. 상시만수위에서 1미터 가량만 상승해도 자체 방호시스템과 본사의 원격조종시스템이 비상공조체제에 들어갑니다."

차장은 열려 있는 스토퍼를 가리켰다.

"만에 하나 불의의 사고로 수문이 갑자기 열린다고 해도 끄떡없죠. 상시엔 스토퍼가 이렇게 열려 있지만 비상시엔 자동으로 수문을 차단하면서 방류를 막아주니까. 우리 댐의 삼중 방호시스템은 안전하고도 완벽합니다."

피부과는 크게 고개를 끄덕였다. 차장도 고개를 끄덕였다. 둘 다 만족스러운 표정이었다. 아이들도 만족스러운 얼굴로 박수를 쳤다. 견학이 만족스러운 건지, 견학이 끝난 게 만족스러운 건지는 분명치 않았지만. 영제도 만족해서 수문을 내려왔다. 하나 거슬리는 게 있다면 승환이었다. 스토퍼와 수문 개폐장치를 살피다 시선이 느껴져 돌아보았을 때, 멍청하게 생긴 눈이 유심히 자신을 지켜보고 있었다. 시선을 들키고도 그 눈은 어색해하지 않았다. 시선을 돌리지도 않았다. 아예 내놓고 자신의 일거수일투족을 관찰하며 따라붙었다. 차에 오르기 직전에 돌아보니 그때까지도 쳐다보고 서 있었다.

수목원 사택 숲 분수대 앞에 파티준비가 돼 있었다. 뷔페테이블이 길게 놓이고, 한쪽에서 요리사가 바비큐 요리를 시작했다. 은주는 등장하는 아이들의 팔을 획획 끌어다가 준비된 테이블에 앉혔다. 자리를 정리하는 동안 떠들지도, 움직이지도 말라는 주의를 주면서. 파티가 아니라 영안실로 찾아온 저승사자 형상이었다. 혈색 없는 얼굴에 검은 원피스, 신고 있는 단화까지 검었다. 표정은 심장 약한 사람은 말 걸기도 무서울 정도로 사나웠다. 입을 열면 말 대신 칼이 튀어나올 분위기였다. 그녀의 활약에 힘입어 파티 분위기는 장례식처럼 엄숙해져버렸다. 스피커에서 흐르는 댄스음악은 장송곡으로 들렸고 누구 하나 소리 내어 떠들지 않았다. 배가 고플 법도 한데 뷔페테이블로 나가는 아이도 없었다. 정말이지 대단한 여자가 아닐 수 없었다. 영제는 앞으로 나가 마이크를 잡았다.

"여러분, 세령수목원에 오신 걸 환영합니다."

산발적인 박수가 나왔다.

"이제부터 즐기는 시간입니다. 우리 파티를 도우러 오신 이벤트회사에서 노래방 기계와 다양한 게임, 사이키조명까지 준비했답니다. 마음껏 드시고, 노래자랑도 하고, 게임도 하시고, 춤도 추시고 영원히 잊지 못할 추억을 만들고 돌아가기 바랍니다."

영제는 앞자리의 아이들을 뷔페테이블로 끌어냈다. 이벤트회사 직원이 때맞춰 폭죽을 터트리기 시작했다. 조금 이른 불꽃놀이였지만 아이들을 불러내는 데 큰 효과를 봤다. 10여 분쯤 후, 파티장은 시끌벅적한 소음의 파도를 탔다. 예상대로 사택아이들은 파티에 오지 않았다. 평소에도 금요일 저녁이면 사택은 반 이상 비었다. 본가로 떠나거나 가족여행을 가는 경우가 대부분이었고, 대개 일요일 오후가 돼야 돌아왔다. 오늘은 2/3쯤 빈 것 같았다. 주차장에 차가 몇 대 없었다. 운영팀장 역시 서둘러 수목원을 빠져나갔다.

영제도 슬그머니 파티장을 빠져나와 집으로 돌아왔다. 카니발을 도와줄 두 서포터와 만날 시간이었다. 얼굴을 맞대는 게 내키지 않았지만 피할 수 없는 일이었다. 서로의 시계를 초단위로 맞춰둘 필요가 있었다.

6시 정각. 영제는 두 서포터와 거실 테이블에 마주 앉았다. 덩치로 봐선 매우 믿음직스러웠다. 머리도 그만큼 듬직할지는 의문이었지만.

그는 작은 꾸러미 두 개를 그들에게 내놓았다. 하나에는 페리돌 세 앰풀과 주사기 세 개, 다른 꾸러미엔 선착장출입문 열쇠와 '조성호' 열쇠가 들어 있었다. 조성호 키는 세령의 삼우제를 지내던 날 만난 쓰레기처리 용역회사 직원에게 빌려 복사해둔 것이었다. 직원은 세령의 유골을 한솔등에 묻고 싶다는 아비의 심정을 아주 잘 이해해주었다. 물론 이 이해는 영제가 건넨 두툼한 봉투에 힘입어 이뤄졌다.

"후문은 내가 열어둘 것이고, CC카메라는 렌즈가 깨질 예정이라 들어오는 데 별 문제없을 거요. 카메라 녹화는 관리실에서 하고 있으니까 먼저 테이프를 빼두고, 일을 끝내면 휴게소에 차를 대고 내 전화를 기다리는 겁니다. 뒷정리를 해야 하니까."

두 서포터는 고개를 끄덕였다.

"일 순서는 숙지했소?"

영제는 물었다. 서포터들은 대답 대신 웃었다.

"이해되지 않는 부분은?"

한 서포터가 페리돌이 든 봉지를 만지작거리며 말했다.

"우리 식대로 하면 안 됩니까. 이런 거 쓰지 않아도……"

"내 식대로 하시오."

영제는 서포터의 말을 잘랐다. 고려할 여지가 없었다. 103호에 건장한 남자가 넷이나 있고, 사택에도 사람들이 일부 남아 있었다. 무엇보다 그들이 상대할 당사자가 만만찮았다. 명색이 특수부대출신 아니던가. 격투가 벌어질 공산이 컸다. 시간을 끌거나 이목을 끌면 쾌를 그를 터였다.

"만약 딴 짓을 하면, 돈 받을 생각은 접어야 할 거요."

토요일 아침, 또 비가 내리고 있었다. 영제는 계획을 점검하고 상상으로 모의실험을 하면서 지루한 한나절을 견뎠다. 비가 그친 저녁 무렵까지도, 염려하던 일은 일어나지 않았다. 선수와 애송이는 여태 서울을 뒤지고 있는 모양이었다. 일산에 잠복 중인 서포터에게서 연락이 없었으므로 그렇다고 믿었다. 그는 관리실로 전화를 걸어 임 노인을 불렀다.

"지금 안동에 다녀오세요."

임 노인은 의아한 눈으로 그를 봤다.

"상사수목원이라는 곳에 오백 살짜리 은행나무가 한 그루 있답니다. 경매에 들어갈 모양인데 가서 보고 오세요. 쓸 만한지, 우리 수목원으로 옮겨도 되겠는지."

"지금 말이오?"

"나도 막 소식을 들은 참입니다."

"내일 가면 안 되겠소? 은행나무가 어디로 도망갈 것도 아니잖소. 이따 밤에 동네 노인들하고……"

"지금 다녀오세요."

"글쎄 지금 가도 어차피 야밤에 도착할 거 아뇨. 깜깜한 데서 나무 봐봐야……"

"시내에서 주무시고 아침 일찍 들어가서 조용히 둘러보시라는 얘깁니다. 나무 보러 왔다는 표시 내지 말고요. 본 다음에 곧장 저한테 전화주시고."

임 노인은 마뜩찮은 표정으로 집을 나갔다. 시계는 7시를 가리켰다. 그는 바륨캡슐을 주머니에 담고 랜턴을 챙긴 다음 담장샛문을 나섰다. 질척거리는 땅 위에 발자국이 찍혀 있었다. 크기로 봐서 102호 꼬마 녀석 것이었다. 꼬마 녀석과 고양이새끼가 마루 밑 상자에서 뒹구는 모습이 삽화처럼 시야에 떠올랐다. 마음이 흐뭇했다. 기나긴 밤을 온전히 함께 보내게 해주면 두 어린 것들이 얼마나 좋아할까.

축사 안, 둘의 보금자리는 비어 있고 고양이새끼는 보이지 않았다. 오리나무 숲에 새를 잡으러 갔든가, 사람이 들어오는 걸 보고 숨었으리라, 생각했다. 플라스틱그릇에는 사료가 절반쯤 남아 있고, 다른 그릇에는 깨끗한 물이 2/3 남짓 차 있었다. 그는 물을 1/5만 남기고 버린 뒤 캡슐을 열어 바람을 섞었다.

축사를 나온 뒤, 그는 안길을 느릿느릿 걸었다. 대기 속에 아직 여름이 머물러 있었다. 바람은 후덥지근하고, 공기는 끈끈하고, 살갗에선 시큼한 땀이 솟았다. 호수에는 저녁안개가 깔리고 있었다. 한솔등 쌍둥이 소나무는 안개 속에서 유난히도 검게 보였다. 한솔등은 아무도 돌아보지 않는 무덤처럼 쓸쓸했다. 그는 취수탑 앞에서 걸음을 멈추고 CC카메라를 올려다봤다. 최현수가 출근했는지 궁금했다. 그때, 바지주머니에서 울리기 시작한 휴대전화 벨소리가 그를 바짝 긴장시켰다. 일산인가.

"친구 이름이 명인아, 맞습니까?"

하영 담당 서포터였다. 그는 두어 번 그 이름을 입안에서 굴려봤다. 명인아. 명인아······.

"맞는 것 같습니다만."

"프랑스에 있더군요. 사모님도 함께 있는지는 확인하지 못했습니다만."

영제는 갈비뼈 밑에서 울리는 나팔소리를 들었다. 진군을 부르짖는 심장의 소리였다. 성마른 동요를 억누르는 데 시간이 좀 걸렸다. 그사이 서포터는 입을 다물고 있었다.

"어디 살던가요."

영제가 물었다.

"루앙이라는 곳인데 파리에서 100킬로미터가량 떨어져 있습니다."

"그 여자 신상자료도 확보했겠죠."

"예. 정신병원에서 미술치료사 일을 하고 있더군요. 가서 확인할까요?"

"아니. 그건 나중에 얘기하고, 그 여자 신상자료부터 팩스로 보내주시오."

영제는 전화를 끊었다. 혈관에서 피가 생어처럼 펄떡거렸다. 그래, 딸은 죽어서 한줌 재가 됐는데 어미라는 년은 프랑스에서 '봉쥬르 마드모아젤' 놀이나 하고 있단 말이지. 그는 서둘러 취수탑 앞을 떠났다.

별채앞길에 강은주가 서 있었다. 영제는 쌩하니 지나쳤다. 용건도 없고, 아는 척하고 싶은 때도 아니었다. 그런데 강은주는 좀 달랐던 모양이었다. "원장님" 하고 불러 세웠다. 영제는 집 앞 계단에서 걸음을 멈추고 돌아봤다.

"아, 이 시간에 웬일입니까? 오늘 근무 아니던가요?"

"아이 저녁을 차려주러 잠깐 들렀어요."

"아아…… 그럼 가서 일 보세요."

영제는 고개를 돌렸다. 그러자 또 "원장님" 했다.

"잠깐 드릴 말씀이 있는데."

"무슨……."

"별채에 CC카메라를 달아줬으면 해서요."

그가 별채에 CC카메라를 달지 않은 데는 이유가 있었다. 자신의 생활이 관리인이나 사택경비에게 읽히는 게 싫었다. 이 여자는 아주 오지랖이 넓은 데가 있었다.

"없어서 문제될 일 있습니까?"

은주는 생글생글 웃으며 그에게 다가왔다.

"사택 쪽은 도서관이며, 놀이터며, 숲이며, 곳곳에 붙어 있는데 별채에는 하나도 없잖아요. 우리 서원이가 밤에 혼자 있는 시간이 많아요. 그제 새벽에는 남편이 숲에서 발을 다쳤는데, 저는 그것도 몰랐어요. 안심하고 근무하려면 하나쯤은 있어야 할 것 같아요."

은주는 계단 밑에서 걸음을 멈추고 그를 올려다봤다. 빤하고도 뻔뻔한 시선이었다. 영제는 마지못해 놀라는 척해주었다.

"숲에서 다쳤단 말입니까?"

"숲을 산책하다 덫에 걸렸다는데 혹시 원장님은 덫에 대해 아는 바가 있으신가요?"

당돌한 질문이었다. 표정은 더 당돌했다. 네가 안다는 걸 나는 알고 있어, 라고 씌어 있었다. 영제는 말했다.

"제가 임 노인을 불러서 한번 물어보지요. 그나저나 바깥 분은 많이 다쳤습니까?"

"발을 스물다섯 바늘이나 꿰매고, 뼈에 금이 가서 깁스를 하고, 피를 많이 흘려서 링거를 세 병이나 맞았어요."

"아, 저런."

"수목원 물건은 나무뿌리 하나까지 원장님 것 맞죠?"

영제는 눈을 가늘게 뜨고 그녀를 봤다.

"그럼 덫도 원장님 것이지, 임 노인 것이 아니죠. 치료비에 대한 책임 역시 원장님에게 있고요. 개한테 물리면 개 임자가 치료비를 물어주지 않나요."

영제는 대답 없이 웃었다. 발을 다친 정도로는 제 남편에게 받아낼 빚의 이자조차도 되지 못한다는 걸 알기나 하는지, 묻고 싶었다.

"알겠습니다. 생각해보죠."

그쯤에서 물러날 줄 알았던 은주는 다시 CC카메라 이야기를 꺼냈다.

"별채진입로와 집 앞, 집 뒤부터 우선적으로 달았으면 해요. 비용이 많이 드나요?"

영제에겐 할 일이 있었다. 들어가서 팩스를 받아야 하고, 프랑스행 비행기 표를 알아봐야 하고, 여행준비와 일정을 짜야 했다. 그 중차대한 시간을 이 여자는 염치없는 소리로 잡아먹고 있었다. 제 아들과 남편의 동태를 보기 위해 카메라를 달아달라니. 여기가 자기 저택인 줄 아나.

"아, 그런 생각을 한 적이 없어서 계산도 안 해봤습니다."

"왜요? 세령이도 있었잖아요."

그는 하늘을 올려다봤다. 자신의 표정으로 감정이 새어나가는 걸 느꼈던 탓이다. 신경을 긁고 속을 뒤집는 재주만큼은 타고 난 여자였다.

"별채에 카메라가 없어서 우리 세령이가 일을 당했다는 말씀처럼 들립니다만."

그녀는 화들짝 놀란 척했다.

"아니에요. 그런 말로 들렸나요? 저는 별채사람들의 안전을 위해 경비로서 제의를 ……."

영제는 그녀의 말을 잘라버렸다.

"다음 주에 계산서 뽑아보지요."

"내일 하기는 힘든가요?"

"내일은 일요일입니다. 다른 용무 없지요?"

그가 돌아서자 또 "원장님" 했다. 영제는 그만 딸꾹질을 할 뻔했다.

"그 그림 말이에요."

무슨 말인가, 싶어 뒤를 봤다.

"우리 서원이한테 선물하신 그림. 미처 전해주질 못했어요. 제가 그만 실수로 찢어서 쓰레기통에 넣고 태워버리는 바람에. 특별히 의미 있는 그림은 아니었죠?"

영제는 팔을 뻗어 여자의 목을 졸라버릴 뻔했다. 그걸 참느라 주먹을 틀어쥐어야 했다.

"괜찮습니다. 가서 일 보세요."

그는 현관계단을 두 개씩 건너뛰어 올라갔다. 여자가 또 부르기 전에 현관문을 때려 닫았다. 한 번만 더 '원장님' 소리를 들으면 기어코 여자의 목을 조르고 말 것 같았다.

"정문 차단기, 일찌감치 내려버려요."

임 노인이 경비실 창문 앞에 서서 말했다. 먼 길을 가는 행색이었다. 등에 배낭을 메고, 등산용 재킷을 입고, 모자를 손에 쥐고 있었다. 은주는 책상 앞에 선 채 물었다.

"어디 가세요?"

"안동에 잠깐……."

임 노인은 모자를 눌러 쓰며 한마디 덧붙였다.

"순찰은 돌 거 없어요. 하루쯤 안 한다고 뭔 일 날 것도 아니고."

두 마디째 덧붙였다.

"경비실 문은 잠가두고 아는 사람 아니면 창문도 열어주지 마쇼."

말수 없고 무뚝뚝한 노인이었다. 전에 없던 잔소리였다. 은주는 의아했다.

"왜요?"

"젊은 색시 혼자 있잖소."

임 노인은 어둠 속으로 사라졌다. 창밖에는 노인이 남긴 말만 여운처럼 남았다.

"내가 이래서 여자는 안 된다고 했는데……"

뜬금없이 웬 여자타령인가. 어느 밤인들 혼자가 아닌 적이 있었나. 별스럽네, 하다가 그녀는 문득 깨달았다. 실제로는 혼자가 아니었다는 것을. 경비실 옆에 관리실이 붙어 있고, 임 노인이 상주하고 있었다. 그녀가 호출버튼을 누르면, 잭나이프처럼 찰칵 튀어나올 그 자리에.

냉장고가 윙, 하고 돌았다. 그녀는 흠칫해서 고개를 들었다. 안개 속에서 있는 가로등의 노란 얼굴과 마주쳤다. 불 꺼진 사택 창문 위로 나무들의 그림자가 거뭇하게 흔들렸다. 그녀의 귓속에선 동맥이 똑딱거리기 시작했다. 평소에는 별 생각 없이 바라보던 숲의 풍경이 느닷없이 신경을 건드리고 긴장을 깨웠다. 새삼스레 자각한 혼자라는 사실이 마음의 평온을 무너뜨렸다. 그녀는 등을 꼿꼿하게 세우고 앉아 창밖을 내다봤다.

그녀는 오영제가 왜 자신을 채용했는지에 대해 생각해본 적이 없었다. 면접 자리에서 채용이 결정된 터라, 관리인의 반대 같은 건 상상조차 해보지 않았다. 구인자와 구직자의 이해가 맞았다고만 여겼다. 일자리를 구했다는 안도감이 경계의 목소리를 잠재운 것이다. 그렇다고 하더라도 근무를 시작한 후에는 한 번쯤 짚어봤어야 했다.

사택경비로 노인과 여자는 적절치 않았다. 담력과 체력, 대인방어능력이 필요하다는 점에서 그랬다. 광막하고 요요한 이 수목원 숲을, 야밤에, 홀로 랜턴을 들고 순찰할 수 있어야 했다. 불쑥 나타난 취객이나 이방인을 수목원 밖으로 내보낼 수 있어야 했다. 상시 개방상태인 정문을 지켜봐야 했고, 수시로 차단기를 작동시켜야 했다. 밤늦게 들고나는 사택차량이 있게 마련이었으니까. 50세 이하로 못 박은 것도, 일반 아파트경비보다 월급이 많은 데에도, 그럴 만한 이유가 있었던 것이다.

그녀가 근무를 하는 날, 수목원야간순찰은 임 노인이 대신했다. 정문 차단기를 조작하는 이도, 관리실 CCTV로 불청객을 감시하는 이도 노인이었다. 밤사이에 그녀가 하는 일이라곤 경비실에 앉아 텔레비전을 보거나, 영주와 통화를 하거나, 간이침상에서 눈을 붙이는 정도였다. 노인의 수고는 호의로 해석했다. 여자라 봐주는 거려니. 그녀는 노인이 없다는 걸 자각한 지금 이 순간에야 '안다'와 '인식한다'의 차이가 뭔지 깨닫고 있었다.

'안다'는 다음의 문장으로 바꿀 수 있었다. '노인이 수고가 많다.'

'인식한다'는 '내 존재 자체가 구멍이다'였다.

오영제와 면접을 하던 자리에는 노인이 없었다. 나중에야 반대하고 나섰으리라고, 그녀는 추측할 수 있었다. 구멍을 메울 자가 누군지 빤히 보였을 테니까. 관리인의 반대를 무시한 오영제의 행동은 당연하지 않았다. '안다'를 당연시하고, '인식한다'를 외면한 자신은 어리석었다. 자신의 앞가림이 먼저였고, 누군가 재미를 보면 누군가는 피를 보는 게 세상이치라 여겼고, 재미 본 쪽이 자신이라는 행운에 취해, 던져야 마땅한 것을 던지지 않았다. '왜?'라는 질문 말이다.

은주는 남편과의 문제들 역시 거기에서 비롯된 게 아닌가 싶었다. 자신의 행동에 대한 당연시, 남편과 남편 주변에서 감지되는 이상 징후에 대한 고의적 눈멀기. 그러나 문제인식과는 별개로 그녀의 본능은 여전히 진실에서 뒷걸음질 치는 중이었다. 영주가 전화를 걸어와 뭐 좀 알아낸게 있느냐고 물었을 때, 그녀는 본능이 시킨 대답을 내놓았다.

"알아보기는 했는데 난 잘 모르겠다. 뭐가 뭔지."

영주는 물러나지 않았다.

"언니는 알아본 것만 얘기하라니까. 뭐가 뭔지 아는 건 내가 할 테니까."

은주는 망설였다. 영주는 재촉했다.

"아무래도 언니보다는 내가 냉정하게 볼 수 있잖아."

'냉정하게 본다'는 말은 상반된 감정을 은주에게 떠안겼다. 다시 덮을수 없는 핵심에 직선으로 도달해버릴지도 모른다는 두려움, 그 핵심을 '언니의 망상'이라고 판결 내려줄지도 모른다는 기대감. 먼저 그녀는 '알아낸 것'을 말해주었다. 다음에는 금요일 일을 이야기했다.

서원이 경비실에 나타난 건 아침 7시경이었다. 아이는 이런 이야기를 전했다. 아빠가 새벽에 숲으로 산책을 나갔다가 덫에 걸렸다. 아저씨와 내가 아빠를 차에 태워 진료소로 옮겼다. 발을 꿰매고, 깁스를 하고, 큰 주사 두 대, 작은 주사 세 대를 맞았고, 지금은 주사실에서 링거를 맞으면서 주무신다. 살은 많이 다쳤고, 뼈는 조금 다쳤고, '인대'라는 것은 다치지 않았는데 입원할지 안 할지는 큰 병원에 가봐야 안다고, 의사선생님이 말했다. 아저씨가 아빠와 함께 있으니까 엄마는 너무 걱정하지 않아도 된다.

마치 누군가 써준 대본을 외워 와서 한마디도 빠짐없이 옮기려고 애쓰는 듯한 어조였다. 그 누군가가 누구인지는 물어볼 필요도 없었다. 승환일 터였다. 일차로 놀랐다. 이차로 남편의 지금 상태가 어떤지 걱정스러웠고, 삼차로 화가 났다. 어쩌자고 임 노인은 사람들이 드나드는 숲에 덫을 놨단 말인가. 남편은 컴컴한 새벽에 거길 왜 들어갔더란 말인가. 승환은 왜 자신에게 즉시 연락하지 않았단 말인가.

당장 진료소로 쫓아가고 싶었지만 사택사람들이 활동을 시작할 시간이었다. 자리를 지켜야 했다. 그녀는 서원에게 혼자 학교에 갈 수 있겠느냐고 물었다. 서원은 "다녀오겠습니다"라고 때 이른 인사를 하고 돌아섰다. 그녀는 곧장 관리사무실로 전화를 걸었다. 임 노인은 덫을 놓지 않았다고 대답했다. 덫을 사들인 적도 없다고 했다. 최근뿐만 아니라, 수목원 관리인노릇 40년 동안 단 한 번도 덫을 놓지 않았다고 했다.

곽 씨가 출근하자 그녀는 곧장 진료소로 달려갔다. 이번에야말로 성미를 꾹 참고 남편을 구슬려 속내를 알아볼 작정이었다. 부상당한 경위, 세령호에 오기 전부터 계속된 이상행동의 원인, 이혼하자는 진짜 이유. 나아가 그녀가 불안해하는 일 때문이 아니라는 확인을 받아야 했다. 대사 연습도 몇 번씩 해두었다.

서원아빠. 무슨 일인지 얘기해봐. 나 강은주야. 뭐든지 마음만 먹으면

할 수 있는 여자. 당신 편. 그러니까 숨기지 말고 무슨 일인지 얘기해. 내가 다 해결해줄게.

진료실과 주사실이 나란히 있었다. 진료실 앞 의자엔 할아버지 세 사람이 대기 중이었다. 의사는 나중에 보기로 하고 그녀는 주사실로 들어갔다. 남편은 침대에 앉아 있고, 승환은 의자에 앉아 있었다. 만약 병원이 아닌 집이었다면 그녀는 두 사람이 자신을 헐뜯고 있었다고 생각했을 것이다. 그녀를 보자마자 두 남자는 각자의 방식으로 도망쳐버렸다. 승환은 진료실에서 나가는 걸로, 남편은 드러누워 눈을 감는 걸로.

그녀는 남편의 발을 봤다. 종아리까지 오는 깁스를 하고 있었고 피 묻은 발가락만 깁스 밖으로 나와 있었다. 피가 통하지 않는 것처럼 살갗이 꺼멓게 죽어 있었다. 예상보다 부상이 심각해 보였다.

"서원아빠."

그녀는 연습한 대로, 최선을 다해, 부드럽게 불렀다. 남편은 대답하지 않았다. 어깨를 살짝 흔들어봤다.

"서원아빠."

정나미 떨어지는 대꾸가 돌아왔다.

"이혼서류, 오늘까지 대행사로 보내줘야 해."

이후, 긴 침묵이 흘렀다. 남편은 잠든 것처럼 보였다. 고른 숨결, 평온한 표정. 그러나 그녀는 잘 알고 있었다. 자신은 잠든 남편 앞에 서 있는 게 아니었다. 절대로 열리지 않는 문 앞에 서 있었다. 남편과 싸울 때마다 봐온 표정이었다. 그녀만 미친 여자로 만드는 표정. 그녀가 떠드는 동안, 아니 떠들면 떠들수록, 남편은 저 평온한 표정 밑에 숨어 꿈쩍도 하지 않았다. 입 다물고, 귀 막고, 바위처럼 버티는 건 남편이 야구보다 더 잘하는 일이었다. 알면서도 끝장 보기로 덤비는 다혈질 성미가 그녀 자신을 길길이 뛰게 만드는 것이다. 그녀는 버럭 소리를 지르고 말았다.

"최현수!"

반응은 최현수가 아니라 간호사가 했다. 문을 열고 머리만 안으로 들여놓더니 손끝으로 벽을 가리켰다. 거기에 이런 벽보가 붙어 있었다.

"정숙"

30분이 더 지나갔다. 그녀는 남편으로부터 퇴각을 결정했다. 저 입을 열려고 애쓰느니, 주변을 찔러서 안에 든 걸 짐작해보는 게 빠를 것 같았다. 진료실 앞엔 아무도 없었다. 그녀는 노크와 동시에 문을 열었다. 의사가운을 입은 남자가 책상 앞에 있다가 고개를 들었다. 그녀는 안으로 들어섰다.

"아주머닌 누구요?"

의사가 물었다.

"전, 주사실에 있는 최현수 환자 아내예요."

의사는 의자를 권하지 않았지만 그녀는 책상 앞으로 가서 앉았다.

"새벽에 제 남편을 치료하셨다고 들었는데요. 어떻게 된 일인가요?"

"동생 분한테 못 들으셨습니까?"

"동생이요? 제 시동생은 여기 없는데요."

의사는 들고 있던 차트를 책상에 내려놨다. 그리고 안경너머로 그녀를 한참 봤다. 이윽고 입이 열렸다.

"최현수 씨 가계도는 뭐가 이렇게 복잡합니까? 며칠 전엔 동생이라고 전화해서 환자 사정을 알려줬더니, 오늘은 진짜 동생이라는 분이 최현수 씨를 데려와서 동생은 자기 하나밖에 없다고 하고, 기껏 또 설명해 놨더니 아내라는 분이 와서 이번엔 동생이 여기 없다고 하고. 다음엔 누가 와서 최현수 씨에겐 아내가 없다고 할지 겁이 납니다만."

남편을 데려왔다는 동생은 승환이겠구나, 은주는 짐작했다. 그전에 동생을 사칭한 사람은 누군지 모르겠지만.

"남편을 데려온 사람은 한집에 사는 사람이에요. 다른 한 사람은 누군지 모르겠고요. 환자 상태를 얘기해줄 때는 신분 확인을 해야 하지 않나요?"

"이봐요, 아주머니. 난 의사지, 면사무소 호적계 직원이 아닙니다. 가계도정리는 댁들끼리 하시고, 환자상태를 물으려거든 대표를 정해서 보내세요. 물어보는 사람마다 붙들고 설명해주자니 배가 다 고픕니다."

의사는 차트를 다시 집어 들었다. 그녀는 버티고 앉아 있었다. 여자라고 무시하는 건가 싶었다. 동생을 사칭한 정체불명의 남자와 승환에겐 남편의 상태를 설명하고, 아내한테는 입이 아파 못 하겠다니. 그런데 '며칠 전'은 또 무슨 말인가. 오늘 처음 온 것이 아니란 말인가? 그녀는 남편의 왼쪽 손목에 감긴 붕대를 떠올렸다.

"저기, 며칠 전에 제 남편 동생이라고 전화했다는 남자 말이에요."

의사는 슬쩍 눈을 들었다. 그녀는 책상에 놓인 자동응답기를 가리켰다.

"여기에 전화번호가 남아 있지 않나요?"

"그건 두 번째 동생 사칭자가 이미 묻고 갔습니다."

의사는 여전히 퉁명스러웠다. 그녀는 침을 삼키고, 울화증을 눌렀다.

"아내인지 아닌지 확인시켜드리면 알려주실 수 있나요? 주민번호라든가……"

"첫 번째 사칭자도 주소와 주민번호를 댔어요. 형 주민번호까지 줄줄 외웁디다."

은주는 입을 딱 벌렸다. 한순간, 진짜 시동생인가 싶었던 것이다. 곧 아닐 거라는 답이 나왔다. 그녀는 영주의 주민번호를 외우지 못한다. 만날 수다 떨며 지내는 사이인데도. 어떤 할 일 없는 머리가 형제의 주민번호까지 외우고 있단 말인가. 자연스럽지 않은 일이었다.

"선생님이 전화 한 번만 쓰게 해주시면 확인이 가능한데요."

그녀는 허락을 기다리지 않고 전화를 자신 앞으로 돌려놓았다. 시동생의 휴대전화 번호를 누르고 스피커버튼을 켰다. 잠시 후, 시동생이 전화를 받았다. "저예요, 서원엄마" 하자 수화기 저편에서 "아, 예. 형수님" 했다.

"형님하고 서방님 이름말이에요. 한자 뜻이 어떻게 돼요?"

"그건 왜요?"

"서원이 학교숙제인데 제가 잘 몰라서요."

"아아……" 전화기 속에서 웃는 소리가 났다. 곧이어 최현수와 최정우의 이름풀이가 이어졌다. 의사는 가만히 듣고 있었다. 그녀는 물었다.

"그리고요. 며칠 전에 혹시, 형님 문제로 이곳 진료소에 전화하신 적 있어요?"

"아뇨. 거기 진료소 같은 것도 있나요?"

"아, 아니에요. 나중에 다시 전화 드릴게요."

은주는 전화를 끊었다.

"며칠 전에 남편이 여기 왜 왔는지, 어디가 아팠는지, 그 남자에게 무슨 말씀을 하셨는지, 그 남자 전화번호가 몇 번인지, 지금 남편상태가 어떤지, 한 번만 더 말씀해주세요. 저한테는 중요한 일이에요."

"남편의 왼팔문제에 대해 알고 있습니까?"

의사는 질문으로 대답했다. 한결 누그러진 표정이었다.

"남편이 용팔이라고 부르는 증상이에요."

"용팔이요?"

"남편은 야구선수 출신이에요. 선수시절에 가끔 나타나던 증상인데 운동을 그만둔 후엔 괜찮아졌어요. 혹시 며칠 전 이곳에 온 게 용팔이 때문인가요?"

의사는 당시 상황을 만족할 만큼 자세하게 이야기해주었다. 자동응답기를 열고 저장된 전화번호도 보여주었다. 그녀는 시야가 아득해지는 걸 느꼈다. 확인해볼 것도 없었지만 확인 차원에서 확인해봤다. 의사가 보여준 번호는 그녀의 휴대전화에 '보스네 점방'이라는 이름으로 저장된 번호와 일치했다. 그녀는 휴대전화를 닫고 멍하니 남편의 현재 상태에 대한 설명을 들었다. 멍하니 진료실을 나왔고, 멍하니 치료비를 수납했고, 멍하니 집으로 들어갔다. 온갖 불길한 생각들이 몰아치고 있었다.

오영제는 왜 남편에게 관심을 갖는가. 시동생의 주민번호까지 안다는 건 뒷조사를 했다는 뜻이었다. 남편이 덫에 걸린 건 그저 우연인가. 장례식 때의 무당소동과 죽은 아이의 그림은 어떤 의미가 있는 것인가. 승환은 왜 오영제의 번호를 따갔을까.

남편은 오후 2시가 되도록 돌아오지 않았다. 진료소로 전화를 걸자 간호사가 아직 주사를 맞고 있다고 전했다. 그녀는 승환에게 연락을 해봤다.

"승환 씨, 서원아빠한테 무슨 일 있죠? 무슨 일인지 승환 씨는 알죠?"

승환은 한동안 침묵하다 대답했다.

"저도 기다리고 있습니다."

"뭘요?"

"무슨 일인지 알게 될 때요."

전화를 끊고 나자 더 복잡한 심정이 되었다. 남편이 언제부터 새벽산책을 즐겼는지 의문이었다. 용팔이가 언제부터 나타났는지도. 왜 자신만 아무것도 몰랐는지도. 경비 일을 시작한 지 불과 일주일이었다. 그 짧은 시간에 그녀는 가족 밖으로 완전히 밀려나버린 기분이었다. 그 자리에 승환이 들어와 있었다.

자책의 목소리가 들려왔다. 네 탓도 있어. 남편이 거실에서 자든 말든, 날마다 술에 절어 지내든 말든, 손에 붕대를 감든 말든, 상관도 하지 않고 알려들지도 않았잖아.

자의식의 목소리가 말을 받았다. 물을 만한 상황이 아니었잖아. 날마다 술만 처먹는 인간이, 이혼하자는 인간이, 마누라랑 사는 게 끔찍하다는 인간이 손에 붕대 좀 감았기로서니 그게 뭐 그리 대수야. 그 판국에 어디서 손을 다쳤는지 다정하고 염려스럽게 물어봐야 해?

가든파티에 나가 있는 내내 두 목소리는 시끄럽게 싸웠다. 뒷정리를 끝내고 집에 돌아와 보니 남편은 멀쩡해 보였다. 거실에 둔 서원의 컴퓨터 앞에 앉아 승환에게 야구게임을 배우고 있었다. 자정이 넘자 컴퓨터 앞엔 남편 혼자 남았다. 남편은 오늘 아침까지도 게임을 하고 있었다. 저녁나절, 저녁을 챙겨주러 집에 들렀을 때엔 아무도 없었다. 혹시나 해서 관리단 정문경비실로 전화를 걸었다. 남편이 받았다.

"집에 아무도 없어서. 혹시 거기 있나 하고……"

"다들 여기 있다가 금방 갔어."

남편이 말했다.

"당신은 거기서 뭐하는데?"

"야근해."

"다리 다친 팀장이 왜 야근을 해? 멀쩡한 팀원들은 뭐하고."

"남의 일에 참견 말고, 해달라는 거나 해줘."

전화가 일방적으로 끊겼다. 그녀는 수화기를 노려봤다. 남의 일이라니. 입만 열면, 서류타령이라니. 기어코 이혼을 해야겠다는 것인가. 전화기를 동댕이치다시피 하고 집에서 나오다 오영제와 마주쳤다. 그를 찔러본 건 확신이 필요했기 때문이다. 남편과 이 남자가 엮였으리라는 직감이 틀렸다는 확신. 얻은 건 오영제가 거짓말을 하고 있다는 확신뿐이었다.

"언니. 형부 혹시……"

은주가 이야기를 끝내자 영주가 입을 열었다. 은주는 가슴이 내려앉는 소리를 들었다.

"혹시 뭐?"

"아니, 혹시…… 형부가 혹시, 그 사건하고 관련된 게 아닐까 싶어서."

영주는 그녀가 가장 두려워하던 말을 꺼냈다. 그녀는 벌컥 성을 냈다.

"그게 무슨 소리야?"

"그게 아니면 형사들이 카센터까지 찾아갈 이유가 없잖아. 오영제라는 남자가 형부한테……"

"그건 아냐."

"아닌 게 아닐지도 몰라. 난 서원이를 부탁한다는 말이 가장 이상해. 세상이 무너져도 형부가 서원이 떼어 보낼 사람은 아니잖아. 형부를 잘 구슬려서 불게 해봐. 얌전한 사람이 사고 치면 크게 치는 거 몰라?"

영주의 어조는 '아닐까?'에서 '그렇다'로 나아가고 있었다. 그것이 은주의 속을 뒤집었다.

"그럴 리 없어. 내가 장담해."

그러나 은주는 알고 있었다. '그럴 리'도 있다는 걸. 모든 정황들이 한결로 그쪽을 가리키고 있었으니까. 그녀는 어느 날 아침 거실에서 발견한 남편의 괴상한 몰골을 떠올렸다. 어디를 다녀왔는지 옷은 젖어 있고, 발은 흙투성이였다. 손엔 붕대가 감기고 수염이 꺼멓게 덮인 얼굴은 초췌하기 이를 데 없었다. 그런 꼴로 깨울 수도 없을 만큼 깊이 잠들어 있었다. 그때 뭔가 이상하다는 걸 알았어야 했다. '나가'라는 말을 내뱉었을 때 짚어봤어야 했다. 미치지 않고서는 그런 말을 할 인간이 아니라는 점을. 남편은 그때부터 미쳐가고 있었던 것이다. 남편에 대한 분노와 쌓여가는 실망, 패씸한 감정이 그녀의 눈을 겹겹으로 가린 것이다. 진실은 손안에 있었다.

누군가 남편에게 자신의 삶을 걸고 지켜야 할 '어떤 사람'이 있느냐고 묻는다면, 그렇다고 대답할 것이다. '어떤 사람'을 지키기 위해서라면 자기 자신을 포함한 모든 걸 버릴 수 있느냐고 물어도 마찬가지 답을 할 것이다. 최종적으로, '어떤 사람'을 버리는 것이 지키는 길이라면, '어떤 사람'을 버릴 수 있겠는가, 라고 물어도 이 역시 '예스'라는 답을 듣게 될 것이다. 서원을 그녀에게 데려가라고 한다는 건 그런 뜻이었다. 서원을 버리는 것 말고는 지킬 길이 없다는 의미.

무당소동, 죽은 아이의 그림, 덫, 남편의 부상과 야간근무, 임 노인의 느닷없는 출장…… 전화기를 잡은 그녀의 손이 떨리기 시작했다. 위장 속에서 위액이 땡글땡글 어는 것 같았다. '남편이 무슨 일을 저질렀느냐' 하는 문제는 그녀에게 더 이상 중요하지 않았다. 알고 싶은 건 '무슨 일이 일어나고 있는가' 하는 점이었다. 아니, 이것도 아니었다. 가장 정확한 건 '오영제가 우리 가족에게 무슨 짓을 하려는가'였다.

"언니 내 말 듣고 있어?"

영주가 전화기 안에서 불렀다. 창문 밖에선 차 소리가 났다. 경비실 앞에 수목원 담당 보안업체인 C-Com 차량이 서고 있었다. 앞좌석에서 제복을 입은 남자 둘이 내렸다.

"잠깐만, 갑자기 보안업체 직원들이 왔어."

전화를 귀에 댄 채 그녀는 창문걸쇠를 풀었다. 시선은 무심코 CCTV 화면으로 갔다. 후문화면이 암전돼 있고, 정문 차단기는 내려와 있었다.

좀 이상했다. 내내 멀쩡하던 후문화면이 왜 죽어 있을까. 저 차는 어디로 들어왔을까. 혹시, 후문 잠그는 걸 깜박했던가? 임 노인의 경고가 따귀처럼 귀뺨을 치고 갔다.

"아는 사람 아니면 창문도 열어주지 마쇼."

그녀는 눈을 크게 떴다. 마침내 정황과 단서들이 하나로 꿰이는 통찰의 순간이 왔던 것이다. 오늘 밤이었다. 바로 지금이었다.

그러나 오늘 밤, 모든 것을 알아차린 바로 지금, 은주는 아무것도 할 수가 없었다. 자신의 윗도리를 움켜쥔 한 남자의 손에 무방비상태로 끌려가는 것 말고는. 그 억센 손은 그녀의 상체를 창턱에 엎어뜨리고 등과 머리를 짓눌렀다. 그녀는 비명을 지르려 했으나 어떻게 된 일인지 소리가 나오지 않았다. 세상이 아득하게 멀어지고 있었다.

게임은 2회로 끝났다. 현수는 모니터에서 눈을 뗐다.

"빨라야 내일 밤쯤 3회를 넘길걸요."

어젯밤 승환이 그에게 '슈퍼히어로'라는 야구게임을 가르치면서 한 말이었다. 말대로 게임은 만만하지 않았다. 그것도 서툰 오른손으로만 해야 했으니 오죽하랴. 덕택에 그는 만 하루 꼬박 깨어 있었다. 졸지도 않았다. 골이 지끈거리고 어깨가 뻐근했지만 견딜 만한 불편이었다. 문제는 좀 전부터 욱신거리기 시작한 왼발이었다. 귀가 먹먹하고 혀가 마르고 시야가 어른대는 걸로 보아 다시 열이 오르는 것도 같았다.

아침 댓바람부터 그가 진료소를 찾아간 것도 통증과 열 때문이었다. 의사는 체온을 재보고 고개를 갸우뚱했다. 피 검사를 한 뒤 백혈구 수치가 높다고 말했다. 깁스의 발등부위를 명함 크기로 잘라낸 뒤 상처를 살피더니 감염의 징후가 보인다고 했다. 처방은 간단했다. 정형외과 전문의에게 가시라.

현수는 잠자코 발등을 내려다봤다. 깁스에 낸 창문으로 벌겋게 부풀어 오른 상처가 내다보였다. 발가락 색은 붉다 못해 거무죽죽했다.

선수시절, 현수는 정형외과를 편의점처럼 드나들었다. 의사노릇까지야 못하겠지만 '감염의 징후'가 뜻하는 바를 이해할 경력은 쌓은 셈이다. 정형외과의사는 입원을 권유할 터였다. 그로선 불가능했다. 시간상으로도, 심정적으로도, 정황상으로도. 의미도 없었다. 필요한 건, 통증과 열이 없는 하룻밤이었다.

"선생님이 봐주시면 안 됩니까?"

현수가 묻자 의사는 난감한 기색을 드러냈다.

"난 응급의학과 의사요. 이대로 방치하면 패혈증이 올 수도 있어요."

"오늘 하루만 봐주시면 내일 가겠습니다. 그럴 사정이 있습니다."

의사는 한동안 현수를 바라보다 처치를 시작했다. 전날 했던 깁스를 잘라버리고, 항생제를 섞은 식염수로 상처를 씻고, 소독약을 붓고, 거즈를 두툼하게 댄 뒤, 종아리까지 오는 반 깁스를 대서 탄력붕대로 고정했다. 마지막으로 손목 실밥을 제거해주었다. 상처는 말끔하게 잘 붙었다. 처치를 끝낼 때까지 의사는 현수의 '사정'을 캐묻지 않았다. 물어봐야 소용없겠다고 판단한 눈치였다. 대신 용팔이의 안부나 알아보자고 생각한 것 같았다. 바늘을 들더니 느닷없이 검지 끝을 두어 번 찔렀다. 현수는 감각조차 느끼지 못했다.

"오늘 오후부터 내일 저녁까지는 진료소에 와도 소용없습니다. 저도 한 달에 한 번 정도는 부모님을 뵈러 가야 하니까요. 오늘 밤이라도 상태가 나빠지면 큰 병원응급실로 가는 겁니다. 간 김에 왼팔도 보여 보시고."

현수는 지지대에 왼손을 끼우면서 고개를 끄덕였다. 의사는 항생제와 진통제주사를 놔주고 먹는 약을 처방했다.

"추가로 진통제를 드릴 테니까, 두 알씩 4시간 간격을 두고 드세요."

그가 처음으로 진통제를 먹은 게 밤 9시경이었다. 지금 벽시계는 11시 25분을 가리키고 있었다. 그는 휴대전화를 꺼내 승환의 번호를 눌렀다. 승환은 딱 한 번 만에 받았다. "접니다" 하는 목소리를 듣자 통증 같은 안도감이 목 아래로 퍼졌다.

"아직 안 잤나."

"영화 보고 있었습니다."

"서원이는."

"아까 잠들었어요."

이번엔 가슴 한복판으로 칼이 지나갔다. 그가 원하는 건, 서원이 늘 이렇듯 평화롭게 잠드는 것이었다. '최현수'를 살인범이 아닌 아버지의 이름으로 기억하는 것이었다. 그럴 수 있을까.

"알았네."

그는 마지막일지도 모르는 전화를 끊었다. 서원의 목소리를 듣고 싶었지만 꾹 눌러 참았다. 그편이 좋으리라, 판단했다. 은주에게도 연락하지 않을 작정이었다. 그녀가 "서원아빠" 하고 부르면, 가까스로 얻은 통제력이 부서질 것 같았다. 한때 그녀는 그에게 고통을 주는 존재였으나 이제는 아니었다. 강철 같은 그녀가, 아들을 위해서라면 얼마든지 뻔뻔하고 독해질 수 있는 강은주가, 지금에 와서야 고마웠다. 미더웠다. 그리고…… 미안했다.

현수는 다시 게임으로 돌아갔다. 어떻게든 시간을 보내야 했으나 게임은 2회에서 끝나버렸다. 다음엔 1회. 집중력이 통증에 밀려 뚝뚝 떨어졌다. 손동작도 점점 느려졌다. 그는 키보드에서 떨어져 의자등받이에 몸을 기댔다. 눈을 감자 뜨겁고 꺼칠꺼칠한 눈꺼풀 속으로 태풍전야의 풍경이 펼쳐졌다.

먹구름이 뒤덮인 하늘, 무겁고 고요한 대기, 구름 밑에서는 필라멘트처럼 미약한 빛이 들뛰다 사라지곤 했다. 그는 그것을 긴장이라고 해석했다. 어쩌면 기다리는 자의 불안일지도 몰랐다. 다가오는 자의 발소리를 들으려는 안간힘일 수도 있겠고.

그의 귀에 들려온 건, 발소리가 아니라 은주의 목소리였다. "서원아빠."

기억 속에서 울리는 목소리였다. 덫에 걸린 날, 진료소로 쳐들어와 그를 부르던 목소리였다. '다 용서해줄 테니까, 엄마한테 솔직하게 말해'하는 듯한 목소리. 울컥, 했던 나머지 그는 솔직하게 말해버릴 뻔했다. 그녀가 두 번째로 "서원아빠" 하고 불렀을 땐, 흙벽 밑에서 와르르 소리가 났다. 한 번만 더 "서원아빠" 했다면 다 불어버렸을지도 모른다. "최현수!" 하는 사나운 소리에 그는 안도했다. 안정을 되찾았다. 눈감고, 귀 막고, 생각할 수 있었다. 지금 등 뒤에서 무슨 일이 벌어지고 있는가.

덫에 걸리기 전까지, 그의 고민거리는 '은주를 어떻게 설득하느냐'였다. 그가 상상한 최악의 상황은 아들 앞에서 자신이 체포되는 것이었다. 바랄 수 있는 기적은 사건이 미결로 끝나는 것이었다. 최악과 기적 사이에는 자수와 자살이라는 선택사항이 있었다. 적어도 선택할 기회 정도는 있으리라, 판단했다. 그것이 근거 없는 낙관이었다는 걸, 담장출입문 앞에 홀로 쓰러져 있을 때 깨달았다.

그는 온전히 혼절한 것이 아니었다. 의식을 놓았다 쥐었다 하고 있었다. 의식을 내려놓은 어느 시간에 서원의 운동화를 잃었다. 각성의 순간에는 고통과 통찰이 함께 찾아들었다. 누군가 정확한 시점과 지점에다 덫을 놓았다. 누군가가 승환일 리는 없었다. 그의 직감은 영제를 가리켰다. 자신에게 고통을 가할 자, 그럴 이유가 있는 자. 목적이 뭔지도 알 것 같았다. 자신은 향성이 분명한 정황들을 앞에 두고도 손끝만 바라본 외눈박이였다. 그간 몰두해 있던 고민과 내면의 고통, 심지어 경찰의 추적까지도 손바닥 안의 문제였던 것이다.

승환에게 꿈속의 남자이야기를 해주면서, 그는 눈앞을 직시할 용기를 찾았다. 승환에게 기다려달라고 말하는 순간에, 자신이 뭘 해야 하는지 알았다. 야구게임을 익히면서 집중력을 되살리려 애썼다. 승환이 들려준 오영제에 관한 얘기를 단서로 삼아, 판을 읽고 전체적인 흐름을 잡아보려 안간힘을 썼다. 진료소 의사에게 자신의 동생행세를 한 일, 꿈속의 남자를 미행한 일, 지하실에서 깎고 있던 몽치……

현수는 그림의 마지막 조각 하나를 맞추지 못했다. 보육원 아이들에게 댐 견학을 시킨 이유. 그 부분을 제외하면, 샛문 앞에서 얻은 결론과 같았다. 오영제는 채무상환을 원한다. 자신은 오영제가 정한 방식으로 빚을 갚아야 한다. 사라진 서원의 운동화는 경고장이었다. 상환을 거부할 경우 일어날 일에 대한 '미리보기'였다. 상황을 지배하는 자가 누구인지 그에게 알려준 것이다. 현수가 야근을 자청한 건 그 때문이었다. 장소만큼은 자신이 정하고 싶었다. 서원과 은주로부터 조금이라도 떨어진 곳으로.

그는 지금 맨몸으로 홈 플레이트 앞에 버티고 있었다. 영제가 자신을 향해 슬라이딩해 오는 순간을 기다리는 중이었다. 어떻게 대응할 것인지에 대해선 결정하지 않았다. 그 순간이 오면 저절로 알게 되리라고 생각했다. 원칙만 하나 세워두었다. 둘이서 끝을 봐야 한다는 것. 서로 원하는 걸 교환하든가, 공멸의 길을 가든가.

현수는 몸을 움직거리다 나직하게 신음을 토했다. 왼다리 전체가 경련을 일으키는 느낌이었다. 다시 시계를 봤다. 11시 55분. 시간은 안개처럼 흐르고 있었다, 통증은 화염처럼 타오르는데. 셔츠주머니에서 진통제를 꺼내 입에 털어 넣었다. 의자에서 일어나 오른발에 하중을 두고 정수기 쪽으로 몸을 돌리는 순간, 그는 흠칫해서 동작을 멈췄다. 시야에 걸리는 것이 있었다. 서서히 고개를 돌려 확인했다. 쪽창 앞에 오영제가 서 있었다. 그는 진통제를 씹어서 침과 함께 넘기고 쪽창을 열었다. 영제가 먼저 말을 걸어왔다.

"괜찮습니까? 얼굴이 창백한데."

영제는 까마귀 꼴을 하고 있었다. 모자, 방풍재킷, 바지, 손에 든 비닐봉지까지 모조리 시커멨다. 그는 여짓대다 물었다.

"무슨 일입니까?"

"걱정이 돼서 왔습니다만."

"뭐가 말입니까?"

"별채 숲에 들어갔다가 덫에 발이 걸렸다면서요."

말과는 반대로, 영제의 시선은 지지대에 걸린 그의 왼손에 머물렀다.

"저녁때 부인에게 들었습니다만. 치료비가 꽤 들어갔다던데 저로서는 그냥 있을 수가 없지요. 어쨌든 책임자니까."

현수는 숨을 깊게 마셨다. 침착해야 했다.

"그래서 이 야밤에 책임을 지러 오셨단 말씀입니까?"

"그래서 이 야밤에 별채 숲에 들어가 봤다가, 이걸 발견했습니다만."

영제는 비닐봉지에서 서원의 농구화를 꺼냈다.

"사이즈로 봐서 팀장님 것은 아닌 것 같고. 혹시 아드님 게 아닌가, 해서."

짐작한 일이고, 대사였다. 그런데도 그는 명치로 훅이 들어온 듯한 느낌을 받았다.

"서원이 것 맞습니다."

그는 가까스로 목소리를 짜냈다.

"아. 그렇군요."

영제는 운동화를 창턱에 올려놓았다. 현수는 오른손을 책상모서리에 짚고 상대의 움직임을 지켜봤다.

"전화 한 통 쓸 수 있겠습니까?"

영제는 쪽창으로 바짝 붙어 섰다.

"숲에서 휴대전화를 잃었어요. 관리실에 연락을 해야겠는데."

현수는 시선을 내려 전화기를 봤다. 어떤 수작이든, 일단은 걸려들어 주겠다고 마음먹고 있었다. 밖으로 나오라면 나갈 것이고, 들어오겠다면 문을 열어줄 참이었다. 기회를 잡으려면 영제 가까이에 있어야 했다. '나는 네가 원하는 것을 준다, 너는 내가 원하는 것을 보장한다'라는 거래를 제안할 기회. 비록 왼쪽 손발이 무용지물이었지만 불가능하다고 여기진 않았다. 저쪽도 싸움꾼은 아닐 테니까. 그런데 전화를 쓰게 해달라니. 해결 전문가라도 불러들일 참인가. 설마 상대 코앞에서?

현수는 의구심과 경계심을 누르고 오른손으로 전화기를 집었다. 흐트러지는 몸의 중심을 오른발로 잡고 상체만 틀어 쪽창 바깥 턱에다 전화기를 내려놓았다. 영제는 전화기로 손을 뻗었다. 순간 누군가 왈칵, 등을 밀친 것처럼 그의 몸은 쪽창으로 기울어졌다. 무슨 일인지 알아차렸을 땐, 이미 오른다리가 허공으로 들리고 있었다. 쾅, 소리가 울리고, 코뼈가 박살나는 듯한 충격이 오고, 생각이 머리에서 사라졌다. 영제가 그의 손목을 기습적으로 움켜쥐고 줄다리기를 하듯 창밖으로 홱, 잡아당겼던 것이다.

현수는 고개를 뒤로 젖히고 팔을 안으로 당기면서 창문에서 떨어지려 했다. 반사적인 저항이었고 상대를 도와주는 방어행동이었다. 영제는 현수가 창문에서 고개를 들 때마다 팔을 잡아채듯 홱, 홱, 끌어당겼다. 저항으로 벌린 거리만큼의 충격이 이마와 코와 입술과 턱에 작렬했다. 포악하고도 난폭한 힘의 향연이었다. 그의 손목을 움켜쥔 영제의 손아귀는 악어의 턱처럼 강고했다. 그의 보호막이었던 스테인리스창틀과 강화유리창은 영제의 무기가 되었다. 순간순간 무너지는 그의 눈두덩을 찢고, 코를 박살내고, 입술을 짓이기고, 이빨을 부러뜨렸다. 고통이 시뻘겋게 쏟아졌다. 목구멍에 피 웅덩이가 고였다. 시야가 핏물에 덮여 흐릿해졌다. 현수는 저항을 멈췄다. 뺨을 창에 붙인 채 숨통에서 들끓는 핏물을 뱉어냈다. 그사이, 영제는 바지뒷주머니에서 몽치를 꺼내들었다. 현수가 그것을 봤을 때는 이미 늦었다. 몽치가 그의 손목을 내리 찍고 있었다. 한순간, 현수는 나무 몽치가 손목뼈에 쇠사슬처럼 착 감기는 느낌을 받았다. 그것이 근육을 결딴내고 뼈를 바수는 소리가 온몸으로 퍼졌다. 살갗을 뚫고 나가는 뼈끝의 무작스러운 감각이 팔뚝을 타고 흘렀다. 잠시 후, 손목 위에서 세상이 폭발했다. 그의 몸뚱어리는 불기둥이 되었다. 정신은 시커먼 늪으로 침몰하고 있었다. 그리고 정체모를 무력감이 사지를 엄습해왔다. 근력이 삽시에 빠져나갔다. 고통과 불길도 사라졌다.

현수는 내리감기는 눈꺼풀 틈으로 부러져 덜렁거리는 자신의 손목을 보았다. 팔뚝에 박힌 주사기를 보았다. 석양녘처럼 불그레한 시야가 둘로 쪼개지는 걸 보았다. 이어 넷으로, 곧 수도 없이. 마침내 세상은 가루가 돼서 무너져 내렸다. 정신을 잃기 직전, 그의 머리에 어떤 생각이 별똥별처럼 떠올랐다가, 어두워오는 의식을 가로지르며 사라졌다. 시야가 닫혔다.

밤이었다. 보름달이 떠 있었다. 지평선 너머에선 등대불이 명멸하고, 핏빛 파도가 일렁이는 수수벌판 위로 안개가 밀려왔다. 현수는 벌판 한가운데 서서 서원의 목소리를 들었다.

"아빠."

흑마술 같은 부름이었다. 목덜미를 꿰는 목소리였다. 이건 실제가 아니야, 하면서도 그는 우물로 끌려갔다. 밧줄 한 가닥이 우물 안으로 걸쳐져 있었다. 안쪽은 깊고 어두웠으나 또렷하게 볼 수 있었다. 밧줄에 매달린 건 서원이었다. 길쭉하고 가느다란 몸이 처마에 매달린 풍경처럼 빙글빙글 돌고 있었다. 꺼져가는 목소리가 우물 벽을 때렸다.

"아빠."

현수는 줄을 당기기 시작했다. 서원아, 아빠야. 아빠 여기 있어. 아이에게 말해주고 싶었지만 목소리가 나오지 않았다. 줄은 쑥쑥 딸려 올라왔다. 끝에 달린 것이 서원이 아니라 빈 두레박인 것처럼. 마침내 아이는 우물 가장자리까지 올라왔다. 그는 한쪽 팔을 뻗어 아이의 몸을 안았다. 차갑게 젖은 얼굴이 그의 뺨에 맞닿았다. 속삭임이 귓불을 간질였다.

"아빠."

목소리가 달랐다. 현수는 아이에게서 얼굴을 떼어냈다. 서원이 아니었다. 그 아이였다. 검은 구멍 같은 눈으로, 아이는 그를 응시했다. 피멍이 든 잇몸을 내보이며 생긋 웃었다. 가느다란 다리로 그의 허리를 휘감았다. 현수는 아이를 떼어버리려 몸부림쳤다. 아이는 그의 가슴에 올라타듯 들러붙어 우물 밖으로 몸을 들어 올렸다. 절박한 소리로 속삭여왔다.

"아빠."

"최현수."

누군가 그를 불렀다. 아이는 칼로 쳐낸 것처럼 그의 가슴에서 떨어져 나갔다. 그러나 곧장 현실로 들어오지는 못했다. 꿈에서 빠져나오는 여로가 길었다. 여틈한 잠이 곳곳에서 덜미를 잡았다. 그는 깜박깜박 졸았다.

"최현수. 눈떠."

목소리가 다시 현수를 깨웠다. 그는 잠을 떨쳐냈으나 눈은 뜰 수 없었다. 시럽처럼 찐득한 피막이 눈두덩을 덮고 있었다. 귓가에 윙, 하는 기계음만 와 닿았다. 이곳이 어디일까.

"눈뜨라니까."

등산화를 신은 발이 현수의 왼쪽발등을 내리찍듯 밟았다. 발등에 쇠말뚝이 박히는 기분이었다. 졸고 있던 통각들이 일거에 눈을 떴다. 난자당한 얼굴과 부서진 코와 부러진 손목이 성난 고함을 내질렀다. 고통의 격류가 그를 단숨에 각성시켰다.

"어때. 정신이 좀 드나?"

현수는 이를 물고 숨을 멈췄다. 피가 엉겨 붙은 눈을 끔벅이며 자신의 처지를 살폈다. 등받이가 긴 의자에 앉아 있다는 걸 맨 먼저 알아차렸다. 양팔은 등받이 뒤로 둘러 묶어놓았다. 몸통은 등받이에, 허벅지는 의자 바닥에, 양쪽 발목은 교차돼서 묶인 채 의자 밑에 늘어져 있었다. 이만하면 마술사라 해도 풀기 힘든 결박이었다. 그나저나 여기는 어디일까. 의자는 경비실 것이었으나 장소는 경비실이 아니었다.

"그새에 잊었을까 봐 알려주는 건데 나는 네놈이 목뼈를 틀어 죽인 여자애의 아빠야."

영제의 음성은 차분했다. 내 딸을 죽이다니. 좀 유감이야, 라고 말하는 듯한 어조였다.

"이건 모를까 봐 알려주는 건데, 네놈 손목 말이야. 내가 응급처치를 좀 했어. 압박붕대를 감아 지혈을 시켰다, 이 말씀이지. 내가 명색이 의사거든. 주로 이빨을 보기는 하지만."

현수는 오른손 끝을 움직거려보았다. 날카로운 통증이 팔뚝을 타고 달렸다. 비명이 목까지 올라왔다가 가까스로 멈췄다. 그는 앞니가 있던 자리를 혀끝으로 만져보았다. 허전했다. 나무가 모조리 뽑혀나간 민둥산 같았다. 그런데 뭘 어쨌다고. 부목을 대고 지혈을 해?

"놀기도 전에 파트너가 출혈로 가면 재미없으니까. 끝내주는 주말 밤인데, 안 그래?"

그랬다. 끝내주는 주말이었다. 죽기 좋은 밤이었다. 죽음이 두렵지도 않았다. 이미 각오한 바였다. 스스로 죽으나 빚쟁이 손에 죽으나 매한가지였다. 휴게소전망대에서 뛰어내리든, 몽치질에 죽사발이 돼 죽든, 방식에 신경 쓸 마음도 없었다. 다만 이 너절한 육신의 삶이 끝장나기 전에 반드시 해야 할 거래가 있었다. 지금으로 봐서는 순조로울 것 같지 않았다.

"얼굴 좀 들지."

영제가 말했다. 현수는 못 들은 척했다. 정신을 잃기 직전, 머리에 스쳤던 별똥별을 떠올리고 있었다. 무엇이었을까. 중요한 문제 같았는데.

"안 들리나? 뒤통수에 귓구멍을 내줄까."

현수는 머리를 들었다. 눈을 뜨고 주변을 둘러봤다. 영제는 두어 발짝 뒤로 물러섰다. 잘 보라고 배려하는 행동 같았다. 덕택에 잘 보고 상황을 이해할 수 있었다. 그가 있는 곳은 시스템통제실이었다. 오영제가 자신을 경비실 의자에 묶은 건 바퀴가 달려 있기 때문이었다. 110킬로그램이나 되는 고깃덩이를 운반하자면 휠체어가 필요했을 테니까. 경비실 책상서랍에서 캐비닛 열쇠를 집는 일은 손 달린 자라면 누구나 할 수 있었다. 캐비닛에서 마스터키를 골라내는 건 눈이 있으면 가능한 일이고, 마스터키와 보조키를 조합해 통제실을 여는 건 머리통만 있으면 얼마든지 할 수 있었다.

현수는 건너편 벽에 걸린 시계를 봤다. 1시 49분. 정체모를 약에 떨어진 사이 2시간 가까이 지나 있었다. 자신의 현재위치는 통제실 근무자

책상 앞이었다. 방 중앙에 있던 1인용 소파 하나와 테이블은 벽모서리로 밀려나고 그 자리에 CCTV가 끌려와 있었다. 영제는 하나 남겨둔 1인용 소파로 가서 다리를 꼬고 앉았다. 한 손에 CCTV 리모컨을, 한 손에 몽치를 들고. 채권자와 채무자가 서너 발짝 거리를 두고 직선으로 마주 앉은 셈이었다.

"곧 재미난 쇼를 보게 될 거야."

리모컨을 누르며 영제가 말했다. 현수는 등으로 내달리는 싸늘한 전율을 느꼈다. 자신의 손목을 끊어놓은 몽치보다 더 기분 나쁜 말이었다. 글이라고는 자기소개서밖에 써본 적이 없는 그였지만 '보다'와 '하다'의 차이 정도는 알고 있었다. '하다'라면, 영제의 상대는 자신이었다. '보다'라면, 대상과 무대가 따로 있다는 뜻이었다. 자신은 무대 밖의 관객이라는 의미였다. 어디서, 무슨 일이 벌어지는 것일까. 지금껏 읽었던 판은 실체가 아니라 그림자였던가.

모니터에 12개로 분할된 화면이 나타났다. 영제는 그중 하나를 골라 전체화면으로 확대시켰다. 희뿌연 안개만 보였다. 현수는 곁눈질로 통제실기계들을 살폈다. 수문 원격제어 감시반, 경보장치와 방호시스템, 위성장치…… 파란점멸등이 작동하고 있었다. 문제가 없는 상황이라는 의미였다. 혼란이 왔다. 왜 하필 통제실일까. CCTV를 보여주기 위해 이런 수고를 한 건 아닐 텐데.

가까스로 수수께끼 하나만 풀린 셈이었다. 보육원 아이들을 내세워 댐 견학을 한 건, 시스템통제실을 미리 둘러보기 위한 구실이었다. 문제는 다시 같은 형태의 질문에 봉착했다는 점이었다. '왜 통제실을 봤어야 하나.' 큰 상자를 열었더니 똑같은 모양의 작은 상자가 나온 꼴이었다. 현수는 사라지려는 의식을 붙들고 '왜?'에 집중하려 애썼다.

왜 관리단 통제실을 봐야 했을까. 통제실에서 뭔가를 하려고. 왜 통제실이라야 할까. 통제실에서만 가능한 일이라서. 통제실에서만 가능한 일은 뭘까. 제어였다. 수문. 경보장치. 방호시스템……

이들 제어장치 중에서 중대한 '결과'를 야기할 수 있는 힘을 가진 기계는 수문 원격제어 감시반뿐이었다. 현수는 다시 수문 원격제어 감시반으로 시선을 돌렸다. 여전히 푸른등이 깜박이고 있었다. 설마, 수문을 열 생각인가. 결과를 상상해봤다.

완전개방 시, 수문 하나의 방류량은 초당 500톤이었다. 다섯 개가 동시에 열린다면 초당 2,500톤. 이 무시무시한 괴물이 맨 먼저 쓸어버릴 것은 지류 비탈에 있는 댐 관리단 건물이었다. 이어 지류 양편에 있는 수목원, 저지대마을, 상가지구, 비닐하우스단지와 평야를 집어삼킬 터였다. 영제 입장에서 보면, 자기 목숨과 재산이 완벽하게 거덜 나는 장면이었다. 그것은 원수에 대한 복수라고 할 수 없었다. 자해라고 해야지.

수문을 닫을 작정이라면…… 세령호는 유입수량에 비해 용적량이 적은 댐이었다. 더하여 지난 2주 내내 비가 왔다. 계획홍수위가 되는 데는 그리 오래 걸리지 않을 것이다. 더 두면 수문 위로 넘칠 테고, 댐이 견뎌내지 못할 수도 있었다. 관리단에서야 철벽이라고 떠들지만, 무너지지 않는 벽이 세상에 어디 있단 말인가. 개방이든 폐쇄든 종착역은 같은 셈이었다. 시간의 차이만 있을 뿐.

그는 혼란에 빠졌다. 자신과 수문 사이에 무엇이 있나. 무엇이 있다고 전제하고 질문의 범위를 좁혔다. 오영제의 목적이 둘 중 하나라면 문제가 되는 부분은 무엇일까.

총사령관 격인 본부시스템이었다. 댐 수위에 이상 징후가 포착되면 즉시 간섭이 들어올 것이다. 그러나 명령체계와 반대로 제어권한은 현장통제실이 본부보다 우위에 있었다. 현장통제실보다 우선하는 건 수문옥상에 있는 수문수동개폐장치였고, 본부시스템의 간섭은 현장의 저항이 없어야 가능하다는 의미였다. 간섭 자체를 차단하려면 본부시스템의 의심을 받지 않는 범위 안에서 움직이던가, 간섭이 통하지 않을 상황을 만들어야 했다.

그는 수문조작으로 호수에 일어날 결과를 검토했다.

수문을 여는 경우, 순식간에 저수위가 된다. 수문을 닫는 경우, 몇 시간 내에 계획홍수위가 된다.

저수위, 계획홍수위. 퍼뜩 승환에게 들은 이야기가 생각났다. 상시만수위에는 수면 위에 30센티미터 높이로 떠 있고, 가물철 저수위에는 긴 능선이 드러나고, 계획홍수위에 달하면 수면 5미터 아래로 잠긴다는 옛 세령마을 뒷산, 한솔등. 가슴이 두근거렸다. 시커먼 먹구름이 생각의 흐름을 차단했다. 한솔등…… 그게 어쨌단 말인가. 현수는 눈을 얄따랗게 떠서 시야를 좁히고 CCTV화면을 봤다.

"기다려. 곧 무대조명이 들어올 테니까. 그전에 대답할 게 하나 있는데."

영제가 말했다.

"내 딸을 차로 쳤을 때 얘기야. 그때만 해도 그 아이는 살아 있었어. 살아 있었지만 다 죽은 거나 마찬가지였지. 가만 둬도 죽었을 텐데, 왜 굳이 죽였나?"

왜 죽였을까. 그 역시 알고 싶었다. 스스로 수백 번쯤 던진 질문이었다. 이제 영제에게 묻고 싶었다. 왜 죽였는지, 알려줘 봐. 네놈은 뭐든 알잖아. 그 좋은 머리로 답을 내보라고. 아니면, 보기라도 몇 개 내놓든가. 영제는 몽치를 들고 자리에서 일어났다.

"이유를 물었잖아."

몽치가 현수의 턱을 갈겼다. 이번엔 비명조차 나오지 않았다. 눈이 뒤통수 쪽으로 돌아가고 애면글면 쌓아올린 단서들이 한숨에 무너졌다. 턱 안에서 덜그럭거리는 소리가 났다. 조각난 턱뼈인지 부서진 이빨인지 모를 것이 뜨뜻한 액체와 섞여 식도로 흘러내렸다. 현수는 온몸을 후들후들 떨며 고개를 떨어뜨렸다. 벌어진 입술 새로 핏물이 토사물처럼 쏟아졌다. 바닥이 삽시에 진홍색으로 물들었다. 그 안에서 자신의 두 발만 하얗게 보였다. 하나는 맨발, 하나는 반 깁스를 댄 발. 신발을 왜 벗겼을까. 발목을 묶으려고? 성한 발에 뭘 신고 있었더라. 구두? 장화? 운동화?

먹구름 같던 의식 밑에서 불빛이 반짝거리기 시작했다. 내내 끌어내리고 기를 썼던 그 미약한 빛이었다. 현수는 잠시 턱의 통증을 잊었다. 아니 말끔하게 사라져버렸다. 대신 시퍼런 공포가 메뚜기 떼처럼 그를 덮쳐왔다. 심장이 맹렬한 펌프질을 시작했다. 의식을 잃기 직전, 그를 스쳐간 빛의 정체를 마침내 알아낸 것이었다. 서원의 농구화였다. 사라진 농구화는 영제의 경고장이 아니었다. 제물에 대한 암시였다. 자신을 통제실로 끌고 온 이유가 거기에 있었다. 수문을 닫으려고, 어떤 일이 일어나는지 보여주려고. 수위지표가 되는 그곳, 한솔등에서.

현수는 CCTV화면을 노려봤다. 어둑하고 흐릿하던 화면에 미세한 변화가 일고 있었다. 파광 같은 것이 희끗거리더니 화면 가장자리로부터 빛이 들어왔다. 이윽고 탐조등 빛이 안개의 벽을 가르며 화면을 밝히기 시작했다. 한솔등은 보이지 않았다. 투수마운드처럼 떠 있던 대지도, 대지를 뒤덮은 수풀도 완전히 사라졌다. 쌍둥이소나무만이 거기에 한솔등이 있었다고 말하고 있었다. 그는 초침처럼 움직이는 탐조등 빛을 시선으로 따라붙었다. 섬광은 넓게 퍼진 소나무 가지들을 지나 나무둥치를 비췄다. 둥치에 몸을 묶인 사람의 형상을 비췄다. 겁에 질려 커다랗게 뜨인 눈과 입에 테이프를 두른 얼굴과 가슴팍까지 차오른 수면을 비췄다. 서원이었다.

현수는 눈자위가 터질 것처럼 부풀어 오르는 걸 느꼈다. 목의 힘줄이 툭툭 불거졌다. 피가 심장을 뚫고 솟구쳤다. 호수 한가운데에 갇힌 아들의 소리 없는 비명이 그의 숨통을 갈랐다. 아들이 겪고 있을 공포의 시퍼런 이빨이 그의 몸을 갈기갈기 찢었다.

"왜 죽였나?"

영제는 어느새 소파로 돌아가 앉아 있었다. 현수는 수위 표시창을 찾았다. 아아, 그것은 통제실 바깥방에 있었다. 수위를 알려줄 통제실 내부 화면은 그의 시야에서 너무 멀리 있었다. 그는 다시 CCTV를 노려봤다. 악문 잇새로 신음이 흘렀다. 눈앞에, 그러나 손쓸 수 없는 자리에 서원이 제물로 놓여 있는데 자신은 통제실에 묶여 CCTV화면을 노려보고, 영제는 살인의 이유를 묻고 있었다. 안승환, 너는 도대체 어디에 있는 것이냐.

탐조등 빛이 화면에서 사라졌다. 서원의 모습 위로 안개가 덮였다. 현수는 자신도 모르게 손을 뻗으려다 온몸이 묶여 있다는 걸 깨달았다. 비명 같은 숨결이 목 안에서 요동쳤다. 눈자위에 차오르던 뜨거운 것이 목 안으로 내려왔다. 이것은 여앙이었다. 그러나 단죄는 죄를 저지른 자에게 해야 하는 것이다. 그 시간에 제 방에서 자고 있었을 죄인의 아들이 아니고.

"아이를 풀어줘. 그러면 다 얘기할 수 있어."

현수는 말했다. 또박또박 말하려 했지만 어쩔 수 없는 흐느낌이 묻어나왔다.

"얘기한 다음 자살처럼 죽어줄 수 있어. 하라는 대로, 원하는 대로 뭐든 할 수 있어."

영제는 배시시 웃었다.

"당연히 그래야지. 근데 순서가 약간 틀렸어. 넌 네 아들이 어떻게 죽어 가는지 네 눈으로 지켜보면서, 내 딸이 네놈 손아귀에서 어떻게 죽어 갔는지 얘기하는 거야. 나는 말이지, 네 얘기를 다 듣고 화면으로 저 호수가 네 아들을 접수했는지 확인한 뒤에, 수문을 열어 서서히 물을 방류시킬 생각이야. 본부시스템의 도움은 기대하지 않는 게 좋아. 걔네들이 간섭을 시작할 때까지 버티기엔 네 아들 앉은키가 한참 작거든. 방류가 끝나면 나는 배를 타고 한솔등으로 들어가 네 아들 시신을 건져줄 예정이지. 네 차에 태워줄 마음이고. 물론 네 마누라도. 가족을 생이별시키는 건 너무 잔인한 일이잖아."

거대한 너울이 현수를 물마루로 들어 올렸다가 팽개쳤다. 은주를 잊고 있었다.

"넌 가족을 차에 태우고 호수를 향해 전속력으로 돌진하게 될 거야. 죄책감에 못 이겨 범행을 자백하고 가족과 동반 자살한 살인범. 눈물겹게 인간적인 얘기 아닌가?"

영제는 재킷주머니에서 녹음기를 꺼내 보였다.

"어때, 내 계획이 마음에 드나."

여파로 들이닥친 파도가 현수를 흔들고 내리눌렀다. 분노와 절망이 그를 바닥없는 암연으로 끌어내렸다. 그는 숨을 쉬어보려고 발버둥 쳤다. 냉정을 찾으려고 까무러지는 자기 자신과 필사적으로 싸웠다.

"얘기 시작해."

영제가 말했다. 현수는 미친 듯이 기억을 더듬었다. 학기 초 서원의 키는 158센티미터였다. 앉은키는 얼마나 될까. 77센티미터? 78? 80? 물은 지금 어디까지 찼을까. 수위표시창만 볼 수 있어도 부엉이 셈이나마 나 해볼 텐데.

"시작하라는 말 안 들리나?"

영제는 몽치를 들어 보였다.

"따귀 한 대 더 맞고 할 생각인가?"

현수는 고개를 들어 CCTV화면을 봤다. 탐조등이 다시 CCTV화면 속으로 들어오는 중이었다. 사위는 좀 전보다 더 희뿌옇고, 서원의 모습은 좀 전보다 흐릿했다. 그러나 좀 전과 다른 것을 볼 수 있었다. 아이는 겁에 질려 있었지만 아직 정신을 붙잡고 있었다. 눈을 크게 뜨고 고개를 빳빳이 세워 호수를 두리번거리고 있었다. 더하여 그는 서원의 머리 뒤에서 반짝이는 주홍빛 눈동자를 보았다. 뾰족한 귀, 부엉이처럼 웅크리고 앉은 몸, 몸 옆으로 늘어뜨린 긴 꼬리. 그의 판단이 맞는다면, 그것은 매일 오후, 서원을 목장 축사로 불러들이던 어니라는 고양이였다.

"최현수."

딱딱하게 굳은 오영제의 목소리가 들려왔다. 그는 뺨 가장자리로 몰려드는 냉기를 느꼈다. 불빛이 화면을 지나는 동안 빠른 속도로 분노가 식었다. 화면이 다시 부연 상태로 들어가자 간절히 바라던 냉정이 찾아들었다. 경기장으로 들어갈 마음이 났다. 시간을 끌어 얻을 건 아무것도 없는 것이다. 오영제의 비위를 틀어지게 해서도 곤란했다. 이야기를 해야했다. 그래야 기회를 잡을 수 있을 테니까.

"모든 게 나빴지."

현수는 입을 열었다. 뒤통수를 등받이에 기대고 시선을 CCTV화면에서 영제의 얼굴로 옮겼다. 당분간 모니터를 보지 않을 생각이었다. 승환의 도움을 기대할 수는 없었다. 둘 중 하나일 테니까. 어딘가에 갇혀 있거나, 그러지 않기를 간절히 바랐지만, 죽었거나. 상황을 끝낼 사람은 자신뿐이었다. 냉정해야 가능한 일이었다. 서원을 보면 그것이 불가능했다.

"안개가 너무 짙었어. 나는 길을 잃었고, 술도 한잔했고, 졸렸고, 빗길은 미끄러웠지."

영제는 의자에 깊숙하게 몸을 묻고 앉았다. 현수는 의자 등받이 뒤에 묶인 오른손 검지를 구부려봤다. 손끝에 힘이 닿지 않았다. 그러면서도 눈이 튀어나올 만큼 아팠다. 와중에 그는 지금껏 의식하지 못했던 사실 하나를 깨달았다. 왼손이 부러진 오른쪽 손목 밑을 지지하고 있었다. 언제부터 움직였던 것일까. 어쨌거나 좋았다. 중요한 건, 용팔이가 등 뒤에서 잠시 주무신다는 사실이었다. 등 뒤에 있는 놈이 깨어나기 전에 눈앞에 있는 놈을 재워야 했다.

"커브가 있었어. 악몽 같은 각도였지. 커브를 돌자마자 차가 미끄러지기 시작하는데 제대로 핸들링을 할 수가 없었어. 그때 안개 속에서 그 아이가 튀어나온 거야. 유령처럼 흰옷을 입은 아이가 내 차를 향해 휙 날아왔다고."

영제는 다리를 바꿔 꼬았다. 팔걸이에 팔꿈치를 괴고 손으로 턱을 받쳤다.

"브레이크를 밟았지만 한참 늦었어."

현수는 왼손으로 책상 가장자리를 더듬어 잡았다.

"사람이 차에 받히는 장면을 본 적 있나?"

영제는 눈을 치뜬 채 꼼짝하지 않았다. 물론 대답도 하지 않았다. 눈자위만 석양처럼 빨개지고 있었다.

"난 처음으로 그걸 봤어. 차를 끌어안듯이 팔을 벌리면서 보닛에 들러붙었어. 물에 젖은 수건처럼. 물론 아주 잠깐이었지. 1초도 안 되는 짧은 순간. 나는 아이가 유리창에 얼굴을 내찍는 걸 멍하니 지켜봤어. 그 반동으로 차에서 튕겨나가 도로에 떨어지는 모습까지. 물보라가 뿌옇게 일어나고, 안개는 눈보라처럼 소용돌이치고, 아이는 그 안에 누워 움직이지 않았지. 머리가 수박처럼 으깨져서……"

현수는 최대한 자극적인 묘사를 택했다. 영제의 표정을 살펴가며 묶인 엉덩이를 등받이 쪽으로 조금씩 밀어붙였다. 허벅지 위로 감긴 밧줄이 줄톱처럼 살을 파고들었다. 부상부위의 통증은 맹수처럼 그의 몸을 물어뜯고 있었다.

"나는 아이가 죽은 줄로만 알았어. 무서웠어. 처음엔 사람을 치어 죽였다는 것이, 다음엔 내가 받아야 할 대가가. 앞으로 잃어버릴 것들이. 난 음주운전으로 면허정지상태인 데다 또 술을 마신 참이었으니까. 차에서 내려 아이에게 가는 동안, 내 아들과 아내와 직장과 어렵사리 장만한 집과……"

현수는 6년 전, 홈 플레이트를 몸으로 막고 서 있던 순간을 떠올렸다. 슬라이딩해오는 주자를 기다리던 순간을. 자신과 영제의 거리는 2미터 남짓이었다. 얼굴의 위치는 자신 쪽이 한참 높았다.

"호수에다 던져버리고 도망칠 작정으로 아이 쪽으로 손을 뻗는데……"

끈끈하게 굳은 피가 속눈썹에 자꾸 엉겼다. 시야에는 불그레한 얼룩이 어른거렸다. 현수는 응괴가 떨어지도록 힘주어 눈꺼풀을 깜박거렸다. 과녁이 안 보여서는 곤란했다. 기회는 단 한 번이었다. 영제가 흥분하는 한 순간.

"갑자기 아이가 눈을 떴어. 공포에 질린 눈으로 내 눈을 들여다보며 속삭였지."

영제는 턱을 괴고 있던 손을 내려 팔걸이 위에 놓았다. 현수는 속눈썹의 피 응괴를 가까스로 떼어냈다. 시야가 한결 나아졌다. 영제의 눈을 읽을 수 있을 만큼. 그 눈은 '아이가 뭐라고 했나?'라고 묻고 있었다.

"그건 나한테 한 말이 아니었어. 나를 당신인 줄로 알고 한 말이었지."

현수는 왼쪽 손바닥을 책상모서리에 단단하게 붙였다. 엉덩이를 등받이로 바짝 밀었다.

"그토록 무서운 말은 내 평생 들어본 적이 없었어."

영제는 꼬고 있던 다리를 내려놓았다. 두 손을 다 팔걸이 위에 놓았다.

"지난 2주 동안 수백 번쯤 그 말을 들었지. 잠들면 꿈속에서. 깨어나면 환청으로."

"뭐라고 했나?"

마침내 영제가 물어왔다. 현수는 입을 다물었다. 침묵이 흘러갔다.

"뭐라고 했느냔 말이야."

"뭐라고 했을 것 같나?"

영제의 눈두덩이 씰룩씰룩 경련하며 벌어졌다. 시커먼 눈알이 금방이라도 튀어나올 것처럼 보였다. 현수는 입술을 거의 열지 않고 중얼거렸다. '이리 튀어나와, 개자식아.'

"뭐라고?"

영제는 양손으로 소파 팔걸이를 잡고 일어날 것처럼 엉덩이를 들며 현수를 향해 얼굴을 내밀었다. 지금이었다.

현수는 온 힘을 다해 책상을 뒤로 밀면서 영제를 향해 미끄러져갔다. 의자바퀴는 돌거나 방향을 바꾸지 않았다. 직선으로 영제의 얼굴을 향해 돌진했다. 영제는 권투선수처럼 가드를 올렸지만 반 박자 늦었다. 현수는 이마로 영제의 눈두덩 사이를 찍어버렸다. 그의 이마는 완벽한 아치모양을 그렸고, 중앙이 구면처럼 튀어나와 있었으며, 바위만큼 단단했다. 달려간 가속의 힘과, 체중까지 실린 한 방이었다. 영제는 입 한 번 벌려보지 못하고 소파와 함께 뒤로 넘어갔다. 현수는 묶인 발목을 들어 올려 쓰러진 소파를 힘껏 내찼다. 소파의 무게가 반동의 힘을 붙여주었다. 의자는 다시 책상 앞으로 돌아왔다. 책상을 등졌던 좀 전의 자세 그대로.

이제 손을 풀어야 했다. 그는 뒷손질로 책상서랍을 당겼다. 잠겨 있었다. 책상 가장자리를 손으로 잡고 옆 책상으로 옮겨갔다. 마찬가지였다. 열려 있는 건, 수문 제어장치 옆에 있는 맨 끝 책상이었다. 왼손을 한껏 뻗어 서랍 안을 더듬었다. 볼펜, 자, 계산기…… 커터 칼이 잡혔다. 그는 밧줄을 자르고 몇 시간 동안 묶여 있던 의자에서 벗어났다.

영제는 소파에 등을 걸친 채 반대편 벽 밑에 널브러져 있었다. 죽은 것처럼 숨도 쉬지 않았다. 현수는 감각이 사라진 다리를 질질 끌고 CCTV 앞으로 갔다. 탐조등 빛이 화면을 가르고 있었다. 왼편에서 오른편으로 서서히. 이윽고 쌍둥이소나무에 닿았다. 서원의 목과 얼굴만 보였다. 안개가 목 아래를 가리고 있었지만 고개를 쭉 뺀 모습으로 미루어 어깨까지 잠겼다는 걸 짐작할 수 있었다. 그는 몸속 태엽이 탁, 하고 부러지는 소리를 들었다. 세상이 완전히 정지하는 순간이었다.

그는 수문 원격제어 감시반 앞으로 몸을 날렸다. 기계 앞에 서자 어둠 같은 막막함이 그를 막아섰다. 그는 버튼조작법을 몰랐다. 통제실에 드나들 일이 몇 번 있었지만 돌쇠처럼 생긴 이 기계에는 신경을 써본 적이 없었다. 그는 터져 나오는 비명을 다잡으며 작동버튼을 훑어보았다. 버튼개수가 그리 많지 않았다. 마스터버튼 밑으로 ON/OFF 단추, 그 아래로 각 수문을 작동시키는 금속꼭지와 ON/OFF 버튼이 일렬로 달려 있었다. 꼭지를 올리면 ON, 내리면 OFF. 꼭지 밑으로 다시 다섯 개의 명령버튼이 있었다.

Raise, Lower, Stop, EMG/Stop. LT

명령버튼 옆에는 숫자와 플러스마이너스 기호버튼이 붙어 있었다. 그는 1수문의 'Raise' 버튼을 누르고, 숫자와 플러스기호를 한 번씩 눌렀다. 숫자는 1에서 2로 바뀌었다. 숫자를 한 번 더 눌렀다. 3으로 올라가지 않았다. 다시 플러스기호를 누르자 비로소 3으로 바뀌었다. 방식을 알 것 같았다. 숫자 한 번당 플러스 기호 한 번이었다. 손이 빨라졌다. 그는 자기행동의 결과를 상상하지 않았다. 지금 그에게 필요한 건, 숫자버튼을 누르는 데 쓸 손가락 하나뿐이었다. 2수문을 열고 3수문을 열었다. 4수문, 5수문도 차례로. 1, 2분에 불과할 조작시간이 그에겐 수억 광년의 거리만큼 길었다. 수문 다섯 개를 여는 과정이 너무도 더뎌서 어린애처럼 발을 굴렀다.

조작이 끝나자 그는 CCTV 앞으로 돌아갔다. 격류가 몰아쳐야 할 수면은 고요하기만 했다. 조작이 잘못 됐나, 싶어서 가슴이 덜컥했다. 그는 수문화면을 줌인시켰다. 수문전용 서치라이트가 안개의 벽 안쪽에서 열리고 있는 수문을 비췄다. 다섯 개가 한꺼번에 올라가는 중이었다. 조작이 잘못된 게 아니었다. 수문이 잘못됐다. 폭포처럼 터져 나와야 할 물이 한 방울도 새어나오지 않았다. 이 경우 생각할 수 있는 상황은 하나뿐이었다. 스토퍼가 닫혀 있는 것이다.

감시반으로 되돌아가자마자 그는 광란상태에 빠져버렸다. 스토퍼 작동꼭지가 떨어져버리고 없었다. 이런 일을 미리 염두에 둔 것처럼, 영제는 통제실 안에서 스토퍼를 제어할 수 없게 만들어 놓은 것이었다. 당장 수문으로 가야 했다.

그는 몸을 날리듯 출입문으로 돌진하며 문손잡이로 손을 뻗었다. 그때, 왼편 귀 뒤로 몽치가 날아들었다. 그는 헛, 소리를 토하며 반사적으로 머리를 숙였다. 동시에 위성전송장치와 경보제어장치 사이에 있는 원기둥 뒤에서 피범벅이 된 얼굴이 튀어나왔다. 두 번째 몽치가 정수리를 노리고 날아왔다. 현수의 왼쪽 주먹은 영제의 명치 밑으로 들어갔다. 몽치는 현수의 귀를 스쳐 바닥으로 떨어졌다. 아마도 현수 쪽이 좀 빨랐을 것이다. 그렇지 않았다면 몽치가 그의 정수리를 박살냈을 테니까. 영제는 원기둥 밑에 고꾸라졌다.

현수는 바닥에 뒹구는 몽치를 주워들었다. 다시 일어난다면, 다시는 일어나지 못하도록 끝장을 내주리라. 영제는 움직이지 않았다. 몽치 끝으로 얼굴을 찔러도 죽은 것처럼 숨도 쉬지 않았다. 발로 몸을 밀자 오영제의 몸이 뒤집히며 바지에서 키 두 개가 떨어졌다. 마스터키와 눈에 익은 차 키. 자신의 마티즈 키였다. 그것이 왜 오영제의 주머니에 들어 있는지, 그는 생각하지 않았다. 수문옥상통로를 열려면 마스터키가 있어야 한다는 것과 다리가 불편해 끌고 나온 자신의 마티즈가 주차장에 있다는 것만 기억해냈다. 그는 키들을 주머니에 담고, 몽치를 쥔 채 통제실에서 나갔다.

오영제의 손길은 알뜰하고도 살뜰했다. 마티즈 앞바퀴 하나가 도끼에 맞은 것처럼 찢겨 있었다. 차 트렁크엔 있어야 할 스페어가 없었다. 있다 하여 어떻게 해볼 상황도 아니었다. 그는 짐승 같은 고함을 내질렀다. 배 속 창자들이 연쇄폭발을 일으키는 것 같았다. 어쩌란 말이냐, 이 개자식아.

관리단에서 수문까지 거리는 400미터가 넘었다. 그것도 가파른 오르막이었다. 그 길을 가는 동안 서원이 무사할 수 있을까.

그는 절룩거리며 뛰기 시작했다. 왼쪽 발가락들이 차례로 떨어져나가는 듯했다. 깨진 손목뼈가 허벅지를 칠 때마다 신음이 터졌다. 발바닥이 땅을 디딜 때마다 몽치에 얻어맞은 턱이 덜걱덜걱 빠지는 것 같았다. 숨은 빽빽하고, 시야는 점점 흐려지고, 의식은 피처럼 흘러나갔다. 지금 그를 움직이게 하는 건 다리도 아니고 정신도 아니었다. '발소리'였다. 서원을 거머쥐고 한솔등 아래로 끌고 가는 세령호의 발소리.

승환은 손가락을 꼼지락거리며 누워 있었다. 막 근력을 찾기 시작한 참이었다. 몸이 깨어났다, 혹은 약물의 영향권을 벗어났다, 와도 비슷한 말이다. 잠에서 깬 후로도 그는 쉽사리 제정신을 찾지 못했다. 고열이 날 때처럼, 맥락 없는 삽화들이 불쑥 나타나고 뒤섞이고 사라지길 반복했다. 심장은 쿵쾅쿵쾅 뛰는데 몸은 죽은 낙지처럼 늘어져 있었다.

서원은 어디에 있을까. 답은 자동으로 나왔다. 적어도 그와 함께 있지는 않다는 것.

팀장이 전화를 걸어왔을 때, 승환은 책상 앞에 앉아 있었다. 영화를 본다고 말했으나 그의 노트북엔 '세령호' 파일이 열려 있었다. 퇴근 무렵 일을 기록하던 중이었다. 팀장은 "서원이는" 하고 물었다. 서원은 깍지 낀 손을 가슴에 올려놓고 반듯하게 침대에 누워 있었다. 눈꺼풀 속에서 왔다 갔다 하는 눈동자의 움직임이 보였다. 깊이 잠든 기색이었다. "알았네" 하는 팀장의 목소리가 착 가라앉아 있었다. 작별인사처럼 쓸쓸한 어조였다. 전화는 그대로 끊겼다. 승환은 좀 전까지 써놓은 그날의 기록을 다시 읽었다.

해질녘, 서원이 수문에 나타났다. 축사에서 오는 길이라고 했다.

"어니는?"

내가 묻자 서원은 반달눈을 만들며 웃었다.

"다람쥐 쫓아갔어요. 집에 물고 오지 말라고 했는데 알아들은 것 같진 않아요."

어제 일이 생각나 나도 웃었다.

홀로 삶을 꾸려야 할 때, 고양이는 세 가지 방법을 조합하여 살아간다고 한다. 사냥, 쓰레기통 뒤지기, 친절한 사람들의 호의에 기대기. 어니는 세 번째 방법을 적극적으로 활용하는 녀석이었다. 서원이 먹이와 물을 축사로 가져다주는 정도에 만족하지 않았다. 밤이 되면 어김없이 창문 밑에 나타나 서원을 불러재꼈다. 창이 열려 있으면 창턱에 올라앉아 방충망을 긁었다. 서원은 슬그머니 창문을 열어 어니를 들여놓았다. 세령이 그랬듯, 서원도 제 엄마 몰래 제 침대에다 녀석을 재워주기 시작한 것이다. 새벽이 되면 어니는 침대 밑이나 옷장 위나, 서원의 다리 사이에서 기어 나와 거나한 기지개를 켠 뒤 숲으로 사라지고는 했다. 둘은 갓 연애를 시작한 청춘들 같았다.

어제 서원은 축사에 가지 못했다. 발을 다친 제 아빠에게 정신이 팔린 탓도 있었고, 호수 전체가 견학 팀의 방문으로 시끄러웠던 탓도 있었다. 퇴근을 해보니 은주는 가든파티를 감독하러 나가고 없었다. 팀장은 안방에서 잠들어 있었다. 서원은 제 방에서 숙제를 하고 있었다. 제복을 벗어 옷장에 걸고 돌아보니, 어니가 창턱에 앉아 있었다. 평소보다 좀 이른 등장이었다. 나는 방충망을 열어주었다. 녀석이 뭔가를 물고 왔다는 건 방 안에 연착륙한 후에야 알았다.

중닭만 한 멧비둘기였다. 멀쩡하게 살아 있는 놈이었으나 날개의 깃털이 어니의 발톱자국을 따라 홀떡 벗겨져 있었다. 멧비둘기는 날아서 내빼보겠다고 용을 썼지만 방 안을 벗어나지 못했다. 어쩌면 눈먼 새였는지도 모르겠다. 창문 쪽으로는 날 생각조차 하지 않았다. 깃 빠진 날개를 푸드덕거리고 비상과 불시착을 거듭하며 비좁은 방 안만 빙빙 돌았다. 서원은 붙잡아 날려 보내겠다는 일념으로, 침대 위로 몸을 던지고, 옷장을 들이받고, 방 안 물건들을 죄 쓰러뜨리며 멧비둘기 뒤를 쫓아다녔다. 소란에 놀란 팀장이 방문을 열고 얼굴을 내밀었다. 그 틈을 타 멧비둘기는 거실로 뛰었다. 난리는 집 안 전체로 확산됐다. 멧비둘기는 잔 깃털을 눈송이처럼 흩뿌리며 소파 위를 날았다. 서원은 팔을 뻗으며 멧비둘기를 따라 뛰었다. 나는 급한 김에 찾아든 서원의 잠자리채를 휘두르며 둘의 뒤를 쫓았다. 빨리 잡아서 내쫓지 않으면 집 안이 발칵 뒤집힐 판이었다. 소동의 원흉인 어니는 식탁에 엉덩이를 깔고 앉아 이 야단스러운 추격전을 따분한 표정으로 지켜봤다. 빨리빨리 쇼를 끝내고 자신의 선물을 칭찬해달라는 듯.

나는 추적을 멈췄다. 어니 때문이 아니라, 팀장 때문에. 신기한 장면이었다고 해도 그리 과장은 아닐 것이다. 방문 앞에 서 있던 팀장의 얼굴에 물결 같은 웃음이 퍼지고 있었다. 이어 쿡, 소리가 터졌다. 급기야는 방문에 등을 기대고 하하, 소리 내어 웃기 시작했다. 산적 같은 덩치를 가진 남자가, 수염이 시커멓게 자란 남자가 한순간, 서원으로 보였다. 나는 혼란스러웠다. 저렇게 웃는 남자가 어떻게 살인을 저질렀을까. 기다려달라는 말은 혹시, 다른 의미가 아니었을까. 살인을 저지른 게 아니라 함정에 빠졌으니, 그것을 증명할 시간을 달라든가······

"아빠 출근하셨을까요."

서원이 물었다. 나는 시계를 봤다. 5시 40분.

"글쎄. 지금쯤 출근하러 나오실 것도 같은데."

"그럼 저 여기서 기다려도 돼요? 아빠한테 아직도 열이 나는지, 물어보고 가게요. 아까까지도 게임을 하고 계셨는데, 걱정이에요."

"네가 같이 있어 드리지 그랬어."

"제가 곁에 있으니까 게임이 안 된다고 하시잖아요."

서원의 대답은 맥이 없었다.

"괜찮을 거야. 많이 아프면 엄마가 진료소에 모시고 갈 테고."

말해놓고 스스로 의심스러웠다. 은주가 들여다보기나 했을까. 아침식사 때도 부부는 상대의 얼굴 한 번 쳐다보지 않았다. 각자 생각에 빠져 있는 분위기였다.

"아저씨, 저 컵라면 먹고 싶어요."

서원이 호수를 내려다보며 말했다. 수면 위로 노을이 붉게 내려앉고 있었다.

"배고파?"

서원은 고개를 끄덕였다.

"여긴 없는데. 아저씨가 다 먹어버려서. 아빠한테 가서 달라고 하자. 거긴 몇 개 있을지도 몰라."

팀장은 컴퓨터 모니터 앞에 앉아 있었다. 얼굴이 말씀이 아니었다. 초췌한 안색에 눈자위는 불타는 것처럼 빨갛고 열에 뜬 표정은 유령처럼 몽롱해 보였다. 서원이 집에 가는 길에 들렀다고 하자, 팀장은 고개를 끄덕였다. 열이 내렸느냐고 물어도 고개만 끄덕였다. 저녁 드셨느냐는 물음에도 마찬가지였다. 서원이 "저 여기서 컵라면 먹고 가도 돼요?"라고 묻자 말없이 컵라면 용기에 뜨거운 물을 채웠다. 서원에게 젓가락을 쥐여준 다음엔 의자에 앉아서, 시선 한 번 떼지 않고, 먹는 모습을 지켜봤다. "잘 먹었습니다" 하는 서원의 인사에 빙그레 웃었다. 집에 가겠다고 일어나자 서원의 어깨를 두어 번 두들겼다. 말하는 법을 잊어버린 사람 같았다.

서원과 정문경비실을 나와 열 발짝쯤 걷다 나는 뒤를 돌아봤다. 팀장이 유리창에 얼굴을 댄 채 서원의 뒷모습을 응시하고 있었다. 거리가 좀 있었지만 분명하게 볼 수 있었다. 팀장의 눈에 어린 회한을, 불안한 삶의 끝에 서 있는 한 남자의 위태로움을, 울음이라고 표현해도 좋을 고통을.

나는 고개를 돌렸다. 조만간 그가 어떤 행동을 하게 될 것이라고 직감했다. 어쩌면 내일 아침에라도. 서원을 향한 눈빛이 그렇게 얘기하고 있었다.

승환은 이 모습 때문이었으리라고 생각했다. "알았네"라는 팀장의 말이 작별인사로 들린 건. 팀장이 할 수 있는 행동이 무엇, 무엇일까. 그는 노트에 적어봤다. 자수, 도피…… 자살은 아니라고 봤다. 자살할 사람이 '지켜야 할 공'을 얘기하지는 않을 것이라고. 기다려달라는 말은 '정리할 시간을 달라'와 같은 말이 아닐까. '자수'가 가장 정답에 가까워 보였다. 도피를 감행한다고 해도 그로선 말릴 도리가 없었다.

기다려달라고 한 이후로, 팀장은 그 얘기를 다시 꺼내지 않았다. 기다려주리라, 믿는 기색이었다. 승환도 묻지 않았다. 좀 더 구체적인 표식을 보고 싶긴 했으나, 어쩔 작정이냐고 다그칠 마음은 없었다.

팀장은 야근을 자청했다. 팀원들은 쉬라고 권했지만 말을 듣지 않았다. 집에서 잠들기가 무서우리라고, 승환은 짐작했다. 언제까지 게임을 하면서 밤을 샐 수도 없는 노릇이고. 야근 중이라면, 꿈속의 남자를 따라가더라도 변명할 여지가 생긴다. CC카메라에 찍힌 모습이 제복차림이면 순찰 중이었다고 둘러댈 수 있으므로. 야밤에 호수를 순찰하는 경비가 몇이나 되겠는가마는.

승환이 야근을 말릴 수 없었던 건 그 때문이었다. 오영제의 일거수일투족에 레이더를 세워두는 것 말고는 도울 방법도 없었다. 그는 오영제가 또 무슨 짓을 할지 못내 불안하고 걸렸다. 확증을 잡아 경찰에 넘기겠다는 의중인지, 팀장을 압박해 스스로 무너지게 만들겠다는 계획인지,

팀장에게 직접 빚을 받아낼 예정인지.

달그락, 소리가 승환을 생각에서 끌어냈다. 어니인가, 하고 창문을 돌아봤다. 커튼이 방충망을 타고 들어온 바람에 펄럭이고 있었다. 커튼모서리에 든 자석이 창틀을 치는 소리였던 것 같았다. 그는 다시 노트북 화면으로 시선을 돌렸다. 이번엔 현관 벨이 울렸다. 그는 의아해하며 일어났다. 이 시간에 올 사람이 없었다. 은주가 들렀다면 벨 대신 도어 록을 눌렀을 테고. 거실 도어폰 화면은 C-Com제복을 입은 남자 둘을 비추고 있었다. 뒤쪽으로 그들이 몰고 왔을 보안업체 차량이 경광등을 번쩍이며 서 있었다.

"무슨 일입니까."

승환이 묻자, 머리가 짧은 남자가 대꾸했다.

"경비실 아주머니가, 이 집 비상호출 벨이 자꾸 울린다고 해서 보러 왔습니다."

승환은 도어폰 호출버튼을 흘끔 쳐다보며 현관문을 열었다. 그런데 왜 집으로 먼저 연락을 해보지 않고 이 사람들을 불렀을까 생각했을 땐 이미 늦었다. 두 남자가 들이닥쳐 그를 신발장으로 밀어붙인 후였다. 그는 날카로운 것이 팔을 찔러오는 느낌을 받았다. 느낌과 함께 다리가 풀리고 혀가 마비되면서 정신을 잃었다.

깨어나 보니 양팔이 등 뒤로 꺾이고, 발목은 교차돼서 밧줄에 묶인 채로 자신의 집 지하실 계단 밑에 버려져 있었다. 건너편 벽, 사과박스만한 창문으로 비쳐드는 가로등 빛이 처지를 파악하도록 도와주었다. 사방에 눈에 익은 물건들이 쌓여 있었다. 그가 쓰던 구식 세탁기, 베란다에 있던 재떨이용 항아리, 고무호스다발, 플라스틱양동이, 계단참 아래 놓인 거실장식장 한 쌍. 팀장 가족이 이사하던 날, 은주의 명령으로 그가 옮겨둔

438

물건들이었다.

승환은 그들이 전문가일 거라고 판단했다. 자신이 지하실에 처박혀 있다는 걸 고려하면, 방문목적은 서원이겠지. 그들을 고용한 자가 누군지는 추측거리에도 속하지 않았다. 팀장이 자기 아들을 납치하라고 전문가를 보내지는 않았을 테니까. 나머지 이야기는 자동으로 완성됐다. C-Com은 세령수목원 보안업체였다. 그들이 C-Com 제복을 입은 건 누군가에게 의심사지 않고 접근하기 위해서였으리라. 그들이 말한 경비실 아줌마라든가.

승환은 마른침을 넘겼다. 모든 정황이 '강물이 바다를 향해 달린다'는 진리만큼이나 자명했다. 오영제가 채무수령 수순에 돌입한 것이다.

오영제가 원한 건 팀장 한 사람이 아니었다. 가족 전부였다. 팀장은 그걸 알고 있었을까. 승환은 미처 생각하지 못했다. 아니, 설마, 했을 수도 있겠다. 멀쩡한 인간은 아니라고 봤지만 일가족의 목숨을 대가로 받겠다고 나설 만큼 미쳤을 줄은 몰랐으니까.

서원은 어디에 있을까. 은주는. 둘이 함께 있을까. 일가족이 오영제 앞에 집합해 있을까.

승환은 번지는 낭패감을 애써 달랬다. 남이 주사 맞는 걸 구경하는 건 기분전환이 되는 일이었다. 그러나 자신이 남에게, 그것도 전문가에게 주사를 맞는 건 기분이 나쁜 일일 뿐 아니라, 죽든가, 죽기 직전의 상황에 몰렸다는 뜻이었다. 살아 있으며, 혼자 있다는 건 아직 기회가 있다는 의미였다. 왜 여태 죽지 않았는가는 나중에 생각할 문제였다. 지금은 일어날 시간이었다. 죽은 낙지 같은 다리로도 쓸 만한 일을 할 수 있는지, 시도할 시간. 몸을 돌려 반듯하게 누웠다가 윗몸 일으키기를 하듯, 등을 굴려서 일어나 앉았다. 허리가 시청건물만큼이나 뻣뻣했다.

그는 주변을 둘러봤다. 물건은 많았으나 밧줄을 끊을 만한 것은 보이지 않았다. 거울 같은 거라도 있으면 좋으련만. 천장은 높이가 2미터쯤 될 것 같았고, 창문은 천장 바로 밑에 있었다. 대보나 마나 머리가 닿지 않을 높이였다. 손발이 묶인 채로는 어떻게 해볼 수 없는 위치였다. 받침대가 필요했다. 계단참 밑에 놓인 거실 장식장이 가장 적절해 보였다. 은주가 가져온 것이었고, 거실이 좁아 놓기를 포기한 물건이었다. 그걸 옮기면서 묵직한 무게 때문에 고생했던 기억이 났다. 계단참에서 창문까지 거리도 꽤 됐지만 그로선 선택의 여지가 없었다.

승환은 엉덩이를 밀면서 계단참 아래로 움직였다. 가서 보니 고생길이 훤했다. 장식장 두 짝은 벽에 나란하고도 야무지게 붙여져 있었다. 기억대로 오라지게 무거웠다. 완전히 회복되지 않은 근력도 문제였다. 장식장 뒤로 발끝을 밀어 넣어 틈을 벌리고, 몸까지 들어가 앉는 데 족히 20분은 걸린 것 같았다. 몸은 시작도 하기 전에 땀투성이가 됐다. 그는 등을 벽에 붙인 뒤, 벽을 힘받이 삼아 묶인 양발로 장식장 뒷면을 밀기 시작했다. 온 힘을 다해 밀어도 30센티미터나 움직일까 말까 했다. 창문 밑에 도달했을 땐, 벌렁 드러눕고 싶은 심정이 됐다. 십 리쯤 되는 자갈길을 낮은 포복으로 이동한 기분이었다.

그는 장식장에 엉덩이를 걸치고 앉아 두 발을 위로 들어 올렸다. 등을 벽에 붙여 몸의 균형을 잡으면서 일어섰다. 창틀에 어깨가 닿고 뒤통수 정중앙에 유리창이 닿자 속으로 수를 셌다. 하나, 둘…… 셋에 뒤통수로 유리를 박치고 잽싸게 머리를 뗐다. 날카로운 파열음이 울리고, 유리조각들이 목덜미와 장식장 위로 쏟아져 내렸다. 그는 설 때와 같은 방식으로 쪼그려 앉아 장식장 위를 뒷손질로 더듬었다. 유리조각 하나가 손에 잡혔다.

빗줄은 금세 끊겼다. 나가는 문제도 어렵잖게 해결했다. 지하실 문이야 밖에서 잠겨 있었지만 창문이 열려 있었다. 그는 창틀을 창턱에서 떼어내고, 주변에 흩어져 있는 유리조각들을 걷어버리고, 창구멍을 무사통과해 지상에 발을 디뎠다. 화단에 선 채 베란다 안을 들여다봤다. 거실의 불은 꺼져 있고, 서원의 방문은 열려 있고, 방 안엔 스탠드의 파란 불만 켜져 있었다. 집 안엔 아무도 없는 듯했다. 주변은 기분 나쁠 정도로 고요했다. 별채에 사람이 없어 그런 듯도 했다. 팀장이 주말야근을 해주는 바람에 103호 동료들은 모조리 가족 품으로 날아갔다. 101호에 누군가 있다면 유리창 깨지는 소리에 득달같이 달려왔겠지.

그는 도어 록을 풀고 안으로 들어갔다. 현관에 서원의 흰 실내화가 그대로 남아 있었다. 농구화를 잃어버린 후 임시로 신고 다니는 신발이었다. 그는 실내화 옆에 놓인 자신의 등산화를 내려다보다가 거실로 올라섰다. 집 안 풍경은 평소와 다르지 않았다. 거실엔 발자국 하나 남지 않았다. 창문은 열려 있고 방충망은 닫혀 있었다. 침대 이불은 얌전하게 정리된 상태이고, 침대 밑엔 승환의 잠자리인 요가 깔려 있고, 노트북 화면엔 작업 중이던 페이지가 떠 있고, 노트북 옆엔 휴대전화가 놓여 있었다.

승환은 휴대전화를 집어 들었다. 지소에 신고부터 할 생각으로 폴더를 열다가, 동작을 멈췄다. 주변이 비정상적으로 고요했던 것이다. 지하실을 빠져나오면서부터 느낀 기이하고도 기분 나쁜 그 정적이었다. 잠시 꼼짝하지 않고 서서 주변소리에 귀를 기울였다. 창밖 풍경을 가린 안개 뒤에서 풀벌레가 울고 있었다. 바람에 들쑤셔진 나뭇가지들이 '쏴' 하는 소리를 냈다. 멀리서 개 짖는 소리도 들려왔다. 이것은 정적이 아니었다. 절대적인 소리가 빠진 상태에 가까웠다.

승환은 생각했다. 세령호 일대를 지배하는 소리가 무엇이었던가. 눈만 뜨면 귀로 덤비는 소리…… 물소리. 그랬다. 수문을 빠져나가는 물소리가 없었다. '물소리가 없다'는 '물이 흐르지 않는다'와 동의어였다. 이는 '수문이 닫혔다'와도 같은 의미였다.

세령호에 온 이래, 그는 수문이 닫히는 걸 본 적이 없었다. 주워듣기로, 마지막으로 댐 수문이 닫힌 건 가뭄이 극심했던 2년 전 8월이었다. 게다가 지난 2주 동안 내린 비로 세령호의 방류량은 점차 늘어가고 있었다. 그가 퇴근할 무렵에도 수문들은 전날보다 더 많이 열려 있었다. 그러므로 본부의 원격제어로 닫혔을 가능성은 낮았다. 누군가 닫았으리라. 관리단 직원이 아니면서 통제실에 들어갈 수 있는 사람, 혹은 들어가 본 적이 있는 사람. 그런데 왜?

댐 관리단 견학, 사라진 서원의 농구화. 승환은 일순, 충격에 빠졌다. 섬처럼 뚝 떨어져 있던 마지막 조각이 맞물리는 순간이었다. 왜 그랬을까. 왜 몰랐을까. 도처에 상황을 암시하는 단서들이 산재해 있었는데.

오영제의 목적은 가족을 모두 죽이는 데 있지 않았다. 그것은 과정을 마무리하는 단계일 뿐이었다. 본론은 팀장 부자였다. 세령이 당한 일을 서원에게 고스란히 돌려줄 예정인 것이다. 바로 제 아빠가 보는 앞에서.

승환의 맥은 정신없이 빨라졌다. 생각이 진행되지 않을 정도로 조급했다. 서원은 팀장의 손에 닿지 않으면서 팀장이 볼 수 있는 장소에 있는 것이다. CC카메라와 탐조등이 있는 곳, 수문을 닫으면 가장 영향을 크게 받는 곳, 한솔등이었다.

벽시계는 1시 30분을 가리켰다. 그가 정신을 잃었던 시점으로부터 2시간이 지나가버렸다. 그사이 물이 어느 정도 차오를까, 생각하자 턱밑에서 소름이 올라왔다. 계획홍수위까지 갈 것도 없었다. 오영제에게 필요한 건 상시만수위 더하기 1미터였다. 최근 강우량과 유입수량, 용적면적을 고려했을 때 이미 적색선을 넘겼을 공산이 컸다. 한솔등이 잠긴 건 오래전일 테고.

승환은 휴대전화를 움켜쥔 채 책상 위에 둔 헤드랜턴을 낚아채서 창문으로 뛰어내렸다. 담장 출입구를 향해 도킹하듯 몸을 날렸다. 방 안에 선 채 허비한 시간이 뼈아팠다. 늦지 않아야 할 텐데, 세령호가 서원을 삼켜버리기 전에 도착해야 할 텐데, 귀가 빠지도록 달려도 속도가 나지 않았다. 숲길은 찔꺽거렸고, 다리는 천근만근이었고, 심장은 폭발직전이었다. 한 발짝 디딜 때마다 서원과 죽음의 간격도 그만큼 좁혀지는 기분이었다. 서원을 덮치고 있을 어둠과 공포가 그의 숨을 죄었다. 제아무리 강심장을 타고난 아이라 해도 그걸 견뎌주길 기대하는 건 무리였다. 서원은 이제 겨우 열두 살이었다. 그가 기대할 수 있는 유일한 행운은 서원이 약에 취해 잠들어 있는 것이었다. 자신이 어디에 버려져 있는지 모르도록.

승환이 선착장 앞에 도착하기까지는 정확히 5분이 걸렸다. 그사이 한 번 휴대전화를 열었다가 시간만 확인하고 닫아버렸다. 신고는 나중에 해도 늦지 않았다.

그는 철조망 담을 넘었다. 취수탑 탐조등이 호수로부터 선착장 안쪽으로 서서히 상륙하는 중이었다. 덕택에 경사로 위로 차오른 수면을 볼 수 있었다. 부교는 이미 물에 잠겨 보이지 않았다. 짙은 안개 사이로 '조성호'의 형태만 흐릿하게 내다보였다. 호수는 미치도록 고요했다. 공황에 빠져 정신을 놓아버린 아이가 있다고 알려주는 것처럼.

탐조등 빛이 선착장 문을 지나 안길 쪽으로 빠져나갔다. 그는 휴대전화를 선착장 문 밑에 놔둔 뒤 경사로를 달려 내려갔다. 허벅지가 물에 잠기는 지점에 이르자 조성호가 있다고 짐작되는 방향으로 헤엄을 치기 시작했다. 헤매지 않고 곧장 조성호에 닿은 건 커다란 행운이었다. 서원이 무사하리라는 길조로 느껴졌다.

승환은 선실 쪽으로 올라선 뒤 헤드랜턴으로 선실문 유리창을 후려쳤다. 유리가 박살나자 손을 안으로 넣어 문에 걸린 걸쇠를 풀었다. 실내등을 켜고 사방을 살폈다. 한쪽 벽에 비상탈출용 고무보트가 비치된 유리케이스가 있었다. 서원을 데리고 나오려면 반드시 필요한 물건이었다.

그는 함께 비치된 파손용 손도끼로 유리를 깨서 고무보트를 꺼내고, 예인 밧줄을 보트 고리에 건 뒤, 호수 위로 던졌다. 보트가 수면 위에서 부풀자 담요와 손도끼를 그 위로 던졌다. 마지막으로 보트와 연결된 밧줄을 자신의 허리에 묶고 호수로 뛰어들었다. 한솔등이 있다고 짐작되는 방향으로 헤엄치기 시작했다.

하늘엔 별 한 조각 없었다. 호수는 어둠과 안개에 휩싸여 있었다. 헤드랜턴의 빛이 1미터도 가지 못할 만큼, 시계가 최악이었다. 그는 탐조등이 호수 위를 지날 때마다 동작을 멈추고 전방을 살펴야 했다. 한솔등은 좀체 눈에 들어오지 않았다. 보이느니 빙산처럼 커다란 벽을 만들며 떠다니는 안개뿐이었다. 벌써 쌍둥이소나무까지 잠겨버린 것인가. 절망감이 등을 누르던 순간, 그는 믿을 수 없는 소리를 들었다. 담벼락 같은 안개 뒤에서 들려온 소리였다. 구애를 하는 것처럼 격렬하고도 높게 목을 울리는 고양이 소리였다.

그는 소리를 따라 헤엄쳤다. 제대로 가고 있다는 느낌이 들었다. 고양이 소리가 갈수록 커지고 드세어지더니 마침내는 바로 코앞에서 들렸던 것이다. 그와 함께 한쪽 발이 땅에 닿았다. 탐조등은 호수를 돌아 그의 근처로 접근해오는 중이었다. 그는 곧 안개 뒤에 숨은 크고 둥글고 거무레한 형체를 볼 수 있었다. 소리는 그곳에서 들려오고 있었다.

"서원아."

그는 고무보트를 자신의 몸 앞으로 끌어당기면서 소리를 질렀다. 여기 있어, 하듯 탐조등 빛이 안개 뒤에 숨은 쌍둥이소나무를 들춰냈다. 나무 앞에 서원이 있었다. 물이 목 아래까지 차오른 상태였고, 입이 비닐테이프에 막혀 있었다. 몸은 나무둥치에 묶였을 터였다. 그런데도 서원은 정신을 잃지 않았다. 공황상태에 빠지지도 않았다. 물속에서 고개를 길게 빼고 눈을 반짝거리면서 다가오는 그를 지켜보고 있었다. 이 음산하고 어두운 죽음의 한복판에서, 제정신으로 공포를 견디고 있었다. 그는 목으로 솟구치는 묵직한 것을 애써 삼켰다. 잘했다, 참 잘했다.

서원의 등 뒤에 도사리고 앉은 존재는 어니였다. 밤을 지키는 부엉이처럼, 녀석은 쌍둥이소나무 가장귀에 올라앉아 끊임없이 목청을 울리는 걸로 그를 인도한 것이었다. 어니가 어쩌다 이곳에 와 있는지 그로선 짐작할 길이 없었다. 짐작할 여유도 없었다.

"서원아. 아직 움직이면 안 돼. 아저씨가 보트에 올려줄 때까지 가만히 있는 거야."

서원이 고개를 끄덕였다. 승환은 보트를 서원 앞에 대놓고, 빛이 서원을 향하도록 헤드랜턴을 보트바닥에 고정시킨 다음, 손도끼를 쥐고 나무둥치 아래로 쪼그려 앉았다. 물밑 30센티미터 지점에서 서원을 묶은 밧줄이 손에 잡혔다. 그는 못을 박듯, 손도끼로 밧줄을 툭툭 쳐서 잘라냈다. 줄은 겹겹으로, 단단하게 감겨 있었으나 복잡한 방식으로 매듭지어진 건 아니었다. 한 가닥을 자르자 미끄러지듯, 서원의 몸에서 떨어져나갔다.

그는 몸을 일으켰다. 숨을 한 번 몰아쉰 뒤 서원에게 손을 뻗었다. 서원의 몸은 뻣뻣하게 굳어 있었다. 사람이 아니라 통나무를 들어다 보트에 부려놓은 기분이었다. 그는 다리를 움츠리고 쓰러진 서원의 몸에 담요를 두른 뒤 테이프를 떼어냈다. 서원은 정신없이 몸을 떨면서도 그에게서 시선을 떼지 않았다. 떼기만 하면 승환이 사라져버릴 거라고 여기는 것처럼. 어니는 제 힘으로 보트에 내려와 있었다.

"이제 선착장으로 가자. 도착할 때까지 그대로 누워 있어야 해."

서원은 대답 대신 눈을 깜박였다. 그는 서원의 머리에 헤드랜턴을 씌웠다. 그리고 다시 헤엄치기 시작했다. 안개 속에서 가물대는 조성호선실의 불빛을 지표 삼아 쉼 없이 사지를 움직였다. 절반도 가지 않아 숨이 차올랐다. 금방이라도 가라앉을 것처럼 몸이 무거웠다. 조성호 부근에 다다를 무렵엔 어깨관절마저 제대로 돌아가지 않았다.

승환은 고무보트를 경사로 위까지 끌고 올라갔다. 이번에도 어니가 먼저 지상으로 뛰어올랐다. 서원은 몸을 가누지 못했다. 그가 옮겨놓은 자세 그대로 누워 턱을 덜그럭덜그럭 떨었다. 그는 서원을 들어 안고 문 쪽으로 달렸다. 문에 기대 앉히자, 담요에 싸인 가느다란 몸이 폭풍 속 어린나무처럼 뒤흔들리기 시작했다. 그는 서원을 안고 다독거렸다.

"고생했어, 우리 서원이, 잘 견뎠어."

서원은 고개를 끄덕였다. 그뿐이었다. 정상적으로 보여야 할 반응이 없었다. 울거나, 비명을 지르거나, 최소한 흐느끼기라도 해야 했다. 뒤늦은 쇼크가 온 것처럼 몸을 뻣뻣하게 굳히고 침묵했다. 승환은 갑갑했다. 어떤 식으로든 지금 터트려야 했다. 그러지 못한다면, 서원은 홀로 견딘 공포와 고통을 영원히 끌어안게 될지도 몰랐다. 세령호는 서원의 우물이 될 터였다. 제 아빠의 것보다 더 어둡고, 깊고, 힘센 우물.

"울고 싶으면 울어. 소리 내서 울어도 돼."

그는 서원의 등을 두들겼다. 서원은 마침내 입을 열었다.

"요사이 세령봉 쪽에 보이는 붉은 별이 목성이라고 하셨지요?"

"그래."

대답하며 승환은 서원을 봤다. 헤드랜턴 밑에서 북극성처럼 파랗고 차가운 눈이 그를 응시하고 있었다. 선뜩한 기운이 그의 뒷덜미를 스쳤다. 야밤에 홀로 호수에 갇혔던 아이가 어떻게 이런 눈을 할 수 있을까. 비정상을 넘어 불가사의에 가까웠다.

　"막 눈을 떴을 때, 목성이 보였어요."

　말해놓고 서원은 딸꾹질을 했다. 재채기를 하듯, 연달아 세 번. 와중에 이해할 수 없는 말을 토막토막 뱉어냈다.

　"처음엔 거기가 별채 숲인 줄 알았어요."

　"시곗바늘이 그 아이랑 같이 돌고요……"

　"저는 계속 술래만 했어요……."

　승환은 부지중에 하늘을 올려다봤다. 별 한 조각 없었다. 찐득하고 탁한 어둠만 개펄처럼 펼쳐져 있었다. 그는 서원의 말을 이해할 수도, 겁에 질린 아이의 헛소리로 넘길 수도 없었다. 한솔등에서 무슨 일이 있었던 걸까.

　그는 서원에게서 몸을 뗐다. 나중에 자세한 얘기를 할 기회가 있겠지. 지금 할 일은 경찰을 관리단 통제실로 출동시키는 것이었다. 문 밑을 더듬어 휴대전화를 꺼내고 지소번호를 눌렀다. 순경이 전화를 받았다. 그가 박 형사를 찾자 형사팀장이라는 사람이 전화를 받았다. 박 형사는 출장 중이라고 했다.

　"무슨 일입니까."

　승환은 곁눈질로 서원을 봤다. 담요에 파묻힌 채 발끝을 보고 있었으나 통화내용에 귀를 기울이고 있다는 걸 알 수 있었다. 그에겐 형사팀장만 알아듣게 설명할 재주가 없었다.

　"댐 보안팀장이 관리단 시스템통제실에 인질로 잡혀 있습니다."

저쪽에서 숨을 한 번 삼키는 소리가 났다.

"최현수 씨 말입니까? 누구한테 잡혀 있다는 겁니까."

승환은 대답하지 못했다. 공도교 쪽에서 느닷없는 굉음이 울렸던 것이다. 댐이 통째로 무너져내리는 듯한 무시무시한 소리였다. 땅을 뒤흔드는 요동이 잇따랐다. 선착장을 향해 있던 조성호 불빛은 1공도교 쪽으로 휙 돌아갔다. 탐조등 빛은 호수 위를 돌면서 소용돌이가 일어나는 수면을 비춰 보였다. 고요하게 잠들었던 호수가 돌연한 소용돌이를 형성하며 호수중심을 향해 쓸려 내려가고 있었다. 무서운 장면 하나가 그의 시야를 스쳐갔다. 가슴이 텅, 소리를 내며 내려앉았고, 자신도 알아들을 수 없는 외마디 비명을 터트렸다. 이를 기점으로 그의 머릿속은 아수라장이 돼버렸다.

승환은 휴대전화를 서원의 손에 쥐여주고, 담요로 감싼 서원을 선착장 문 밑으로 굴려 내보낸 뒤, 담장을 넘었다. 어디로 가야 할지는 담을 넘는 동안에 결론 나 있었다. 호수 밖으로는 나갈 수 없었다. 오영제보다 더 무서운 것, 무엇으로도 대항할 수 없는 것이 세상을 덮치고 있었다.

서원을 들쳐 업고 가파른 세령목장 길을 어떻게 올라갔는지, 그는 훗날까지도 기억하지 못했다. 오리나무 숲을 뒤흔들던 호수의 포효와 나무들 사이에서 하얗게 일렁이던 탐조등 빛과 등을 누르던 서원의 무게만이 오래오래 기억에 남았다.

축사 문을 열자 어둠 속에서 쾨쾨한 악취가 풍겨 나왔다. 어니는 벌써 축사마루 밑 제 보금자리 근처에 앉아 있었다. 승환은 서원을 그곳에 밀어 넣고 담요를 둘러주었다.

"아저씨, 금방 돌아올게."

서원은 고개를 끄덕였다.

"넌 어니랑 여기 있어야 해. 아저씨도 여기 함께 있고 싶지만……"

"아저씨는 아빠를 구하러 가야 해요."

서원이 나머지 말을 대신했다. 승환은 잠시 말문이 막혔다. 수문을 닫을 사람이 오영제라면, 수문을 열 사람은 팀장이었다. 통제실에서 원격제어로 열었다면 그가 할 수 있는 일은 없었다. 모든 것이 쓸려 가버린 후에 스토퍼를 내리는 일 말고는. 만약, 수문옥상에서 수동으로 열었다면……

"아저씨는 저와 어니도 구해주셨잖아요. 그렇지요?"

서원의 눈이 불안하게 흔들렸다. 아이는 확실한 답을 요구하고 있었다. 승환은 고개를 끄덕였다.

"아저씨가 올 때까지, 용감하게 견디고 있겠다고 약속하면."

"할 수 있어요."

대답하는 서원의 눈에 확신이 돌아와 있었다. 승환은 일어났다. 돌아보지 않고 축사를 빠져나왔다. 돌아보면 가지 못할 것 같았다. 막 죽음에서 빠져나온 소년을 축사에 홀로 두고 가는 건, 아이를 죽음 한복판에 묶어놓는 일만큼이나 잔인한 짓이었다. 어니가 없었다면, 서원이 보여준 저 불가사의한 용기가 아니었다면 갈 엄두도 못 냈을 것이다. 설령 호수 밖 세상이 흔적 없이 사라진다고 해도.

안길로 들어서면서, 승환은 서원을 잊었다. 탐조등이 호수 위를 지나고 있었다. 수십 개로 갈라진 물결이 머리를 쳐들고 댐으로 달리는 중이었다. 비탈이 있던 자리는 소용돌이가 집어삼켰고 부연 물보라가 철망담장 밖까지 솟구쳐 올랐다. 호수가 아니라 해일이 쳐들어오는 섬 기슭 같았다. 그 기나긴 길을 통과해 1공도교에 다다랐을 때, 그는 자신이 지옥의 입구에 도착했다는 걸 깨달았다.

댐 마루 아래 세상에는 아무것도 없었다. 관리단도, 저지대마을도, 상가거리의 가로등 하나도. 그가 볼 수 있었던 건, 암흑 밑에서 폭발하듯 솟구치는 수십 미터짜리 물기둥뿐이었다. 그 너머로 새하얀 포말이 버섯 구름처럼 피어오르고 있었다. 대지를 쪼개버리는 듯한 굉음이 천지간을 뒤흔들었다. 물기둥의 후폭풍은 공도교 위까지 휘몰아쳤고, 폭풍에 끌려온 물보라는 빗줄기가 되어 쏟아져 내렸다.

승환은 다리가 후들거리는 걸 느꼈다. 귀청이 먹먹하고, 힘이 풀리고 정신이 빠져나갔다. 가만히 선 채 만신창이가 된 기분이었다. 몇 초 되지 않을 짧은 시간에 갖가지 생각이 머리를 스쳐갔다. 모든 것이 끝장나버린 이 마당에, 팀장과 오영제와 댐 관리단과 마을주민과 마을까지 사라져버린 지금에 와서, 저 새하얀 나락으로 뛰어드는 게 무슨 의미가 있을까. 간들 뭘 할 수 있을까. 뭘 한다 한들 뭔 소용이 있을까. 슈퍼맨처럼 지구를 거꾸로 돌아서 시간을 되돌려 놓을 수 있는 것도 아닌데. 들어가기만 하면 영원히 빠져나올 수 없을 것 같은데.

답을 보내온 건 수문옥상에 설치된 탐조등이었다. 저 컴컴한 수문 아래에서 난리가 나든 말든, 제 궤도를 제 속도로 돌고 있는 백광이 여기까지 달려온 이유를 상기시켰다. 지금 당장 옥상으로 올라와 스토퍼를 내리라고.

그는 뛰기 시작했다. 앞만 보고 뛰었다. 그러다 공도교 중간쯤에 이르러 처음으로 뒤를 돌아보았다. 무언가가 자신을 스쳐갔다는 생각이 들었던 것이다. 시커먼 것, 잔뜩 웅크린 큰 짐승 같은 형체. 안개와 물보라 말고는 아무것도 보이지 않았다. 옥상출입문에 다다라서야 뒤늦게 알아차렸다. '무언가'가 자신을 스쳐간 것이 아니라, 자신이 '무언가'를 스쳐왔다는 걸. '무언가'는 사람이었다. 공도교 위에 쓰러져 있는 사람. 출입문에 꽂힌 마스터키는 그 사람이 팀장이라고 말하고 있었다. 뒤늦게 깨달은 것이 또 하나 있었다. 대피하라는 신고를 하지 않았던 것이다. 신고를 하려면 전화가 있는 수문경비실로 가야 했다.

그는 수문옥상으로 뛰어 올랐다. 신고할 시간을 스토퍼의 다운버튼을 누르는 데 썼다. 평소라면 윙, 하는 도르래 작동음이 울리고, 철컥거리는 쇠사슬의 마찰음이 들릴 터였다. 청각이 포화상태에 이른 지금은 아무것도 들을 수 없었다. 그는 수문과 스토퍼가 있는 감사랑으로 가서 아래쪽을 살폈다. 세령호의 스토퍼는 수문을 한 번에 차단시키는 일체형이었다. 그 묵직하고 큰 철문이 하강하고 있는지 확인하느라 등 뒤로 접근하는 자가 있다는 것도 몰랐다. 귀 뒤에서 희끗한 것이 번쩍였을 때에야, 반사적으로 몸을 숙이고 바닥으로 굴렀다. 허공을 가르는 휙, 소리가 정수리를 스쳐갔다.

승환은 옥상 복판까지 굴러간 뒤 머리를 들었다. 팀장은 도르래 스위치 앞으로 다가가고 있었다. 한쪽 어깨를 축 늘어뜨리고 한쪽 다리는 빗자루처럼 끌면서 한 발짝씩. 탐조등 빛에 드러난 몰골은 그사이 무슨 일이 있었는지 설명하고도 남았다. 얼굴은 핏물로 뒤덮였고, 눈과 코와 입은 형체를 알아볼 수 없을 만큼 부어올랐으며, 붕대가 감긴 오른손은 허벅지 밑에서 덜렁거렸다. 저녁까지도 쓰지 못하던 왼손으론 피 묻은 몽치를 쥐고 있었다.

"서원이 살아 있어요."

승환은 몸을 일으키며 소리 질렀다. 들릴 리가 없었다. 그의 외침은 물기둥이 폭발하는 소리, 스토퍼가 작동되는 소리, 숲이 통째로 무너지는 굉음에 흔적도 없이 묻혀버렸다.

"서원이 살아 있다고요."

팀장은 몽치 쥔 왼손을 도르래 스위치로 뻗었다. 승환은 팀장의 목을 노리고 몸을 날렸다. 서원이 무사하다는 걸 알려야 했다. 알리려면 팀장을 바닥에 눕혀야 했다. 눕혀 놓고 저 무시무시한 왼손을 잡아 눌러야만, 귀청에다 곧바로 소리를 우겨넣을 수 있을 터였다. 그러나 손이 팀장 목에 닿기도 전에 몽치가 먼저 그의 옆구리를 후려쳤다. 승환은 무너지듯 고꾸라졌다. 앞이 까매지고 숨이 막혔다. 상상을 초월하는 방망이질이었다. 150킬로미터짜리 속구를 받아칠 때나 나올 법한 배트스피드였다. 힘과 광기까지 실린 타격이었다. 다시 덤빌 의지를 꺾어버리는 무시무시한 일격이었다. 단발로 끝나지도 않았다. 그가 몸을 일으키자마자 몽치는 곧장 머리를 노리고 날아들었다.

승환은 슬라이딩을 하듯 바닥으로 몸을 날렸으나 완전히 피하지는 못했다. 몽치는 그의 귀빰을 스치고 지나가 쾅, 소리 나게 작동장치가 있는 벽을 때렸다. 입안에서 폭탄이 터지면 그런 느낌일까. 그는 자신의 두개골 반쪽이 바스스 흘러내리는 환영을 봤다. 팀장이 자신을 때려죽일 거라는 확신을 얻었다. 의식이 몽롱해질 만큼 끔찍한 격통 속에서 팀장이 내지르는 울음 같은 고함을 들었다. 흐릿한 시야에는 몽치를 주우려고 허리를 굽히는 팀장의 모습이 잡혔다. 몽치가 잘 보이지 않는지 손을 이리저리 움직여 바닥을 더듬고 있었다. 승환은 머리를 후들후들 떨며 일어섰다. 균형을 지탱하고 있는 팀장의 오른쪽다리를 향해 보디체크를 하듯 돌진했다. 그의 어깨가 다리를 들이받는 순간, 팀장의 거구가 무너지듯 엎어졌다. 승환은 그의 왼팔을 뒤로 꺾어 누르면서 등을 올라타고 앉았다. 팀장의 귀에 입술을 대고 고함을 내질렀다.

"서원이 살아 있어요."

팀장은 머리를 움찔하더니 바르작거리던 동작을 멈췄다. 마치 귓구멍에 송곳이라도 꽂힌 것처럼.

"서원이 살아 있다고요."

고개를 돌려 승환을 보는 팀장의 눈에 믿을 수 없다는 표정이 스쳐갔다.

"살아 있어요. 목소리 들려줄게요. 통화할 수 있어요."

팀장은 통통 부어오른 눈으로 승환의 표정을 보려고 애쓰는 기색이었다. 승환은 목소리를 누그러뜨렸다.

"내 말 믿어요. 서원이가 내 전화를 가지고 있어요."

팀장은 저항하지 않았으나 몸에서 힘을 빼지도 않았다. 승환은 죽을 힘을 다해 팀장을 팔을 꺾어 누르고 있었다. 똑딱똑딱, 시간이 흘러갔다. 먼저 힘을 뺀 쪽은 팀장이었다. 승환은 팀장의 팔을 놓고 일어났다.

"일어나요. 경비실로 가서 확인시켜줄 테니까."

승환은 팀장의 겨드랑이를 부축하고 옥상계단을 내려갔다. 팀장은 보이지 않는 주먹에 잽을 얻어맞는 것처럼 휘청거렸으나, 정신을 놓고 쓰러지지는 않았다. 계단 한 칸씩을 걸음마하듯, 차근차근 밟아 내려갔다. 빠져나가려는 의식을 필사적으로 붙잡고 있는 기색이었다. 마치, 무너져 내리기 직전의 탑을 보는 것 같았다.

마스터키는 옥상출입문에 꽂혀 있었다. 승환이 키를 빼서 공도교로 내려섰다. 스토퍼는 완전히 닫힌 모양이었다. 옥상을 내려오는 사이에 수문주변이 무섭도록 고요해져 있었다. 어딘가에서 희미한 사이렌소리만 들려오고 있었다.

승환은 경비실 안으로 들어가 전화기를 들었다. 팀장은 의자에 앉지 않았다. 문틀을 가로막고 문짝처럼 서 있었다. 팀장의 눈은 이렇게 말하고 있었다. 만약 이게 허튼수작이라면 넌 내 손에 죽는 거야. 그는 눈앞이 캄캄해오는 걸 느꼈다. 통화신호가 떨어지지 않았다. 재다이얼 버튼을 눌러봤지만 마찬가지였다. 전기도, 전화도 이미 불통상태였다.

승환은 곁눈질로 팀장을 봤다. 늘 휴대전화를 넣어두는 팀장의 셔츠주머니가 눈에 들어왔다. 그제야 휴대전화 생각이 났다.

"그거, 나한테 줘요."

승환은 셔츠주머니를 가리켰다. 팀장은 초점이 풀린 눈으로 그를 봤다.

"셔츠주머니 단추 풀고 핸드폰을 꺼내라고요."

팀장은 얼떨결에 셔츠주머니를 만지더니 승환을 쳐다봤다. 본인도 그것이 있었는지 전혀 몰랐던 듯한 표정이었다.

"이리 주세요. 빨리요."

팀장은 주머니를 열고 휴대전화를 꺼내 건넸다. 깨지지도 않았고, 배터리 용량도 충분히 남아 있었다. 승환은 폴더를 열었다. 서원은 신호 한 번에 바로 전화를 받았다.

"아빠예요?"

그가 뭐라고 대꾸하기도 전에 팀장이 전화를 낚아챘다. 수화기 너머에서 들려오는 "아저씨예요?"라는 말을 가만히 듣고 있더니 머뭇머뭇 입을 열었다.

"서원아."

서원의 목소리가 돌연 생기를 띠며 수화기 밖으로 튀었다.

"아빠!"

팀장의 몸은 마취총에 맞은 맹수처럼 무너져 내렸다.

"아빠."

팀장은 대답할 수 없었다. 이미 의식을 잃어버린 후였다.

무궁화 꽃이
피었습

6

그날 밤 나는 현실과 환상과 꿈이 중첩되는 동심원 안에 있었다. 동심원의 중심축은 취수탑 탐조등이었고, 내가 있는 지점은 한솔등 쌍둥이소나무 밑이었다. 의식을 찾은 순간부터 아저씨가 데리러온 순간까지, 변치 않은 두 가지다. 그 외 모든 것이 시시각각 바뀌었다. 주변풍경과 상황, 시간의 흐름마저도.

그곳에 버려지기 전의 일을 기억하고 있다. 나는 잠결에 이상한 기척을 들었고, 눈을 뜨자 제복남자들이 입을 막았고, 예방주사를 맞는 것처럼 팔이 따끔해오며 정신을 잃었다. 얼만지 모를 시간이 흐른 후, 나를 깨운 건 목소리였다.

"무궁화 꽃이 피었습니다."

희고 가느다란 종아리가 환영처럼 시야를 지나갔다. 통통, 튀는 맨발이 잔상으로 남았다. 그것이 잠의 자장으로부터 나를 한 손에 걸어 올렸다.

학교운동장만 한 원형공터를 키 큰 편백나무들이 에워싸고 있었다. 내 정면에는 높은 탑이 있고 꼭대기에선 탐조등이 돌았다. 광달거리가 긴 백광이 시계방향으로 움직이며 공터를 비춰준 덕분에 나는 주변풍경과 내 위치를 확인할 수가 있었다.

원형공터의 중심에 탑이 있었다. 탑 너머로 붉은 별이 보였다. 아저씨가 그걸 목성이라고 알려준 것이 생각났다. 편백나무로 둘러싸인 이 둥근 공터가 시계문자판형상이라는 것도 깨달았다. 탑은 바늘 축, 탐조등의 흰 빛은 초침이었으며, 붉은 별과 탑과 나는 일직선상에 앉아 있었다. 붉은 별이 12시 방향, 내가 6시 방향. 9시 방향에 북극성이 있었다. 3시 방향에선 이름 모를 별들이 차고 날카로운 빛을 뿌렸다. 하늘은 새벽대기처럼 푸르스름한 빛을 띠었고 까마득하게 높았다.

주변을 살피는 사이, 빛의 초침은 공터를 일주해 12시 방향에 닿았다. 그와 함께 무언가가 내 목덜미를 슬쩍 스치고 갔다. 바람처럼 가벼운 감촉이었다. 찰나적인 접촉이었다. 나는 환각이라고 생각했다. 그보다는 탑 너머에서 끊임없이 들려오는 소리에 더 신경이 쓰였다. 산울림처럼 맑고 높은 소리, 꿈결에 들려오던 여자아이의 목소리였다.

"무궁화 꽃이 피었습니다."

여기는 어디일까. 스스로 물어놓고 지레 움찔했다. 어쩐지 무시무시하고 불안한 느낌이 드는 질문이었다. 꿈속이야, 그 아이가 부르고 있잖아. 별채 숲 어디쯤일 거야, 내가 모르는 그 아이의 공간. 아닐 이유가 없다고, 마음이 우겼다. 기억이 제복을 입은 두 남자에게 잡혀왔다고 알려주고 있는데도. 오감이 이미 내 처지를 파악하고 있는데도.

둘로 갈라진 거대한 나무등치, 검게 젖은 채 산지사방으로 뻗쳐 있는 솔가지들, 내가 있는 곳은 한솔등 쌍둥이소나무 밑이었다. 입에 접착테이프를 두르고, 밑둥치에 몸을 묶인 채, 다리를 뻗고 주저앉아 있었다.

내 허벅지 위에선 작고 따뜻한 물체가 가르랑가르랑 목을 울리며 가쁜 숨을 쉬었다. 어니였다.

나는 여전히 혼란스러웠다. 현실이라면, 쌍둥이소나무가 있다면, 이곳은 호수 한복판이라야 했다. 편백나무로 둘러싸인 숲 속 공터가 아니라.

"무궁화 꽃이 피었습니다."

3시 방향에서 그 아이를 발견했다. 길게 휘어져 내린 나뭇가지 밑에 움직임 없이 서 있었다. 거리가 멀었으나 나는 그 아이의 모습을 선명하게 볼 수 있었다. 양어깨를 가린 검고 긴 머리칼, 뾰족한 턱과 나를 응시하는 검은 눈동자, 허벅지 옆으로 늘어뜨린 팔, 흰 팬티, 가느다란 다리와 땅을 딛고 있는 맨발. 늘 봐왔던 꿈속의 모습이었다. 얄팍한 안도감이 찾아들었다. 꿈이 맞구나.

초침이 그 아이를 지나 4시 방향으로 내려왔다. 그 아이의 모습은 그림자처럼 희미해지다가 마침내 어둠 속으로 묻혀버렸다.

"무궁화 꽃이 피었습니다."

어니가 몸을 꿈틀꿈틀 움직이기 시작했다. 다리를 뻗지르고, 입을 귀까지 찢으며 하품을 하고, 낑낑 앓는 소리를 냈다. 입속말로 녀석을 불러봤다. 어니. 눈떠. 일어나.

초침이 내 정면에 섰다. 어둠과 섬광이 뒤집히듯, 자리를 바꿨다. 나는 눈을 뜬 채로 섬광과 대면했다. 폭양 아래 드러누운 기분이었다. 빛에 눈면 채, 빛의 뒤안에서 울리는 발소리를 들어야 했다. 땅 위를 걷는 소리가 아니었다. 소금쟁이처럼 작고 가벼운 것이 물 위를 내달리는 듯한 소리였다. 퐁, 퐁, 퐁. 어니는 돌연하게 긴장해 몸을 세우며 일어났다.

"무궁화 꽃이 피었습니다."

어니는 내 어깨를 디딤판 삼아 나무 위로 뛰어 오르며 갓난애 울음 같은 소리를 냈다. 대상이 분명한 소리였다. 어둠 속의 목소리를 향한 '알은체'였다. 5시 방향에서 화답이 왔다.

"무궁화 꽃이 피었습니다."

초침은 9시 쪽으로 멀어졌다. 내 주변은 아귀 입속처럼 어두워졌다. 발소리는 이제 정면에서 들려오고 있었다. 나는 눈을 크게 떴으나 망막을 덮은 섬광의 잔상 외엔 아무것도 볼 수 없었다. 어니는 발톱으로 가장귀를 긁어 파며 격앙된 소리로 울었다.

초침이 12시 방향에 도착했다. 또다시 기묘한 감촉이 목덜미에 닿았다. 좀 전보다 더 밀착된 감도였고, 접촉부위도 넓었다. 목덜미로 흘러내리는 물방울은 이 감촉이 '실제'라고 말하고 있었다. 나뭇가지에서 이슬이 떨어졌다고 생각하고 싶었으나 몸이 먼저 알아차렸다. 물에 젖은 여자아이의 손이었다. 이번에도 네가 술래야, 라고 하듯 차갑고 축축한 손이 내 목덜미를 슬쩍 만지고 간 것이었다.

"무궁화 꽃이 피었습니다."

바람이 나뭇가지를 흔들며 머리 위로 흘러갔다. 찬 기운이 뺨으로 번지고 있었다. 불안이 배 속으로 엄습해왔다. 물방울의 감촉, 밤바람의 감촉, 대기의 맑은 감촉, 나뭇가지를 타고 다니며 흘리는 어니의 울음소리. 오감의 인식은 너무도 현실적이었다. 상황이 주는 정보는 너무나도 비현실적인데. 여기는 어디일까. 한솔등일까, 별채 숲일까. 제복남자들은 누구이며 어디에서 왔을까. 아저씨도 잡혀갔을까. 아빠는 내가 그들에게 잡혀왔다는 걸 알고 있을까. 엄마는 아직 사택경비실에 있을까. 잠들 때까지 나타나지 않았던 어니는 어쩌다 내 곁에 와 있을까.

"무궁화 꽃이 피었습니다."

소녀의 모습이 3시 방향에서 잡혔다. 피자 한 조각만 한 빛의 파장 속에 딱 갇혀 있었다. 어쩐지 거리가 가까워진 느낌이었고 새로운 것을 볼수 있었다. 공터바닥 위로 물이 덮여 있었다. 소녀의 맨발 밑에는 물이랑이 일고 있었다. 길게 끌린 발자국 형태였다. 물위를 내달리다 빛에 발이걸려 멈춘 것처럼.

초침이 아이를 넘어 내가 있는 쪽으로 내려왔다. 나는 숲 속공터가 호수로 바뀌었다는 걸 알아차렸다. 눈앞에 보이는 탑은 실제 취수탑이었다. 붉은 별이 있던 자리엔 세령봉 능선이 거무레하게 드러나 있었다.

"무궁화 꽃이 피었습니다."

그 아이의 손이 다시 내 목덜미를 만졌다. 이번에도 네가 술래야. 새로운 혼란이 추가됐다. 내가 아는 '무궁화 꽃이 피었습니다'와 규칙이 달랐다. 술래인 나는 묶여 있는데, 그 아이는 보이지 않게 움직이며 '무궁화꽃이 피었습니다'를 열두 번 외치고, 초침이 12시에 설 때마다 내 목덜미를 만지는 걸로 이번에도 네가 졌다고 선언하고 있었다. 술래가 아무것도 할 수 없는 놀이라니. 이토록 일방적인 규칙에 대해선 들어본 바가없었다. 벌칙이 뭔지도 여태 모르고 있었다. 목덜미를 만지는 손 말고,진짜가 무엇인지.

"무궁화 꽃이 피었습니다."

나는 주변을 에워싼 편백나무들이 내 앞으로 쑥 다가와 있다는 걸 알아차렸다. 키가 더 커진 것도 같았다. 산등성과 취수탑 역시 이전보다 가까이 보였다. 초침의 움직임도 빨라진 듯했다. 일주 시간이 확연하게 짧았고 소녀를 찾아낼 시간도 줄어들었다. 이번엔 서 있는 동작마저도 볼수 없었다. 어딘가에서 퐁퐁퐁, 소리가 들려왔지만 방향조차 잡지 못했다. 어니는 하늘다람쥐처럼 나뭇가지 사이를 날아다녔다. 소리는 점점크고 거칠어졌다. 내 몸에는 소름이 오돌토돌, 돋았다. 등 밑에서 한기가 올라오고 있었다. 느낌이 아니라 실제 감각이었다. 그사이 물이 허리 위까지 올라와 있었던 것이다.

"무궁화 꽃이 피었습니다."

노래하듯 울리는 물방울 같은 목소리를, 나는 하릴없이 들어야 했다. 퐁퐁퐁, 뛰는 발소리는 내 감관을 교란하고 희롱하며 어둠 속을 뛰놀았다. 편백나무들은 점점 가까워지고, 쑥쑥 커졌다. 물이 차오르면 차오를수록 커지는 이상한 나무였다. 나는 어쩔 줄 모르고 두리번거리다가 4시 방향에서 무언가를 보았다. 잔광이 반사되는 수면 한 뼘 밑에, 검은 물체가 소용돌이치고 있었다. 수초다발이 암류에 걸린 것 같은 형상이었다. 어니는 그쪽으로 뻗어 있는 나뭇가지를 향해 몸을 날렸다. 때맞춰 초침이 그 부근에 이르렀다. 순간, 한기가 숨관을 막았다. 수초다발 속에서 둥글고 까만 눈이 나를 올려다보고 있었다.

"무궁화 꽃이 피었습니다."

새로운 판이 시작됐다. 풍경에 또 변화가 있었다. 나무들은 뒤로 물러났고, 키가 좀 전보다 줄었다. 허리까지 차올랐던 물은 엉덩이 밑에서 찰랑거렸다. 어니는 9시 방향을 향해 몸을 날렸다. 나는 물살을 가르며 움직이는 은밀한 기척을 느꼈다. 곧 물결 사이에 상어의 지느러미처럼 솟아 있는 하얀 이마를 볼 수 있었다. 수면 밑엔 한 쌍의 눈이 숨어 있었다. 빛의 초침이 점을 찍듯, 그곳을 비췄다.

초침이 12시에 섰다. 호수는 군데군데 물웅덩이가 고인 숲 속공터로 되돌아갔다. 나무들은 본래의 키를 찾았다. 취수탑 너머에서 목성이 붉게 빛났다.

비로소 게임의 룰을 알아차렸다. 그 아이에게 절대적으로 유리한 게임이었다. 어둠 속과 물속을 자유자재로 오가며 몸을 숨길 수 있고, 빛에 걸렸을 땐 가만히 서 있으면 되고, 내 눈에 걸려도 벌을 받지 않았다. 나는 초침이 일주를 끝내기 전에 오감을 동원해 그 아이의 움직임을 감지하고 찾아내야 했다. 찾아내면 초침이 우리를 비출 때까지 그 아이의 눈을 붙잡고 있어야 했다. 소녀가 내 목덜미를 만진 건 네가 술래야, 라는 뜻이 아니었다. 네가 졌어, 벌을 받아야지, 라는 뜻이었다. 나는 영원한 술래였다. 잡지 못하면 벌을 받고, 잡으면 벌을 면하는 불공평한 술래.

한 번씩 질 때마다, 한솥등은 한 뼘씩 가라앉았다. 그 자리로 물이 차오르고, 숲 속 공터가 호수로 바뀌고, 공터 크기가 줄어들고, 편백나무들은 점점 커지고, 그 아이의 목소리는 빨라지고, 초침이 덩달아 줄달음쳤다. 그 아이를 찾으면 한솥등이 올라오고, 올라온 만큼 물이 빠지고 땅이 드러나면서 숲 속 공터의 모습을 회복했다. 초침과 목소리도 본래 속도를 되찾았다. 게임을 거부하거나 포기했을 때 받을 최후의 벌은 자명하고 자명했다. 호수가 나를 집어삼키게 될 터였다.

"무궁화 꽃이 피었습니다."

정신 똑바로 차리라는 듯, 그 아이가 또랑또랑한 소리로 주문을 외웠다. 나는 세 번 이기고 세 번 졌다. 어니가 도왔다. 녀석이 그 아이가 있는 쪽으로 나뭇가지를 타고 움직이면 나는 어둔 눈을 더듬어 그 아이의 움직임을 잡아냈다.

"무궁화 꽃이 피었습니다."

무궁화 꽃은 끝도 없이 피고 졌다. 어느 순간부터 나는 숲 속 공터를 탈환하지 못하게 됐다. 수면은 내 허리를 경계점으로 오르락내리락했다. 그 아이는 흰 고래처럼 물 위로 치솟고, 허공을 활강하고, 물속으로 침몰했다. 어니는 지쳐 늘어졌다. 그 바람에 나는 내리 네 판을 졌다. 그 아이의 움직임이 너무 빨라 내 동체시력으로는 잡을 길이 없었다. 물이 어깨

위까지 차올랐다. 급속도로 추위가 덮쳐왔다. 턱이 덜그럭거리고, 귀가 먹먹하고, 시야가 몽롱해왔다. 호수는 우물 크기로 줄어들었다. 나무들은 커지고, 커지고, 커져서 하늘을 완전히 가려버렸다. 취수탑은 내 발치에 괴물처럼 버티고 있었다. 쌍둥이소나무는 나를 껴안고 끝없이 침강했다. 아저씨의 목소리가 들려온 건 내 의식마저 침몰하고 있을 때였다.

"서원아."

나는 소스라쳐서 깨어났다. 그 아이를 찾아 정신없이 두리번거렸다. 안개 말고는 아무것도 보이지 않았다. 그 아이도, 나를 에워싼 편백나무들도, 취수탑도, 빛의 초침도.

"서원아." 안개 밖에서 들려오는 건 틀림없는 아저씨의 목소리였다. 안개를 헤치며 나타난 이는 그 아이가 아니라 아저씨였다. 이것은 환영일까, 현실일까. 나는 눈을 크게 뜨고 고무보트를 밀며 다가오는 아저씨의 얼굴을 바라보았다.

그때부터 축사에 도착할 때까지의 기억은 아저씨의 소설과 일치한다.

나는 댐이 열렸으리라곤 상상조차 하지 못했다. 아저씨와 경찰의 통화 내용으로 상황을 짐작했을 뿐이다. 아빠가 제복남자들에게 잡혔구나. 엄마는…… 엄마는 어딘가에 나처럼 숨어 있을지 모른다고 기대했다. 아저씨가 엄마 얘기는 하지 않았으므로 일말의 희망을 가졌다. 또다시 언니와 둘만 남는다는 게 싫었지만 아저씨에게 매달리지 않았다. 아저씨가 가야 아빠를 구출할 테니까. 경찰은 아버지를 구해줄 것 같지 않았다. 그들이 아버지를 '씨발새끼'라고 불렀던 아침을, 나는 잊지 않고 있었다.

휴대전화를 열었다 닫은 게 몇 번이었던가. 어머니에게 문자를 보내고 싶었다. 그래도 될지, 판단이 서지 않았다. 만약 제복남자들에게 잡혀 있다면 내 위치를 알리는 꼴이 될 것 같았다. 결국 휴대전화를 닫고 어니를 끌어안았다. 어니는 내 가슴 밑에서 골골 소리를 내며 잠들었다. 녀석이 있어 나는 저체온증에 빠지지 않았다. 녀석과의 접촉감으로 두려움을 견뎠다. 아저씨가 아버지를 구출해올 것이라는 믿음으로 고통스러운 조바심을 다스렸다. 그 아이는 다시 나타나지 않았다. 만약, 축사에서까지 무궁화 꽃이 피었다면, 영원 같았던 그 기다림을 견디지 못했을 것이다.

휴대전화 벨이 울릴 무렵, 나는 선잠이 들어 있었다. 화면에 아버지의 전화번호가 뜬 걸 보고 상자 벽에 머리를 찍을 뻔했다. "서원아" 부르는 아버지의 목소리를 들었을 땐, 상자에서 뛰쳐나갈 뻔했다. 아저씨 혼자 축사에 나타나자 그만 울어버릴 뻔했다. 아버지가 함께 오지 않았다는 건 아버지에게 문제가 생겼다는 뜻이었다.

"괜찮니?"

아저씨가 마루 밑에서 나를 꺼내며 물었다. 나는 궁금한 것부터 물었다.

"아빠는요?"

"괜찮으실 거야."

"우리 아빠, 다쳤지요? 그래서 아저씨 혼자 오신 거예요. 그렇지요?"

나는 아저씨도 피를 흘리고 있다는 걸 깨닫지 못했다. 주변이 어두워서가 아니라 아저씨를 살필 여유가 없었다.

"그래. 지금 병원으로 가고 계실 거야."

"아빠한테 저를 데려다 주실 거지요? 지금 만나러 가는 거지요?"

"지금은 안 돼."

"왜요?"

나도 모르게 울음 섞인 목소리가 나왔다.

"지금은 너랑 나랑 같이 갈 데가 있어."

"엄마 만나러 가요?"

어떻게든 희망적인 답을 끌어내려고, 나는 안간힘을 썼다. 아저씨는 무정하게 고개를 저었다.

"엄마도 나중에."

나는 휴대전화를 불쑥 아저씨에게 내밀었다. 화가 났다. 아저씨는 전화를 받아들고 어렵사리 말을 이었다.

"곧 아빠를 만나게 될 거야. 아저씨가 약속해."

약속은 끝내 지켜지지 않았다. 친척집을 떠돌 때에는 나를 아버지에게 데려다 주는 사람이 없었다. 아저씨와 살기 시작할 무렵엔 아버지가 면회를 거부했다. 사형이 확정된 이후로 내 쪽에서도 만나기를 거부했다. "의왕에 한번 가자. 네가 가면 만나줄지도 모르는데"라고 아저씨가 말해도 들은 시늉조차 하지 않았다.

아버지의 목소리를 들은 건 그날 밤이 마지막이었다. 어니와는 작별 인사조차 제대로 나누지 못했다. 녀석은 감나무 가장귀에 앉아 경찰차에 타는 우리를 지켜보고 있었다. 거리가 멀었지만 녀석의 시선을 느끼고도 남았다. 나는 몇 번씩 뒤를 돌아봤으나 녀석은 끝내 가까이 오지 않았다. 어쩌면 경찰차 때문이었을지도 모르겠다.

이후 세령호에 가본 적이 없었다. 갈 기회도 없고, 갈 마음도 없고, 갈 수도 없었다. 저지대마을 사람들은 대피할 시간도 없이 잠든 새에 일을 당했다. 지소에서 출동하던 형사들까지 모두 죽었다. 나는 그 엄청난 일을 저지른 남자의 아들이었다. 잊고 싶어도 잊을 수 없는 사실이었다. 잊을 틈 없이 대가를 치르며 살아왔으므로. 그렇게라도 살 수 있었던 건, 나 역시 미쳐버린 남자의 희생양이라 여겼기 때문이다. 아저씨의 소설은 이 비루한 삶의 명분마저 앗아갔다. 꼼짝없이 받아들이게 만들었다. 내 삶이 그 많은 목숨과 바꾼 것이라는 진실을.

왜 그랬을까. 아저씨는 왜 이 이야기를 썼을까. 이 잔인한 진실을 내게 알려야 했던 이유가 뭘까. 그것도 미완성인 채로. 원고는 '승환의 장'에서 끝나버렸다. 맥락상 뒷장에 어머니의 이야기가 와야 했다.

나는 아저씨의 노트북을 켰다. 혹여 인쇄가 덜 된 것인가 해서, USB를 꽂고 '세령호' 파일을 확인했다. 그 역시 승환의 장에서 끝났다. '초고'라는 이름이 붙은 파일을 클릭하자 170쪽짜리 원고가 열렸다. 그 역시 같은 지점에서 끝났다. 표제를 붙인 빈 페이지가 마지막에 붙어 있다는 것만 달랐다.

강은주

의문들이 들뛰었다. 아저씨는 왜 마지막 장을 쓰지 않았는지. 오영제는 그 재앙을 어떻게 빠져나갔는지. 어머니는 누구에게 살해돼 강에 던져진 것인지.

취재수첩에는 취재원 목록이 적혀 있었다. 목록 밑에 붉은 줄이 있기도 하고, 짤막한 코멘트가 달려 있기도 했다. 어머니나 오영제의 행적에 단서가 될 만한 것은 없었다. 남은 건 문하영의 편지 두 통과 음성파일뿐이었다. 1번부터 45번까지 번호만 매겨져 있어 내용을 짐작할 길이 없는 파일이었다. 일련번호를 붙인 기준이 뭘까, 시간순차 배열일까, 취재원별 배열일까. 선뜻 녹취록을 열지 못하고 망설이다 문득, 깨달았다. 내가 아직도 아버지와의 대면을 두려워하고 있다는 걸.

2번 파일을 클릭했다. 1번이 아버지의 녹취록이었으므로 아버지의 목소리가 나오지 않을까, 했는데 아니었다. 귀에 익은 여자목소리가 나왔다.

"결혼생활은 그리 행복한 것 같지 않았어요. 세령호로 내려간 후로 특히 그랬나 봐요. 밤마다 제게 전화를 걸어달라는 문자를 보내곤 했어요. 괴로움을 토로하려는 순간에도 통화료가 아까워서 자기가 전화를 못 거는 거죠. 그게 우리 언니예요."

파일 세 개가 영주이모의 녹취록이었다. 대부분 소설에 들어 있는 내용이었고, 특별한 얘기는 나오지 않았다. 5번에는 수목원관리인 임 씨 할아버지의 진술이 들어 있었다.

"⋯⋯그날 안동으로 떠나면서 경비실에 들렀어요. 이상하게 그 여자가 마음에 걸려서. 평소에 말도 제대로 안 나눠봤는데 말이오. 그래서 일렀어요. 차단기 내리고, 순찰도 돌지 말고, 아는 사람 아니면 문 열어주지 말라고. 난리가 난 건 다음 날 뉴스 보고 알았소. 부랴부랴 돌아와 보니, 정말 아무것도 없습디다. 거긴 이제 죽은 마을이라오. 댐 관리는 팔영호에서 같이 한다더구먼. 살아남은 사람들은 보상금 몇 푼 받고 떠났고, 새로 건축을 할 수가 없는 구역이라 살고 싶어도 못 살지. 수목원은 흉물이 됐어요. 가시박덩굴이 그 넓은 숲을 다 덮어버렸으니까. 사람이 들어가려면 낫을 들고 쳐내야 할 정도요⋯⋯"

6번은 형사와의 인터뷰 파일 같았다.

"⋯⋯우린 9월 11일 밤까지도 카센터를 못 찾았어. 그러다 일산을 생각해낸 거고. 가봤더니 역시나, 아파트 부근에 카센터가 하나 있더군. 문은 이미 닫혔고, 시계를 보니 새벽 1시더구먼. 아침까지 기다리자니 힘 빠지고, 출출하고. 그래서 실내포장마차에서 국수에다 소주 한잔했지.

한동안 괴로웠지. 조금만 더 빨리 찾았더라면 일을 막을 수도 있었을 텐데. 일이 그렇게 된 걸 알고 그저 기가 막혔다네. 형사생활 20년에 팀 동료들이 다 죽어버린 일은 처음이었으니까. 수사가 진행되면서 뭔가 이상하다는 감이 왔어. 최현수가 들고 있었다던 몽치에서 온갖 혈흔이 다 나왔는데 강은주 것만 나오지 않았거든. 몽치뿐 아니라 최현수 몸 어디에서도 안 나왔어. 오영제는 끝내 시신이 발견되지 않았고. 내가 이의를 제기했지만 묵살됐지. 사건은 이미 서울지검으로 넘어간 상황이었고 윗분들께서 빠른 결과를 원했으니까. 여론이고 언론이고 정치권이고 압박이 어마어마했거든. 최현수는 황천길을 오락가락하느라 바쁜 판국이고. 꼬마 녀석과 자네 진술 말인가? 사건정황이 워낙 자명하지 않았나. 자네나 꼬마 녀석 진술이 들어가면 사건 아귀가 안 맞지. 믿을 만한 진술도 아니었고. 야밤에 꼬마 녀석 혼자, 호수 한가운데에서, 그것도 나무에 묶여 목까지 물에 잠긴 채 멀쩡한 정신으로 몇 시간을 버텼다는데 그걸 누가 믿겠나. 뭐 어쨌든 끝난 사건일세. 완전히 끝난 일이야. 본인이 입을 열었다고? 이제 와서, 왜? 사형당하기가 갑자기 억울해졌다던가?"

형사의 이야기는 거기서 끝나버렸다. 지금까지 들은 것 중 가장 짧았다. 이야기가 더 있을 법한데 고의로 잘라낸 느낌이었다.

7번부터 25번까지는 각 방면 인사들의 목소리가 총망라돼 있었다. 그 사건의 책임을 지고 물러난 관리단 운영팀장부터 기적적으로 살아남은 마을사람들, 당시 진료소에 근무했던 공보의, 가든파티에 참석했던 보육원 원장과 교사, 이벤트회사, 당시 오영제의 병원에 근무했던 치위생사, 제약회사직원, 오영제의 친인척, 문하영의 친정아버지……

적극적으로 협조하는 목소리도 있고, 분노에 찬 목소리도 있고, 인터뷰를 거부하는 목소리도 있고, 이 일을 그만두라고 협박하는 목소리도 있었다. 어쨌거나 녹취록은 수첩의 취재원 리스트와 거의 맞아떨어졌다. 녹취록이 없는 사람은 둘뿐이었다. '서포터즈'라는 전문가집단과 당시의 병원사무장. 끝내 찾아내지 못했다는 말과도 같은 의미일 것이다. 현재까지 오영제와 깊숙하게 연결돼 있으리라는 추측을 받쳐주는 대목이었다. 하지만 어머니의 죽음을 그와 관련시킬 단서는 없었다.

나는 소설의 마지막 장면을 재구성해봤다. 아버지는 오영제가 죽은 줄 알고 통제실을 나간다. 손에 뭘 들고 있는지도 모르는 채 수문으로 올라간다. 오영제는 아버지가 나간 후에 정신을 차리고 일어난다. 아버지가 1공도교로 올라갔다는 사실과, 잠시 후 무슨 일이 벌어질지 금세 알아차린다. 그리하여 통제실을 뛰어나가 2공도교로 향한다. 다리를 건너 수목원을 가로지르는 것이 휴게소로 가는 최단코스니까. 휴게소에는 서포터의 차량이 그를 기다리고 있고 말이다. 그가 공도교를 건널 무렵, 아버지는 수문옥상으로 올라가는 중이고, 아저씨는 나를 한솔등에서 데리고 나오는 중이며, 어머니는……

어머니도 아저씨처럼 어딘가에 묶여 있다가 탈출했다는 가설을 세워봤다. 곧장 나를 찾아 관리단 경비실로 향할 것이다. 손엔 만일에 대비한 무기를 쥐고 있을 테고. 묶여 있었던 곳이 푸른 숲 도서관이라면, 어머니 성격으로 본다면, 야구배트를 골랐을 것이다. 어머니가 2공도교로 들어서는 시각과 오영제가 2공도교를 빠져나오는 시각이 일치한다면, 다리에서 맞대면했겠지. 어머니는 오영제와 몸싸움을 벌였을까?

26번 파일부터 아버지의 이야기가 시작됐다. 소설 속 이야기들이 아버지의 목소리를 타고 고스란히 재현됐다. 아버지의 음성은 시종 나직했다. 느릿하고, 여짓거리고, 떨리기도 하고, 침묵이 말을 대신하기도 했다.

나는 그 목소리들을 자료로 들으려 애썼다.

"……내가 무슨 일을 저질렀는지, 정신이 깨어나고서야 알았네. 무슨 말을 할 수 있었겠나. 아들을 살리려고 댐을 열었다고 하겠나? 아들 때문에 완전히 돌아버려서 마을사람들은 생각도 못 했다고? 나 자신도 오영제를 내가 죽였다고 믿었네. 아내도 내가 죽인 거나 마찬가지라고 여겼고. 내가 어리석고 미련해서…… 할 수 있는 일은 침묵하는 것뿐이었어. 지난 7년간, 그날 밤을 수없이 복기했네. '만약 내가'를 끝도 없이 되풀이했고. 하지만 타임머신이 그때로 나를 되돌려준다고 해도, 난 아마 똑같은 짓을 저지를 걸세. 그렇게 충동적이고 어리석은 짐승이 바로 나라는 인간이야. 꿈속의 남자 같은 건 애초부터 없었던 거야. 있었다면, 그건 내 안에서 빠져나온 악마였겠지. 물론, 자살도 생각했네. 매일, 매 순간. 실행하지 않은 건, 스스로 얻을 수 있는 구원이기 때문이었어. 종교를 거부한 것도 비슷한 이유고. 내겐 신이 나를 구원하지 못하게 할 자유가 있네. 내가 기다리는 건 구원이 아니라 운명이 나를 놓아주는 때야. 삶으로부터 온전히 자유로워지는 순간……"

창밖은 어두워지고 있었다. 아버지의 이야기는 끝을 향해 달려갔다.

"우물 말인가. 지금도 가. 날마다, 밤마다 간다네. 여전히 최상사가 '현수야' 부르고 그 여자아이가 '아빠' 하고 속삭이고. 세령마을 사람들이 합창을 할 때도 있지. 그럴 땐 수수밭 우물의 전설을 내가 만들었다는 착각이 든다네. 가끔은 우물을 지나쳐서 샛길 끝까지 가는 날이 있어. 지평선 너머에서 비치는 등대불빛을 동이 틀 때까지 바라보는 거야. 선물 같은 꿈이지. 그런 아침엔 미치도록 가슴이 두근거린다네. 오늘 사형집행이 있지 않을까. 실은, 며칠 전에 여기 있는 사형수들 모두 건강검진을 받았네. 풍문으로 듣자하니 석 달 후라더군. 정말로 집행된다면 나일 거라고 생각하네. 나였으면 좋겠네. 서원이? 우리 서원이…… 작별인사를 할 수 있다면…… 자네가 간직했다 전해주겠나. 이가 없어서 잘 될지 모르겠네만."

아버지는 들릴 듯 말 듯한 소리로 휘파람을 불기 시작했다. 보귀대령의 행진곡이었다. 나는 책상에 이마를 대고 엎드렸다. 양팔 사이에 귀를 묻고, 질끈 눈을 감고, 휘파람이 끌고 온 것들을 모질게 밀쳐냈다. 아버지와 나, 꿈결 속 삽화 같은 우리의 추억.

남아 있는 문하영의 편지를 연 건 그로부터 한 시간이나 지난 후였다. 여덟 번째 편지에서 문하영은 본인의 말투로 돌아와 이혼준비와 도피과정을 설명했다. 편지말미에 그녀는 "이제 더 쓸 것이 없는 듯합니다. 지금껏 해온 이야기에 더할 것이 있을까, 싶군요"라고 썼다. 이것이 마지막 편지입니다, 라고 해석되는 말이었다. 그러나 그녀는 편지 한 통을 더 썼다. 아홉 번째 편지였고, 시간거리가 반년 이상 떨어진 11월 1일에 보낸 것이었다.

보내주신 원고를 읽었습니다. 마지막 장이 없더군요. 그 아이 엄마의 이야기가 들어갈 장이겠지요. 아직 알아내지 못했거나 상황을 확신할 만한 근거가 없나 보다, 추측했습니다. 제가 이야기하지 않은 부분이 있다는 것도 깨달았습니다.

남편이 살아 있다는 걸 안 건, 그 사건이 난 지 두 달 후입니다. 제가 정신을 차리지 못하고 있던 때이자, 탈진으로 쓰러졌던 시점이기도 합니다. 인아는 당시 루앙의 한 종합병원 정신과에서 미술치료사로 일하고 있었습니다. 저는 그 병원 내과에 입원해 이틀째 치료를 받던 중이었습니다. 아침나절, 링거를 맞으며 잠이 들었다가 문하영, 하고 부르는 소리에 깨어났습니다. 깨는 순간, 제 목젖을 쓰다듬는 손가락이 있다는 걸 알아차렸습니다. 저는 얼어붙었습니다. 제 목젖을 쓰다듬으면서 문하영, 하고 부를 사람은 이 세상에 한 사람밖에 없으니까요. 남편이 잠을 깨우는 방식입니다. 그러니까 화가 나서, 혹은 조금 늦게 집에 들어왔는데 저와 세령이 잠들어 있는 경우에 말이지요. 저는 눈을 뜰 수가 없었습니다. 꿈이었으면 했습니다.

다시 "문하영, 눈떠"라는 말이 들렸습니다. 꿈이 아니었던 거지요. 저는 눈을 떴습니다. 남편이 부드러운 미소를 띠고 제 앞에 서 있었습니다. 어떻게 그곳까지 찾아왔는지 저는 모릅니다. 그런 건 궁금하지도 않았습니다. 어떻게 하면 남편의 손을 살아서 빠져나갈 수 있을지, 그것만 생각했습니다. 그 전날까지도 살고 싶지 않다고 식음을 전폐했던 여자가 말입니다. 남편은 제 머리채를 움켜쥐고 일으켜 앉힌 뒤 물었습니다.

"세령이 보고 싶지 않나?"

저는 숨을 삼켰습니다. 무슨 말인지 감조차 못 잡았습니다. 사진 한 장이 제 손에 놓일 때까지. 입관사진이었습니다. 수의를 입히고, 두건을 씌워 관에 눕힌 사진 말입니다. 저도 모르게 벌떡 일어나, 종을 치듯 비상호출 줄을 당기면서 소리를 지르기 시작했습니다. 제 목청이 제 남편 오영제를 당황시킬 만큼 큰 줄은 저도 몰랐습니다. 남편은 제 윗도리를 잡아채며 제 얼굴로 주먹을 날렸고, 저는 링거 병을 뽑아 남편의 이마를 내리쳐 버렸습니다. 그 와중에도 제 입에선 울부짖음과 비명이 쉴 새 없이 터져 나왔습니다. 그것은 오열이었고, 공포에 질린 비명이었고, 분노에 찬 고함이기도 했습니다. 전마누라를 괴롭히겠다고 죽은 딸의 입관 사진을 찍어오다니요.

간호사와 남자보호사가 뛰어들어 왔습니다. 저는 서툰 불어로 이 남자가 병실로 침입해서 잠든 저를 강간하려 했다고 소리쳤습니다. 남편은 불어를 전혀 못합니다. 병실로 저를 찾아오기까지는 통역의 도움이 있었겠지요. 하지만 그 자리에 통역이 있었어도 빠져나가기 힘들었을 겁니다. 간호사 몰래 병실에 들어왔고, 제 윗도리 단추들이 다 떨어져 있었으며, 머리는 산발인 데다, 남편주먹에 입술이 으깨져 있었으니까요.

남편은 경찰서로 연행됐습니다. 곧 인아가 병실로 달려왔고, 우리는 가방도 제대로 챙기지 못하고 루앙을 떠났습니다. 남편이 풀려나면 저는 그 손에 죽을 테니까요.

우리가 이곳 아미앵에 자리 잡기까지의 역사는 굳이 말하지 않아도 될 것 같습니다. 이후 남편과 만나지 않았다는 점이 중요하겠죠. 그러나 저는 정상적인 생활을 할 수가 없었습니다. 혼자 집밖에 나갈 수가 없었습니다. 마트에 장을 보러 가는 일조차도 할 수 없었습니다. 체류연장을 위해 북아프리카로 나가야 할 땐 반드시 인아가 동행해주었습니다. 눈이 빨개져서 저를 찾고 다닐 남편을 두려워하면서 방에 꼭꼭 숨어 살아온 것입니다. 그쪽이 제게 편지를 쓰기 전까지, 7년 동안 말입니다.

그쪽에게 남편이 되어 편지를 쓰는 동안, 저는 남편을 이해할 수 있게 되었습니다. 아니, 인간에 대해 좀 더 솔직한 이해에 도달하게 됐다고 해야겠지요. 어디선가 그런 얘기를 읽은 적이 있습니다. 인간은 총을 가지면 누군가를 쏘게 되어 있으며, 그것이 바로 인간의 천성이라고. 더하여 제 등짝에 붙어 있는 존재와 정면으로 맞닥뜨린 시간이기도 합니다. 딸에 대한 죄책감과 언젠가 들이닥칠지도 모르는 남편에 대한 두려움으로 평생 방 안에 숨어 살아갈 제 그림자 말입니다. 이 가련한 그림자를 대면할 때마다 그 소년을 떠올렸습니다. 제가 이 편지를 쓰게 된 가장 큰 이유일 것입니다.

남편은 세상에서 가족을 가장 소중히 여기는 사람입니다. 처음엔 그것이 가족에 대한 사랑이라고 여겼습니다. 나중에야, '자기 것'에 대한 병적인 집착이라는 걸 깨달았지요. 그에게 아내와 아이는 '자기 것'의 핵입니다. 자신이 정한 자리에 있어야 하는 것, 자신의 권위와 영향력과 통제력을 확인하는 대상, 자신이 주는 것만 받고 자신이 요구하는 것을 주는 존재, 자신의 방식대로 움직이는 손가락과 발가락입니다. 그것이 흔들린다는 건, 자기세계의 핵심이 손상당한다는 것과 같은 의미입니다. 남편에게는 절대로 있을 수 없고, 있어서도 안 되는 일입니다. 그것이 복원이 불가능한 상태로 손상당했을 때, 남편이 어떻게 할지는 상상할 필요도 없을 겁니다. 그쪽이 쓴 원고에 의하면 이미 한 번 경험한 바 있으니까요. 또한 그 원고로 짐작건대, 아직 끝난 것이 아닙니다.

사형집행 움직임이 있다고 하셨지요. 지금까지 사형집행 건수가 12월에 가장 많았다고 하셨지요. 최근에 건강검진을 받은 게 걸린다고 하셨지요. 그렇다면 소년이 위험합니다. 그쪽도 마찬가지고요. 남편이 7년간 유령인간으로 살아왔다는 것, 소년을 자신의 시야 안에 두면서 차츰차츰 세상 밖으로 몰아왔다는 것, 그러면서도 소년에게 직접적으로 손을 쓰지 않았다는 것, 이는 소년과 소년의 아버지를 한꺼번에 갖겠다는 뜻입니다. 남편은 사형집행일을 기다리고 있는 것입니다. 어떤 방법으로 집행날짜를 알아낼지, 저는 모르겠습니다. 남편에겐 그리 어려운 일이 아니라는 정도만 짐작합니다. 아마도 훼방꾼을 먼저 처리할 테고요. 예전 실패를 거울 삼아 이번엔 떼어놓는 데 그치지 않을 겁니다. 이는 그쪽에게 써먹을 패가 없다는 의미기도 합니다. 카드는 소년이 쥐고 있습니다.

소년에게 전했으면 합니다. 상황을 역이용하라고요. 필요하다면, 저를 써먹으라고요. 한 번 정도는 먹힐 패일 것입니다. 휴대전화 번호를 알려드립니다. 0033. 6. 34. 67. 72. 32

어제는 모처럼 즐거웠습니다. 인아가 결혼을 했거든요. 밤마다 제가 찾아들던 이 사과나무 아래에서 말입니다. 모처럼 햇살이 따뜻한 날이었습니다. 인아는 웨딩드레스를 입지 않았습니다. 아끼던 원피스를 꺼내 입고, 제가 엮어준 장미다발을 들고, 필립과 금반지를 주고받았습니다. 필립은 아미앵에 온 후부터 우리와 함께 동거해온 인아의 남자친구입니다. 애니메이션 제작업자인데 주로 원화부분만 수주해서 납품하는 일을 합니다. 덕택에 저는 취업자격 없이, 밖에 나갈 필요도 없이, 일거리를 얻을 수가 있었습니다. 인아의 남편이자 제 보스인 셈이지요.

저는 내일 프랑스를 떠날 예정입니다. 이번엔 체류연장을 위한 짧은 여행이 아닐지도 모르겠습니다. 혼자 밖으로 나가는 일이 여전히 두렵지만 해볼 참입니다. 등짝에 붙은 그림자를 없애고 나면 제게 무엇이 남는지 보고 싶습니다. 어디로 갈지는 아직 정하지 않았습니다. 다만 이곳으로는 돌아오지 않을 생각입니다.

햇살이 맑은 날입니다. 저는 지금부터 마당에 내려가 볼 참입니다. 일광욕 의자에 널어둔 이불도 걸을 겸, 결혼식 피로연에 쓸 파이를 잔뜩 굽게 해주었던 사과나무를 마지막으로 돌아볼 겸해서요.

11월 1일, 문하영 드림

나와 아버지 둘 다 원한다……. 당연한 일 아닌가. 7년 전에도 그랬는데 지금이라고 다를 게 있을까. 나는 책상에 놓인 전보문을 멍하니 쳐다봤다.

12월 27일 09시 사형수 최현수의 형이 집행됐음을 알려드립니다. 유가족은 28일 09시 이후 장례준비를 하여 고인을 인수하러 오시기 바라며……

갑자기 숨이 막혀왔다. 누군가 내지른 발에 배를 걷어차인 기분이었다. 아저씨가 사라진 건 어제 오후였다. 전보가 날아온 건 오늘 아침, 아버지를 인수할 날짜는 내일 아침이었다. 나는 문하영의 편지를 다시 읽었다.

아마도 훼방꾼을 먼저 처리할 테고요. 예전 실패를 거울 삼아 이번엔 떼어놓는 데 그치지 않을 겁니다. 이는 그쪽에게 써먹을 패가 없다는 의미도 합니다. 카드는 소년이 쥐고 있습니다.

문하영은 그걸 역이용하라고 했다. 자기를 써먹으라고도 했고, 휴대전화번호를 알려주었다. 뜻을 헤아리기 어려웠다. 적어도 당장은. 명확하게 들려온 말은 이것이었다.
어제 오후 훼방꾼이 처리됐다.

7

문하영의 편지들을 되풀이해 읽으면서 시간을 보냈다. 아저씨는 10시가 넘도록 돌아오지 않았다. 빤한 일인데도 시간이 갈수록, 확신으로 굳어질수록, 받아들이기가 점점 어려웠다. 내일 아침에 멀쩡한 얼굴로 나타날지도 몰라. 혼자 장례준비를 하느라 어디선가 동분서주하는지도 모르지. 이틀 정도 외박은 전에도 있었잖아.

위안도 보탬도 되지 않는 우김질이었다. 직감과 논리가 일제히 한 방향을 지시하고 있는데. 정답을 찾지 못한 질문들은 박쥐 떼처럼 머릿속을 날았다.

아저씨의 소설과 자료를 보낸 사람은 누구이며 목적이 뭘까. 오영제는 어디에 있을까, 그가 어머니를 죽인 게 맞나, 설마 아저씨를 '완전히' 처리해버렸을까. 등대마을에서 1년씩이나 지내게 해준 이유가 뭘까. 무슨 수로 사형집행 소식을 사전에 알았을까.

바람이 창문을 흔들었다. 나는 커튼 끝을 들췄다. 밖이 보이지 않았다. 창틀 네 귀퉁이에 눈이 쌓이고, 둥글게 남은 복판은 성에로 뒤덮였다.

책상 앞으로 돌아와 앉았다. 보이지 않는 저 창밖에 무엇이 있는지 이제 알 것 같았다. 손이었다. 내 삶을 흔들어온 오영제의 손. 나는 그의 손가락에 낀 요요였다. 던졌다가 당기고 말아 쥐었다가 멀리 날려 보내면서 그는 7년을 기다린 것이다. 내가 어딘가에 정착하는 걸 막는 게 첫 번째 목적이었겠지. 떠돌이로 만들어야 영원히 사라져도 궁금해할 사람이 없을 테니까. 덤으로 사소한 보복행위라는 즐거움도 누리고. 자기 딸을 죽인 자의 아들을 맘 편히 살게 놔두는 게, 어디 그리 쉬운 일이겠는가. 설령, 때가 오면 자기 손으로 거둘 놈이라 할지라도. 나는 죽어라, 도망쳤으나 실은 한 번도 그를 벗어난 적이 없는 셈이다. 지금에야 깨달은 이 사실을 아저씨는 오래전에 알았으리라. 오영제도 아저씨가 자기 뒤를 캐고 다니는 걸 알았을 테고. 그 일을 소설로 쓴다는 사실까지 알았는지는 모르겠지만.

물을 끓이고 혀가 얼얼할 만큼 진한 커피를 탔다. 시끄러운 박쥐들을 뒤통수에 잡아 가두었다. 아저씨 걱정도 밀쳐놓았다. 대신 문하영의 충고를 전면으로 끌어냈다.

소년에게 전했으면 합니다. 상황을 역이용하라고요. 필요하다면, 저를 써먹으라고요. 한 번 정도는 먹힐 패일 것입니다. 휴대전화 번호를 알려드립니다.

나이키 농구화는 오영제의 초대장이었다. 날이 밝으면, 나를 찾아오는 사냥개가 있을 것이다. 나는 그들을 기다릴 의사가 없었다. 7년 전처럼, 자다 잡혀갈 생각도 없었다. 도망칠 마음은 더욱 없었다.

백지를 꺼내고 볼펜을 쥐었다. 필요한 말을 풀어놓는 데는 10분도 걸리지 않았다. 지난날, 수없이 마음에 쓰고 지운 내용이었으니 받아쓰기 행위에 가까웠다. 항간에서는 이러한 문서를 '유서'라고 할 테지만 나는 썰매라고 부르겠다. 사냥감을 사냥꾼에게 실어다줄 개썰매.

문하영의 편지, 아저씨의 소설과 자료들을 한 상자에 담았다. 숨겨둘 장소로는 화장실 천장 통풍구가 제격이었다. 책상 위엔 운동화와 아저씨의 노트북만 남겨두었다. 하드에 들어 있는 건 대필 작업문서뿐이었다. 방 정리가 끝나자 바느질을 시작했다. 청바지 허리선의 솔기를 뜯고 안에 1회용 면도기에서 분리시킨 면도날을 넣은 다음, 시침질로 꿰맸다. 잡아당기면 한 손질에 뜯기도록 듬성듬성. 손가락 하나 길이로 남겨둔 실은 바지를 입으면서 안쪽으로 밀어 넣었다. 손목에는 아저씨의 레코더 시계를 찼다. 파카를 걸치고, 주머니에 유서를 담고, 모자를 쓰고, 수중랜턴을 챙 위에 끼웠다. 잠시 만지작거리던 잠수나이프는 제자리에 도로 넣어두었다. 내 신상은 안전했다. 시신인수 시각까지 9시간여가 남아 있었고, 그때까지는 죽으려고 죽을힘을 써도 못 죽을 팔자였다.

자정 무렵, 집을 나섰다. 둥글게 만 버디라인을 어깨에 걸고 등대를 향해 걸었다. 등대불빛이 바다 위에서 춤추듯 명멸하고 있었다. 바람이 빛의 파장까지 쥐고 흔드는 느낌이었다. 번득이는 불빛 사이로 수평선이 거무레하게 떠올랐다 사라졌다. 나는 시간의 등 뒤에 서 있는 열두 살 소년을 생각했다. 수수벌판 끝에 서서 산 너머 등대불빛을 바라보며 소년은 무엇을 꿈꿨을까. 안개에 묻어온 바다냄새를 맡으며 무얼 상상했을까. 무엇이 소년의 영혼을 수수벌판 우물에 가두었을까. 아버지의 아버지였을까, 아버지의 말대로 아버지 자신이었을까. 아버지는 이제 자유로워졌을까.

등대 뒤편으로 적송 숲이 우거져 있었다. 안으로 들어가는 오솔길 입구에는 차 바퀴자국이 나 있었다. 한나절 전, 돌섬에서 돌아올 때에도 저 바퀴자국이 있었던가. 기억나지 않았다. 등대 옆에 서서 나를 내려다보던 남자만 생각났다.

숲으로 들어가 차가 있는지 확인하고 싶었지만 참았다. 넋 나간 인간처럼 움직여야 했다. 감시자의 위치를 확인한 후에 행동해야 했다. 내 오감은 등 뒤에 집중돼 있었으나 별다른 기척을 잡아내지 못했다. 그렇다면 등대 안이나 숲 속에서 지켜볼 공산이 컸다.

등대출입문이 잠겨 있지 않았다. 경첩에 그리스라도 바른 듯 부드럽게 열렸다. 안이 컴컴했다. 전등을 켜자 원형 벽을 따라 올라간 나선형 계단이 맨 먼저 보였다. 나는 계단을 밟고 2층으로 올라갔다. 출입문이 잠겨 있어 다시 3층으로 향했다. 예전에 한 번, 이곳에 혼자 와본 적이 있다.

그저 심심해서, 아무 생각 없이. 그때 본 바로는 3층은 발코니가 있는 방이자 그 옛날 유인등대 시절 등대수가 쓰던 살림방이었다.

손끝으로 문을 밀자 스르르 열렸다. 나는 안으로 발을 들여놓았다. 뒷손질로 문을 닫고 벽에 붙은 실내등스위치를 올렸다. 의외로 불이 들어왔다. 기억대로 방 안에 문이 세 개 있었다. 내가 들어온 출입문, 조명탑으로 올라가는 출입문, 그 옆에 발코니로 통하는 철문. 발코니 문 상부에는 밖을 내다볼 수 있도록 쪽창이 뚫리고 덧문이 달렸다. 방 곳곳엔 등대수가 쓰던 물건들이 남아 있었다. 간이발전기, 군용모포가 깔린 접이침대, 나무의자와 책상. 탑 출입문 건너편 벽에는 타조 한 마리쯤은 거뜬히 구울 만한 철제난로가 있었다. 옆으로 긴 상자형태였다. 옆에는 장작이 조금 쌓여 있고, 뚜껑은 위로 올라간 상태에서 고정돼 있고, 난로 안엔 타다 남은 장작개비가 있었다. 최근에 등장했을 물건들도 보였다. 전기히터, 세면기에 놓인 비누, 벽에 걸린 수건, 빈 편의점도시락 용기가 든 쓰레기통.

나는 용기백배해서 발코니로 향했다. 문을 열자 바다가 바람의 곡사포를 들이댔다. 어깨에 건 밧줄이 얼굴을 때리고 등이 뒤로 휘청 꺾였다. 문을 닫고 발코니 밑에 쪼그려 앉아 철 빔 하나를 흔들어보았다. 안심할 수 있을 만큼 튼튼했다. 밧줄 한쪽 끝을 철 빔에 걸고 다른 쪽으로는 올가미를 만들어 목에 걸었다. 몸을 일으키자 바람이 다시 허리를 들이받았다. 나도 모르게 난간을 끌어안듯 붙들고 밑을 내려다봤다.

내 계획은 이랬다. 발코니 난간을 보드 삼아 롤백으로 번지점프를 한다. 이 폼 나는 자살계획을 바람이 망치고 있었다. 이래서는 올라서는 일이 불가능했다. 난간을 타고 넘어가야 할 것 같았다. 난간 바깥쪽에서 철 빔 사이에 발부리를 박은 다음, 손만 떼면 롤백이 가능해 보였다. 팔을 벌리면 바람이 나를 등대 벽으로 날려 보내겠지. 머리가 먼저 깨질까? 엉덩이가 먼저 박살날까?

나는 뒷덜미에 닿는 시선을 느꼈다. 방 안에서 쪽창을 통해 뻗어 나온 시선이었다. 더 뭉그적거리지 않고 한쪽 다리를 올려 난간 너머로 걸쳤다. 바닥에 붙인 다리의 힘을 빼고 무게중심을 바깥쪽으로 옮겼다. 돌풍이 등허리를 쳤다. 엉덩이가 미끄러지고 몸이 기우뚱했다. 목에서 숨이 튀고 다리가 난간 위로 붕 떴다. 그때, 바람이 나를 날려버리기 직전에, 어깨 너머에서 뻗어온 팔이 내 등허리를 틀어잡았다. 목을 조이듯 강인하고 단호한 힘으로. 몸집이 큰 남자였다.

나는 저항하기 시작했다. 온갖 저급한 욕을 내쏟고, 허리를 비틀고, 사지를 버둥거렸다. 상대가 내 등허리를 놓치지 않도록 완급조절을 하면서. 상대도 나에 비견할 만큼 상스러운 소리를 쏟아냈다. 나와는 달리 혼신의 힘을 다해 나를 발코니 안으로 잡아당겼다. 언제 반항을 멈춰야 할지 눈치 볼 필요는 없었다. 발코니 안으로 끌려 내려가나 싶은 순간 뻗어버렸으니까. 짐작건대, 전문가의 수도가 뒷목의 혈을 친 것 같았다.

차 안에서 눈을 뜰 것이라고 계산하고 있었다. 7년 전 그곳, 세령호에 도착하게 되리라 예상했다. 근거는 없었지만 확신에 가까운 감정이었다. 그런데 틀렸다. 차 안도, 세령호도 아니었다. 나는 여전히 등대에 있었다. 팔을 뒤로 묶이고, 발목도 묶인 채 조명탑 출입문에 기대앉아 있다는 게 좀 전과 다를 뿐. 예상과 일치한 건, 오영제가 책상 앞 의자에 다리를 꼬고 앉아 있다는 점이었다. 전문가는 방 출입문 앞에 열중쉬어 자세로 서 있었다.

"정신 드나."

짧은 머리, 검은자위만 있는 듯한 눈, 단정한 턱 선, 호리호리한 체구.

오영제는 내 기억 속 모습과 완벽하게 일치했다. 그때로부터 단 한 살도 더 먹지 않은 것 같았다. 나는 경동맥이 발끈거리는 걸 느꼈다. 하여간에 만났구나.

"꽤 오랜만이지. 7년 만인가?"

목소리는 기억보다 더 부드러웠다. 호흡이 빠르지 않았다면 그가 흥분하고 있다는 걸 알아차리지 못했을 것이다. 책상 위엔 내 크로스백이 놓여 있었다. 책상에 둔 물건을 쓸어 담아온 모양이었다. 부피로 보면 화장실 통풍구물건까지는 접수하지 못한 것 같았다.

"번지점프를 하려던 참이었다지."

나는 오른쪽손목을 만졌다. 시계가 잡혔다. 손가락을 허리벨트 안으로 넣자 실 끝이 잡혔다. 면도날도 무사한 듯했다.

"충격이 컸나?"

오영제는 전보문을 슬쩍 들어보였다.

"그렇다고 욱해서야 되나. 내일 아침에 할 일도 있을 텐데."

"할 일 없는데."

나는 무심한 표정을 유지하려고 시선을 책상모서리에 두었다.

"설마 그러려고. 네 애비잖아."

"난 그런 사람 몰라."

오영제는 소리 없이 웃었다. 얼굴이 묘하게 일그러졌다.

"그런 사람이라…… 예전엔 아빠를 좋아하지 않았나."

"한 7년 뺑뺑이를 돌았더니 정나미가 떨어져서."

"사내 소가지가 그렇게 조잔하면 못 쓰지. 불쌍한 목숨 하나가 골로 갈 수도 있는데."

아저씨 얘긴가. 내가 쳐다보자 오영제는 다시 빙그레 웃었다.

"돌대가리기는 해도, 오갈 데 없는 놈을 데려다 길러준 은인이잖아. 온갖 고생을 하며 키운 은혜를 갚아야지. 너는 내일 아침에 우리와 함께 의왕으로 갈 거야. 시신 인수해서 화장한 뒤, 세령호로 갈 것이고."

"난 안 가."

"갈 거야. 왜냐하면, 네 아저씨도 우리랑 같이 갈 예정이니까."

오영제는 문을 지키고 있는 전문가에게 한 말씀 하셨다.

"데려와."

1분쯤 후에, 전문가가 아저씨처럼 생긴 짐짝을 어깨에 들쳐 메고 들어왔다. 그는 내 건너편, 철제 난로 옆에 아저씨를 부려놓았다. 아저씨의 몸은 풀 없이 엎어졌다. 팔은 뒤로 꺾인 채 수갑을 찼고, 발목은 밧줄로 묶였고, 의식도 없었다. 짐작한 일이었다. 짐작한 일을 내 눈으로 확인하자 예상보다 큰 충격이 왔다. 나는 가까스로 유지되던 머릿속 항상성이 깨지는 걸 느꼈다.

"죽은 건 아냐. 한숨 푹 주무시는 중이지. 네가 네 할 일을 하면 아마 깨어날 거야."

새삼스레 깨달은바, 오영제는 의사였다. 약 쓰기 좋아하는 치과의사. 맥락 없는 생각이 불려왔다. 7년 전, 그날 밤 어니를 재워 한솔등에 버린 이유가 뭘까. 내가 쓸쓸할까 봐 그런 것은 아닐 테고. 번거로운 짓을 한 데에는 분명한 목적이 있을 텐데. 나는 아저씨의 소설을 바탕으로, 오영제의 계산서를 짐작해봤다.

누군가를 미치광이로 만드는 데 밤의 세령호만큼 좋은 곳이 있을까. 공포에 질린 나머지, 말벌에 쏘인 개구리처럼 날뛰다 호수에 뛰어드는 꼴을 보고 싶다면 더욱 그렇다. '누군가'가 열두 살 된 소년이라면 얘깃거리도 안 된다. 나로 말하면, 아버지가 보는 앞에서 물에 빠져 죽어가야 할 놈이었다. 일찌감치 공황에 빠져서 제풀에 가버린다면 오영제로선 김 새는 일이 아닐 수 없었다. 어니를 잡아다 놓은 건 그 때문이 아닐까. 어 차피 기회만 되면 보내려 했던 놈이니 일석이조인 셈이고. 그것이 아니 고는 어니가 내 곁에 잠들어 있었던 상황이 설명되지 않았다. 오영제가 축사로 올라가 어니의 물통에 약을 타는 소설 속 장면은, 그러한 추측에 서 나온 묘사 같았다. 의사가 약을 구하는 건 부자가 돈을 구하는 것만큼 쉬운 일일 테니까. 그런데 이 남자는 지금도 의사노릇을 하고 있는 걸까.

'전문가'라고 짐작되는 남자는 문 앞에 서 있었다. 다음 명령을 기다리 는 기색이었다. 앞으로 모은 어깨가 자동차보닛만큼이나 넓었다. 쓸데없 는 호기심이 도졌다. 저 전문가는 7년 전 두 제복 중 하나일까? 이런 일 을 하고 얼마나 벌까. 건당으로 받을까. 시간당으로 계산할까. 난이도에 따라 정할까. 전속으로 기간계약을 할까. 오영제한테 물어볼까.

"문밖에서 대기하시오."

남자는 고개를 숙여 보이고 밖으로 나갔다. 오영제는 내 유서를 집어 들고 읽었다. 꽤 재미난 모양이었다. 읽는 내내 낄낄거렸다. 나는 아저씨 를 살폈다. 손가락 하나 움직이지 않고 부려놓은 자세 그대로 엎어져 있 었다.

집을 나설 무렵, 내 머릿속엔 이런 계산서가 있었다. 오영제에겐 내가 필요할 것이다. 아버지의 시신을 인수할 사람은 나밖에 없으므로. 자살 소동을 벌이면 나를 감시하는 자는 모습을 드러내겠지. 우선은 자살을 막아야 하고, 존재를 발각당한 이상 오영제에게 데려가야 할 것이고. 오 영제와 만나면, 아저씨도 만나게 되리라 기대했다. 나는 오영제에게서 어머니를 죽였다는 자백을 받아내고 녹취할 계획이었다. 아침이 되면 시 키는 대로 시신을 인수하러 갈 참이었다. 교도소 안에만 들어가면, 설령

오영제가 옆에 있다 해도, 경찰에 알릴 기회가 있으리라 봤다. 아저씨를
위험에 빠뜨릴 공산이 컸지만 나로선 더 좋은 수를 찾아낼 수 없었다. 완
벽하진 않아도 최선이라고 판단했다. 그런데 실제로 아저씨와 만나게 되
자 망설임이 앞섰다. 과연 이것이 최선일까. 아저씨를 흔들어 깨워 물어
보고 싶었다. 할까요, 말까요.

"물어볼 게 있는데."

나는 손가락을 꼼지락거려 손목시계의 녹음단추를 눌렀다. 오영제는
힐끗 나를 봤다.

"갑자기 궁금해서. 그날 밤, 나와 아버지를 어떻게 처리할 참이었는지.
죽이면 타살인 게 드러날 거고, 당신이 가장 먼저 의심받을 텐데. 아저씨
가 살아 있었잖아."

"기특하기도 하지. 내 걱정을 다 하다니."

그는 입술을 뒤틀며 웃었다.

"네 아저씨는 걱정할 것도 없지. 계획대로 됐다면 보안업체 직원 말고
는 본 게 없을 텐데 뭐. 모든 건 네 애비가 뒤집어쓰게 돼 있었고."

"근데 우리 어머니한텐 왜 그랬어?"

"네 엄마라. 네 아버지가 죽였다고 텔레비전 뉴스로 들은 것 같은데."

"난 당신이 우리 어머니한테 집적거린 이유를 묻는 거야."

"내가 네 엄마한테?"

오영제는 낄낄 웃어댔다. 좀 전 내 유서를 봤을 때처럼.

"어머니가 근무하는 날이면 야밤에 나타나 지저분하게 굴었잖아."

"누가 그러든? 네 엄마가 그러든?"

"집에서 이모하고 전화하는 걸 들었어. 밤마다 당신이 경비실로 찾아
와서 껄떡거리는 통에 일을 그만둬야 할 것 같다고. 그래서 관리인 임 씨

할아버지가 어머니가 일하는 날엔 대신 순찰도 돌고 이런저런 일을 해 줬다던데. 당신이 와도 창문 잠그고 열어주지 말라고 당부도 하고."

"네 어미 주둥이로 그랬단 말이지. 내가, 이 오영제가 제 년한테 껄떡 거린다고."

오영제는 다리를 바꿔 꼬았다. 발끈한 기색이 표정으로 솔솔 새어나왔다. 추행범 의심을 받아서가 아니라 추행대상이 마음에 안 드는 눈치였다.

"어머니가 굉장히 불쾌해했어. 날 뭐로 보는지 모르겠다고. 당신, 우리 어머니한테 갖고 싶은 게 뭐냐고 물었다면서?"

"네 어미라는 년의 문제가 뭔 줄 아나?"

오영제는 유서를 내려놓고 물었다.

"주둥이야. 그 주둥이를 찢어서 귀에 걸어두고 싶을 때가 한두 번이 아니었단 말이지."

나는 배시시 웃었다.

"난 당신 기분 이해해. 우리 어머니가 보기보다 고지식하거든. 퇴짜 맞고 자존심 좀 상했을 거야."

오영제의 얼굴 근육이 팽팽해지고 콧구멍이 보일 듯 말 듯, 벌렁거렸다.

"이것 봐, 꼬마야. 잘 들어둬. 난 네 엄마를 단 한 번도 먹고 싶었던 적이 없어. 죽이고 싶은 적은 많았어도. 그날 네 애비가 통제실을 나간 후에 나도 관리단을 빠져나왔고, 2공도교 한중간에서 네 어미를 만난 거야. 푸른 숲 도서관에 얌전히 자빠져 있었으면 얼마나 좋아. 그런데 야구 배트를 골라잡고 기어 나왔더란 말이지. 나를 보자마자 제 알량한 목숨을 기어코 끝장내달라고 주둥이를 짓까불며 덤비는데, 말릴 재주가 있어야지. 내 아들 내놓으라고, 감히 이 오영제를 다그치더란 말이야. 거기까지도 참아줄 수 있었어. 그냥 가려고 했고. 시간을 낭비하고 싶지 않았거든. 내버려둬도 제 남편이 바다로 보내버릴 테니까. 근데 그 쌍년이 뒤에서 야구배트로 내 등허리를 갈겼단 말이지. 난 콧방맹이가 깨져서 기분도 나쁜 데다, 한창 바쁜 참이라 그런 개 같은 짓을 귀엽게 봐줄 수가 없었어. 그게 그년이 나한테 맞아 죽은 이유야."

내 짐작은 맞았다. 어머니는 아저씨처럼 포박을 풀고 빠져나와 나를 찾으러 다니다 오영제를 만난 것이다. 어머니는 그럴 수 있는 사람이었다.

"그러니까 당신이 어머니를 죽였다, 그 말이네?"

"그런 건 죽였다고 하지 않는 거야. '영구교정'이라고 해야지."

나는 오영제를 잠자코 쳐다봤다.

"나도 하나 물어볼까."

이번에 그가 집어든 것은 농구화였다.

"이건 어디서 났나? 그날 밤에 쓸려가 버린 줄 알았는데."

어안이 벙벙했다. 당신이 보낸 게 아니란 말이야?

머릿속이 뒤엉켰다. 그럼 누구일까? 설마…… 건너편에 늘어져 있는 아저씨를 봤다. 순간, 내 눈을 의심했다. 아저씨의 등에 얹힌 엄지 하나가 회오리를 그리고 있었다. 엄지가 저 혼자 도는 것 같지는 않았다. 주인의 의지에 따라 움직이는 거라면 저 엄지회오리는 우리끼리 쓰는 잠수용수신호로 해독할 수 있었다. 구조신호용 소시지를 세워라. 나는 눈을 내리뜨고 내 가랑이 사이를 봤다. 설마 내 것은 아닐 테고. 아무래도 오영제의 것을 세우라는 의미 같았다. 그런데 뭔 재주로? 생각보다 답이 쉽게 나왔다.

"아저씨를 풀어줘. 그래야 아버지를 손에 넣을 수 있을 거야."

나는 씨도 안 먹힐 말을 던졌다. 오영제는 노트북을 열었다.

"꼬마야, 넌 지금 그런 얘기를 할 처지가 아니란다."

"문하영은 어때."

시작버튼을 누르던 오영제의 손이 딱 멈췄다.

"문하영하고 맞교환하자고."

아저씨는 아직 움직임이 없었다. 오영제는 소리를 내어 웃기 시작했다. 살다 살다 별 같잖은 말도 다 들어본다는 듯.

"그 여자, 아마 한창 즐거운 시절일 거야."

그는 웃음을 그쳤다.

"한 달 전에 필립이라는 프랑스인하고 재혼했거든. 마당 사과나무 아래서."

과연, 문하영은 오영제의 발화점이었다. 그는 한숨에 불붙어버렸다. 외투주머니에서 뭔가를 꺼내들고 매트릭스처럼 걸어오더니 내 관자놀이를 후려쳐버렸던 것이다. 골이 띵해오고 시야가 휘잉, 흔들렸다. 뺨으로 뜨뜻한 것이 흐르는 것도 느꼈다. 에필로그로 한동안 별을 헤야 했다. 별들이 사라지자 내 머리통을 쥐어 팬 물건이 눈에 들어왔다. 영화에서 많이 본 연장이었다. 소음기를 단 권총.

"그 파릇파릇한 입으로 지금 뭐라고 했나?"

나는 문하영의 여덟 번째 편지를 불러왔다. 오영제가 쥔 물건이 물총이라고 스스로 세뇌하면서.

"당신이 루앙까지 쫓아갔다면서. 죽은 딸 입관 사진을 보여주다가 병원에서 연행됐고. 필립은 그때 도주를 도와준 남자라고 했어. 당신이 경찰서에서 통역을 찾고, 변호사를 찾고, 강제출국 당하는 사이, 그쪽은 사랑에 빠져서 카사블랑카를 거쳐, 룩셈부르크로……"

참을성 없는 건맨이 또 총을 휘둘렀다. 그것도 한 번 때린 데를 또 때렸다. 이제 아픈 정도를 넘어 의식까지 흐릿해지는 느낌이었다. 방아쇠를 당기지 못한다는 믿음 또한 희미해져 왔다. 좀 더 우호적인 영향을 줄 만한 흥분제를 찾아야 했다. 나는 일단 입을 다물었다. 오영제는 듣고 싶어 했다.

"계속해봐."

아저씨는 엎어진 자세 그대로 요가를 하듯 다리를 등 쪽으로 구부리고 있었다. 수갑을 찬 손으로 발목 줄을 풀려는 게 아닌가 싶었다. 발가락으로 수갑을 푸는 것보다는 그쪽이 좀 쉬울 테니까. 내가 매 값으로 벌어들인 시간을 소중히 쓰고 있는 셈이었다. 나는 곁눈질로 권총을 노려봤다.

"당신 같으면 이럴 때 이야기가 나오겠어? 난 생오줌이 나오는데."

말 끝나기도 전에 건맨의 주먹이 목젖에 박혔다. 20센티미터도 안 되는 거리였고 총을 쥔 손이었다. 신물이 입천장으로 튀고, 골 안에서 날벌레 나는 소리가 났다. 소름이 온몸을 덮었다. 진심으로 이 미치광이가 무서워지기 시작했다. 얻어맞아서가 아니라, 총기 다루는 법에 무관심한 것 같아서. 내 목을 후려갈기는 데 열중하느라, 방아쇠가 당겨지는 경우에 대해선 무신경한 것 같아서. 문하영은 이 미친 인간과 어떻게 12년씩 살았을까.

"넌 네놈이 대가 세다고 생각하는 모양이지?"

건맨의 목소리가 저 멀리에서 들려왔다.

"지금껏 버르장머리 없는 반말지거리를 들어준 게 네놈이 귀여워서인 줄 아나?"

아니면 뭔데. 나는 풀려버린 눈을 건맨 얼굴에 맞추느라 애를 썼다. 와중에 시야 바깥 풍경을 잠깐 훔쳐봤다. 아저씨는 열심히 작업 중이었으나 잘 되는 것 같지 않았다. 허리가 아니라 서핑보드를 구부리려는 것처럼 보였다.

"내일 아침에 팔다리에 깁스하고 교도소에 가고 싶지 않으면 알고 있는 것 다 불어. 어떻게 해서 소식을 알게 됐는지부터."

건맨이 말했다.

"목젖을 얻어맞았더니 목소리가 안 나오는데."

내 목소리는 확연하게 풀이 죽어 있었다. 거의 웅얼거림에 가까웠다. 오영제는 턱을 까딱, 틀면서 물었다.

"뭐라고?"

"당신 전처와 메일을 주고받았다고."

"메일이라……"

"당신에 대해 알고 싶다고 했더니 당신 말투로 편지를 보내주던데."

나는 곧바로 '증거들이대기'에 들어갔다.

"오배우라는 별명이 궁금하다고? 내 외사촌을 찾아간 모양이지? 그 멍청이 말고는 이 오영제를 그렇게 부를 놈이 없거든. 그래, 요새 차는 좀 팔린다던가? 내가 염려할 일은 아니지만, 오배우라는 별명 하나 줍자고 멀쩡한 차를 바꾸지 않았기 바라네……"

수차례 복습한 효과가 있어 말이 청산유수로 나왔다. 낭독하는 사이, 오영제의 흥분상태는 다소 가라앉는 기색이었다. 적어도 내 얼굴에 대고 총질을 해댈 표정은 아니었다.

"어떻게 해서 메일을 주고받게 됐나?"

묻는 목소리도 한결 누그러져 있었다.

"메일 내용을 들어보면 자동으로 알게 될 텐데. 어떻게 한국을 빠져나 갔는지도 알게 될 거고."

잠시 침묵하던 오영제는 의자로 돌아갔다. 총구를 내 얼굴로 조준하며 다리를 꼬았다. 그사이 아저씨는 본래자세로 돌아가 있었다.

"이번 건 당신 말투가 아니야. 본인 말투지."

오영제는 총구를 까닥까닥했다.

"하라고."

"내가 남편으로부터 도망친 건 처음이 아닙니다. 모두 세 번입니다. 두 번은 딸을 데리고, 그리고 마지막엔 저 혼자. 앞선 두 번은 일주일 만에 돌아왔습니다. 남편이 보낸 '서포터'라는 사람들 손에 잡혀서요. 서포터들은 나와 딸이 어디 있는지, 딱 이틀 만에 알아냈다더군요. 남편은 제가 어디 있는지 알면서도, 일주일 동안 불안과 두려움에 떨면서 갈등하도록 내버려둔 것입니다. 집을 나온 게 슬슬 후회되고, 돈이 떨어지고, 아이와 살아갈 일이 막막해질 즈음 서포터를 보낸 거고요. 집으로 돌아오면 남편은 다정하고 따뜻하게 맞아줍니다. 남편 스스로 '회복기'라고 부르는 얼마간은 제게 손가락 하나 대지 않습니다. 제 스스로 가출을 후회하고 미안해할 수 있도록 살갑게 합니다. 값비싼 선물공세는 덤으로 따라오고요. 회복기가 끝나면 전보다 더 끔찍한 지옥이 시작되지만요. 그게 남편이 저를 길들이는 방식이었습니다. 제 행방을 알아내는 것 정도는 남편에게 그리 어려운 일이 아닙니다. 세령면은 좁은 동네고, 세상으로 나가려면 교통수단이 필요한 곳입니다. 남편은 제게 많은 것을 사주었지만 자동차만은 사주지 않았습니다. 심지어 면허를 따는 것조차 허락하지 않았습니다. 저로서는 버스나 택시를 타야 어디로든 갈 수 있었지요. 또하나, 제게 없었던 것은 경제권입니다. 남편이 준 생활비로 살아야 했고, 제가 경제활동을 하는 것도 허락되지 않았고, 남편 모르게 외출조차 해서는 안 되었습니다. 12년 동안 그런 식으로 길들여진 결과, 저는 집 밖에선 쥐 한 마리 잡을 능력이 없는 애완고양이가 되고 말았습니다. 얻어맞고 얻어먹으며 안도하는 생활에 젖어든 것이지요."

오영제의 얼굴 근육이 팽팽해지고 동공이 활짝 열렸다. 이제 메일의 진위 여부를 의심하지 않는 것 같았다. 그보다는 다음 내용이 궁금한 표정이었다.

"제 상황을 알아차린 인아는 친정아버지에게 이를 알렸습니다. 친정아버지는 제게 사실을 확인한 후 변호사를 통해 구체적인 방법을 모색하기 시작했고요. 저와 딸의 안전이 보장되고, 딸의 양육권과 양육비를 받을 수 있는 방법 말입니다. 변호사의 권유를 실행에 옮기기 시작한 게 아이가 유산되던 밤입니다. 시간을 길게 잡고 차근차근 준비했습니다."

마침내 아저씨는 서핑보드를 구부려 발목을 틀어쥐는 데 성공했다. 나는 청바지 속으로 손가락을 넣어 시침실을 잡아당겼다. 솔기가 터지고 곧 면도날을 손에 쥘 수 있었다.

"녹취, 진단서, 사진 같은 증거자료들을 모아 아버지에게 보냈습니다. 여권을 만들고, 자격증을 따고, 은행계좌를 만들고, 변호사 비용도 마련했습니다. 마련방도라야 생활비를 빼돌리고 남편이 사준 고가의 물건들을 파는 게 다였지만요. 요리학원을 핑계로 딸과 함께 미술학원버스를 타고 S시에 나가서 보석, 핸드백, 금붙이, 시계까지 팔았습니다. 팔기 전에는 비슷한 가짜를 먼저 사두었고요. 2년 동안 이런 짓을 하면서도 저는 선뜻 행동에 나서지 못했습니다. 무서웠습니다. 남편도 무서웠지만 제 자신이 더 무서웠습니다. 현실적인 어려움을 못 이겨 남편에게 되돌아가 버릴까 봐. 딱 한 번뿐일 기회를 제 어리석음과 나약함으로 영영 놓치게 될까 봐."

나는 어깨의 움직임이 보이지 않도록 면도날을 움직였다. 아저씨는 열심히 뒷손질을 하는 중이었다. 오영제의 감정 상태는 이제 정상을 향한 '내닫기'라 불러도 좋을 만한 차원으로 흐르고 있었다. 난로 앞에 엎어진 남자는 까맣게 잊어버린 기색이었다.

"그런 제게 도망칠 명분을 준 날이 결혼기념일입니다. 죽도록 얻어맞은 밤에, 비상대피소전화를 찾아 한계령 고갯길을 헤매면서 제가 어떤 생각을 할 수 있었겠습니까. 한계령의 어둠보다 제 인생의 어둠이 더 짙었습니다. 이렇게 죽을지도 모른다는 공포가 딸아이마저 제게서 밀어냈습니다. 그 사람 손이 닿지 않는 곳이라면, 지옥이라도 갈 수 있을 것 같았습니다. 더하여 갈 수 있는 길도 마련된 상태였습니다. 휴대전화와 돈을 빼앗은 뒤 저를 으슥한 곳에 내려놓고 가버리는 일은, 남편이 강간 다음으로 좋아하는 교정메뉴입니다. 가족끼리 외출할 때, 여행을 갈 때, 비상금을 제 구두 안창 밑에 감춰두는 습관은 그 때문에 생겼습니다. 집에서 멀리 갈수록 비상금 액수는 늘어나지요. 그날 제 구두 안창 밑엔 십만 원권 수표 몇 장이 들어 있었습니다. 제 사서함엔 돈을 인출할 수 있는 카드도 있었고요. 서울로 온 후, 프랑스행 티켓부터 끊었습니다. 모든 일을 아버지에게 맡겼고요. 그리고 뒤돌아볼 마음이 들기 전에 비행기를 탔습니다……."

아저씨는 발목밧줄을 완전히 풀었다.

"……오늘은 여기서 줄여야겠습니다. 아래층에서 필립이 부르고 있습니다. 저녁을 먹으라고요. 아, 참, 깜박 잊을 뻔했군요. 저는 다음 주에 아미앵으로 이사할 예정입니다. 도착하는 대로 인터넷을 신청할 생각이지만 여긴 한국처럼 바로 달려와 설치해주는 곳이 아니라, 당분간은 메일을 받을 수 없을 것 같습니다. 급한 일이 있다면, 아미앵으로 직접 편지를 보내는 게 빠를 거예요. 주소는……"

거기에서 말을 멈췄다. 줄이 거의 잘린 상태였다. 오영제는 입술을 꾹 물었다. 숨을 딱 멈추고 있는 표정이었다.

"난 프랑스 말을 못해서 어떻게 못 읽겠는데."

나는 오영제가 외투 주머니에서 볼펜을 꺼내는 걸 잠자코 바라봤다.

"철자로 불러."

그는 권총을 왼손으로 바꿔 쥐고 사형통지문을 쪽지 삼아 받아쓸 준비를 했다.

"24, Rue de la Libération 80000 AMIENS FRANCE. 문하영."

오영제의 바로 뒤에선 아저씨가 소리 없이 몸을 일으키고 있었다. 여전히 수갑을 차고 있었지만 다리를 움직이는 건 큰 문제가 없어 보였다. 카운터펀치가 필요한 시점이었다.

"아, 휴대전화 번호도 가르쳐줬는데."

오영제의 손가락에서 볼펜이 빠졌다. 나는 물었다.

"이것도 부를까?"

"빨리 불러."

그의 목소리 끝이 떨리고 있었다. 휴대전화를 꺼내는 손끝은 더 확연하게 떨렸다. 나는 숨을 짧게 들이마시며 머릿속으로 번호를 확인했다.

"0033. 6. 34. 67. 72. 32"

오영제는 번호를 누르고 나를 노려봤다. 눈자위가 온통 시커멨다. 총구는 내 이마를 겨누고 있었다. 헛소리면 곧장 골로 보내주겠다는 듯. 방 안에는 침묵이 흘렀다. 수화기 저편으로 가는 신호음만 화재경보 벨처럼 크게 울렸다. 마침내 수화기저편에서 여자목소리가 났다. 뭐라고 하는지는 알아듣지 못했다. 광적인 흥분이 오영제의 얼굴을 덮어버리는 것만 보였다. 그는 의자를 밀치고 일어나며 여자를 불렀다.

"문하영."

나는 줄을 완전히 끊었다. 아저씨의 다리가 권총을 쥔 오영제의 팔로 날았고, 오영제는 헛숨을 토하며 뒤를 돌아봤다. 돌아보는 것과 동시에 아저씨의 구둣발이 그의 턱에 박혔다. 오영제는 고개를 꺾고 뒤로 떨어졌다. 권총은 출입문 앞으로 날아가 떨어졌다. 나는 발목이 묶인 채로 슬라이딩을 하듯 몸을 날려 권총을 움켜쥐었다. 그런 다음 출입문을 등으로 막고 앉아 발목의 줄을 끊었다. 비명을 들은 문밖 서포터는 문을 밀치기 시작했다. 어깨로 들이받는지, 철문이 덜컥덜컥 들썩거렸다. 내 등도 따라 덜그럭거렸다. 방문을 잠가야 했지만 손잡이 잠금단추가 고장 나 있었다. 발을 바닥에 찰싹 붙이고 등으로 문을 밀면서 몸으로 버티는 수밖에 없었다. 밀리면 어떤 일이 일어날지 눈에 훤했다. 총을 쥐고 있는 나는 동네 사격장에도 가본 적이 없었다. 거꾸로 쏘지나 않으면 다행이었다. 명사수일 아저씨는 손에 수갑을 차고 있었다. 문을 들이받고 있는 저쪽 전문가 그룹은 최소한 둘일 터였다. 그들 또한 명사수일 것이고.

내가 문짝과 싸우는 사이, 아저씨의 다리는 1박2일 동안 오영제에게 당한 분풀이를 하고 있었다. 상대에게 숨 쉴 틈조차 주지 않았다. 오영제는 몸을 일으키다 두 번째로 턱을 가격당하고 난로 구멍 앞에 뒤통수를 박치며 떨어졌다. 떨어지자마자 옆구리를 두 번 걷어차인 뒤 사지를 길게 뻗고 드러누웠다. 아저씨는 뻗어버린 오영제를 줄기차게 걷어차고 밀쳐서 난로 구멍으로 집어넣어 버렸다. 곧바로 올라가 고정돼 있는 뚜껑의 손잡이를 팔꿈치로 쳐서 내리고, 같은 방식으로 손잡이를 쳐올려 걸쇠를 걸었다. 난로로 굴러 들어간 오영제는 조용했다. 반면에 문 뒤의 세력은 점점 거칠어지고 시끄러워졌다. "문 열어"라는 고함만으로도 문짝이 떨어져 내릴 판이었다. 아저씨는 내 곁으로 와서 문에 등을 붙이고 서며 힘을 보탰다.

"일어나. 셋을 세면, 곧장 문에서 몸을 떼고 옆으로 비켜서면서 총을 겨누는 거야."

내가 몸을 일으키자 아저씨는 수를 셌다.

"하나, 둘."

셋에서 우리는 몸을 떼고 옆으로 비켜섰다. 문이 무너지듯 안으로 열리고 두 남자가 총을 겨누며 들이닥쳤다. 나도 그들을 향해 총을 겨눴다. 총구를 맞대고 보니 이상한 느낌이 들었다. 두 남자 중 누구도 좀 전에 만난 전문가와 닮지 않았다. 기억이 자신 없는 목소리로 알려준 바에 의하면, 그들은 선수와 애송이를 닮았다. 아저씨가 맥없는 소리로 말했다.

"일찍들 오셨네요."

8

아저씨와 나는 119구급차에 탔다. 선수와 애송이 커플이 동승했다. 15분 후, 구급차는 해남 읍내에 있는 한 병원에 도착했다. 나는 이마가 좀 터졌지만 꿰맬 정도는 아니었다. 문제는 아저씨였다. 입원을 해야 할 정도로 약물중독 증세가 심각하다고 했다. 등대에서 오영제를 때려눕힌 건 아저씨의 다리가 아니라 신의 다리였나, 싶었다.

선수가 당직의사에게 무어라 말했는지는 잘 모르겠다. 의사는 처치를 끝내자마자 아저씨를 2층에 있는 병실로 올려 보냈다. 문짝에 '격리실' 팻말이 붙어 있고, 창문으로 병원 뒤편 숲이 내다보이는 병실이었다. 간호사는 바깥쪽 문손잡이에 '면회금지' 팻말을 걸었다.

아저씨는 링거 두 병을 달고 침대에 누웠다. 이뇨제를 섞은 식염수와 전해질 용액이라고 했다. 선수와 애송이는 침대 옆 보조 의자에 앉았다. 나는 라디에이터에 걸터앉아 진술을 시작했다. 아저씨의 물건을 열어본 시점부터 선수가 들이닥치기 직전까지. 레코더시계를 풀어 선수에게 넘겨주었다. 아저씨의 물건을 숨겨놓은 장소도 말해주었다.

"누가 보냈는지는 아직 모르겠어요. 운동화도 오영제가 보낸 것 같지 않은데."

내 말에 선수가 흘끔 아저씨를 봤다. 아저씨는 자기 발끝을 보고 있었다.

"내가 시킨 거야."

"아저씨가요?"

놀란 사람은 나뿐이었다. 선수나 애송이는 표정에 변화가 없었다.

"집을 떠나면서 청년회장한테 맡겨뒀어. 퀵 서비스로 온 것처럼, 시간차로 전해달라고."

반사적으로 "왜요?"라는 말이 튀어나왔다. 어디선가 날아온 돌멩이에 뒤통수를 까인 기분이었다. 아저씨는 나를 한 번 보고 선수를 한 번 봤다. 나중에 우리끼리 얘기하자는 의미였다. 선수가 고개를 끄덕였다. 나는 입을 다물었다.

"집 뜨자마자 펑크가 났어요. 등대 부근에서요. 내려서 보니까, 전날저녁까지 멀쩡하던 뒷바퀴에 구멍이 나 있더라고요. 스페어를 꺼내려고 뒷문을 여는 사이에 지프 한 대가 뒤에 바짝 붙어 섰고요. 양쪽에서 두 놈이 내리는 걸 보고 감을 잡았어요. 놈들에게 어깨를 잡히자마자 상황이 끝났고요. 뒷목이 따끔하더니 다리 힘이 풀리면서 정신을 잃었으니까. 이후로는 깜깜해요. 등대에 박아놓고 쭉 재운 모양이에요. 등대이리라고는 상상도 못했어요. 세령수목원이나 축사일 거라고 생각했거든요."

아저씨의 이야기는 그걸로 끝났다. 맥락 없이 상황만 있는 진술이었다. 선수와 애송이는 납득하는 진술인 듯했다. 그들의 표정에 수긍의 빛이 어른댔다.

"그건 우리도 마찬가지야."

선수는 내게 시선을 던졌다.

"자네 전화를 받은 후에 파파약국 부근에서 잠복을 시작했는데, 추적기 위치가 둘 다 등대마을을 벗어나질 않는 거야. 자정 이후로는 아예 움직이지도 않더구먼. 한 시간이나 지켜본 후에야 뭐가 머리를 획 치더라고. 육감이라는 놈이 늘 문제인 거지. 안 맞을 땐 사람을 완전히 눈뜬장님으로 만들거든. 눈앞에다 놔두고 그저 움직이기만 기다리고 있었으니. 팀원들은 죄다 S시 부근에서 대기 중이고 말일세. 부랴부랴 해남 서에 협조요청하고 등대로 들이닥쳤는데 근처 소나무 밑에 망보는 놈이 있었던 모양이야. 후다닥 숲 속으로 튀더라고. 쫓아가서 잡고 보니까 숲에 자네 봉고하고 그놈들 밴이 숨겨져 있었어. 그런데 그 밴에 뭐가 있었을 것 같나."

아저씨는 잠자코 있었다.

"오영제 예술품이 있더군. 자네 소설에 나온 나뭇개비작품. 그사이에 작품세계가 아주 독창적으로 변모했더군. 동화 속 성채가 아니라 관이더라고. 검은 대리석판에 쌓아올려 만들었는데 관 뚜껑에다 위패까지 박아 놨더구먼. '최서원 학생 신위'. 대리석판을 골조로 썼다는 건 물에 가라앉히겠다는 뜻 아니겠나. 최현수와 달리 화장이 불가능하니까 수장을 택했겠지. 그나마 자네는 관도 없어. 발목에 돌 매달고 잠수할 처지였단 얘기지. 죄 없는 S시 주민들은 시체 우려낸 물을 마르고 닳도록 마실 팔자였고."

선수는 수첩을 주머니에 담으며 물었다.

"일단 우리는 서로 들어가 봐야겠는데, 뭐 부탁할 거 없나."

아저씨는 대답했다.

"제 봉고요. 여기로 가져다주면 좋겠는데."

"여기로? 의왕가려고?"

"가야죠."

"장례차를 수배하는 게 낫지 않겠나? 준비 해야 할 것도 꽤 있을 텐데."

"영정하고 수의는 얼마 전에 준비해뒀어요. 오영제가 손대지 않았다면 봉고에 있을 거예요. 상복 두 벌만 구해서 보내주세요."

선수는 고개를 끄덕이며 내게로 오더니 갑자기 파카 깃을 잡아 지퍼를 열었다. 후드를 접어 넣은 부분에서 라이터만 한 물건이 나왔다. 내가 어리둥절해 있는 사이 두 사람은 병실에서 휙 사라졌다. 나는 아저씨를 쳐다봤다. 해줄 얘기를 빨리 하라고. 금방 칼라 깃에서 나온 물건얘기도 빼지 말고. 아저씨는 멀뚱멀뚱 벽을 봤다.

"문하영이라는 분, 괜찮을까요. 굉장히 놀랐을 텐데."

내가 말했다. 아저씨 입을 열려고 꺼낸 말이었다. 아저씨는 생뚱맞은 대꾸를 내놨다.

"네가 결정해라. 화장할지, 매장할지."

이번엔 내가 말문이 막혔다.

"매장을 원한다면 여기 뒷산에 적당한 땅이 있어. 산주인한테 말 붙여봤는데 조건 맞으면 팔 것도 같고."

땅…… 나를 현실로 데려다 놓는 단어였다. 나는 상주였다.

"저라면…… 땅에 갇히는 거 싫을 거예요."

아저씨는 벽제화장터로 전화를 걸었다. 저녁 5시 화로가 비어 있었다. 예약을 끝내고 나자 다시 침묵이 찾아왔다. 아저씨는 내가 뭔가를 묻기 전엔 이야기를 하지 않기로 작정한 사람 같았다.

"그 소설, 왜 쓰셨어요?"

내가 물었다.

"써달라는 부탁을 받았다."

대답을 하면서도 아저씨는 여전히 벽을 보고 있었다.

"누가 그런 부탁을 해요?"

"팀장님이."

또 말문이 막혔다. 아저씨가 '팀장님'이라고 부르는 이는 내가 아는한, 한 사람밖에 없었다. 그 사람이 맞는지 물을 엄두가 나지 않았다.

"시작이 그랬다는 거야."

나는 손을 무릎에 올려놓았다. 혼란스럽고 당황스러웠다. 아버지라니.

"이젠 너도 알았을 거다. 세령호에서 내가 뭘 쓰고 있었는지. 그때 내가 팀장님을 설득해서 자수를 하게 했다면 어땠을까, 아니면 신고를 하든가. 그랬다면 그런 비극은 일어나지 않았을 거야. 그런데 난 기다렸어. 기다려달라는 말이 자수를 결심할 시간을 달라는 뜻이 아니라는 거 눈치챘으면서도, 나 자신한테 한사코 그렇다고 우긴 거야. 당시에는 내가 왜 그랬는지 몰랐어. 그날 밤, 경찰서에서 사건진술을 하던 중에 깨달았지. 담당형사가 답을 말해주더라. 당신, 소설 결말을 알고 싶었구먼. 충격이 컸다. 형사 말 때문이 아니라, 그게 진실이라서. 블루 오브 증후군(Blue Orb Syndrome)이라는 게 있어. 바다에서 일어나는 광장공포증이지. 깊고, 넓은 해저에 나 홀로 있다는 인식이 엄습하면, 공포에 사로잡힌 나머지 의식이 핀 포인트가 되는 거야. 감압은 말할 것도 없고 숨을 뱉는 일까지 잊어버려. 그 일이 내게 남긴 게 그거다. 뭔가를 쓰려고 노트북을 켜면 내 앞에는 워드화면 대신 블루 오브가 열리는 거다. 길을 찾으려 들면 들수록 넓어지고 깊어지며 광활해지는 공간. 나는 그 어둡고 푸른 우주에서 미아가 되곤 했어. 대필을 시작한 건 그 때문이야. 누군가 던져주는 얘깃거리를 정리하면 되는 일이니까. 동네 근린공원을 달리는 것처럼 편안했어. 길을 잃을 염려도 없고, 아직 글을 쓰고 있다는 안도감을 얻을 수 있고, 밥벌이까지 했으니, 나름 성공한 셈이지. 이게 본래 내 그릇이라고 인정하지 못하는 게 괴롭긴 했지만. 소설 한 편 내고 소설가 인생이 끝장났다는 생각이 들면 정말 미칠 것 같았거든. 그럴 때마다 네 이야기를 썼어. 미아가 되지 않고 쓸 수 있는 유일한 내 글이었지. 오늘 무슨 책을 읽었는지, 어떤 의견을 내놨는지, 무얼 먹었는지, 무얼 좋아하는지, 무얼 싫어하는지, 삐쳤을 때와 화났을 때와 난감할 때의 행동이 어떻게 다른지, 다이빙 실력이 얼만큼 늘었는지, 이번엔 얼마 만에 학교를 옮겼는지. 매달 말일이면, 그걸 팀장님에게 보냈다. 답장을 받은 적은 한 번도 없었지만."

나는 바다가 무서웠던 적이 없다. 블루 오브에 들어가 본 적도 없고 소설을 써본 적도 없다. 그러므로 백지라는 우주에서 길을 잃은 작가의 고통도 이해하지 못한다. 다만 아저씨가 느낀 죄책감이, 잠깐 함께 살았던 부자를 위해 그 기나긴 세월 동안 정성을 쏟을 이유가 되지 않는다는 건 알고 있었다. 그것도 반향 없는 정성을.

"오영제가 살아 있는 게 아닌가, 너를 쫓아다니는 게 그 인간 아닌가, 의심한 지는 꽤 오래됐어. 오영제 말고는 떠오르는 사람이 없었거든. 시신도 발견되지 않았고, 분풀이로 이러는 건 아니겠다, 싶더라. 살아 있다면, 널 살려둘 인간은 아니니까. 마음만 먹으면 기회는 얼마든지 있었을 테고. 그런데 몇 년 동안 손끝 하나 건드리지 않았어. 쥐를 몰아대듯 세상에서 내쫓기만 했지. 그게 더 이상하고 불길했어. 틈틈이 오영제 행방을 수소문해봤는데 본 사람이 없더구나. 친척, 병원사무장, 수목원관리인, 동네사람들…… 작년 7월이야, 우리가 태안에서 지내던 무렵. 자다가 갑자기 오영제의 재산이 생각이 나는 거야. 혹시나 해서 인터넷으로 등

기부열람을 해봤다. 메디컬센터가 팔렸더구나. 재산권을 행사한다는 건 살아 있다는 의미야. 생각해보니까 사건 난 지 몇 년이 지난 시점에 누가 오영제의 생존에 관심을 가질까, 싶더라. 범법자도 아니고, 주민등록을 말소해버릴 가족도 없는데. 그즈음이야. 팀장님한테서 편지가 온 것도."

처음으로 보낸 아버지의 편지에는 달랑 한마디가 적혀 있었다.

"할 얘기가 있네."

아저씨는 이 문장을 만나고 싶다는 얘기로 받아들였다. 그래서 만나러 갔다. 면회실에 나타난 사람은 머리가 하얗게 세고, 목이 굽고, 이가 다 빠지고, 피부는 양피지처럼 노란 노인이었다. 혁수정에 팔을 묶인 채 한쪽 다리를 질질 끌며 걸어오는 마흔세 살의 노인. 아저씨는 그때를 '한없이 낯선 순간'이었다고 회상했다. 아버지의 눈에서 '말하지 않는 것'을 읽는 순간이었다고 기억했다. 회한, 고통, 죄책감, 부끄러움, 슬픔, 그리움 그리고 그것들을 다스리는 통제력. 아저씨 앞에 앉은 남자는 아저씨가 아는 '팀장님'이 아니었다. 세령호에서는 만난 적이 없는 '최현수'라는 한 인간이었다.

"오영제가 살아 있다네."

침묵을 깬 쪽은 아버지였다.

"매주 한 번씩 내 이를 치료해주러 와."

아저씨는 대답을 하지 못했다. 내내 의심해온 일을 아버지를 통해 확인받게 될 줄은 몰랐던 것이다. 그런 일이 가능하단 말인가. 아저씨는 스스로 묻고 스스로 답을 찾아냈다. 가능하겠다. 재산권을 행사하는 자가 교도소 의료봉사를 못할 이유가 없었다. 교도소 측에서 오영제가 누군지 알 턱이 없을 테고. 알 필요도 없겠지. 소중하고 은혜로운 존재, 이상도 이하도 아니었으리라.

아저씨가 본 바로 아버지의 잇속은 폭탄이 터진 자리 같았다고 했다. 안쪽 이는 대부분 빠졌거나 썩어 없어지는 중이었다. 온전한 모양새를 한 건 위아래 합해 여섯 개뿐이었다. 아버지는 본래에도 이가 튼튼한 편이 아니었다. 야구가 준 선물이었다. 포수마스크만 쓰면 이를 악무는 습벽이 치아와 턱관절을 망가뜨렸다고 들었다. 그 허술한 이를 오영제와 대결했던 그날 밤에 1/3가량 잃었다. 수감생활이 남은 치아마저 거덜 낸 것이고.

작년 6월 중순, 아버지는 치과의사가 의료봉사를 나온다는 얘기를 들었다. 진통제나 얻어볼까, 하는 마음으로 의무실에 갔다고 했다.

"의사의 모습이 낯익었네. 모자와 마스크를 쓰고 있는데도 그랬어. 이상하게 가슴이 뛰고 불안했지. 의사가 처치의자에 누우라고 손짓을 하더군. 저 가느다란 손가락을 어디서 봤을까, 생각하며 자리에 누웠지. 의사는 내 얼굴 쪽으로 의자를 당겨 앉았고, 눈이 딱 마주치는 순간이 왔지. 나는 올려다보고 그쪽은 내려다보고. 단박에 누군지 알아차렸네. 그 눈을 못 알아보는 게 더 이상한 일이지. 눈알만 빼서 사막에 던져놔도 알아볼 걸세."

아저씨는 그 말을 이해할 수 있었다고 말했다. 실제로 마주친 것처럼, 그 눈이 생생하게 되살아났다고. 문이 열리듯, 한순간에 벌어지는 새카맣고 텅 빈 동공이.

"오래전부터, 자네가 보낸 편지를 볼 때마다, 문득문득 의심이 스쳐가곤 했지. 혹시 살아 있는 게 아닌가. 그때 살아서 세령호를 빠져나간 게 아닌가. 그토록 집요하게 서원일 쫓아다닐 사람은 그자밖에 없었으니까. 의심이 사실로 확인된 거지. 충격이 컸네. 무서웠고. 턱이 부들부들 떨릴 정도로. 그자 얼굴을 올려다봤지. 마스크 안에서 소리 없이 웃고 있더군."

"얘길 나누지는 않았고요?"

"벌써부터 떨 것 없다고 했어. 아직 시작도 안 했다고. 치료를 완전히 끝내면 나중에 틀니를 해주겠다고. 나는 치료받지 않을 생각이었지. 이가 완전히 망가진다고 해도 다시 그자를 보고 싶지 않았어. 얼굴조차 떠올리고 싶지 않았지. 그자가 사형수 최현수를 보고 싶었다면, 한 번으로 만족해야 할 거라고 생각했어. 방으로 돌아와 벽을 보고 앉았네. 거기 붙여둔 서원이 사진들을 봤지. 열네 살, 열다섯 살, 열여섯 살, 열일곱 살…… 평소라면 안정을 찾았을 거야. 죄책감과 고통, 후회와 회한이 몰려올 때, 수수밭 꿈을 꾸고 일어난 아침마다 그 아이 사진을 들여다보곤 했거든. 그러면 환각제라도 먹은 것처럼 다른 세상으로 갈 수 있으니까. 자네가 보내준 편지 속 세상. 나는 유령처럼 그곳으로 날아가서, 훌쩍훌쩍 사내로 커가는 그 아이를 지켜보곤 했어. 그런데 그날은 그곳으로 갈 수가 없었네. 꿈속의 세상 대신 무시무시한 것이 몰려왔어. 아이 곁에서 무슨 일인가 일어나고 있다는 직감. 그때 깨달았네. 내가 무엇을 해야 하는지, 뭘 할 수 있는지. 자네, 선수시절 내 포지션, 기억하나."

아저씨는 고개를 끄덕였다.

"이전 게임을 복기해서 패인을 찾아내는 사람, 게임의 판을 읽고 흐름을 조율하는 사람, 타석에 들어선 타자를 분석하고, 행동을 예측하고, 승부할 시기와 수를 판단하는 사람, 온몸으로 홈 플레이트를 사수하는 사람, 그게 포수지. 그리고 난 열두 살 때부터 포수로 길러진 사람이고. 야구를 그만두면서 그 본능을 잊고 살았네. 내 인생에서 승부를 걸 일은 더 이상 없을 거라고 생각했으니까. 그러다 세령호사건이 터진 거고. 여자아이를 죽인 순간부터 수문을 열어버리던 순간까지, 난 단 한순간도 제정신이었던 적이 없어. 무엇이 내게 오는지, 내가 무슨 일을 저지르고 있는지도 몰랐지. 마지막 순간까지 오로지 공만 봤어. 내가 지켜야 할 공. 절대로 내줘서는 안 되는 공. 하지만 지금은 아닐세. 지난 7년 동안, 내가 이 교도소에서 뭘 했는지 아나. 세령호에서의 2주를 되풀이해서 복기했어. 매일 매순간. 만약 이랬더라면, 저랬더라면…… 그러다 보니 몇 가지 보이는 게 있었어. 오영제가 어떤 인간인지, 아내가 어떻게 죽었는지도. 난 아내를 죽이지 않았네. 내가 사지로 몰아넣은 건 맞지만…… 적어도 내 손으로는 아니야."

아저씨는 아버지의 눈에서 처음으로 감정을 봤다고 했다. 빨갛게 부풀어 오른 채 흔들리는 눈이 그간의 고통을 말해주고도 남았다고 했다.

"오영제가 나타난 후 일주일간 한 가지 문제만 생각했네. 이제 와서 내 앞에 나타난 이유가 뭘까. 단서를 얻으려고 매주 오영제에게 치료를 받으러 갔어."

"짚이는 게 있던가요."

"교도소 봉사를 다니다 보면 알게 되는 것이 있다고 들었어. 사형집행 명령이 떨어지면 목사나, 신부, 혹은 장의사 같은 봉사자들에게 연락이 간다더군. 교도관이 전화를 걸어와 내일 아침 일찍 나와 달라는 부탁을 하면 그 사람들은 직감으로 안다더군. 봉사활동을 하면서 내외적으로 친분을 쌓아두자는 게 목적 중 하나일 거라고 보네."

"그걸 알아서 뭐하게요."

"아직 끝나지 않았으니까."

"네?"

"7년 전 밤이 계속되고 있는 거야. 오영제는 사형이 집행되는 날, 서원이와 나를 동시에 손에 넣을 생각인 거야. 그전에 훼방꾼부터 손보겠지. 훼방꾼이 누군지는 말하지 않아도 알 거야. 자네와 서원이를 한곳에 정착하지 못하게 만든 건 그때를 위한 포석이야. 떠돌아다니게 만들어야 없어져도 찾을 사람이 없을 테니까. 내가 짐작한 건 거기까지네. 이 안에서 판을 다 읽는 건 무리야. 상상이 불가능한 부분들이 많아."

면회종료를 알리는 종소리가 울렸다.

"자네가 그림을 맞춰줬으면 해. 그래 주기만 하면 내가……"

교도관이 다가오자 아버지는 자리에서 일어났다.

"마지막으로 포수노릇을 할 수 있을 것 같네."

첫 면회는 거기서 끝났다. 두 번째 면회부터 아버지의 이야기가 시작됐다. 아저씨는 듣고 녹음했다. 집으로 돌아와 그 옛날의 파일을 꺼냈다. 거기에 아버지의 진술을 끼워 맞춰 사건을 재구성하기 시작했다. 대필 작업을 하는 틈틈이 사람들을 찾아다녔고 그들 중 몇몇이 구멍 난 정황을 메워주었다. 겨울이 되자 이야기는 어느 정도 틀을 갖췄다. 아저씨가 문하영에게 보낸 원고가 바로 그것이었다. 오영제에 대한 부분이 듬성듬성 비어 있는 미완성원고. 문하영의 도움을 받으면서 이야기는 진실을 향해 내달렸다. 여름이 올 무렵, 아저씨는 블루 오브에서 벗어나 있었다.

지난 가을, 아버지는 제본된 원고를 받아볼 수 있었다. 아버지가 건강검진을 받고 자신의 죽음을 예감하던 즈음이었다. 그 원고에도 마지막 장이 없었다. 어머니의 행적에 대한 근거를 찾지 못한 탓이었다.

"마지막 장을 쓰지 못했어요."

아저씨의 말에 아버지는 고개를 끄덕였다.

"정황은 분명한데 단서를 못 찾겠어요. 정황만으로 쓸 수 있는 부분도 아니고."

"그 부분은 오영제가 직접 말해줄 거야."

"나한테요?"

"아니, 서원이한테."

아버지는 계획을 털어놓았다. 소설과 취재자료를 내게 보내는 일로 시작되는 계획이었다. 아버지는 아저씨가 먼저 납치될 것이고, 소설을 읽기만 한다면 어떤 식으로든 내가 오영제와 대면하리라고 내다봤다. 따라서 배후에서 이 상황을 해결해줄 사람이 필요했다.

"선수를 찾아가게. 도와줄 거라고 생각하네. 그 형사, 사형선고를 받은 직후에 나를 찾아온 적이 있어. 그날 밤 오영제와 무슨 일이 있었느냐고 물었네. 아내를 정말로 죽였느냐고 물었고. 계속 입을 다물고 있으면 사형이 확정될 거라고도 하고. 난 내처 입 다물고 있었어. 할 말도 없고, 사는 데 미련도 없었고, 그땐 상황이 끝났다고 생각했으니까."

아저씨는 고개를 저었다.

"선수는 형사예요, 팀장님 변호사나 도우미가 아니고. 설사 도와준다고 해도, 서원이한테 그런 일을 하게 만들 수는 없어요. 그 아이 아직 스무 살도 안 됐어요. 가까스로 살아가는 중이고요. 이건 그 아이를 벼랑길로 떠미는 짓이에요."

"야구는 단순한 거야. 공을 던지고, 공을 치고, 공을 받고. 타자가 타석에 들어오면 투수는 공을 던져야 하는 걸세. 포수는 승부구를 요구해야 하고. 7년 전, 그 아이는 내가 지켜야 할 공이었지만 이젠 아냐. 내 배터리야. 내가 사인을 보내고 서원이가 던지는 거야. 내 사인을 거부하든, 받아들이든 그건 그 아이의 선택이지. 하지만 공을 가지고 있는 사람은 자네야. 그 아이에게 선택할 기회를 주게."

"좋아요, 다 좋아요. 오영제가 나를 먼저 처리할 거라는 보장이 없잖아요. 서원이와 함께 납치해버릴 수도 있어요. 그러면 서원인 팀장님 사인을 받을 기회가 없는 셈이에요. 일이 완전히 어긋나 버릴 수 있어요."

"그러진 않을 거라고 생각해. 서원이가 사형집행 통보서를 직접 받도록 해줄 거고, 시신 인수 날짜까지 기다렸다가 나타날 거야. 그때까지는 아이가 괴로워하는 걸 지켜볼 걸세. 7년 전을 생각해봐. CCTV로 호수에 갇힌 서원이 모습을 생중계하면서 내가 괴로워하는 걸 즐겁게 지켜봤어. 그때보다 더 인간적인 인간이 됐으리라고는 생각 안 하네만."

"그것 말고도 문제가 많아요. 제가 먼저 그…… 그 집행날짜를 알아낼 길이 없잖아요."

"그것도 오영제가 알려줄 거야. 어떤 식으로든 자네한테 신호가 올 거라고 봐."

"하지만 팀장님이 판을 잘못 읽었다면……"

"그럴 수 있겠지. 하지만 이래도 저래도 결과는 마찬가지야. 아무것도 안 하면 오영제가 판을 쓸어 담는 거고, 뭔가를 해서 그것이 맞아떨어진다면, 운만 따라준다면, 우린 이 기나긴 밤을 끝낼 수 있는 것이지. 그러기를 바라야지."

아저씨가 S시 경찰서를 찾아간 건 11월 초였다. 문하영의 마지막 편지가 그간 망설이던 아저씨를 행동하게 만들었다고 했다. 그사이 선수는 팀장으로 승진해 있었다. 승진한 선수를 설득하는 데는 그리 긴 시간이 걸리지 않았다. 일주일 만에 취재자료와 소설을 모두 검토한 선수는 형사생활을 통틀어 '가장 찜찜한 사건'이라는 말로 협조할 의사를 드러냈다. 오영제가 어머니를 살해했으리라는 추측에도, 아버지의 시나리오에도 공감을 표했다고 한다.

다만, 강은주 살인용의자를 체포하려면 선행돼야 할 조건이 있었다. 아저씨와 내가 그 용의자에게 납치를 당할 것. 그러지 않고는 용의자의 손에 수갑을 채울 명분이 없었다. 어머니를 살해한 정황은 있었지만 물증이 없었다. 잡아넣어봐야 구속영장이 발부되지 않을 게 뻔했다. 아버지가 사형을 당해야만 사건 발생여부가 결정되고, 사건이 발생해야만 오영제를 구속하는 게 가능했던 셈이다. 그러므로 수사 팀의 공식적인 지원도 받을 수가 없었다. 사건발생이 확인되는 대로 수사 팀의 지원을 받아 현장에서 오영제를 체포하고, 강은주에 대한 수사를 하겠다는 게 선수의 생각이었다.

작전을 짠 사람도, 위치추적기 두 개를 구해준 사람도 선수였다. 아저씨는 그걸 내 파카 칼라에 몰래 집어넣는 시험을 미리 해봤다고 말했다. 휴대전화로 내 위치를 정확하게 잡을 수 있었다. 물론 나는 전혀 눈치채지 못했다.

26일 오후, 아저씨는 자서전 대필을 의뢰하는 전화를 받았다. 좀 이상하다는 생각이 들었다. 개인적으로 친분이 있지 않은 이상, 대필 건이라면 출판사 쪽에서 연락을 해오는 게 정상이었다. 다음 순간엔 멍해졌다고 했다. 비로소 설마, 하던 일이 일어났다는 걸 알아차렸던 것이다. 전화는 오영제의 신호였다.

만날 장소는 저쪽에서 정했다. 아저씨는 선수에게 연락을 한 뒤 정해진 일을 시작했다. 소설과 자료, 선데이매거진과 나이키 농구화를 각각 상자에 담고 청년회장에게 배달을 맡겼다. 농구화는 내 것이 아니었다. 읍내 거리에 있는 재활용품박스를 뒤져 찾아낸 신발이었다. 아저씨는 거기에 내 이름을 쓰고 알코올 솜으로 글씨를 희미하게 만든 뒤 봉고에 보관해왔다고 했다. 그 역시 아버지의 요구였다. 아버지는 내가 소설을 읽지 않으리라고 내다본 것이었다. 농구화는 오영제의 초대장이 아니라, 소설을 '읽어라'라는 아버지의 사인이었던 셈이다.

선수의 작전은 이랬다. 아저씨가 집을 떠난 후, 애송이를 데리고 화원

면에서 잠복한다. 우리 둘의 위치추적기를 확인해가면서, S시에 대기 중인 팀원들은 다음 행동을 결정한다. 그런데 1박 2일 동안, 위치추적기 두 대가 등대마을을 벗어나지 않았던 것이다. 선수는 당혹스러웠으리라. 헛다리 짚었나, 의심할 수밖에 없고, 세령호나, 수목원으로 가리라는 예측이 판단을 흐리게 한 것이었다.

아저씨의 얘기가 끝났다. 나는 입을 다물고 의자에 처박혔다. 가슴에서 분노가 탔다. 대상도 모르고, 이유도 모르고, 끌 방법도 없는 불길이었다. 사형집행 통보서를 받았을 때, 나를 바다로 내몬 바로 그 분노였다.

9시경, 선수가 병실로 전화를 걸어왔다. 병원 뒤편 축대 밑에 봉고를 대기시켜 놓았다고 했다. 병원으로 곧 기자들이 몰려올 것이라 했다. 떠나기 전에 YTN뉴스를 보라는 말도 덧붙였다. 나는 TV를 켰다. 뉴스속보가 나오고 있었다.

최현수의 사형집행 소식이 먼저 보도됐다. 이어 S시 경찰서장이 사건 브리핑을 시작했다. 실종됐던 오영제가 살아 있었고, 최현수의 아들과 보호자 안모 씨를 약물로 혼절시켜 납치, 살해하려다 현장에서 체포됐으며, 차량에서 '최 군'의 위패와 관이 발견됐다는 사실이 간략하게 언급됐다. 오영제는 살인미수, 폭행, 납치감금, 의료법위반혐의로 체포됐다. 서포터즈도 그와 운명을 같이했다. 어머니를 살해한 혐의에 대해서는 언급이 없었다.

나는 텔레비전을 껐다. 최현수는 죽었고 여전히 살인마였다. 조만간 아내를 살해한 혐의는 벗겠지만 평가가 달라질 건 없었다. 오영제는 체포됐으나 나는 여전히 최현수의 아들이었다. 나로 인해 죽어간 영혼들이 등에 올라앉아 있었다. 그들을 등에 진 채 평생을 살아갈 수 있을까?

아저씨는 주사바늘을 뽑아버리고 일어나 환자복을 벗기 시작했다.

"의왕에 정말 가실 거예요?"

내가 물었다. 아저씨는 스웨터를 뒤집어썼다.

"아까 응급실 의사가 한 얘기 못 들었어요?"

맹한 눈이 나를 흘끔 봤다.

"이상 없다고 했잖아."

그렇게 말하지 않았다. 급성약물중독증세와 중추신경계 억제증세, 심전도상의 부정맥, 경미한 호흡장애 외에 다른 이상은 아직 발견하지 못했다고 했지. 아저씨는 신발을 찾아 신었다. 나는 불안했다. 걱정스러웠다. 저 몸으로 운전을 할 수 있을까. 그렇다고 만류할 용기도 나지 않았다. 아저씨가 없다면 선수가 붙여준 기사와 동행해야 한다. 아니면 아저씨의 몸이 멀쩡해질 때까지 기다리든가. 전자는 싫고 후자는 불가능했다. 해남에서 의왕까지는 제트기처럼 내달아도 5시간 이상 걸리는 거리였다. 벽제화장터 예약시각은 5시였다. 시계는 9시 20분을 가리켰다.

우리는 병실을 나갔다. 봉고 뒤칸에 큼직한 종이상자와 검은 양복 두 벌이 있었다. 나는 상자를 열어봤다. 수의와 영정이 들어 있었다. 이런 걸 언제 다 준비해두었을까. 아저씨는 아버지의 죽음을 예견하고 있었을까. 영정은 소설에 묘사된 그 사진이었다. 포수마스크를 쓰기 직전에 어딘가를 바라보며 미소 짓는 사진. 목이 갑갑해왔다. 아버지의 동문이 올렸다는 게시물의 마지막 문구가 기억났다.

저 젊은 눈동자는 그때 무엇을 바라보며 미소 지었을까.

누가 그것을 알까. 이 젊은 눈동자가 바라보는 '무엇'이 교수대는 아니었으리란 점만 분명했다.

"옷 갈아입어라."

아저씨가 말했다. 멍하니 눈을 들어 아저씨를 봤다. 검은 양복이 낯설었다. 상장도 낯설었다. 사진 속에서 웃는 젊은 포수만큼이나. 나는 영정을 내려놓았다. 아저씨는 운전석으로 건너갔다. 우리는 병원을 떠났다.

"아버지 말이에요."

남원 부근을 지날 무렵 내가 입을 열었다.

"오영제만 처리하면 다 끝날 거라고 생각한 모양이죠?"

"아니야. 단지 네가 자발적으로 그 일을 하기를 바란 것이지."

"왜요?"

"팀장님은 네 안에 도사리고 있는 걸 두려워했어. 그것이……"

아저씨는 한동안 앞만 바라보았다.

"너 자신을 죽일 수도 있고, 다른 누군가를 죽일 수도 있고, 나아가 너를 괴물로 만들 수도 있으니까."

"제 안에 있는 걸 누가 만들었는데요. 그 과정을 고스란히 밟은 사람이 누군데요. 아버지예요. 자신을 죽이고, 누군가를 죽이고, 스스로 괴물이 된 사람은 바로 아버지라고요."

"그래서였어."

나는 입을 다물었다. 서늘한 기운이 가슴을 쓸고 갔다. 아저씨가 말했다.

"그래서…… 넌 아니기를 바란 거야."

에필로그

"유언은 없었습니다. 종교의식도 거절했고요."

교도관이 말했다. 나는 테이블에 놓인 아버지의 유품상자를 열었다. 낡은 책 한 권, 그 위에 내 사진 여섯 장이 놓여 있었다. 그것이 전부였다.

"한마디도 안 했습니까?"

아저씨가 물었다.

"집행 직전에 뭐라 했는데 목소리가 낮아 알아듣지 못했어요. 다시 말해달라고 하자 입을 다물어버렸습니다. 곁에서 두건을 씌워준 직원이 듣기로는……"

교도관은 시선을 관으로 내렸다.

"고맙소, 라고 한 것 같답니다."

나는 관 뚜껑에 흰 분필로 적힌 숫자를 하나하나 읽었다. 수인번호 같았다.

"고인을 보시겠습니까?"

교도관이 물었다. 나는 잠자코 있었다. 대면이 두려웠다. 아니, 확인이 두려웠을 것이다.

"수의로 갈아입힐 수 있겠습니까?"

아저씨가 물었다. 자원봉사 장의사가 대기 중이었던 것 같았다. 교도관이 어딘가로 전화를 하자 이내 검은 양복을 입은 남자 둘이 들어왔다. 아저씨는 수의를 장의사에게 넘겼다. 관을 묶은 매듭 일곱 개가 풀리고 뚜껑이 열렸다. 두건을 씌운 얼굴이 나타났다. 나는 푹 고꾸라지는 느낌을 받았다. 가슴에 단 붉은 수인번호가 명치를 들이받은 것이다.

아저씨에게 들은 대로, 아버지의 몸은 왜소하고 앙상했다. 그런데도 관은 아버지가 눕기엔 너무나 좁았다. 관에 누운 것이 아니라 송판을 몸에 대고 관 모양으로 박아 넣은 형상이었다. 아버지의 마티즈가 떠올랐다. 불편한 자세로 운전석에 몸을 구겨 넣던 모습도, 머리가 지붕을 뚫고 나올까 봐 조마조마한 마음으로 지켜보던 내 모습도.

최현수라는 저 거한의 세상은 어째 이리도 좁은 것일까. 영혼은 수수밭 우물에, 삶은 철창에, 주검은 마티즈 운전석만큼 옹색한 관에 갇혀 있었다.

스스로 부른 운명이라고 한다면 할 말은 없겠다. 마땅히 치러야 할 대가라고 해도 마찬가지다. 너는 아비 목에 수없이 밧줄을 건 놈이라고 한다면, 할 말이 있다. 그러므로 내가 풀어야 한다고. 살인범이 아닌 '최현수'라는 불행한 인간의 목에서, 우물에 갇힌 채 죽어간 덩치 큰 남자의 삶에서, 내게 승부구를 요구한 포수의 손에서, 내 아버지의 가슴에서.

손을 뻗어 아버지의 수인번호를 만졌다. 죽음의 질감이 손끝에 감겨왔다. 살이 차고, 심장이 뛰지 않고, 호흡이 멈춰 있었다. 표정은 편안해 보였다. 손을 떼자 장의사가 옷을 갈아입혔다. 소렴이 끝나자 관 뚜껑이 닫혔다. 나는 뚜껑에 쓰인 수인번호를 지웠다. 그 자리에 교도관에게 빌린

네임 펜으로 묘비명을 썼다.

I believe in the church of baseball.

아버지는 아저씨의 봉고에 탔다. 우리는 후문을 통해 교도소를 빠져나
왔다. 그러나 통과해야 할 문이 하나 더 남아 있었다. 세상의 문이었다.
소식을 듣고 몰려든 취재진이 길을 완전히 가로막고 있었다. 십수 년 만
에 집행된 사형이었다. 사형수가 최현수였다. 운구가 실린 차량이 코앞
에 있었다. 전날 납치사건으로 세간의 화제가 된 최현수의 아들이 차안
에 있었다. 그들이 비킬 리 없었다. 우리가 멈춰야 했다.

아저씨는 핸들에 팔꿈치를 얹고 밖을 응시했다. 심란한 표정이었다.
예약한 화장시각까지는 1시간 남짓이 남아 있었다. 서두르지 않으면 노
상에서 밤을 지내야 할지도 몰랐다. 사형수의 시신까지 받아줄 숙박업소
는 세상 어디에도 없을 테니까.

"내가 나갈게요."

차에서 내리는 순간, 바람이 모자를 벗겨 멀리 날려 보냈다. 잿빛 대기
속에서는 카메라 플래시가 번쩍거리기 시작했다. 나는 고개를 숙이지 않
았다. 7년 전 그때가 밤이 시작되던 시간이라면, 지금은 밤을 끝내야 하
는 시간이었다. 나는 아버지의 영정을 반듯하게 잡고 취재단 복판으로
걸어 들어갔다. 이 빛의 바다를 건너야만 할 것이다. 그래야 세상이 나와
아버지를 놓아줄 것이므로.

나는 한 발짝씩 전진했다. 사람들은 내 어깨 옆으로 밀려들었다. 앞은
트이지 않고 고함만 빗발쳤다. 수천 개의 보이지 않는 손이 양쪽 빰을 후
려치는 기분이었다. 플래시의 섬광은 창끝처럼 눈을 찔렀다. 귀가 먹먹

했다. 얼굴이 얼얼했다. 어깨가 뒤흔들리고, 등허리가 휘청거리고, 무릎이 툭 툭, 꺾였다. 사람들은 나를 따라 유기체처럼 움직이고 있었다. 절망이 몰려왔다. 세상의 문은 끝나지 않는 길처럼 보였다. 나는 걸음을 멈추고 말았다. 숨도 멈추었다. 눈을 감고 흔들리는 몸을 다잡았다. 끝나. 걸어가면, 한 발짝씩 디디면……

고함소리가 딱 그쳤다. 찰칵거리는 카메라 셔터음도, 윙 하고 울던 바람소리도 사라졌다. 눈을 떴다. 주변이 한밤처럼 컴컴했다. 검푸른 하늘에는 별들이 돋아 있었다. 어디에선가 산울림 같은 목소리가 들려왔다.

"무궁화 꽃이 피었습니다."

빛의 초침은 없었다. 그 아이의 움직임도 느껴지지 않았다. 내 목덜미를 만지는 차가운 손도 없었다. 목소리만 들려왔다. 방향을 알리는 신호음처럼, 정면에서 또렷하게. 나는 이것이 게임이 아님을 알아차렸다. 소리를 따라 걸어오라는 메시지였다.

"무궁화 꽃이 피었습니다."

한 걸음, 앞을 향해 발을 디뎠다.

"무궁화 꽃이 피었습니다."

다시 한 발짝.

나아갈수록 소리는 멀어졌다. 어둠은 차차 옅어졌다. 마침내 환해졌다. 그 아이의 목소리는 더 들려오지 않았다. 어쩌면 상상이었을지도 모르겠다. 나는 허공을 디디며 하늘 저편으로 멀어지는 그 아이의 흰 종아리를 보았다. 그 아이가 남긴 희미한 발자국 위로 잿빛 오후가 밀려왔다. 세상의 초침이 다시 돌기 시작했다. 째깍, 째깍, 째깍……

아저씨의 봉고가 내 곁에 와서 섰다. 나는 뒤를 돌아보았다. 길고 길었던 밤이 빛의 바다로 침몰하고 있었다.

5시, 아버지는 불길 속으로 들어갔다. 화구가 닫혔다. 나는 꼼짝하지 않고 문 앞에 서 있었다. 아버지를 이해해보려 안간힘을 썼다. 아버지의 삶을, 아버지의 죽음을, 아버지의 마지막 말을. 무엇이 고마웠을까. 누구에게 고마웠을까. 교도관에게? 죽음이 선물한 삶으로부터의 자유가? 내게 마지막 사인을 보낼 수 있게 된 것이? 아니면 목에 밧줄이 걸리기 직전, 아버지는 당신이 남긴 책의 제목처럼 "그 모든 것에도 불구하고 삶에 대해 '예스'라고 대답"한 것일까.

이해할 수 없었다. 내가 무엇을 이해할 수 있겠는가. 어떻게 이해할 수 있겠는가. 이해하고 있는 것은 그 남자가 내 아버지라는 사실뿐이었다.

아버지가 화구에서 나오는 데는 1시간이 걸렸다. 나는 직원으로부터 유골상자를 건네받았다. 가벼웠고, 뜨거웠고, 불 냄새가 났다. 밖에는 함박눈이 내리고 있었다.

자정 무렵, 우리는 등대마을에 도착했다. 청년회장의 배가 등대 아래 절벽에서 기다리고 있었다. 바다는 어두웠다. 파도는 숨죽이고 있었다. 청년회장은 등대불빛과 함박눈과 어둠 사이를 들락거리며 배를 몰았다. 나는 갑판에 엉덩이를 붙인 채 잠수복으로 갈아입었다. 물끄러미 지켜보던 아저씨가 말했다.

"절벽까지라도 같이 가면 안 되겠냐."

거울이라도 보라고 대꾸하고 싶었다. 산송장 같은 형상이었다. 나는 한날에 두 남자를 바다로 보내고 싶지 않았다.

"20분쯤 후면 썰물이 시작될 거다."

아저씨가 말했다. 나는 고개를 끄덕였다.

"그 안에 올라와야 해."

다시 고개를 끄덕였다. 돌섬 서쪽 포인트에서 배가 멈췄다. 나는 BC 포켓을 밀착시켰다. 라이트를 켜고 조도를 최대치로 조정했다. 아버지의 유골상자를 철어렁이에 담고 옆구리에 찼다. 호흡기를 물며 시계를 봤다. 11시 55분. 스탠딩자세로 입수했다.

물은 차가웠으나 조류는 내처럼 순하고 들바람처럼 감미로웠다. 나는 부력을 맞추면서 하강흐름에 몸을 내맡겼다. 절벽난간을 지나쳐 가파른 해면을 활강해 내려갔다. 붉은빛을 뿜어내는 야행성 물고기, 해송 숲, 해초 사이에서 어른대는 미역치, 바위에서 잠든 넙치를 지나 깊이, 더 깊이.

0시. 심연에 닿았다. 시야는 어두웠고 사물은 무채색을 띠었다. 잿빛 고기 떼는 먹구름처럼 머리 위를 가렸다. 나는 철어렁이에서 유골상자를 꺼냈다. 종아리에 찬 나이프로 상자를 봉한 고무줄을 끊고 뚜껑을 열었다. 하얀 포말이 고기 떼 사이로 뭉클, 피어올랐다가 조류를 타고 흩어져 갔다. 마치 눈보라가 날리는 듯한 형상이었다.

44년 전 오늘, 남자가 태어나던 날에도 눈이 내렸다고 했다. 13년 전 오늘도 눈이 내렸던 걸로 기억한다. 남자의 어깨와 세상이 모두 부서진 그해 겨울, 세 번째 어깨수술을 받으려고 병원에 입원해 있었던 서른한 번째 생일에, 환자복 위에 파카를 걸치고 간호사 몰래 병원을 빠져나온 오후에, 남자는 여섯 살 난 아들과 놀이공원에 갔다. 동물원은 문을 닫았고, 사파리 기차는 플랫폼에 정차해 있었고, 어쩔 줄 몰라 하던 남자는 아들에게 얼음이 든 자판기 콜라를 뽑아주었고, 그때 하늘은 사막처럼 노랬고, 납빛 구름 아래로 눈바람이 불었고, 가로수들은 비올라처럼 울었고, 아들은 노천 게임기에서 뽑은 웃는 해골을 남자에게 내밀었다. 남자는 해골을 받아 쥐고 휘익, 휘파람을 불었다. 황량한 광장에는 남자가 부는 보귀대령의 행진곡이 울려 퍼졌다. 아들은 팔을 크게 흔들며 남자를 따라 행진을 시작했다. 빠밤, 빠바바 빱빱빱. 빠밤……

　그날처럼, 웃는 해골을 내밀던 여섯 살 오후처럼, 나는 아버지에게 축
하 인사를 보냈다.
　"해피 버스데이."

작가의 말

사실과 진실 사이에는 무엇이 있을까

운명은 때로 우리에게 감미로운 산들바람을 보내고 때론 따뜻한 태양
빛을 선사하며, 때로는 삶의 계곡에 '불행'이라는 질풍을 불어넣고 일상
을 뒤흔든다. 우리는 최선의―적어도 그렇다고 판단한―선택으로 질풍
을 피하거나 질풍에 맞서려 한다. '그러나' 눈앞에 보이는 최선을 두고
최악의 패를 잡는 이해 못 할 상황도 빈번하게 벌어진다(일간지 사회면을
점령하고 있는 크고 작은 사건들이 그 증거일 것이다).

사실과 진실 사이에는 바로 이 '그러나'가 있다고, 나는 생각한다. 이
야기되지 않은, 혹은 이야기할 수 없는 '어떤 세계'. 불편하고 혼란스럽
지만 우리가 한사코 들여다봐야 하는 세계이기도 하다. 왜 그래야 하냐
고 묻는다면, 우리는 모두 '그러나'를 피해 갈 수 없는 존재기 때문이라
고 대답하겠다.

이 소설은 '그러나'에 관한 이야기다. 한순간의 실수로 인해 파멸의 질
주를 멈출 수 없었던 한 사내의 이야기이자, 누구에게나 있는 자기만의

지옥에 관한 이야기며, 물러설 곳 없는 벼랑 끝에서 자신의 생을 걸어 지켜낸 '무엇'에 관한 이야기기도 하다.

소설을 끝내던 날, 나는 책상에 엎드린 채 간절하게 바랐다. '그러나' 우리들이, 빅터 프랭클의 저 유명한 말처럼, 그 모든 것에도 불구하고 삶에 대해 '예스'라고 대답할 수 있기를…….*

소설은 혼자 힘으로 쓸 수 없다는 걸, 매번 느낀다. 지면을 빌려 이 이야기를 쓰는 데 도움을 주신 분들께 인사를 드리고 싶다.

깊이 있는 전문지식과 생생한 현장경험을 알려주고 원고의 감수까지 맡아주신, 박주환 검찰 수사관, 김명곤 119구조대 잠수교관, 정운기 토목시공기술사님께 감사드린다. 혹여 누가 될까, 실명을 밝히지 못하는 J댐 운영관리팀 직원들께도 감사드린다. 내 가족, 변함없이 원군이 돼준 후배 지영, 늘 그래 왔듯 난잡한 초고를 분석해 가차없고 냉정한 진단을 내려준 안승환 작가에게 애정과 고마움을 전한다. 여물지 못한 후학의 손을 잡아주신 조용호 선배님, 박범신 선생님께 고개 숙여 감사드린다. 한 발짝씩, 그러나 쉬지 않고 정진하겠다고 약속드린다.

소설의 무대인 세령호와 등대마을은 실재하지 않는다. 순전한 상상의 공간이며 비슷한 곳이 있다면, 아마도 우연의 일치일 것이다.

지난 2년, 나는 이 음침하고 스산한 두 동네의 이장 노릇을 하며 지냈

---

* "그 모든 것에도 불구하고 삶에 대해 '예스'라고 대답하는 것", 빅터 E. 프랭클의 《죽음의 수용소에서》(이시형 옮김, 청아출판사, 2005)에 나오는 구절. 빅터 E. 프랭클의 독일어 저서 제목이기도 하다.

522

다. 세상의 모든 이장들이 그렇듯, 나도 이 동네들을 대책 없이 사랑했던 모양이다. 임기를 마치고도 선뜻 떠나지 못했던 걸 보면. 밤마다 쓸쓸한 심정이 되어 동네 언저리를 서성거리기 일쑤였다. 책 속에 동네지도가 첨부된다는 편집부의 언질에, 내놓고 희희낙락거리기도 했다. 세령호가 존재의 위엄을 갖추고 세상에 모습을 드러내는 것 같아, 한때 이장이었던 자로서 마구 좋아하지 않을 도리가 없었다. 가뜩이나 두꺼운 책에 지도까지 만들어 붙이느라 애썼을 편집부에 때늦은 감사 인사를 드린다.

모두에게 축복을…….

정유정

7년의 밤

1판 1쇄 발행 2011년 3월 23일
1판 22쇄 발행 2011년 8월 16일

지은이 · 정유정
펴낸이 · 주연선

책임편집 · 오가진
감수 · 박주환 김명곤 정운기
편집 · 이진희 정종화 김준하 박은경 김류미
디자인 · 정혜욱 홍세연
마케팅 · 장병수 윤우성
관리 · 김두만 구진아

도서출판 은행나무
121-839 서울특별시 마포구 서교동 384-12
전화 · 02)3143-0651~3 ㅣ 팩스 · 02)3143-0654
등록번호 · 제 10-1522호(1997. 12. 12)
www.ehbook.co.kr
ehbook@ehbook.co.kr

잘못된 책은 바꿔드립니다.

ISBN 978-89-5660-499-2 03810